DE ZWARTE

ORDE

JAMES ROLLINS

DE ZWARTE ORDE

UITGEVERIJ LUITINGH

© 2006 James Rollins
Published in agreement with the author, c/o BAROR INTERNATIONAL, INC.,
Armonk, New York, U.S.A.
All rights reserved
© 2007 Nederlandse vertaling
Uitgeverij Luitingh ~ Sijthoff B.V., Amsterdam
Alle rechten voorbehouden
Oorspronkelijke titel: *Black Order*
Vertaling: Ellis Post Uiterweer
Omslagontwerp: Wouter van der Struys
Omslagfotografie: Corbis

ISBN 978 90 245 5740 0
NUR 332

www.boekenwereld.com

Voor David,
vanwege alle avonturen

IETS OVER DE HISTORISCHE ACHTERGRONDEN

In de laatste maanden van de Tweede Wereldoorlog barstte er een nieuwe strijd tussen de geallieerden los: de strijd om de technologie die nazi-wetenschappers hadden ontwikkeld. Het was een wedloop tussen de Engelsen, Amerikanen, Fransen en Russen, en het was ieder voor zich. Er werden ontwerpen gestolen voor nieuwe vacuümbuizen, exotische chemicaliën en zelfs voor het pasteuriseren van melk door middel van ultraviolette straling. Maar de meest gevoelige ontwerpen verdwenen in een put van duistere projecten, zoals *Operation Paper Clip*, waarbij honderden wetenschappers werden geronseld die bij de ontwikkeling van de V-2 waren betrokken, en die in het diepste geheim naar de Verenigde Staten werden overgebracht.

Maar de Duitsers gaven hun technologie niet zo gemakkelijk prijs. Ze deden hun best hun geheimen te begraven, in de hoop op een wederopstanding van het Derde Rijk. Er werden geleerden vermoord, onderzoekslaboratoria verwoest, en ontwerpen werden in grotten verborgen, op de bodem van meren verzonken of in crypten begraven. Allemaal om ze uit handen van de geallieerden te houden.

Het was een ontmoedigende speurtocht. Er bestonden honderden onderzoekslaboratoria, waarvan veel ondergronds, verspreid over Duitsland, Oostenrijk, Tsjecho-Slowakije en Polen. Een van de geheimzinnigste was een verbouwde mijn bij het stadje Breslau. De codenaam voor het onderzoek dat hier werd verricht, was: *die Glocke*, oftewel: de Klok. De bewoners van de omliggende streek vertelden verhalen over een vreemd licht en geheimzinnige ziekte- en sterfgevallen.

Het Russische leger stuitte als eerste op deze mijn. De mijn was verlaten. De tweeënzestig wetenschappers die bij het project waren betrokken, waren allemaal doodgeschoten. Het apparaat zelf was verdwenen. Niemand weet waar het is gebleven.

Het enige wat we zeker weten, is dat de Glocke echt heeft bestaan.

IETS OVER DE WETENSCHAPPELIJKE ACHTERGRONDEN

Het leven is vreemder dan fictie. Alles wat in dit boek uiteengezet wordt over kwantummechanica, *intelligent design* en de evolutie berust op feiten.

De evolutie is de ruggengraat van de biologie, en de
biologie bevindt zich dus in de vreemde positie van een
wetenschap te zijn die is gebaseerd op een verbeterde
theorie – is de evolutie dan een wetenschap of een geloof?
CHARLES DARWIN

Wetenschap zonder religie is kreupel, religie zonder
wetenschap is blind.
ALBERT EINSTEIN

Wie zegt dat ik niet onder de bijzondere bescherming van
God sta?
ADOLF HITLER

1945

Het lijk dreef in de derrie die door het donkere riool stroomde. Het was het lijk van een jongen, opgezwollen en aangevreten door ratten. Zijn laarzen, broek en hemd waren hem uitgetrokken. In de belegerde stad ging niets verloren.

ss-Obergruppenführer Jakob Sporrenberg liep langs het lijk. De smurrie, bestaande uit uitwerpselen en bloed, raakte ervan in beroering. Hij had een natte sjaal voor zijn mond, maar dat hield de stank niet buiten. Dit was de uitwerking van de oorlog: de machtigen kropen door riolen in een poging om te ontsnappen. Maar zo luidden zijn bevelen nu eenmaal.

Boven hem klonk de Russische artillerie waarmee de stad werd bestookt. Elke explosie deed pijn in zijn buik. De Russen hadden de fortificaties verwoest en het vliegveld aan puin gebombardeerd. Op dit moment reden de tanks door de straten, en landden er transportvliegtuigen in de Kaiserstrasse. De grote doorgangsroute was veranderd in een landingsbaan, met rijen olievaten waar olie in brandde. De rook daarvan vermengde zich met de rook die al in de lucht hing, waardoor de ochtendschemering geen kans kreeg. In elke straat woedden gevechten, evenals in de huizen, van de kelders tot de zolders.

Elk huis was in een fort veranderd.

Dat was Gauleiter Hankes laatste bevel aan de bevolking geweest: de stad moest zo lang mogelijk standhouden. De toekomst van het Derde Rijk hing ervan af.

En van Jakob Sporrenberg.

'*Mach schnell,*' spoorde hij de anderen aan.

Zijn onderdeel van de Sicherheitsdienst – het Kommando dat belangrijke spullen hier weg moest halen – kwam achter hem aan, veertien mannen tot aan hun knieën in de drek.

Ze waren allemaal gewapend en in het zwart gekleed, en allemaal waren ze zwaar bepakt. In het midden liepen de vier grootste mannen, voormalige dokwerkers. Aan stokken over hun schouders droegen ze enorme kisten met zich mee.

Er was een reden waarom de Russen de aanval hadden ingezet op deze stad diep in het Sudetengebergte, tussen Duitsland en Polen. Via de versterkte stad Breslau konden ze de hooglanden bereiken. De afgelopen twee jaar hadden dwangarbeiders uit het concentratiekamp Gross-Rosen tunnels in een berg gemaakt. Honderd kilometer tunnels, allemaal uitgehakt en met explosieven tot stand gebracht, en allemaal voor één bepaald doel bestemd, verborgen voor geallieerde ogen.

Die Riese... De Reus.

Toch was het bekend geworden. Misschien had een van de dorpelingen buiten de Wenceslasmijn iets gefluisterd over de ziekte, de plotselinge aandoening waar zelfs mensen van buiten het complex aan ten prooi vielen.

Hadden ze maar meer tijd voor het onderzoek gehad...

Gedeeltelijk schrok Jakob Sporrenberg er nog voor terug. Hij wist niet alles van het geheime project, alleen de codenaam: Chronos. Maar hij wist toch genoeg. Hij had de lijken gezien die voor het experiment werden gebruikt. Hij had het gegil gehoord.

Een gruwel.

Dat was het woord dat in hem was opgekomen en dat het bloed in zijn aderen deed stollen.

Met het executeren van de wetenschappers had hij geen moeite gehad. De tweeënzestig mannen en vrouwen waren naar buiten gebracht en twee keer door het hoofd geschoten. Niemand mocht weten wat er in de diepten van de Wenceslasmijn gebeurde... Of wat daar was aangetroffen. Slechts één onderzoeker mocht in leven blijven.

Doktor Tola Hirszfeld.

Jakob hoorde haar plonzend achter zich aan lopen. Haar polsen zaten op haar rug gebonden en ze werd meegesleurd door een van zijn mannen. Ze was achter in de twintig en lang voor een vrouw. Ze had kleine borsten, maar een forse taille en goedgevormde benen. Ze had golvend zwart haar en ze zag bleek na al die maanden onder de grond. Eigenlijk had ze samen met de anderen gedood moeten worden, maar haar vader, Oberarbeitsleiter Hugo Hirszfeld, degene die de leiding over het project had, had uiteindelijk aangetoond dat zijn bloed besmet was, dat hij half Joods was. Hij had geprobeerd zijn onderzoekdossiers te vernietigen, maar voordat hij zijn ondergrondse kantoor met een brandbom in de as had kunnen leggen, had een van de bewakers hem overhoopgeschoten. Zijn dochter bofte dat iemand die alles van *die Glocke* wist, in leven moest blijven om het onderzoek voort te zetten. Net als haar vader was ze geniaal, en ze was beter op de hoogte van zijn onderzoek dan de andere wetenschappers

Toch zou het moeite kosten haar te overreden.

Elke keer dat Jakob haar kant op keek, schoten haar ogen vuur. Hij voelde haar haat als de hitte van een oven. Toch zou ze meewerken... Net als haar vader dat had gedaan. Jakob wist hoe hij met *Juden* moest omgaan, vooral die van gemengd bloed. *Mischlinge.* Dat waren de ergste. Halve Joden. Er deden zo'n honderdduizend Mischlinge dienst in het leger van het Reich. Joodse soldaten. Een vreemde kronkel in de naziwetten stond het hun toe hun land te dienen, zodat hun leven gespaard bleef. Er was wel dispensatie voor nodig. Meestal waren Mischlinge uitstekende soldaten, omdat ze moesten aantonen dat hun trouw eerder bij het Reich lag dan bij hun ras.

Toch had Jakob hen nooit vertrouwd. Tola's vader had bewezen dat zijn wantrouwen niet ongegrond was. Het had Jakob niet verbaasd dat de doctor een poging tot sabotage had gedaan. Juden kon je nu eenmaal niet vertrouwen, je kon ze alleen maar uitroeien.

Maar het vrijgeleide voor Hugo Hirszfeld was door de Führer zelf getekend. Vader en dochter zouden gespaard blijven, evenals zijn bejaarde ouders die ergens in Midden-Duitsland woonden. Jakob vertrouwde Mischlinge dan wel niet, maar hij vertrouwde de Führer ten volste. Zijn opdracht was duidelijk geweest: haal de noodzakelijke hulpmiddelen uit de mijn zodat het werk kan worden voortgezet, en verwoest de rest.

Dat hield in dat hij de dochter moest sparen.

En het kind.

Het pasgeboren jongetje was gewikkeld in doeken. Het was een Joods kind van niet ouder dan een maand. Het kind had een slaapmiddeltje toegediend gekregen om ervoor te zorgen dat het tijdens de vlucht stil bleef.

In het kind brandde de kern van de gruwel, de ware oorzaak van Jakobs afkeer. De hoop van het Derde Rijk lag in deze kleine handjes – de handjes van een Jóóds kind. Een misselijkmakende gedachte. Het kind kon beter aan een bajonet worden gespietst. Maar hij had een opdracht gekregen.

Hij zag dat Tola met een zowel vurige als bedroefde blik naar het kind keek. Tola had niet alleen haar vader bij zijn onderzoek geholpen, ze was ook opgetreden als pleegmoeder van de jongen. Ze had hem in slaap gewiegd en hem gevoed. Het kind was de enige reden waarom de vrouw meewerkte. Pas nadat was gedreigd het kind te doden, had ze Jakobs eisen ingewilligd.

Boven hen ontplofte een mortiergranaat. Iedereen viel op zijn knieën terwijl het geluid door de tunnel weergalmde. In het beton verschenen scheuren, en stof dwarrelde in het smerige water.

Zacht vloekend stond Jakob op.

Zijn onderbevelhebber, Oskar Henricks, kwam naast hem staan en wees naar waar het riool zich vertakte.

'We nemen die tunnel, Obergruppenführer, een hemelwaterafvoer. Volgens de plattegrond komt die uit op de rivier, niet ver van het Dom-eiland.'

Jakob knikte. Vlak bij dat eiland zouden een paar gecamoufleerde kanonneerboten moeten liggen, bemand door een ander Kommando. Dat was nu niet ver meer.

Hij versnelde zijn pas toen het Russische bombardement heftiger werd. Deze hernieuwde aanval luidde duidelijk de val van de stad in. Overgave was onvermijdelijk.

Toen Jakob de aftakking had bereikt, klom hij uit de drek en op het beton van de andere tunnel. Zijn laarzen waren zompig. Het stonk hier verschrikkelijk naar uitwerpselen, alsof het riool zijn best deed hen te verjagen.

De rest van zijn eenheid kwam achter hem aan.

Jakob scheen met zijn zaklantaarn vooruit. Rook het al een beetje frisser? Met hernieuwde moed liep hij achter de lichtbundel aan. Nu de ontsnapping zo nabij was, zat zijn taak er bijna op. Zijn eenheid zou al halverwege Silezië zijn wanneer de Russen de ondergrondse doolhof van de Wenceslasmijn bereikten. Als welkom had Jakob in alle laboratorium-gangen boobytraps laten plaatsen. De Russen en hun bondgenoten zouden in de hooglanden slechts dood en verderf vinden.

Met die bevredigende gedachte vluchtte Jakob naar de frisse lucht. De betonnen tunnel liep langzaam naar beneden. De eenheid ging sneller lopen, want ineens klonk er geen artillerievuur meer. De Russen kwamen eraan.

Het werd kantje boord. De rivier zou niet lang meer openblijven.

Alsof het kind begreep in welk gevaar ze verkeerden, slaakte het jammerende, ijle geluidjes. Het slaapmiddel raakte uitgewerkt. Jakob had de arts van de eenheid gezegd dat het geen zwaar slaapmiddel mocht zijn; het leven van het kind mocht geen gevaar lopen. Misschien was dat een vergissing geweest...

Het kind begon harder te huilen.

Ergens meer naar het noorden ontplofte een mortiergranaat.

Het huilen zwol aan. Het geluid echode door de tunnel.

'Zorg dat dat kind stil is!' beval Jakob de soldaat die de baby vasthield.

De broodmagere man wipte met een asgrauw gezicht een beetje met het bundeltje tegen zijn schouder, waarbij hij zijn zwarte pet verloor. Hij probeerde het jongetje los te wikkelen, maar daarvan ging het kind alleen nog harder krijsen.

'L-laat mij maar,' zei Tola smekend. Ze probeerde haar elleboog los te rukken. 'Hij heeft mij nodig.'

Degene die het kind droeg keek even naar Jakob. Boven was het stil geworden. In de tunnel bleef het kind maar krijsen.

Jakob vertrok zijn gezicht en knikte.

De touwen rond Tola's polsen werden doorgesneden. Ze wreef haar vingers om de bloedcirculatie op gang te krijgen, en stak vervolgens haar handen naar het kind uit. De soldaat was blij zijn last aan haar te kunnen overdragen. Ze steunde het hoofdje van het kind in het holletje van haar elleboog en wiegde hem zachtjes terwijl ze zich over hem heen boog. Ze maakte troostende geluidjes.

Het krijsen veranderde in zacht gejammer.

Tevreden knikte Jakob naar de man die haar onder zijn hoede had. De man hief zijn Luger en drukte die in Tola's rug. In stilte liepen ze verder door de ondergrondse doolhof van Breslau.

Even later werd de stank van het riool overstemd door een brandlucht. Het licht van Jakobs zaklantaarn viel op de in een waas van rook gehulde uitgang van de tunnel. De artillerie bleef zwijgen, maar er klonk wel onophoudelijk geweervuur, voornamelijk in het oosten. Dichterbij hoorden ze water klotsen.

Jakob gebaarde zijn mannen in de tunnel te blijven, en stuurde de radiotelegrafist naar de uitgang. 'Geef de boten een teken.'

De soldaat knikte en rende naar voren. Hij verdween in de rokerige duisternis. Even later flitste licht op terwijl hij een gecodeerd bericht naar het eiland stuurde. Het zou maar heel even duren of de boten waren het water overgestoken.

Jakob draaide zich om naar Tola. Ze had het kind nog in haar armen. Het jongetje was stil en had zijn oogjes gesloten.

Zonder met haar ogen te knipperen ontmoette Tola Jakobs blik. 'U weet dat mijn vader gelijk had,' zei ze met grote stelligheid. Even dwaalde haar blik af naar de verzegelde kisten, toen richtte ze die weer op hem. 'Ik zie het aan uw gezicht. Wat wij hebben gedaan... Dat ging te ver.'

'Het is niet aan ons om tot zulke conclusies te komen,' reageerde Jakob.

'Wie moet het dan doen?'

Jakob wendde zich hoofdschuddend af. Hij had de opdracht van Heinrich Himmler in hoogsteigen persoon gekregen. Het was niet aan hem om vragen te stellen. Hij voelde de vrouw nog naar zich kijken, en hij hoorde haar fluisteren: 'Het is tegen God en tegen de natuur.'

Er werd geroepen, en daardoor hoefde hij niet op haar opmerking te reageren. 'De boten komen eraan!' kondigde de radiotelegrafist aan, terwijl hij terugliep door de tunnel.

Jakob blafte een bevel en liet zijn mannen positie innemen. Hij ging hen voor naar het einde van de tunnel, die uitmondde op de steile oever van de Oder. Het werd al licht, in het oosten was de lucht rossig gekleurd, maar boven het water hing zwarte rook. Die bood bescherming.

Maar voor hoe lang?

Het geweervuur hield aan, alsof er met vuurwerk werd gevierd dat de stad Breslau werd verwoest.

Eenmaal uit de stank van het riool gekomen rukte Jakob de natte sjaal voor zijn gezicht weg en haalde diep adem. Zoekend tuurde hij over het grauwe water uit. Lage boten van zo'n zeven meter lang scheerden met dreunende motoren over de rivier. Op de boegen waren onder groen zeildoek MG-42 mitrailleurs gemonteerd.

Achter de boten was nog net het eiland vagelijk zichtbaar. Ostrów Tumski, het Domeiland, was geen echt eiland meer; in de negentiende eeuw was er zoveel slib in de rivier blijven liggen dat er een verbinding met de overkant was ontstaan. Een eveneens negentiende-eeuwse brug van smaragdgroen geschilderd gietijzer verbond het eiland met deze oever. Onder de brug gleden de twee kanonneerboten langs de stenen pijlers terwijl ze de oever naderden.

Jakobs blik werd omhooggetrokken net op het moment dat een straal zonlicht op de twee hoog oprijzende torens van de dom viel, de dom waaraan het eiland zijn naam te danken had. Op het eiland stonden wel zes kerken.

In zijn hoofd hoorde Jakob nog wat Tola had gezegd: het is tegen God en tegen de natuur.

De kilte van de vroege ochtend drong door zijn doorweekte kleding heen, en hij huiverde. Hij zou blij zijn als hij hier weg was, wanneer hij de gebeurtenissen van de afgelopen dagen kon vergeten.

De eerste boot had de oever bereikt. Blij met deze afleiding, en misschien nog meer opgelucht dat ze hier eindelijk weg konden, liet hij zijn mannen snel de twee boten inladen.

Tola stond een beetje opzij met de baby in haar armen, bewaakt door een enkele soldaat. Ook zij had de opgloeiende torens in de lucht vol rook gezien. Het geweervuur kwam dichterbij, en in de verte waren langzaam oprukkende tanks te horen. Er werd gegild en geschreeuwd.

Waar was die God die ze vreesde?

Niet hier.

Zodra de boten beladen waren, liep Jakob naar Tola. 'Instappen.' Hij had streng willen klinken, maar iets in haar gezicht maakte dat zijn stem vriendelijk klonk.

Ze gehoorzaamde met haar blik op de torens van de dom gericht, en met haar gedachten in nog hoger sferen.

Op dat moment zag Jakob hoe mooi ze had kunnen zijn – als ze geen Mischling was geweest. Maar toen stootte ze met haar voet tegen iets aan. Ze struikelde, maar wist overeind te blijven, met de baby tegen zich aan gedrukt. Ze richtte haar blik op het grauwe water met de laaghangende rook erboven. Haar gezicht kreeg weer die harde uitdrukking. Zelfs haar ogen stonden hard terwijl ze naar iets zocht om op te gaan zitten.

Ze nam plaats op een bankje aan stuurboord, met haar bewaker naast zich.

Jakob ging tegenover hen zitten en gebaarde dat de boot kon vertrekken. 'We mogen niet te laat komen.' Hij tuurde over de rivier uit. Ze voeren in westelijke richting, weg van het oostfront, weg van de opkomende zon.

Hij keek op zijn horloge. Rond deze tijd zou er een Duits Junker Ju-52 transportvliegtuig op hen staan wachten, op een verlaten vliegveld tien kilometer verderop. Het was beschilderd met een rood kruis, gecamoufleerd als medisch transport: een beetje extra zekerheid tegen aanvallen.

De boten zwenkten de vaargeul op, en de motoren draaiden meer toeren. De Russen konden hen nu niet meer tegenhouden. Het was voorbij.

Ineens werd zijn aandacht getrokken door een beweging aan de andere kant van de boot.

Tola boog zich over de baby en drukte een kus op zijn zachte haartjes. Daarna hief ze haar gezicht op en keek Jakob recht aan. Hij zag geen opstandigheid of woede, alleen vastberadenheid.

Jakob wist wat ze van plan was. 'Nee...'

Het was te laat.

Tola boog zich over de reling achter zich en zette zich met haar voeten af. Met de baby tegen zich aan gedrukt viel ze achterover in het koude water.

Verrast draaide de bewaker zich om en vuurde blindelings in het water.

Jakob sprong op hem af en mepte zijn arm omhoog. 'Pas op! Je zou het kind kunnen raken!'

Jakob boog zich over de reling en keek zoekend in het water. Ook de anderen waren opgesprongen. De boot schommelde wild. In het loodgrijze water zag Jakob niets dan zijn eigen weerspiegeling. Hij gebaarde de schipper dat hij een rondje moest varen.

Niets.

Hij zocht naar luchtbelletjes, maar in het kolkende water van hun kielzog was zoiets niet te zien. Woedend beukte hij met zijn vuist op de reling.

Zo vader, zo dochter...

Alleen Mischlinge zouden zo drastisch handelen. Hij had dat al eerder meegemaakt: *Jüdische* moeders die hun kinderen smoorden om hen erger leed te besparen. Hij had gedacht dat Tola een sterker karakter zou hebben. Maar misschien had ze geen andere keus gehad...

Ze maakten voor de zekerheid nog een paar rondjes. Zijn mannen speurden beide oevers af. Ze was weg. En toen er een mortiergranaat fluitend over hen heen vloog, besloten ze maar verder te gaan.

Jakob beval zijn mannen weer te gaan zitten. Hij wees naar het westen, waar het vliegtuig op hen wachtte. Ze hadden de kisten en de dossiers nog. Dit was een tegenslag, maar daar kwamen ze wel overheen. Er was een kind geweest; er kon nog een kind komen.

'We gaan,' zei hij.

De twee boten voeren op volle kracht verder.

Even later verdwenen ze in de rook van het brandende Breslau.

Tola hoorde de boten in de verte verdwijnen.

Ze watertrapte achter een van de dikke steunberen van de gietijzeren Tumskibrug. Ze hield haar ene hand over de mond van de baby, zodat het kind geen kik kon geven. Ze smoorde hem bijna, maar ze hoopte dat er tussen haar vingers door genoeg lucht kwam om te ademen. Het kind was echter zwak...

Net zoals zij.

De kogel had haar in haar hals geraakt. Het bloed stroomde eruit en kleurde het water rood. Ze begon wazig te zien, maar toch lukte het haar het kind boven water te houden, al kostte het moeite.

Even tevoren, toen ze zich in de rivier had gestort, was ze nog van plan geweest zichzelf en het kind te verdrinken. Maar de koude was als een klap gekomen, en haar hals deed erge pijn. Iets in haar knapte, en daardoor wankelde haar besluit. Ze herinnerde zich de torens die in het licht baadden. Die kerk hoorde niet bij haar godsdienst, die maakte geen deel uit van haar erfgoed. En toch herinnerde het haar eraan dat er na de duisternis licht kwam. Er was een tijd waarin mannen hun broeders niet afslachten, een tijd waarin moeders hun kinderen niet verzopen.

Ze had zich door de stroming laten meevoeren naar de brug. Onder water had ze het neusje van het kind dichtgeknepen en haar eigen adem in zijn mondje geblazen. Hoewel ze was voorbereid op de dood, was ze toch gaan vechten voor het leven. Die strijdlust brandde als een vuurtje in haar borstkas.

De jongen had niet eens een naam gekregen.

Niemand mocht naamloos sterven.

Ze beademde het kind terwijl ze onder water blindelings met de stroom mee zwom. Het was stom geluk geweest dat ze bij de pijler was gekomen, waar ze kon schuilen.

Maar nu de boten weg waren, kon ze niet langer wachten.

Ze bloedde hevig. Ze wist dat ze alleen door de koude in leven bleef. Maar diezelfde koude was dodelijk voor het zwakke kind.

Wanhopig en met ongecoördineerde slagen zwom ze in de richting van de oever. Ze voelde zich zwak en als verdoofd. Ze zonk, en met haar mee verdween het kind onder water.

Nee.

Ze worstelde zich naar boven, maar ineens leek het water stroperig, en dat bemoeilijkte het zwemmen.

Ze weigerde het op te geven.

Toen stootte ze met haar laars tegen een steen. Ze slaakte een kreet, even vergeten dat ze nog onder water was, en ze kokhalsde van het rivierwater dat ze binnenkreeg. Weer zonk ze weg, maar ze wist zich af te zetten tegen de modderige stenen. Ze kwam boven en zwom naar de kant.

De oever was steil.

Op handen en knieën kroop ze uit het water, met de baby tegen zich aan gedrukt. Eenmaal op de stenige oever gekomen, viel ze op haar gezicht. Ze had geen kracht meer om zich op te richten. Het kind baadde in haar bloed. Het kostte haar moeite zich op het kind te concentreren.

Het bewoog niet. Het ademde niet.

Ze sloot haar ogen en prevelde een gebed terwijl alles om haar heen zwart werd.

Huil dan, verdomme, huil...

Broeder Varick was de eerste die het hoorde: een zacht mauwen.

Hij schuilde met de andere broeders in de wijnkelder onder de kerk van de Heilige Petrus en Paulus. Ze waren de afgelopen nacht gevlucht toen de bombardementen waren begonnen. Op hun knieën hadden ze gebeden dat hun eiland gespaard mocht blijven. De kerk, die in de vijftiende eeuw was gebouwd, had de vele machtswisselingen in deze grensstreek overleefd. Hier zochten ze hemelse bescherming, om het nogmaals te kunnen overleven.

Terwijl ze in gebed waren verzonken, hoorden ze de klaaglijke kreetjes.

Broeder Varick stond op, iets wat hem met zijn stijve benen nogal veel moeite kostte.

'Waar ga je heen?' vroeg Franz.

'Ik hoor dat mijn kudde me roept,' antwoordde Varick. De afgelopen twintig jaar had hij etensrestjes uitgedeeld onder de zwerfkatten langs de rivier, of aan de straathond die af en toe in de buurt van de kerk aan de rivier zwierf.

'Dit is daar het moment niet voor,' waarschuwde een andere broeder angstig.

Broeder Varick was te oud om de dood te vrezen. Hij liep door de kelder en bukte voordat hij het gangetje naar de uitgang in liep. Vroeger werden er door deze gang kolen naar binnen gebracht, die werden opgeslagen waar nu groene flessen tussen het stof en het eikenhout lagen.

Hij bereikte de deur, tilde de dwarsbalk op en verschoof de grendel.

Met zijn schouder duwde hij de deur open.

De rook sloeg hem op de keel – en toen keek hij naar beneden, waar het mauwen vandaan kwam. '*Nasjwietsza Panienko...*' prevelde hij ontzet.

Een vrouw lag op de treden voor de deur in de met steunberen versterkte muur van de kerk aan de rivier. Ze bewoog niet. Snel liep hij naar haar toe, daarna knielde hij bij haar neer en prevelde een gebed.

Hij stak zijn hand naar haar hals uit om haar polsslag te voelen, maar vond alleen een grote wond. Ze zat onder het bloed, was doorweekt en voelde zo koud als steen.

Ze was dood.

Maar daar klonk weer een kreetje...

Hij keek nog eens goed en zag toen een baby, gedeeltelijk bedekt onder haar kleren. Ook het kind zat onder het bloed.

Hoewel het kind ook doorweekt was en blauw zag van de kou, leefde het nog. Broeder Varick pakte het op. De door het water zwaar geworden doeken vielen van het lichaampje af.

Het was een jongetje.

Haastig onderzocht hij het lichaampje, en merkte dat het bloed niet van het kind afkomstig was.

Het was het bloed van zijn moeder.

Met een bedroefde blik keek hij op de moeder neer. Er stierven zoveel mensen... Hij tuurde naar de overkant van de rivier. De stad stond in brand, de rook rees in de dageraad kolkend op. Nog steeds klonk overal geweervuur. Was ze over de rivier gezwommen om haar kind te redden?

'Rust in vrede,' fluisterde hij tegen de vrouw. 'Je hebt het verdiend.'

Daarna liep broeder Varick terug de gang in. Hij droogde het bloed en het water van het kind af. Het kind had zacht donshaar, maar het was sneeuwwit, terwijl het kind niet veel ouder dan een maand kon zijn.

Door Varicks goede zorgen begon het kind harder te huilen. Het vertrok zijn gezichtje, maar het bleef koud en zwak.

'Huil maar, kleintje.'

Bij het horen van die stem opende het kind de oogjes. Ze waren blauw, stralend, zuiver blauw. Maar ja, de meeste pasgeborenen hebben blauwe ogen. Toch wist Varick op de een of andere manier dat dit kind altijd hemelsblauwe ogen zou hebben.

Hij drukte het kind tegen zich aan om het te verwarmen. Ineens zag hij iets kleurigs. Wat is dat nou, dacht hij. Hij draaide het voetje. Op de hiel stond een symbool getekend.

Nee, het was niet getekend. Voor de zekerheid wreef hij erover.

Het was een rode tatoeage.

Hij keek er aandachtig naar. Het was een kraaienpoot.

Broeder Varick had een groot deel van zijn jeugd in Finland gewoond. Hij herkende het symbool: het was een runenteken. Hij wist niet wat de rune betekende en schudde zijn hoofd. Wie had het kind van zo'n merkteken voorzien? Wie deed zoiets doms?

Met een frons keek hij naar de moeder.

Het deed er ook niet toe. De zoon hoefde niet gebukt te gaan onder de zonden van de vader.

Hij veegde het laatste bloed van het hoofdje en stopte het kind lekker warm onder zijn pij.

'Arme jongen. Je hebt een zwaar welkom op de wereld gekregen.'

EERSTE
DEEL

1

HET DAK VAN
DE WERELD

'De Dood rijdt op de wind.'

Taski, de leider van de sherpa's, verkondigde dit oordeel met de plechtigheid en zekerheid van de vakman. De gedrongen man met de cowboyhoed was net iets meer dan een meter vijftig lang. Maar zijn houding maakte veel goed, die straalde gezag uit. Met zijn spleetogen keek hij aandachtig naar de rij wapperende gebedsvlaggen.

Doctor Lisa Cummings keek door het zoekvenster van haar Nikon D-100 en drukte af. Taski was hun gids, maar hij was ook degene die ze voor haar psychometrisch onderzoek bestudeerde. Een ideale proefpersoon.

Ze was met een beurs naar Nepal gekomen om de fysiologische effecten te bestuderen van het zonder extra zuurstof de Mount Everest beklimmen. Tot 1978 had nog niemand de Everest zonder zuurstofflessen beklommen omdat de lucht daar te ijl was. Zelfs ervaren bergbeklimmers die extra zuurstof bij zich hadden, kregen last van uitputtingsverschijnselen, slechte coördinatie, dubbelzien en hallucinaties. Het werd als onmogelijk beschouwd een top op een hoogte van achtduizend meter zonder extra zuurstof te bereiken.

Maar in 1978 deden twee Tiroolse bergbeklimmers het onmogelijke en bereikten de top met niets anders dan hun eigen naar zuurstof snakkende longen. De jaren daarna volgden ongeveer zestig mensen hun voorbeeld, en stelden daarmee een nieuw doel voor de bergbeklimmende elite.

Voor een stresstest in een atmosfeer met een lage druk was geen betere omgeving denkbaar.

Voordat Lisa Cummings hiernaartoe was gekomen, had ze vijf jaar lang onderzoek gedaan naar de fysiologische effecten van hoge druk op het menselijk lichaam. Daarvoor had ze diepzeeduikers bestudeerd terwijl ze aan boord was van het onderzoeksschip de *Deep Fathom*. Later was ze door omstandigheden gedwongen iets anders te gaan doen... Zowel omstandigheden op haar werk als in haar privéleven. Zodoende had ze een beurs bij de National Science Foundation aangevraagd voor onderzoek in een heel andere richting: de fysiologische effecten van lage druk op het menselijk lichaam.

En daarom zat ze nu op het dak van de wereld.

Lisa nam nog een foto van Taski Sherpa. Zoals velen had Taski de naam van de etnische groep waartoe hij behoorde als achternaam aangenomen.

Taski liep een eindje weg bij de rij wapperende gebedsvlaggen. Hij knikte en wees met de sigaret tussen zijn vingers naar de hoog oprijzende toppen. 'Slechte dag. De Dood rijdt op de wind,' zei hij nogmaals. Daarna nam hij een haal van zijn sigaret en draaide zich om. Het besluit was genomen.

Maar daar waren de anderen het niet mee eens.

Er klonken teleurgestelde geluiden. De klimmers keken op naar de wolkeloze lucht boven hen. Het tien man sterke team had negen dagen op goed weer gewacht. Eerder had niemand bezwaar gemaakt dat ze niet verder gingen, want een week lang had het gestormd. In de Baai van Bengalen had een cycloon gewoed die het weer hier had beïnvloed. Een sterke wind met snelheden van meer dan honderdvijftig kilometer per uur had het kamp geteisterd. Een van de kooktenten was weggewaaid, mensen waren omvergeblazen, en de sneeuw had plekjes naakte huid bewerkt alsof het schuurpapier was.

Maar deze ochtend was stralend, en iedereen had goede hoop gekregen. Het zonlicht zette de Khumbu-gletsjer in een stralend licht. Hoog boven hen torende de met sneeuw bedekte top van de Everest, omringd door de serene zustertoppen; net een bruid met haar bruidsmeisjes.

Lisa had al wel honderd foto's gemaakt. Ze had het veranderende licht in al zijn schoonheid vastgelegd. Eindelijk begreep ze de plaatselijke benamingen van de Everest. In het Chinees luidde die: Chomolunga, de

Moedergodin van de Wereld, en in het Nepalees: Sagarmantha, de Hemelgodin.

Zwevend boven de wolken was de berg inderdaad een godin van ijs en steen. Ze waren hier om haar te aanbidden, om zich waardig te tonen de hemel te kussen. Het was allemaal niet goedkoop: vijfenzestigduizend dollar per persoon. Maar daarbij inbegrepen waren de kosten voor de kampeerbenodigdheden, de dragers, de sherpa's, en natuurlijk de jaks. Het geloei van een van de koeien klonk door de vallei. Zij was een van de twee dozijn die ze hadden meegenomen. Overal in het kamp stonden rode en gele tenten. Op deze steenachtige plek waren nog vijf kampen, en de teams daar wachtten ook op het moment dat de stormgoden het welletjes zouden vinden.

Maar volgens hun sherpa was dat deze dag nog niet het geval.

'Wat een onzin,' zei de bedrijfsleider van een firma in sportartikelen die te Boston was gevestigd. Hij was gekleed in het nieuwste model met dons gevulde pak, en stond met over elkaar geslagen armen naast zijn ingepakte rugzak. 'We betalen meer dan zeshonderd dollar per dag om hier een beetje op ons gat te zitten. Ze kleden ons uit. Er is verdomme geen wolkje aan de lucht!'

Hij praatte zacht, alsof hij een opstand wilde ontketenen, maar daarvan niet de leiding wilde hebben.

Lisa kende zijn type: een zeikerd. Misschien had ze achteraf gezien beter niet met hem naar bed kunnen gaan. Ze kromp in elkaar bij de herinnering. Het was nog in de Verenigde Staten geweest, tijdens een bijeenkomst in het Hyatt Hotel in Seattle, en ze had net een paar whisky's te veel op. Boston Bob was weer zo'n haven in de storm geweest... Niet de eerste, en waarschijnlijk ook niet de laatste. Maar één ding was zeker: in deze haven zou ze nooit meer voor anker gaan.

Ze vermoedde dat dat de reden was waarom hij zich zo rebels opstelde.

Ze wendde zich af in de hoop dat haar jongere broer de gemoederen tot bedaren zou brengen. Josh was een zeer ervaren bergbeklimmer, hij had ervoor gezorgd dat zij mee mocht op een van de door hem geleide tochten de Everest op. Minstens twee keer per jaar organiseerde hij waar ook ter wereld dergelijke tochten.

Josh Cummings stak zijn hand op. Net als zij was hij blond en slank. Hij droeg een zwarte spijkerbroek die hij in zijn laarzen van Millet One Sport had gepropt, met daarboven een lichtgewicht grijs thermisch hemd.

Hij schraapte zijn keel. 'Taski heeft de Everest twaalf keer beklommen. Hij kent de berg, hij kent haar stemmingen. Als hij zegt dat het weer te onvoorspelbaar is om verder te trekken, blijven we hier nog een dag om te acclimatiseren en te oefenen. Als iemand dat wil, kan ik ook een dagtocht organiseren naar het rododendronwoud in de Khumbu-vallei, onder leiding van twee gidsen.'

Iemand stak een hand op. 'En een dagtocht naar het Everest View Hotel? We kamperen al zes dagen in deze verdomde tenten. Ik zou wel een warm bad willen nemen.'

Er klonken instemmende geluiden op.

'Ik weet niet of dat wel zo'n goed idee is,' waarschuwde Josh. 'Het hotel ligt hier een dagreis vandaan, en de kamers worden tegen hoogteziekte van extra zuurstof voorzien. Dat zou jullie acclimatisering verpesten, en het moment van de bestijging vertragen.'

'Hebben we niet al genoeg vertraging opgelopen?' merkte Boston Bob op.

Josh negeerde hem. Lisa wist dat haar broer zich niet onder druk zou laten zetten om zoiets doms te doen als onder slechte weersomstandigheden de top proberen te bereiken. Hoewel de lucht stralend blauw was, wist ze dat dat in een paar tellen kon veranderen. Ze was net als Josh op zee opgegroeid, voor de kust van Catalina. Daar leerde je op andere tekenen te letten dan alleen maar wolken. Josh was dan misschien geen sherpa die in één oogopslag het weer kon voorspellen, maar hij luisterde naar degenen die dat wel konden.

Lisa keek naar de sneeuwpluim die van de top van de Everest oprees. Dat lag aan de straalwind die snelheden van wel driehonderd kilometer per uur kon bereiken. De pluim was haast onmogelijk lang. Hoewel de storm was gaan liggen, was er op een hoogte boven de achtduizend meter nog van alles aan de hand. De straalwind kon de storm elk moment doen terugkeren.

'We kunnen toch wel naar Kamp Een gaan?' drong Boston Bob aan. 'Dan blijven we daar op beter weer wachten.'

De stem van de bedrijfsleider van de firma in sportartikelen klonk irritant zeurderig. Hij probeerde zijn zin door te drijven. Zijn gezicht zag rood van ergernis.

Lisa kon zich niet voorstellen wat ze ooit in hem had gezien.

Voordat haar broer kon reageren, klonk er een nieuw geluid. Een dreunend geluid. Iedereen richtte zijn of haar blik naar het oosten. Tegen de opgaande zon afgetekend verscheen een zwarte helikopter. Een B-2 Squirrel A-Star Ecuriel, net een wesp. Deze reddingshelikopter was speciaal voor deze hoogte ontworpen.

Iedereen zweeg.

Een week geleden, net voordat de storm opstak, was er een expeditie naar de Nepalese kant vertrokken. Volgens de radioberichten bevonden ze zich in Kamp Twee op een hoogte van vierenzestighonderd meter.

Lisa hield haar hand boven haar ogen. Was er soms iets misgegaan?

Ze had een bezoek gebracht aan de kliniek van de Himalayan Rescue Association in Pheriche. Het was een eerstehulppost voor alle kwalen die bergbeklimmers zoal opliepen: gebroken botten, long- en hersenoedeem, bevriezingsverschijnselen, hartproblemen, dysenterie, sneeuwblindheid en allerlei infecties, waaronder soa's. Kennelijk wilden chlamydia en gonorroe ook de top van de Everest bereiken.

Wat kon er zijn gebeurd? Met de radio hadden ze geen noodsignalen opgevangen. Een helikopter kon niet veel hoger dan het basiskamp komen, omdat de lucht zo ijl was. Boven de vijfenzeventighonderd meter werden de doden achtergelaten waar ze waren, waardoor de hogere hellingen van de Everest in een soort ijzig kerkhof waren veranderd, bezaaid met achtergelaten uitrustingsstukken, lege zuurstofflessen en door de vorst gemummificeerde lijken.

Het geluid van de rotorbladen veranderde.

'Ze komen hierheen,' zei Josh. Hij gebaarde iedereen om bij de stormtenten te gaan staan, zodat de vrije ruimte in het midden voor de landing van de helikopter kon worden gebruikt.

De zwarte helikopter hing boven hen. Zand en kiezels warrelden op. Langs Lisa's gezicht vloog de verpakking van een Snickers. De gebedsvlaggen wapperden wild, en de jaks verspreidden zich. Na zoveel dagen van stilte was de herrie oorverdovend.

De B-2 kwam voor zo'n gevaarte zachtjes neer. De deuren zwaaiden open en twee mannen stapten uit. De ene droeg groene camouflagekleding en had een automatisch wapen over de schouder. Hij was soldaat in het Nepalese leger. De ander was een stuk langer, en ging gekleed in een rood gewaad en een rode mantel met een sjerp om het middel. Zijn hoofd was kaalgeschoren. Een boeddhistische monnik.

De twee liepen op een paar sherpa's toe en zeiden iets in rap Nepalees dialect. Er werd gebaard, en vervolgens gewezen.

Naar Lisa.

De monnik liep met de soldaat aan zijn zijde op haar toe. Aan de rimpeltjes bij zijn ogen te zien was hij halverwege de veertig. Zijn huid was koffiekleurig en zijn ogen bruin.

De huid van de soldaat was donkerder van kleur, en zijn ogen stonden dichter bij elkaar. Hij hield zijn blik ergens beneden haar halslijn gericht. Lisa had haar jack niet dicht geritst, en de sportbeha die ze onder haar fleecetrui droeg, scheen hem te fascineren.

De boeddhistische monnik toonde meer respect en boog zijn hoofd. Hij sprak keurig Engels met een licht Brits accent. 'Doctor Cummings, het spijt me dat ik u stoor. Het is echter een noodgeval. In de kliniek werd me verteld dat u arts bent.'

Lisa fronste haar voorhoofd. 'Dat klopt.'

'In een klooster in de buurt is een geheimzinnige ziekte uitgebroken waaraan bijna alle inwoners lijden. Een man uit het naburige dorp is erop uitgestuurd om het ziekenhuis te waarschuwen, een voettocht van drie dagen. We hoopten dat een van de artsen van de kliniek naar het klooster kon komen, maar door een lawine komen ze daar handen tekort. Dokter Sorenson vertelde ons dat u in het basiskamp was.'

Lisa dacht aan de kleine Canadese arts, ook een vrouw. Ze hadden op een avond een sixpack Carlsberg soldaat gemaakt, en ook veel zoete thee met melk. 'Hoe kan ik u van dienst zijn?' vroeg ze.

'Zou u met ons mee willen gaan? Het klooster ligt geïsoleerd, maar is per helikopter goed bereikbaar.'

'Hoe lang...' Even keek ze naar Josh, die erbij was komen staan.

De monnik schudde zijn hoofd. Hij keek bezorgd, en ook een beetje beschaamd omdat hij haar lastig moest vallen. 'De tocht duurt drie uur. Ik weet niet wat we daar zullen aantreffen.' Weer schudde hij bezorgd zijn hoofd.

'We zitten hier toch nog een hele dag vast,' zei Josh. Hij legde zijn hand op haar arm en boog zich naar haar toe. 'Ik kan beter met je mee gaan.'

Dat voorstel beviel Lisa helemaal niet. Ze kon prima voor zichzelf zorgen. Maar ze had ook gehoord over de politieke spanningen in Nepal van na 1966. In de hooglanden werd door maoïstische rebellen een guerrilla-oorlog gevoerd. Ze wilden de constitutionele monarchie omverwerpen en een socialistische republiek stichten. Er werd gezegd dat ze de ledematen van hun gevangenen met sikkels afhakten – een voor een. Hoewel er op het ogenblik een wapenstilstand van kracht was, werden er af en toe nog gruweldaden verricht.

Ze keek naar het geoliede geweer dat de soldaat vasthield. Als zelfs een geestelijke een gewapend escorte nodig had, kon ze misschien maar beter op het aanbod van haar broer ingaan.

'Ik... ik heb alleen maar een verbanddoos bij me, en monitoren voor mijn onderzoek,' stamelde ze. 'Ik ben niet goed toegerust om een grote epidemie het hoofd te bieden.'

De monnik knikte en gebaarde naar de helikopter, waarvan de rotorbladen nog draaiden. 'Dokter Sorenson heeft ons alles meegegeven wat we nodig kunnen hebben. We verwachten niet dat we langer dan een dag van uw diensten gebruik zullen hoeven te maken. De piloot beschikt over een satelliettelefoon om uw bevindingen mee door te geven. Misschien is alles snel opgelost en kunnen we hier in de middag al terug zijn.'

Zijn gezicht betrok. Hij geloofde het zelf niet. Er klonk bezorgdheid in zijn stem door, en misschien ook angst.

Ze haalde diep adem, maar de ijle lucht bevatte nauwelijks voldoende zuurstof. Ze had een eed afgelegd. Bovendien had ze nu wel genoeg foto's gemaakt. Ze wilde wel weer eens echt aan het werk.

De monnik moest het aan haar gezicht hebben gezien. 'U komt dus met ons mee?'

'Ja.'

'Lisa...' zei Josh waarschuwend.

'Er overkomt me heus niets.' Ze kneep in zijn arm. 'Jij moet zorgen dat je team niet in opstand komt.'

Josh wierp even een blik op Boston Bob en slaakte een diepe zucht.

'Zorg jij nou maar dat hier alles goed gaat. Ik blijf niet lang weg.'

Hij keek haar aan, niet overtuigd, maar hij wilde haar niet tegenhouden. Hij keek gespannen. 'Pas goed op jezelf.'

'Ik heb toch het Nepalese leger om op me te passen?'

Josh keek naar het geoliede geweer van de soldaat. 'Daar maak ik me juist zorgen over.' Hij probeerde luchtig te klinken, maar dat lukte niet helemaal.

Lisa wist dat ze niet meer van hem kon verwachten. Ze omhelsde hem, haalde toen haar spullen uit haar tent en even later rende ze al gebukt onder de rotorbladen door en klom in de helikopter.

De piloot nam niet de moeite haar te begroeten. De soldaat ging in de stoel voor de copiloot zitten, en de monnik, die zich als Ang Gelu had voorgesteld, nam naast haar plaats, achter in de helikopter.

Ze zette een koptelefoon op om het geluid van de motor te dempen. Toch hoorde ze goed dat de motor meer lawaai maakte en de rotorbladen sneller gingen draaien. De helikopter bokte in de poging om in de ijle lucht op te stijgen. Er klonk heel hoog gejank. Eindelijk kwam de helikopter van de grond los en steeg snel op.

Lisa kreeg het gevoel of haar maag naar ergens onder haar navel zakte. De helikopter maakte een rondje boven een ravijn. Ze keek uit het raampje naar de tenten en de jaks onder zich. Ze zag haar broer staan. Hij zwaaide, of hield hij zijn hand opgestoken om zijn ogen tegen de felle zon te beschermen? Naast hem stond Taski Sherpa, duidelijk herkenbaar aan zijn cowboyhoed.

Ze dacht aan wat de sherpa had gezegd: de Dood rijdt op de wind.

Dat was op dit ogenblik geen aangename gedachte.

Naast haar prevelde de monnik geluidloos een gebed. Nog steeds was hij gespannen... Misschien was hij bang om in een helikopter te vliegen, maar hij kon ook bang zijn voor wat ze in het klooster konden aantreffen.

Lisa leunde achterover, en nog steeds hoorde ze de woorden van de sherpa door haar hoofd galmen.

Het was absoluut een slechte dag.

9:13
HOOGTE: 6775 METER

Met gemakkelijke stappen liep hij door het ravijn. Zijn stalen klimijzers drongen diep in de sneeuw en het ijs. Aan weerskanten rezen rossige rotswanden op, bedekt met bruin korstmos. Het terrein liep omhoog.

Naar zijn doel.

Hij droeg een gewatteerd pak uit één stuk, in witte en grijze camouflagekleuren. Zijn hoofd was bedekt met een bivakmuts van polarfleece, en zijn gezicht ging schuil achter een sneeuwbril. Hij had een rugzak bij zich die eenentwintig kilo woog, inclusief het houweel en de rol touw die eraan vastzaten.

Hij had ook een pistoolmitrailleur van Heckler & Koch bij zich, met een extra magazijn met twintig patronen, en ook nog een tas waarin negen brandgranaten zaten.

Extra zuurstof had hij niet nodig, zelfs niet op deze hoogte. De afgelopen vierenveertig jaar waren de bergen zijn thuis geweest. Hij was net zo aan deze hooglanden aangepast als de sherpa's, al sprak hij hun taal niet en verrieden zijn ogen een ander erfgoed. Zijn ene oog was blauw als ijs, het andere zuiver wit. Dit verschil tekende hem net zo goed als een tatoeage op zijn schouder zou hebben gedaan. Zelfs onder de *Sonnenkönige*, de Ridders van de Zon.

Er kwam krakend geluid uit het zendertje in zijn oor.

'Heb je het klooster al bereikt?'

Hij legde zijn hand op zijn keel. 'Veertien minuten.'

'Er mag niets over het ongeluk naar buiten komen.'

'Daar zorg ik voor.' Hij sprak toonloos en ademde door zijn neus. In de stem van de ander had hij niet alleen gezag, maar ook angst gehoord. Wat zwak... Dat was een van de redenen waarom hij zelden een bezoek bracht aan het Granitschloß. Hij was er zo min mogelijk bij betrokken, en daar had hij ook recht op.

Niemand had hem gevraagd méér betrokken te zijn.

Alleen wanneer het echt nodig was, riepen ze zijn hulp in.

Weer krakende geluiden uit het zendertje. 'Ze zullen algauw in het klooster zijn.'

Hij nam niet eens de moeite te antwoorden, hij had het geluid van de rotorbladen al in de verte gehoord. Inwendig maakte hij een rekensommetje. Er was geen reden tot haast. In de bergen leerde je geduld te hebben.

Regelmatig ademend liep hij verder, naar de bij elkaar gekropen gebouwen met de daken van rode dakpannen. Het klooster van Temp Och zat tegen de rotswand aan gekleefd en was alleen bereikbaar via het pad uit het dal. De monniken en leerlingen hadden weinig van de wereld daarbuiten te vrezen.

Tot drie dagen geleden.

Er was een ongeluk gebeurd, en hij moest de rotzooi opruimen.

Het lawaai van de naderende helikopter werd harder. Hij bleef stug doorlopen. Er was nog tijd genoeg. Het was belangrijk dat de nieuwkomers binnen het klooster waren.

Dat maakte het gemakkelijker iedereen om zeep te brengen.

9:35

Vanuit de helikopter leek de wereld beneden wel het negatief van een foto. Sterke contrasten in zwart en wit: sneeuw en rots. In mist gehulde toppen en beschaduwde ravijnen. Het ochtendlicht weerkaatste pijnlijk fel op het ijs van de gletsjers. Daar kon je nog sneeuwblind van worden.

Lisa knipperde met haar ogen. Wie wilde er nu zo afgelegen wonen? In zo'n onherbergzaam landschap? Waarom wilden mensen toch in zulke moeilijke omstandigheden leven wanneer het ook makkelijker kon?

Maar soortgelijke vragen stelde Lisa's moeder haar ook vaak. Waarom altijd zulke extreme dingen? Eerst had ze vijf jaar doorgebracht aan boord van een onderzoeksschip, en daarna had ze zich een heel jaar voorbereid op het bergbeklimmen onder moeilijke omstandigheden. En hier was ze nu, in Nepal, klaar om de Everest te beklimmen. Waarom steeds risico lopen als ze ook een eenvoudig leven kon leiden?

Lisa stond altijd met een gemakkelijk antwoord klaar: omdat het een uitdaging is. Had de legendarische bergbeklimmer George Mallory niet een dergelijk antwoord gegeven toen hem werd gevraagd waarom hij de Everest op wilde? Omdat die er is... Natuurlijk had Mallory dat alleen maar gezegd omdat de journalist zo vasthoudend was. Maar Lisa had haar antwoord ook gegeven omdat haar moeder maar bleef doorvragen. Wat deed ze hier eigenlijk? In het normale leven waren immers voldoende uitdagingen: je brood verdienen, sparen voor je pensioen, iemand vinden om van te houden, verdriet verwerken, kinderen opvoeden.

Lisa schrok terug voor deze gedachten omdat ze bang was voor de achterliggende consequentie: leef ik op het scherp van de snede omdat ik bang ben voor het echte leven? Komen en gaan de mannen in mijn leven daarom zo snel achter elkaar, en blijven ze nooit?

Ze was drieëndertig en single. Ze had geen andere vooruitzichten dan haar onderzoek, en een eenpersoonsslaapzak om in te slapen. Misschien moest ze haar haar afscheren en in zo'n klooster in de bergen gaan wonen.

De helikopter trilde en zwenkte.

Meteen keerden haar gedachten terug tot het heden.

Shit...

Lisa hield haar adem in toen de helikopter over een scherpe bergkam vloog. Ze misten die maar op een haartje na, en doken vervolgens een dal in.

Ze dwong zichzelf de armleuningen los te laten. Ineens leken een huis met drie slaapkamers en twee bloedjes van kinderen niet meer zo erg.

Naast haar boog Ang Gelu zich naar voren en wees tussen de piloot en de soldaat door naar iets beneden. De motor maakte zoveel lawaai dat ze niet kon horen wat hij zei.

Lisa drukte haar wang tegen het raampje in de deur om naar buiten te kijken. Het plexiglas was als een koele kus. Beneden zag ze een beetje kleur: rode dakpannen. Er stonden acht stenen gebouwen op een plateau, aan drie kanten omringd door bergtoppen van wel zesduizend meter hoog, en aan de vierde een steile afgrond.

Het klooster van Temp Och.

De helikopter zette een snelle daling in. Lisa zag een aardappelakker, weitjes en schuren. Maar er bewoog niets. Niemand kwam de lawaaiige bezoekers begroeten.

Verontrustender nog waren de geiten en blauwschapen, de bharal, in een van de weitjes. Ook die bewogen niet. Je zou verwachten dat ze in paniek zouden raken door het lawaai en alle kanten uit zouden stuiven. Maar nee, ze lagen in onnatuurlijke houdingen op de grond, hun poten vreemd geknakt en hun nekken gebogen.

Ang Gelu was het ook opgevallen, en hij liet zich weer in zijn stoel zakken. Hij keek haar bezorgd aan. Wat kon er gebeurd zijn? De piloot en de soldaat voorin hadden een woordenwisseling. De piloot wilde zo te zien niet landen. De soldaat beslechte het meningsverschil door zijn geweer te pakken. Met een frons schoof de piloot het zuurstofmasker beter over zijn neus en mond. Niet omdat hij behoefte aan meer zuurstof had, maar uit angst voor besmetting.

Toch volgde de piloot de bevelen van de soldaat op. Hij rukte aan de stuurknuppel en de helikopter daalde langzaam. De piloot probeerde de helikopter zo ver mogelijk van de wei neer te zetten, dicht bij de aardappelakker.

De akkers waren als terrassen aangelegd, en in de terrassen staken rijen groene sprietjes uit de aarde. In het begin van de negentiende eeuw was aardappelteelt op grote hoogte door de Engelsen geïntroduceerd, en nu behoorden aardappels tot de basisvoeding. Met een bons kwam de helikopter op de rotsachtige bodem neer, en een paar rijen planten werden geknakt. De sprieten in de buurt wuifden in de wind van de rotorbladen.

Nog steeds kwam er niemand kijken wie er gekomen waren. Ze dacht aan de dode geiten en blauwschapen. Was er nog wel iemand die ze kon helpen? Wat was hier gebeurd? Ze dacht aan verschillende ziektegeschiedenissen en aan manieren van besmetting: via de spijsvertering, de luchtwegen of lichamelijk contact. Was het een besmettelijke ziekte? Ze had dringend meer informatie nodig.

'Misschien kunt u beter hier blijven,' zei Ang Gelu tegen Lisa terwijl hij zijn veiligheidsgordel losmaakte. 'Dan nemen wij een kijkje in het klooster.'

Lisa raapte haar verbanddoos op en schudde haar hoofd. 'Ik ben niet bang voor zieken. En misschien zijn er vragen die alleen ik kan beantwoorden.'

Ang Gelu knikte en zei haastig iets tegen de soldaat. Vervolgens opende hij de deur en stapte uit, waarna hij Lisa zijn hand aanbood.

Er kwam koude wind de helikopter in, nog extra voortbewogen door de rotorbladen. Lisa zette de capuchon van haar parka op. De ijskoude wind leek op deze hoogte nog minder zuurstof te bevatten. Of misschien voelde ze zich benauwd omdat ze bang was. Ze had zich dapperder voorgedaan dan ze zich voelde.

Ze nam de hand van de monnik aan, en zelfs door haar wollen wanten heen voelde ze zijn warmte en kracht. De monnik had geen behoefte aan een hoofdbedekking, hem scheen de ijzige koude niet te deren.

Ze stapte uit en bukte voor de rotorbladen. De soldaat was de laatste

37

die uitstapte. De piloot bleef waar hij was. Hij moest dan wel landen waar hem dat werd opgedragen, maar hij begaf zich niet in nog groter gevaar.

Ang Gelu sloeg het portier dicht, en met zijn drieën liepen ze snel over de aardappelakker naar de stenen gebouwen.

Vanaf de grond zagen de gebouwen met de rode dakpannen er groter uit dan vanuit de lucht. Het middelste telde drie verdiepingen en had een pagodedak. Alle gebouwen waren druk versierd. Rond ramen en deuren zaten muurschilderingen in alle kleuren van de regenboog, de sponningen waren opgefleurd met bladgoud, en op de hoeken van de daken zaten uit steen gehouwen draken en mythische vogels te grijnzen. Er waren overdekte zuilengangen die de verschillende gebouwen met elkaar verbonden, waardoor binnenhoven werden gecreëerd. Overal stonden palen met daarop gebedsmolentjes, voorzien van oeroude belettering. Op de daken wapperden gebedsvlaggen in de wind.

Het geheel had iets sprookjesachtigs en deed Lisa aan Shangri-La denken, maar toch ging ze steeds langzamer lopen. Er was geen mens te zien. Voor de meeste ramen zaten gesloten luiken, en het was er doodstil.

Er hing een kenmerkende geur. Hoewel Lisa vooral onderzoek verrichtte, was ze tijdens haar coschappen vaak met de dood in aanraking gekomen. De geur van rotting en bederf liet zich niet gauw verjagen. Ze hoopte dat het van het vee aan de andere kant van het gebouw kwam. Maar omdat er nog steeds niemand was gekomen om hen te verwelkomen, hield ze haar hart vast.

Ang Gelu ging voorop, met de soldaat aan zijn zijde. Lisa moest haar pas versnellen om hen te kunnen bijhouden. Ze liepen tussen twee gebouwen door en zetten koers naar het middelste, het hoogste.

Op de voorhof lag landbouwgereedschap, alsof het daar haastig was neergesmeten. Een kar lag op zijn zij, met de dode jak nog ingespannen. De buik was opgezwollen, en het dier keek hen met glazige ogen aan. De tong kwam door zwarte, opgezwollen lippen naar buiten.

Het viel Lisa op dat er geen vliegen over de jak kropen. Waren er op deze hoogte soms geen vliegen? Dat wist ze niet goed. Ze keek omhoog. Er waren ook geen vogels. Er klonk geen enkel geluid, afgezien van de wind.

'Deze kant op,' zei Ang Gelu.

De monnik liep naar een paar grote deuren die toegang tot het hoofdgebouw gaven. Dat moest de tempel zijn. Hij probeerde de deur en merkte dat die niet op de grendel zat. Toen hij de deur opende, piepten de scharnieren.

Achter de drempel was het eerste teken van leven. Aan weerskanten stonden vaten waarin tientallen vlammetjes brandden. Boterlampen, met jakboter als brandstof. Binnen was de stank van bederf nog sterker. Dat voorspelde weinig goeds.

Zelfs de soldaat aarzelde om naar binnen te gaan. Hij verschoof zijn pistoolmitrailleur naar zijn andere schouder, als om zichzelf gerust te stellen. De monnik liep gewoon naar binnen. Toen hij iets riep, weergalmde het geluid door de ruimte.

Lisa liep achter Ang Gelu aan naar binnen, de soldaat bleef bij de deur de wacht houden.

Binnen werd de tempel door nog meer lichtjes in vaten verlicht. Aan weerskanten stonden hoge gebedsmolens tegen de wanden, en voor een twee meter hoog Boeddhabeeld brandden kaarsen met jeneverbesgeur, en wierook. Andere goden uit het pantheon stonden achter de boeddha.

Toen Lisa's ogen zich aan het donker hadden aangepast, zag ze de talloze muurschilderingen en met ingewikkeld houtsnijwerk versierde houten mandala's, met voorstellingen die er in het flakkerende licht demonisch uitzagen. Ze keek omhoog. Er waren twee overlopen waaraan lampen hingen. Geen enkele lamp brandde.

Weer riep Ang Gelu iets.

Ergens heel hoog klonk gekraak.

Allemaal schrokken ze van het plotselinge lawaai. De soldaat knipte een zaklantaarn aan en zwaaide daarmee in het rond. Er bewogen schaduwen, maar verder was er niets te zien.

Weer kraakten de planken. Er liep iemand over de bovenste verdieping. Ondanks deze positieve tekenen van leven, kreeg Lisa overal kippenvel.

'Op de bovenste verdieping bevindt zich een meditatieruimte voor privégebruik. De trap is aan de achterkant. Ik ga wel even kijken. Blijven jullie maar hier.'

Lisa wilde best doen wat hij zei, maar ze was zich ook bewust van het gewicht van haar rugzak met medische benodigdheden, en van haar verantwoordelijkheid. Het was geen mens die het vee had gedood, daarvan was ze overtuigd. Als er een overlevende was, iemand die kon vertellen wat er was gebeurd, zou zij degene zijn die het het best kon begrijpen, en eventueel iets doen.

Ze schoof haar rugzak hoger. 'Ik ga mee.'

Ook al klonk het nog zo vastberaden, toch liet ze Ang Gelu voorgaan.

Hij liep langs het Boeddhabeeld naar een gewelfde deuropening. Hij schoof een gordijn van met gouddraad geborduurd brokaat opzij. Een gangetje leidde dieper het gebouw in. Door kieren in de luiken voor de ramen viel schemerig licht naar binnen, dat de witgekalkte muren verlichtte. Op een van de muren zat een rode veeg en een grote vlek.

Bloed.

Ergens halverwege de gang staken een paar benen uit een deuropening, liggend in een donkere plas. Ang Gelu gebaarde dat Lisa terug moest naar de tempel, maar ze schudde haar hoofd en liep langs hem heen. Ze verwachtte niet nog iets te kunnen doen voor degene die daar lag. Het was duidelijk dat deze persoon al dood was. Intuïtief liep ze ernaartoe en na vijf passen stond ze al bij het lijk.

Meteen deinsde ze achteruit.

Benen. Meer restte er niet van de man. Alleen een paar benen, bij de dijen afgehakt. Ze keek verder in het vertrek – in het slachthuis. Opgestapeld als brandhout lagen er armen en benen in het midden.

Er waren ook afgehakte hoofden, keurig langs de muur gezet, de ogen opengesperd van afschuw.

Ang Gelu stond naast haar. Hij verstijfde van schrik en prevelde iets dat zowel als een gebed als een vloek klonk.

In het vertrek bewoog iets. Tussen de stapel ledematen stond een gestalte op. Het was een naakte monnik met geschoren hoofd. Zijn lichaam was als een pasgeborene bedekt met bloed.

Hij maakte een sissend geluid. Zijn ogen weerkaatsten het licht als die van een wolf in de nacht.

Met een waanzinnige blik kwam hij wankelend op hen af, met een sikkel van een meter lang achter zich aan over de vloer gesleept. Lisa deinsde achteruit de gang op. Ang Gelu hief smekend zijn handen en zei zachtjes iets in een poging de waanzinnige monnik tot bedaren te brengen.

'Relu Na,' zei hij. 'Relu Na.'

Het drong tot Lisa door dat Ang Gelu de monnik had herkend, dat het iemand was die hij tijdens een eerder bezoek aan het klooster had leren kennen. Door de man bij zijn naam te noemen, werd hij menselijk, en dat maakte hem des te afschrikwekkender.

Met een rauwe kreet stortte de waanzinnige zich op de andere monnik. Ang Gelu ontweek de sikkel met gemak. De coördinatie van de man was net als zijn geestelijke vermogens niet in orde. Ang Gelu nam de monnik in een ijzeren greep en drukte hem tegen de deursponning aan.

Lisa ging snel tot actie over. Ze zette haar rugzak op de grond, ritste die open en haalde er een metalen doosje uit, dat ze met haar duim opende.

In de doos lag een rij injectienaalden klaar, vol middelen voor snel noodgebruik: morfine tegen pijn, adrenaline bij anafylaxie, Lasix bij longoedeem. Op elke injectienaald zat een etiket met de inhoud, maar ze kende de volgorde uit haar hoofd. In een noodgeval telde elke seconde. Ze pakte de laatste injectiespuit.

Met haar tanden rukte ze het beschermkapje eraf, vervolgens liep ze snel naar de deuropening.

Ang Gelu hield de man nog gevangen, maar hij worstelde wild om los te komen. Ang Gelu had al een bloedende lip, en krabben over zijn wang.

'Houd hem stil!' riep Lisa.

Ang Gelu deed zijn best, maar op dat moment drong waarschijnlijk tot de waanzinnige monnik door wat Lisa van plan was, en hij zette zijn tanden in Ang Gelu's wang.

Ang Gelu schreeuwde het uit toen het vlees van zijn botten werd gerukt.

Toch bleef hij de monnik vasthouden.

Snel zette Lisa de naald in de hals van de waanzinnige, en spoot de vloeistof in hem. 'Laat hem maar los.'

Ang Gelu gaf de monnik een zet zodat hij met zijn hoofd tegen het hout van de deursponning sloeg. Meteen gingen ze een eindje bij hem uit de buurt.

'Het duurt nog geen minuut of de verdoving begint te werken.' Ze had liever in zijn aderen gespoten, maar bij iemand die zo wild om zich heen sloeg, was dat onmogelijk. Een diepe, intramusculaire injectie moest maar voldoende zijn. Zodra hij tot rust was gekomen, kon ze hem verzorging bieden, en misschien antwoord op haar vragen krijgen.

De naakte monnik kreunde en klauwde aan zijn hals. Het verdovende middel prikte. Weer kwam hij wankelend op hen af en bukte zich om de gevallen sikkel op te rapen. Daarna ging hij rechtop staan.

Lisa trok Ang Gelu naar achteren. 'Wacht...'

Het geweerschot klonk oorverdovend in de smalle gang. In een regen van bloed en botsplinters spatte het hoofd van de monnik uit elkaar. Zijn lichaam viel slap op de grond.

Ontzet keken Lisa en Ang Gelu naar de schutter.

De Nepalese soldaat hield zijn wapen tegen de schouder gedrukt, maar liet het nu langzaam zakken. Ang Gelu ging in de landstaal tegen hem tekeer en had bijna zijn wapen afgepakt.

Lisa liep naar het lijk. Alleen in een mortuarium met moderne voorzieningen zouden ze erachter kunnen komen waar hij zo waanzinnig van was geworden. Volgens degene die het nieuws naar de kliniek had gebracht, had de ziekte niet slechts één persoon aangetast. Anderen konden dezelfde verschijnselen vertonen.

Maar wat was de oorzaak? Waren ze blootgesteld aan zware metalen in het water, welde er een giftig gas uit de grond op, of lag het misschien aan beschimmeld koren? Kon het een virus zoals ebola zijn? Een nieuwe vorm van de gekkekoeienziekte? Ze probeerde zich te herinneren of jaks daar vatbaar voor waren. Ze zag het opgezwollen karkas in de voorhof weer voor zich. Ze wist het niet.

Ang Gelu kwam weer bij haar staan. Hij had een diepe wond in zijn wang, maar daar sloeg hij geen acht op. Zijn aandacht was op het lichaam op de grond gericht.

'Zijn naam was Relu Na Havarshi.'

'U kende hem dus.'

Hij knikte. 'Hij was de neef van de echtgenoot van mijn zuster. Hij komt uit een dorpje in Raise. Hij was aanhanger van de maoïstische rebellen geworden, maar hun gruweldaden stuitten hem tegen de borst, en daarom was hij gevlucht. Bij de rebellen teken je op die manier je doodvonnis. Ik heb hem naar dit klooster gestuurd, daar kon hij zich schuilhouden. Zijn voormalige kameraden zouden hem hier nooit kunnen vinden, en hier kon hij helen... Dat hoopte ik tenminste. Nu moet hij zijn eigen weg naar de vrede zien te vinden.'

'Het spijt me.'

Lisa kwam overeind. Ze zag de stapel ledematen in het andere vertrek voor zich. Was de waanzin ontstaan uit posttraumatische shock, en was hij daarom zo tekeergegaan? Had hij gedaan waar hij eerder voor was teruggeschrokken?

Boven hun hoofden klonk gekraak.

Allemaal keken ze omhoog.

Ze was vergeten waarvoor ze hier waren. Ang Gelu wees naar een steile trap naast de met een gordijn afgesloten toegang naar de tempel. Die had ze over het hoofd gezien. Het was dan ook meer een ladder dan een trap.

'Ik ga wel kijken,' zei Ang Gelu.

'Nee, we blijven bij elkaar,' reageerde ze. Uit haar rugzak haalde ze nog een met verdovingsmiddel gevulde injectiespuit. 'Om te voorkomen dat die kerel met de vlugge vingertjes nog eens zo snel de trekker overhaalt.'

De soldaat liep als eerste de trap op. Speurend keek hij om zich heen en gebaarde toen dat de anderen naar boven konden komen. Lisa klom de trap op en kwam uit in een verlaten vertrek. In een hoek lag een berg kussens. Het rook er naar hars, en naar de wierook die beneden in de tempel werd gebrand.

De soldaat hield zijn wapen op een houten deur aan de overkant gericht. Onder de deur door kwam flakkerend licht, dat ineens even werd verduisterd.

Er bevond zich iemand achter de deur.

Ang Gelu liep ernaartoe en klopte aan.

Het krakende geluid hield op.

Hij riep iets door de deur. Lisa begreep er geen woord van, maar iemand anders wel. Er klonk een schrapend geluid: de grendel werd weggeschoven. De deur ging op een kier.

Ang Gelu legde zijn hand tegen de deur.

'Voorzichtig,' fluisterde Lisa, en ze omklemde de injectiespuit in haar hand. Het was haar enige wapen.

Naast haar omklemde de soldaat zijn pistoolmitrailleur.

Ang Gelu duwde de deur helemaal open. Het vertrek erachter was niet groter dan een flinke kast. In een hoek stond een bevuild bed, en op het nachtkastje stond een olielamp. Het stonk er naar de urine en uitwerpselen in een po onder het voeteneind. Degene die zich hier had verscholen, was al dagen niet uit de kamer gekomen.

In een hoek stond een bejaarde man met zijn rug naar hen toe. Hij droeg net zo'n rood gewaad als Ang Gelu, maar het zijne was smerig en gescheurd. Hij had het gewaad opgebonden, zijn blote benen staken eronderuit. Hij was druk bezig. Hij schreef met zijn vingers op de muur.

Met zijn eigen bloed.

Nog meer waanzin.

In zijn andere hand hield hij een dolk. Zijn benen waren overdekt met snijwonden; daar haalde hij zijn 'inkt' vandaan. Hij bleef rustig doorschrijven, ook toen Ang Gelu binnenkwam.

'Lama Khemsar,' zei Ang Gelu. Het klonk bezorgd en vermoeid.

Lisa liep achter hem aan naar binnen met de injectiespuit in de hand. Ze knikte naar Ang Gelu toen die even omkeek, en ze gebaarde de soldaat dat hij buiten moest blijven. Ze wilde geen herhaling van wat er beneden was gebeurd.

Lama Khemsar draaide zich om. Zijn gezicht was uitdrukkingsloos, en zijn ogen stonden glazig en koortsig. Het kaarslicht werd erin weerspiegeld.

'Ang Gelu,' mompelde hij. In verwarring staarde hij naar de honderden regels tekst waarmee de muren waren overdekt. Hij hield zijn bebloede vinger omhoog, klaar om verder met zijn werk te gaan.

Opgelucht liep Ang Gelu op hem toe. Deze man, de meester van het klooster, was nog aanspreekbaar. Misschien kon hij vertellen wat er was gebeurd. Ang Gelu zei iets in hun moedertaal.

Lama Khemsar knikte, maar hij liet zich niet afleiden van de arbeid. Lisa keek naar de muur terwijl Ang Gelu de bejaarde man gerust probeerde te stellen. Ze kende dit schriftsysteem niet, maar ze zag wel dat dezelfde symbolen keer op keer werden herhaald.

$$\text{ᎩᎶᏁ\textit{P} Ⅰ ᎭᎷᎷᏳᎬᎶᎶᎷᎷ}$$

Lisa begreep dat het een bepaalde betekenis moest hebben, en met haar vrije hand haalde ze haar fototoestel uit haar rugzak. Vanuit de heup richtte ze op de muur en drukte af. Maar ze had niet aan de flits gedacht.

Het vertrek werd heel even hel verlicht.

De bejaarde monnik slaakte een kreet en draaide zich met een ruk om. Hij zwaaide wild met zijn dolk door de lucht. Geschrokken deinsde Ang Gelu achteruit. Maar Lama Khemsar had het niet op Ang Gelu voorzien. Angstig brabbelend zette Lama Khemsar de dolk tegen zijn keel. Er ontstond een diepe rode snee waaruit bloed spoot. De luchtpijp was geraakt, en zijn laatste woorden werden vergezeld van rossig schuim.

Ang Gelu rukte de dolk uit zijn handen, daarna ving hij Lama Khemsar op toen die ineenzakte. Het bloed doorweekte Ang Gelu's gewaad.

Lisa liet haar fototoestel vallen en liep snel naar Ang Gelu toe. Die probeerde druk op de wond uit te oefenen, maar dat had weinig zin.

'Help me hem op de vloer te leggen,' zei Lisa. 'Als ik kan zorgen dat hij lucht krijgt...'

Ang Gelu schudde zijn hoofd. Hij wist dat het geen zin had. Hij wiegde de bejaarde man in zijn armen, en na verloop van tijd hield het schuimen vanuit de luchtpijp op. Lama Khemsar was er toch al niet zo best aan toe geweest; hij was oud, leed aan uitdrogingsverschijnselen en had veel bloed verloren.

'Het spijt me,' zei Lisa. 'Ik dacht...' Ze gebaarde naar de muren. 'Ik dacht dat het misschien van belang kon zijn.'

Ang Gelu schudde zijn hoofd. 'Het is wartaal van een waanzinnige.'

Omdat Lisa niets anders wist, pakte ze haar stethoscoop en liet die onder het gewaad van de dode monnik glijden. Werken om haar schuldgevoelens te onderdrukken. Ze hoorde niets, geen hartslag. Maar ze ontdekte wel korsten, net onder zijn ribben. Voorzichtig tilde ze het doorweekte gewaad op en ontblootte zijn borst.

Ang Gelu slaakte een gesmoorde kreet.

Kennelijk had Lama Khemsar niet alleen de muren gebruikt om op te schrijven. Er stond ook een symbool op zijn borst, waarschijnlijk met dezelfde dolk aangebracht. In tegenstelling tot de vreemde symbolen op de muren was dit teken duidelijk herkenbaar

Het was een swastika.

Maar voordat ze er iets over konden zeggen, deed de eerste ontploffing het gebouw op zijn grondvesten schudden.

9:55

Met een gevoel van paniek werd hij wakker.

Door een donderklap werd de koortsachtige duisternis verbroken. Nee, geen donderklap, een explosie. Er regende kalk van het lage plafond. Gedesoriënteerd ging hij rechtop zitten en probeerde te bepalen waar hij was. De kamer tolde. Hij gooide de smerige wollen deken van zich af. Hij lag in een vreemd bed, en hij was in niets anders gekleed dan een linnen lendendoek. Hij hief zijn arm op. Die trilde. Hij had een vreemde smaak in zijn mond, en hoewel de luiken tegen het licht dicht waren, deden zijn ogen pijn. Er voer een rilling door hem heen.

Hij had geen idee waar hij was, of wanneer het was.

Hij zette zijn voeten op de grond en probeerde te staan. Geen goed idee. Alles werd weer zwart. Hij zakte in elkaar en zou weer in de vergetelheid zijn weggezonken als er geen geweervuur had geklonken. Een mitrailleur, heel dichtbij. Het geluid stierf weg.

Vastberadener dan eerst probeerde hij het nog eens. Terwijl hij wankelend naar de deur liep, kwam zijn herinnering terug. Hij hield zich vast aan de deur en probeerde die open te krijgen.

De deur zat op slot.

'De helikopter is ontploft,' zei Ang Gelu.

Lisa stond bij het hoge raam. Terwijl de echo van de explosie nog na-galmde, hadden ze het raam opengezet en de luiken geopend. De soldaat had gedacht dat hij op de binnenhof iets zag en was wild gaan schieten.

Er werd niet teruggeschoten.

'Was het soms de piloot?' vroeg Lisa. 'Misschien was er iets met de motor aan de hand en is hij in paniek uit de helikopter gesprongen.'

De soldaat tuurde door het vizier uit het raam, met de loop van zijn wapen op de vensterbank rustend.

Ang Gelu wees naar de vette rook die uit de aardappelakker opsteeg, precies op de plek waar de helikopter had gestaan. 'Dat kan geen ongeluk zijn geweest.'

'Wat moeten we nu?' vroeg Lisa. Had een waanzinnig geworden monnik de helikopter opgeblazen? Hoeveel waanzinnige monniken waren er nog in het klooster? Ze dacht aan de man die wild met de sikkel had gezwaaid, en aan de monnik die zichzelf snijwonden had toegebracht... Wat was hier in vredesnaam gaande?

'We moeten hier weg,' zei Ang Gelu.

'Waarnaartoe?'

'Er zijn hier dorpjes en boerderijen in de buurt, op nog geen dag lopen afstand. Er zijn meer dan drie mensen nodig om erachter te komen wat hier aan de hand is.'

'Maar de anderen dan? Misschien zijn ze niet allemaal zo waanzinnig als de neef van je zwager. Moeten we niet proberen hen te helpen?'

'Ik maak me vooral zorgen over uw veiligheid, mevrouw Cummings. En het is van het grootste belang dat de autoriteiten op de hoogte worden gesteld.'

'Maar stel dat het iets besmettelijks is? We zouden de ziekte op anderen kunnen overbrengen.'

De monnik voelde aan zijn gewonde wang. 'Nu de helikopter is vernield, hebben we geen communicatiemiddelen meer. Als we hier blijven, zullen wij ook sterven... En de buitenwereld zal dan niet kunnen vermoeden wat hier gaande is.'

Daar had hij een punt.

'We kunnen uit de buurt van anderen blijven totdat er meer over bekend is,' ging hij verder. 'We kunnen van een veilige afstand om hulp roepen.'

'Geen lichamelijk contact,' mompelde ze.

Hij knikte. 'We moeten het risico nemen om de buitenwereld op de hoogte te kunnen brengen.'

Lisa knikte, met haar blik op de rookkolom gericht, die zwart afstak tegen de blauwe lucht. Misschien was de piloot al dood, de eerste van hun groepje. Het was onmogelijk te weten hoeveel mensen hier al het slacht-offer van waren geworden. De ontploffing zou anderen hebben gewaar-schuwd. Als ze wilden ontsnappen, moesten ze snel zijn.

'Laten we weggaan,' zei ze.

Ang Gelu zei op scherpe toon iets tegen de soldaat. Die stond op en liep weg bij het raam, zijn wapen in de aanslag.

Bezorgd keek Lisa om zich heen, en ze vroeg zich af hoe mensen be-smet raakten. Waren zij misschien al besmet? Ze merkte niets bijzonders aan zichzelf toen ze achter de anderen aan het vertrek uit liep en de trap af. Ze had een droge mond en pijn in haar kaken, en haar hart bonsde. Maar dat was gewoon van angst, toch? Een heel gewone reactie op wat ze had meegemaakt. Ze voelde aan haar voorhoofd. Klam, maar niet koortsig. Om tot zichzelf te komen haalde ze diep adem. Ook al was de ziekte besmettelijk, dan nog zou de incubatietijd toch langer dan een uur zijn.

Ze liepen door de tempel, langs de teakhouten boeddha en de andere goden. Door de ingang zag ze het felle daglicht.

De soldaat controleerde de voorhof en gaf toen het teken dat het vei-lig was. Lisa en Ang Gelu stapten naar buiten.

Lisa keek speurend om zich heen, vooral naar donkere hoeken. Alles leek weer rustig.

Maar dat duurde niet lang.

Nog een ontploffing deed de dakpannen ratelen. Vlammen brulden. Er klonk een schot. De bovenste helft van het gezicht van de monnik werd in een waas van bloed weggeschoten.

Maar deze keer was de soldaat niet de schuldige.

De soldaat vluchtte met zijn wapen om de schouder voor de neerval-lende dakpannen. Hij leek het schot niet gehoord te hebben, maar hij sperde zijn ogen open toen hij Ang Gelu ineens in elkaar zag zakken. In een reflex rende hij naar rechts en wierp zichzelf in de schaduw van een gebouw. Hij schreeuwde iets onverstaanbaars naar Lisa.

Lisa schuifelde achteruit naar de ingang van de tempel. Weer klonk er een schot. Bij haar voeten stoof stof op. Ze sprong over de drempel, de duistere tempel in.

Toen ze om een hoekje keek, zag ze de soldaat langs een muur schui-ven, voorzichtig, om buiten het schootsveld van de schutter te blijven.

Met ingehouden adem speurde Lisa de daken en de ramen af. Wie had Ang Gelu neergeschoten?

En toen zag ze hem.

Door de rook die uit een ander gebouw kolkte, zag ze een gestalte rennen. In de vlammen lichtte het metaal van zijn wapen op. De sluipschutter ging naar een andere positie om hen onder schot te nemen.

Lisa liep de voorhof weer op en hoopte dat ze in de schaduw verborgen kon blijven. Ze riep en zwaaide naar de soldaat. Met zijn rug tegen de muur gedrukt sloop hij naar haar toe. Zijn blik en zijn wapen bleven op de daken gericht. Hij had de schutter niet zien vluchten.

Ze riep: 'Wegwezen!' Ze sprak zijn taal niet, maar de paniek in haar stem kwam duidelijk over. Hij keek haar aan, en ze gebaarde dat hij naar haar schuilplaats moest komen. Daarna wees ze waar de schutter naartoe was gerend. Maar waar was hij nu? Had hij al positie ingenomen?

'Rennen!' gilde ze.

De soldaat zette een stap in haar richting. Een flits maakte het Lisa duidelijk dat ze verkeerd had gedacht. De schutter was niet weggerend om een andere positie in te nemen. Vlammen sprongen achter een raam op. Weer een bom.

O god...

De soldaat werd door de ontploffing verrast. De deur achter hem barstte met duizenden vurige splinters open, die de soldaat doorboorden op het moment dat hij van zijn voeten werd geblazen en door de lucht zeilde. Hij kwam op zijn gezicht terecht en gleed nog even door.

Hij bleef stil liggen, ook al stonden zijn kleren in brand.

Lisa vluchtte de tempel in, haar blik op de ingang gericht. Langzaam liep ze achteruit naar de achteruitgang, naar de smalle gang. Ze had geen bewust plan gemaakt, ze kon nauwelijks denken.

Eén ding wist ze zeker: degene die Ang Gelu en de soldaat had gedood, was geen waanzinnige monnik. Daarvoor had deze man te berekenend gehandeld.

En nu was ze alleen.

Ze keek in de smalle gang en zag het bloederige lijk van Relu Na. Verder was de gang leeg. Als ze de sikkel te pakken kon krijgen... Dan had ze tenminste een wapen.

Voordat ze nog een stap kon zetten, verscheen er een gestalte achter haar. Een naakte arm gleed om haar nek, en in haar oor klonk een hese stem: 'Blijf staan.'

Lisa was nooit erg gehoorzaam en zette haar elleboog in de maag van haar aanvaller.

Tot haar tevredenheid hoorde ze een gesmoorde kreet, en de arm verdween van rond haar hals. De aanvaller deinsde achteruit door het gordijn van brokaat, viel en sleurde het gordijn in zijn val mee. De man kwam op zijn rug terecht.

Met een ruk draaide Lisa zich om, klaar om ervandoor te gaan.

De man droeg niets dan een lendendoek. Zijn huid was gebruind, maar hier en daar zaten littekens. Zijn lange zwarte haar zat warrig en hing in slierten voor zijn gezicht. Door zijn lengte en zijn brede, gespierde schouders had hij meer weg van een indiaan dan van een Tibetaanse monnik.

Maar dat kon ook aan de lendendoek liggen.

Kreunend keek hij naar haar op met ogen zo blauw als ijs.

'Wie ben je?' vroeg ze.

'Painter,' antwoordde hij. 'Painter Crowe.'

2

DARWINS BIJBEL

16 MEI

6:05

KOPENHAGEN, DENEMARKEN

Wat was er toch met boekhandels en katten?

Commandant Grayson Pierce kauwde nog een tabletje Claritin kapot en liep Hotel Nyhavn uit. De vorige dag had hij onderzoek verricht in wel twaalf boekhandels van Kopenhagen, en in allemaal woonden hele kolonies katten. Ze lagen op de toonbank, en ze liepen over de boekenkasten vol stof en half vergane leren banden.

En daar moest hij nu voor boeten. Hij onderdrukte een nies. Het kon natuurlijk ook aan een opkomende verkoudheid liggen. In Kopenhagen was het in de lente net zo vochtig en kil als in de winter in New England. Hij had niet genoeg warme kleren meegenomen.

Hij droeg een trui die hij in een veel te dure boetiek naast het hotel had gekocht. Het was een coltrui van merinoswol, naturel van kleur en heel eenvoudig van model. En kriebelig. Maar goed, het hield de kou buiten. Hoewel de zon al een uur geleden was opgegaan, bood de leigrijze lucht weinig hoop op warmte. Hij krabde aan zijn hals en zette koers naar het station.

Zijn hotel bevond zich aan een gracht. Aan weerskanten van de gracht stonden in vrolijke kleuren geschilderde huizen; winkels, hotels en woonhuizen. Het geheel deed Gray een beetje aan Amsterdam denken. Langs de kanten lag een rommelig stel vaartuigen aangemeerd: roeiboten met bladderende verf, felgekleurde rondvaartboten, statige schoeners en helderwitte jachten. Hoofdschuddend liep Gray langs een boot die eruitzag als een bruidstaart. Op dit vroege uur drentelden er een paar toeristen rond met camera's om hun nek, die er vanaf de bruggen vrolijk op los klikten.

Gray liep over de brug en bleef toen staan om over het muurtje langs de kade te leunen. In het water beneden zag hij zichzelf weerspiegeld, en daar schrok hij even van. Het gezicht van zijn vader keek naar hem op, met diepzwart haar dat over zijn blauwe ogen viel, een kuiltje in zijn kin – niet precies in het midden – en een hoekig gezicht dat zijn afstamming uit Wales verraadde. Gray leek sprekend op zijn vader. Dat hield hem de laatste tijd vaak uit de slaap.

Wat had hij nog meer van zijn vader geërfd?

Een paar zwarte zwanen gleden voorbij en deden het water rimpelen. Zijn weerspiegelde gezicht viel uiteen. De zwanen zwommen naar de brug, hun lange halzen wiegend terwijl ze nonchalant om zich heen keken.

Gray volgde hun voorbeeld en deed of hij in de boten geïnteresseerd was, terwijl hij in werkelijkheid de brug eens goed in ogenschouw nam. Hij zocht naar mensen die daar verdacht rondhingen, naar bekende gezichten. Het had zo zijn voordelen om in een hotel vlak bij de gracht te logeren. Bruggen waren uitstekende plekken om te zien of hij werd gevolgd. Door een paar keer de gracht over te steken, dwong hij een eventuele achtervolger zich bloot te geven. Hij bleef een volle minuut staan en observeerde de gezichten en loopjes, toen liep hij tevredengesteld verder.

Bij een simpele opdracht als deze deed hij dit meer uit gewoonte dan uit noodzaak, maar om zijn nek bungelde iets wat hem eraan herinnerde dat het beter was altijd voorzichtig te zijn. Het was een ketting met daaraan een zilveren draakje. Dat had hij gekregen van een agent van de tegenpartij. Hij droeg het altijd bij zich, om hem eraan te herinneren voortdurend op zijn hoede te zijn.

Terwijl hij verder liep, trilde er iets in zijn zak. Hij haalde zijn mobieltje tevoorschijn en klikte het open. Wie belde hem zo vroeg?

'Met Pierce,' zei hij.

'Gray, goed dat ik je te pakken heb.'

De vertrouwde stem verwarmde hem ondanks de koude ochtend, en hij glimlachte. 'Rachel?' Bezorgd bleef hij staan. 'Is er iets?'

Rachel Verona was de belangrijkste reden waarom Gray zich voor deze opdracht aan de andere kant van de Atlantische Oceaan had aangemeld. Dit onderzoek in Denemarken had ook door een minder ervaren agent van Sigma kunnen worden afgehandeld, maar het was voor hem de ideale gelegenheid de mooie, donkerharige luitenant van de Italiaanse carabinieri weer eens te zien. Ze hadden elkaar vorig jaar in Rome leren kennen toen ze allebei aan dezelfde zaak werkten. Sindsdien grepen ze elk excuus aan om elkaar te ontmoeten. Dat was niet makkelijk geweest. Zij moest voor haar werk in Europa blijven, terwijl hij door zijn werk voor Sigma niet lang uit Washington weg kon. Ze hadden elkaar nu al bijna twee maanden niet meer gezien.

Veel te lang.

Gray dacht aan hun laatste samenzijn in een villa in Venetië. Hij zag Rachel nog voor zich, haar silhouet afgetekend in de openstaande deur naar het balkon, haar huid rossig in het licht van de ondergaande zon. De hele avond waren ze in bed gebleven. Hij werd overspoeld door herinneringen aan haar zachte kussen, de heerlijke geur van haar vochtige haar, haar warme adem in zijn hals, het zachte kreunen, het ritme waarop hun lichamen zich hadden bewogen, de streling van zachte zij...

Hij hoopte dat ze haar zwarte teddy weer zou meenemen.

'Mijn vlucht heeft vertraging,' zei Rachel, en daarmee onderbrak ze zijn dromerijen en was hij weer terug in de werkelijkheid.

'Wat?' Hij kon de teleurstelling niet uit zijn stem houden.

'Ik moet nu een andere vlucht nemen, per KLM. Ik land om tien uur vanavond.'

Tien uur. Hij fronste zijn voorhoofd. Dat hield in dat hij zijn reservering moest afzeggen voor een romantisch diner bij kaarslicht in het middeleeuwse St. Gertruds Kloster. Hij had een week van tevoren moeten boeken.

'Het spijt me,' verbrak Rachel de stilte.

'Het geeft niet. Als je maar komt. Dat is het enige wat telt.'

'Ik mis je.'

'Ik jou ook.'

Gray schudde zijn hoofd omdat het zo melig klonk. Hij had haar zoveel te vertellen, maar kon daar de woorden niet voor vinden. Waarom ging het toch altijd zo? De eerste dag waarop ze elkaar weer zagen, moesten ze altijd over iets heenstappen, een soort pijnlijke verlegenheid. In zijn fantasie vielen ze elkaar spontaan in de armen, maar in de werkelijkheid ging het anders. De eerste paar uur waren ze een soort vreemden die toevallig samen iets hadden meegemaakt. Natuurlijk omhelsden en kusten ze elkaar, en ze zeiden wat op dat moment toepasselijk was, maar voor echte intimiteit hadden ze meer tijd nodig. Ze hadden elkaar veel te vertellen over hun levens, die door de Atlantische Oceaan waren gescheiden. Belangrijker nog, ze moesten het ritme weer oppakken, de warme cadans die zou overgaan in hartstocht.

En elke keer was Gray bang dat het hun niet zou lukken.

'Hoe is het met je vader?' vroeg Rachel. Dat waren de eerste passen van de dans.

Hij was blij met deze afleiding, maar niet speciaal met het onderwerp. Gelukkig had hij goed nieuws. 'Eigenlijk wel goed. Het is de laatste tijd niet verergerd. Af en toe een beetje in de war. Mijn moeder denkt dat hij vooruitgaat door de kerrie.'

'Kerrie? Wat je in de keuken gebruikt?'

'Ja. Ze had ergens gelezen dat kurkuma, het spul waar kerrie geel van wordt, als antioxidant en ontstekingsremmer werkt. Misschien breekt het zelfs de amyloïde-afzettingen af die zoveel schade berokkenen bij alzheimer.'

'Dat klinkt veelbelovend.'

'Dus nu bereidt mijn moeder alles met kerrie. Ze doet het zelfs door de roereieren voor mijn vaders ontbijt. Het hele huis ruikt naar een Indiaas restaurant.'

Rachels lach deed de sombere morgen opklaren. 'In elk geval is ze aan het koken.'

Gray glimlachte breed. Zijn moeder was hoogleraar biologie aan de George Washington University, en stond niet bepaald bekend om haar huishoudelijke vaardigheden. Ze was te druk bezig geweest met haar carrière, iets wat noodzakelijk was geworden nadat Grays vader George bij een ongeluk invalide was geraakt, nu alweer twintig jaar geleden. Maar nu worstelde het gezin met een nieuw probleem: de eerste verschijnselen van alzheimer bij Grays vader. Grays moeder had vrije dagen opgenomen om beter voor haar echtgenoot te kunnen zorgen, maar langzamerhand wilde ze weer college gaan geven. Omdat alles zo goed ging, had Gray gevonden dat hij wel even uit Washington, D.C., kon ontsnappen voor deze opdracht in Denemarken.

Voordat hij op Rachels opmerking kon reageren, klonk er een piepje. Een ander gesprek. Hij keek op de display wie het was. Verdomme...

'Rachel, er komt een gesprek binnen met het commandocentrum. Ik moet dat wel aannemen. Sorry.'

'O, dan hang ik op.'

'Wacht even, Rachel. Wat is het vluchtnummer?'

'Het is een vlucht van KLM. Vlucht 403.'

'Oké. Tot vanavond.'

'Tot vanavond,' herhaalde ze, en toen verbrak ze de verbinding.

Gray drukte op het knopje om het andere gesprek aan te nemen. 'Met Pierce.'

'Commandant Pierce.' Gray hoorde aan het accent van New England meteen dat het Logan Gregory was, de onderbevelhebber van Sigma, de dienst waarvan Painter Crowe aan het hoofd stond. Zoals gewoonlijk verspilde Logan geen woorden.

'We hebben berichten opgevangen die misschien met jouw onderzoek in Kopenhagen te maken hebben. Interpol zegt dat er plotseling veel interesse in de veiling van vandaag is.'

Gray was weer een brug overgestoken en bleef staan. Tien dagen geleden was het de National Security Agency opgevallen dat er een levendige zwarte handel bestond in historische documenten die ooit in het bezit van wetenschappers uit de negentiende eeuw waren geweest. Iemand was bezig manuscripten, afschriften, juridische documenten, brieven en dagboeken uit die periode te verzamelen, en van veel daarvan was de herkomst duister. Normaal gesproken zou dit Sigma niet geïnteresseerd hebben, want dat hield zich bezig met bedreigingen van de wereldveiligheid. Maar de NSA had de verkoop van sommige van deze documenten in verband kunnen brengen met terroristische organisaties. En de geldstromen van dergelijke organisaties werden nauwkeurig in de gaten gehouden.

Het was een vreemde zaak. Historische documenten bleken de laatste tijd een goede investering te zijn, maar het was niet bepaald het pakkiean van terroristische organisaties. Maar goed, de tijden veranderen.

Hoe dan ook, Sigma was gevraagd onderzoek te doen naar de aanwezigen. Gray moest zoveel mogelijk informatie zien te vergaren over de besloten veiling die later deze middag zou plaatsvinden, en dat hield ook in dat hij onderzoek moest doen naar bepaalde voorwerpen die door plaatselijke verzamelaars of winkels te koop werden aangeboden. Daarom liep hij al twee dagen de stoffige boekhandels en antiquariaten af die gevestigd waren in smalle achterafstraatjes van Kopenhagen. In de winkel aan Højbro Plads werd hij het best geholpen. De winkel was eigendom van iemand die in Georgia advocaat was geweest, en met zijn hulp voelde Gray zich goed voorbereid. Hij was van plan geweest 's ochtends een kijkje te nemen op de plek waar de veiling werd gehouden, en om een paar knoopcamera's te plaatsen bij de in- en uitgangen. Tijdens de veiling kon hij dan de aanwezigen in de gaten houden, en misschien een paar foto's van hen maken. Het was geen erg belangrijke opdracht, maar als hij de strijd tegen terreur ermee vooruit hielp, des te beter.

'Wat is er gebeurd?' vroeg Gray.

'Een nieuw voorwerp waar degenen die we in het oog houden, erg in zijn geïnteresseerd. Een oude bijbel, door een privépersoon te koop aangeboden.'

'En wat is daar zo opwindend aan?'

'Volgens de beschrijving is die bijbel eigendom van Darwin geweest.'

'Van Charles Darwin, de vader van de evolutie?'

'Precies.'

Gray tikte met zijn knokkels op het stenen muurtje. Weer zo'n wetenschapper uit de negentiende eeuw. Terwijl hij daarover nadacht, keek hij naar de brug.

Er stond een tienermeisje op met een donkerblauwe trui aan waarvan ze de capuchon had opgezet. Ze was zeventien, misschien achttien. Ze had een gave, toffeekleurige huid. Een Indiaas meisje, of misschien Pakistaans? Ze had lang zwart haar dat in een dikke vlecht uit de capuchon kwam. Over haar linkerschouder droeg ze een oude groene rugzak, zoals zoveel studenten hebben die door Europa trekken.

Maar Gray had deze jonge vrouw al eerder gezien, toen ze over de eerste brug liep. Over een afstand van vijftig meter ontmoetten hun blikken elkaar. Iets te snel draaide ze zich om. Slordig.

Ze volgde hem.

Logan ging verder: 'Ik heb het adres van de verkoper naar de database van je mobieltje gestuurd. Je kunt de eigenaar nog vragen stellen voordat de veiling begint.'

Gray keek naar het adres dat op het scherm verscheen, en naar de plattegrond met een pijltje erbij. Acht blokken verder, een zijstraat van de Strøget, het voetgangersgebied in het centrum van Kopenhagen. Dat was niet ver.

Maar eerst...

Vanuit zijn ooghoek hield Gray het rustige water van de gracht in de gaten. Daarin weerspiegeld zag hij dat het meisje de rugzak omhoogtrok in een poging haar gezicht te verbergen.

Wist ze dat hij haar doorhad?

'Commandant Pierce?' vroeg Logan.

Het meisje was over de brug gelopen en liep weg door een zijstraat. Gray wachtte of ze zou terugkomen.

'Commandant Pierce, heb je dat adres gekregen?'

'Ja. Ik zal daar een kijkje gaan nemen.'

'Mooi.' Logan hing op.

Leunend op de reling naast de gracht keek Gray om zich heen of het meisje of een handlanger misschien terugkwam. Het speet hem dat hij zijn 9mm Glock in de safe van het hotel had gelaten. Maar het veilinghuis had in een rondschrijven gewaarschuwd dat iedereen bij aankomst gefouilleerd zou worden, en dat ze door een metaaldetector moesten. Gray had alleen een mes van geharde kunststof in een schede in zijn laars zitten. Meer wapens had hij niet.

Gray wachtte.

De stad ontwaakte en er liepen voetgangers langs hem heen. Achter hem zette een magere winkelier bakken met vis op de stoep. Tong, kabeljauw, spiering en natuurlijk haring.

De vislucht verdreef hem van zijn uitkijkpost. Hij liep verder, zich ervan bewust dat hij gevolgd kon worden.

Misschien was hij te argwanend, maar dat was in zijn beroep alleen maar gezond. Even voelde hij aan het draakje om zijn hals, toen liep hij verder de stad in.

Na een paar blokken voelde hij zich gerustgesteld genoeg om een blocnote tevoorschijn te halen. Op de eerste bladzijden stonden een paar voorwerpen die die middag geveild zouden worden:

1. Gregor Mendels verhandeling over erfelijkheidswetten uit 1865.

2. De boeken van Max Planck over fysica: *Thermodynamik* uit 1897, en *Theorie der Wärmestrahlung* uit 1906. Beide werken door de auteur gesigneerd.

3. Het dagboek dat de botanist Hugo de Vries in 1901 bijhield over mutaties bij planten.

Gray had zoveel mogelijk informatie over deze voorwerpen bij elkaar gesprokkeld. Hij schreef er een voorwerp bij:

4. Charles Darwins familiebijbel.

Hij sloeg de blocnote dicht en vroeg zich voor de honderdste keer sinds hij hier was af: welk verband bestaat er tussen deze dingen?

Misschien kon iemand anders bij Sigma deze puzzel beter oplossen. Hij dacht erover Logan te vragen zijn collega's Monk Kokkalis en Kathryn Bryant in te lichten. Dat stel kon in summiere details een patroon ontdekken. Maar misschien was er wel geen patroon. Het was nog te vroeg om conclusies te trekken. Gray moest meer te weten zien te komen, meer feiten, vooral over het laatste voorwerp.

Tot die tijd liet hij de tortelduifjes maar met rust.

21:32
WASHINGTON, D.C.

'Echt waar?'

Monk legde zijn hand op de buik van de vrouw van wie hij hield. Hij zat in een oranje en zwarte sportbroek van Nike naast het bed geknield. Zijn overhemd had hij na een eindje joggen op de grond gegooid. Hoopvol trok hij zijn wenkbrauwen op – meer haar had hij niet.

'Ja,' bevestigde Kat. Zachtjes duwde ze zijn hand weg en stond op.

Monks grijns werd breder. Daar kon hij niets aan doen. 'Weet je het zeker?'

Kat liep naar de badkamer, slechts gekleed in een wit slipje en een veel te groot T-shirt van de Technische Hogeschool van Georgia. Haar steile kastanjebruine haar viel losjes over haar schouders. 'Ik ben vijf dagen over tijd,' antwoordde ze nors. 'Gisteren heb ik een zwangerschapstest gedaan.'

Monk kwam overeind. 'Gisteren? Waarom heb je me dat niet verteld?'

Kat verdween in de badkamer en zette de deur op een kier.

'Kat?'

Hij hoorde het water in de douche lopen. Hij liep om het bed heen naar de deur van de badkamer. Hij wilde er meer van weten. Ze had hem ermee overvallen toen hij terugkwam van het joggen en haar opgekruld in bed had aangetroffen. Haar ogen waren gezwollen geweest van het huilen. Hij had moeten soebatten om haar te laten vertellen wat haar dwarszat.

Hij klopte op de deur. Dat klonk harder en veeleisender dan de bedoeling was. Fronsend keek hij naar zijn hand. De vijfvingerige prothese was hypermodern, volgestopt met de laatste foefjes van DARPA. Die hand had hij gekregen nadat hij zijn eigen hand tijdens een missie had verloren. Maar plastic en metaal waren geen vlees en bloed. Toen hij op de deur klopte, leek het wel of hij die wilde inrammen.

'Kat, zeg eens iets,' zei hij zacht.

'Ik ga even snel douchen.'

Het klonk gespannen. Hij stak zijn hoofd om de badkamerdeur. Hoewel ze al een jaar met elkaar omgingen en hij zijn eigen la had in haar appartement, waren er grenzen.

Kat zat met haar gezicht in haar handen verborgen op het wc-deksel.

'Kathryn...'

Verrast keek ze op. 'Monk!' Ze boog voorover om de deur helemaal dicht te duwen.

Hij zette er zijn voet tussen. 'Je bent dan wel in de badkamer, maar je dóét er niets.'

'Ik wacht totdat het water warm genoeg is.'

Monk zag de beslagen spiegel toen hij binnenkwam. Het rook naar jasmijn, een geur die bepaalde gevoelens in hem opriep. Hij liep op haar toe en knielde voor haar neer.

Ze leunde naar achteren.

Hij legde zijn handen, de ene van vlees en bloed, de andere synthetisch, op haar knieën.

Ze wilde zijn blik niet ontmoeten en liet haar hoofd hangen.

Hij duwde haar knieën uit elkaar en ging ertussen zitten. Vervolgens liet hij zijn handen over haar dijen naar haar billen glijden en trok haar naar zich toe.

'Ik moet...' begon ze.

'Je moet bij mij komen.' Hij tilde haar op en zette haar op schoot. Ze zat wijdbeens op hem, haar gezicht een paar centimeter van het zijne vandaan.

Eindelijk keek ze hem aan. 'Het... het spijt me.'

Hij boog zich dichter naar haar toe. 'Wat spijt je?' Hun lippen beroerden elkaar.

'Ik had voorzichtiger moeten zijn.'

'Ik kan me niet herinneren dat ik ergens over heb geklaagd.'

'Maar zo'n stomme fout...'

'Nee.' Hij kuste haar stevig, niet kwaad maar geruststellend. Daarna fluisterde hij: 'Zo mag je het nooit noemen.'

Ze ontspande tegen hem aan, haar armen om zijn nek geslagen. Haar haar rook naar jasmijn. 'Wat moeten we nou?'

'Ik weet niet alles, maar dát weet ik wel.'

Hij liet haar zachtjes op de vloer zakken.

'O,' zei ze.

7:55

KOPENHAGEN, DENEMARKEN

Gray zat in het café tegenover de kleine antiekwinkel. Hij bestudeerde het gebouw aan de overkant.

SJÆLDEN BØGER stond er op het raam. Zeldzame boeken. De boekhandel besloeg de begane grond van een huis met twee verdiepingen met een dak met rode dakpannen. Net als de andere gebouwen in deze minder welvarende buurt was het verwaarloosd. De bovenste ramen waren dichtgetimmerd, en voor de winkelruiten zat een stalen rolhek.

De winkel was nog gesloten.

Terwijl Gray wachtte op het moment dat die open zou gaan, bekeek hij het gebouw met een klinisch oog. Ondertussen dronk hij wat in Denemarken voor warme chocolademelk moest doorgaan. Het smaakte eerder naar een gesmolten chocoladereep, zo machtig was het. Hij probeerde de dichtgetimmerde ramen te negeren. Hoewel het gebouw in slechte staat was, had het zijn charme behouden. In het dak zaten dakkapellen, de bovenste helft van de gevel was van vakwerk met donkere balken, en het schuine dak stond paraat om veel sneeuw van zich af te laten glijden. Gray zag zelfs de sporen onder de ramen waar ooit bloembakken bevestigd hadden gezeten.

Gray stelde zich voor hoe dit pand in de oude glorie hersteld kon worden. Inwendig voerde hij een verbouwing uit, waarbij architectuur gepaard ging met esthetiek.

Hij kon de geur van zaagsel al bijna ruiken.

Die laatste gedachte verpestte de dagdroom. Er kwamen ongevraagde en ongewenste herinneringen naar boven, herinneringen aan de werkplaats van zijn vader in de garage, waar hij na school met hem had geklust. Wat begon als een eenvoudig project eindigde meestal in een hoop gescheld en getier, in woorden die je niet meer kon terugnemen. Uiteindelijk was Gray van school gegaan en had dienstgenomen in het leger. Pas de laatste tijd konden vader en zoon beter met elkaar overweg, konden ze elkaar accepteren zoals ze waren.

Toch was er een opmerking van zijn moeder die Gray nog steeds dwarszat. Dat vader en zoon meer op elkaar leken dan dat ze verschilden. Waarom stak hem dat zo? Gray schudde zijn hoofd en drukte de gedachte weg.

Uit zijn concentratie gerukt keek hij op zijn horloge. Hij wilde langzamerhand wel iets dóén. Hij had het veilinghuis al bekeken en twee camera's bij de in- en uitgangen geplaatst. Hij moest nu alleen nog met de eigenaar van de boekhandel over de bijbel praten, en een paar foto's maken van de aanwezigen op de veiling. Dan was hij klaar en kon hij genieten van een lang weekend met Rachel.

De gedachte aan haar lach maakte dat de spanning van hem af viel.

Eindelijk klonk er aan de overkant van de straat een belletje. De deur ging open, en het rolhek kwam omhoog.

Gray ging rechtop zitten, verrast door degene die de winkel opende. Ze had zwart haar in een vlecht en grote, amandelvormige ogen. Het was het meisje dat hem eerder die dag had gevolgd. Ze droeg zelfs nog hetzelfde jack met de rits, en had de oude groene rugzak nog om de schouder.

Gray legde een paar bankbiljetten op tafel, blij eindelijk te kunnen opschieten.

Hij stak de smalle straat over net toen het meisje klaar was met het hekwerk. Onverstoord keek ze naar hem op.

'Niks zeggen,' zei ze in keurig Engels met een Brits accent. Ze bekeek hem van top tot teen. 'Een Amerikaan.'

Hij fronste diep. Hij had nog geen woord gezegd en zij trok al conclusies. Maar zonder te laten merken dat hij wist dat ze hem had gevolgd, vroeg hij: 'Hoe weet je dat?'

'Aan uw manier van lopen. Met uw kont naar achter. Zo verraden ze zich allemaal.'

'O ja?'

Ze zette het rolhek vast. Het viel hem op dat ze speldjes op haar jack had: een regenboogvlaggetje van Greenpeace, een zilveren Keltisch symbool, een goudkleurige Egyptische ankh, en een bonte verzameling buttons met teksten in het Deens. Er was er ook eentje in het Engels: GO LEMMINGS GO. Verder droeg ze een polsbandje waarop HOOP stond gedrukt.

Ze gebaarde dat hij uit de weg moest, en wrong zich langs hem heen toen hij dat niet snel genoeg deed. Achteruit liep ze de straat op. 'De winkel gaat pas over een uur open. Sorry.'

Gray stond op de stoep van de deur naar het meisje te kijken. Ze stak de straat over in de richting van het café. Toen ze langs de tafel kwam waaraan hij had gezeten, pakte ze een van de bankbiljetten op en ging naar binnen. Gray wachtte. Door het raam zag hij haar twee koffie bestellen en die met het gejatte geld betalen.

Ze kwam terug met in elke hand een kartonnen beker.

'Bent u er nou nog?' vroeg ze.

'Ik heb nergens anders om naartoe te gaan.'

'Pech.' Het meisje knikte naar de dichte winkeldeur en stak haar handen op. 'Nou?'

'O.' Gray draaide zich om en zette de deur voor haar open.

Ze liep langs hem heen naar binnen. 'Bertal!' riep ze. Toen keek ze om naar Gray. 'Komt u nog binnen of niet?'

'Maar je zei...'

'Onzin.' Ze sloeg haar blik ten hemel. 'Genoeg toneelgespeeld. Alsof u me daarnet niet had gezien...'

Gray verstarde. Dus het was inderdaad geen toeval geweest; het meisje had hem gevolgd.

Ze riep de winkel in: 'Bertal! Kom hier met je luie reet!'

In verwarring gebracht en op zijn hoede liep Gray achter haar aan de winkel in. Hij bleef bij de deur, klaar om tot actie over te gaan indien dat nodig was.

De winkel was een echte pijpenla. Aan weerskanten stonden boekenkasten, van vloer tot plafond vol boeken en pamfletten. Iets verder naar binnen stonden twee glazen vitrines die duidelijk op slot zaten. In de vitrines lagen half vergane boeken in leren banden, en wat eruitzag als boekrollen in zuurvrije witte kokers.

Gray liep verder.

In het schuin naar binnen vallende ochtendlicht dansten stofjes. Er hing een vreemde, schimmelige lucht. Het was hier net als overal in Europa: oeroude dingen hoorden hier bij het dagelijkse leven.

Hoewel het pand vervallen was, had de winkel zelf iets charmants met de glas-in-loodlampen aan de muur en de ladders die tegen de boekenkasten stonden geleund. Bij het raam stonden zelfs twee uitnodigende fauteuils.

Maar het beste van al...

Gray haalde diep adem.

Er waren hier geen katten.

Algauw werd duidelijk waarom dat was.

Rond een van de boekenkasten kwam een enorme harige gestalte aangewaggeld. Het beest zag er een beetje uit als een sint-bernardshond, oud, met diepe plooien onder de bruine ogen. De hond scharrelde langzaam op hen af, en maakte steeds een duik naar links. De linkervoorpoot was een soort knoestige stok.

'Daar ben je dan, Bertal.' Het meisje bukte en goot de inhoud van een kartonnen beker in een aardewerken kom op de grond. 'De stakker komt pas bij na zijn eerste koffie.' Het klonk liefdevol.

De sint-bernard slobberde de kom gretig leeg.

'Volgens mij is koffie niet goed voor een hond,' zei Gray.

Het meisje ging rechtop staan en slingerde haar vlecht op de rug. 'Maakt u zich maar geen zorgen, het is cafeïnevrije koffie.' Ze liep dieper de winkel in.

'Wat is er met zijn poot gebeurd?' vroeg Gray. Hij praatte over koetjes en kalfjes terwijl hij alles in zich opnam. Toen hij langs de hond

61

kwam, aaide hij die even, waarvoor hij met een klap van zijn staart werd beloond.

'Bevriezing. *Mor* heeft hem lang geleden in huis genomen.'

'Mor?'

'Mijn grootmoeder. Ze heeft op u gewacht.'

Van achter in de winkel klonk een stem: '*Er det køberen*, Fiona?'

'Ja, mor. De Amerikaanse koper. Praat Engels.'

'*Lad ham komme her hen.*'

'Mor wil u in haar kantoortje spreken.' Het meisje, Fiona, ging hem voor dieper de winkel in. De hond, die zijn ochtendkoffie op had, volgde Gray op de hielen.

Midden in de winkel kwamen ze langs een kleine toonbank met de kassa, een computer van Sony en een printer. De moderne tijd had ook hier zijn intrede gedaan.

'We hebben een website,' zei Fiona, die het was opgevallen dat hij ernaar keek.

Ze liepen langs de toonbank en traden door een open deur een vertrek binnen. Het was meer een salon dan een kantoortje. Er stonden een bank, een laag tafeltje en twee stoelen. Zelfs het bureau in de hoek leek eerder gebruikt te worden voor een kookplaat en een waterkoker dan om eraan te schrijven. Maar langs een van de wanden stond een rij zwarte archiefkasten. Daarboven liet een raam met spijltjes ervoor het zonlicht binnen dat de enige aanwezige verlichtte.

Ze stond op en stak haar hand uit. 'Doctor Sawyer,' zei ze. Dat was de naam die hij tijdens deze opdracht gebruikte. Kennelijk had ze hem nagetrokken. 'Ik ben Grette Neal.'

Ze schudde zijn hand stevig. Ze was mager als een riet, en hoewel ze bleek zag, straalde ze Deense gezondheid uit. Ze gebaarde dat Gray kon plaatsnemen op een van de stoelen. Ze gedroeg zich net zo nonchalant als ze was gekleed, in een marineblauwe broek, een turquoise bloesje en eenvoudige zwarte pumps. Haar lange zilverkleurige haar was steil en dat gaf haar iets serieus, maar haar ogen fonkelden geamuseerd.

'U heeft al met mijn kleindochter kennisgemaakt.' Grette Neal sprak vloeiend Engels, maar in tegenstelling tot haar kleindochter had ze een duidelijk Deens accent.

Gray keek van de bleke vrouw naar het donkere meisje. Ze leken totaal niet op elkaar, maar daar zei Gray maar niets van. Er waren belangrijker zaken die moest worden opgehelderd.

'Ja, we hebben kennisgemaakt,' zei Gray. 'Ik ben uw kleindochter vandaag al twee keer tegengekomen.'

'Op een dag krijgt Fiona nog problemen omdat ze zo nieuwsgierig is.' Grette zei het met een glimlach. 'Heeft ze u uw portemonnee al teruggegeven?'

Gray voelde fronsend aan zijn achterzak. Leeg.

Fiona haalde zijn oude bruine portemonnee uit een zijvakje van haar rugzak.

Gray griste hem uit haar handen. Hij herinnerde zich dat ze zich ruw langs hem had gewrongen toen ze koffie ging halen. Dat was dus niet zomaar onbeleefd geweest.

'Neemt u het haar alstublieft niet kwalijk,' zei Grette sussend. 'Dat is haar manier om iemand te begroeten.'

'Ik heb hem nagetrokken,' zei Fiona schouderophalend.

'Geef hem dan zijn paspoort terug, Fiona.'

Gray voelde aan zijn andere zak. Leeg. Allemachtig nog aan toe!

Fiona wierp hem het dunne blauwe boekje toe met de Amerikaanse adelaar erop.

'Is dat alles?' vroeg Gray, terwijl hij aan zijn zakken voelde.

Fiona haalde haar schouders op.

'Neemt u het mijn kleindochter alstublieft niet kwalijk. Soms schiet ze een beetje te ver door.'

Gray keek van de een naar de ander. 'Zou iemand misschien willen uitleggen wat er allemaal aan de hand is?'

'U bent hier om vragen over de Darwin *bibel* te stellen,' zei Grette.

'De bijbel,' vertaalde Fiona.

Grette knikte naar haar kleindochter. Dit was duidelijk een onderwerp waar ze zich zorgen om maakten.

'Ik treed op namens iemand die daarin is geïnteresseerd,' zei Gray.

'Ja, dat is ons bekend. En u heeft gisteren de hele dag geïnformeerd naar andere voorwerpen die vanmiddag bij Ergenschein worden geveild?'

Verrast trok Gray zijn wenkbrauwen op.

'De bibliofiele gemeenschap hier in Kopenhagen is maar klein. Geruchten verspreiden zich snel.'

Gray fronste. Hij dacht dat hij uiterst discreet was geweest.

'Juist doordat u zoveel vragen stelde, heb ik besloten mijn bijbel van Darwin op de veiling aan te bieden. De hele gemeenschap is erg opgewonden door de groeiende interesse in negentiende-eeuwse wetenschappelijke geschriften.'

'Een goed moment om te verkopen,' zei Fiona, alsof dit onderwerp al vaak was behandeld. 'We zijn achter met de huur en...'

Haar woorden werden weggewuifd. 'Het was een moeilijk besluit. Mijn vader heeft de bijbel in 1949 gekocht. Hij koesterde het boek. Er staan handgeschreven de namen van Darwins familieleden in, tot tien generaties voor de beroemde Charles terug. Maar de bijbel is ook historisch gezien van belang. Het boek is meegereisd op de *Beagle*. Ik weet niet of het u bekend is, maar Charles Darwin heeft overwogen naar het seminarie te gaan. In deze bijbel komen de godvruchtige man en de wetenschapper samen.'

Gray knikte. De vrouw probeerde hem duidelijk lekker te maken. Deed ze dat om hem tot een hoog bod te verleiden? Probeerde ze de prijs op te drijven? Hoe dan ook, Gray kon daar gebruik van maken.

'En waarom heeft Fiona me gevolgd?' vroeg hij.

Ineens keek Grette vermoeid. 'Daar wil ik nogmaals mijn verontschuldigingen voor aanbieden. Zoals ik al zei, bestaat er de laatste tijd veel belangstelling voor negentiende-eeuwse gedenkwaardigheden, en dit is een kleine gemeenschap. We hebben allemaal gehoord van transacties die, eh... laten we zeggen, niet helemaal door de beugel kunnen.'

'Zoiets is mij ook ter ore gekomen,' zei hij in de hoop meer uit haar te krijgen.

'Er zijn kopers die hun bod hebben ingetrokken, of die met zwart geld hebben betaald, of met ongedekte cheques. Fiona deed wat ze deed om mij voor zoiets te behoeden. Soms gaat ze te ver en maakt ze gebruik van talenten die ze beter kan vergeten.' De vrouw keek haar kleindochter met een berispend opgetrokken wenkbrauw aan.

Plotseling vond Fiona de vloerplanken bijzonder interessant.

'Een jaar geleden heeft een heer een maand lang mijn dossiers doorgenomen om de herkomst te bepalen, om erachter te komen in wiens bezit het boek allemaal is geweest.' Ze knikte in de richting van de archiefkasten tegen de muur. 'Hij heeft betaald met een creditcard die achteraf gestolen bleek te zijn. Hij was uitermate geïnteresseerd in de Darwinbijbel.'

'Daarom kunnen we niet voorzichtig genoeg zijn,' zei Fiona met nadruk.

'Weet u wie die heer was?' vroeg Gray.

'Nee, maar ik zou hem overal herkennen. Hij was vreemd bleek.'

Fiona keek op. 'De bank heeft een onderzoek ingesteld. Ze hebben zijn spoor gevolgd van Nigeria naar Zuid-Afrika. Toen hield het op. De rotzak heeft zijn sporen grondig uitgewist.'

Grette fronste. 'Pas op je woorden, jongedame.'

'Waarom zo'n grondig onderzoek voor een luttel bedrag?' vroeg Gray.

Weer vond Fiona de vloer mateloos interessant.

Grette keek haar kleindochter streng aan. 'Hij heeft er recht op het te weten.'

'Maar mor...' Fiona schudde haar hoofd.

'Wat moet ik weten?'

Even keek Fiona hem kwaad aan, toen keek ze weg. 'Hij zal het overal rondvertellen en dan krijgen we er bijna niets meer voor.'

Gray stak zijn hand op. 'Ik kan heel goed mijn mond houden.'

Met tot spleetjes geknepen ogen keek Grette hem onderzoekend aan. 'Maar kunt u ook de waarheid vertellen... Dat vraag ik me af, meneer Sawyer.'

Gray wist zich door beide dames bekeken. Was zijn dekmantel wel zo goed als hij had gedacht? Hij voelde zich ongemakkelijk onder hun blik.

Uiteindelijk zei Grette: 'U hoort het te weten. Niet lang nadat die heer er met zijn vergaarde kennis vandoor ging, is er ingebroken. Er is niets gestolen, maar de vitrinekast waarin we de Darwinbijbel bewaarden, was opengebroken. Gelukkig bewaren we de bijbel en andere waardevolle spullen 's nachts in een kluis in de vloer. Bovendien was de politie snel ter plaatse en verjoeg de inbrekers. De inbraak is nooit opgelost, maar we weten wel wie erachter stak.'

'Die arrogante klootzak...' mompelde Fiona.

'Sindsdien bewaren we de Darwinbijbel in een kluis bij de bank om de hoek. En toch is er afgelopen jaar nog twee keer ingebroken. De dader wist het alarm uit te schakelen, en elke keer was de winkel helemaal doorzocht.'

'Iemand was op zoek naar de bijbel,' zei Gray.

'Dat veronderstellen we.'

Gray begon het te begrijpen. Het was hen niet alleen om het geld te doen; ze wilden de bijbel laten veilen om van het gedonder af te zijn. Iemand had zijn zinnen op die bijbel gezet, en diegene kon tot drastische maatregelen overgaan om zijn doel te bereiken. De nieuwe eigenaar kon nog voor verrassingen komen te staan.

Vanuit zijn ooghoek keek hij naar Fiona. Ze deed dit allemaal om haar grootmoeder te beschermen, om haar financiële zekerheid te verschaffen. Hij zag dat haar ogen fonkelden. Het meisje vond het duidelijk niet prettig dat haar grootmoeder zoveel vertelde.

'Misschien is de bijbel veilig bij een Amerikaanse privéverzamelaar,' zei Grette. 'Onze problemen steken de oceaan waarschijnlijk niet over.'

Gray knikte. Hij besefte dat het een verkoopargument was.

'Bent u er ooit achter gekomen waarom iemand die bijbel zo graag in bezit wil hebben?' vroeg hij.

Nu was het Grettes beurt om weg te kijken.

'Die informatie zal de bijbel voor mijn cliënt alleen maar waardevoller maken,' drong Gray aan.

Grette richtte haar blik op hem. Op de een of andere manier had ze hem doorgekregen. Ze keek hem onderzoekend aan terwijl ze zijn woorden woog.

Op dat moment waggelde Bertal het kantoortje in. Hij snuffelde verlangend aan de cakejes die naast de waterkoker op het bureau stonden, liep toen naar Gray toe en liet zich op de grond ploffen met zijn snuit op Grays laars. Hij had duidelijk geen bezwaar tegen deze onbekende in de winkel.

Alsof zijn oordeel de doorslag gaf, slaakte Grette een zucht en sloot haar ogen. Haar gezicht stond zachter. 'Ik weet het niet, ik heb alleen vermoedens.'

'Die wil ik graag horen.'

'De onbekende kwam hier op zoek naar informatie omtrent een bibliotheek die na de oorlog stukje bij beetje is verkocht. Vier voorwerpen uit die verzameling worden vanmiddag geveild. Het dagboek van De Vries, de verhandeling van Mendel, en twee boeken van Max Planck.'

Gray had diezelfde voorwerpen in zijn blocnote staan. Dat waren de voorwerpen die de aandacht van duistere types hadden getrokken. Wie wilde ze kopen, en waarom?

'Kunt u me iets meer over die bibliotheek vertellen? Is de herkomst van speciaal belang?'

Grette stond op en ging naar de archiefkast. 'Ik heb de nota nog van toen mijn vader in 1949 die bijbel aankocht. Er wordt een dorp op vermeld, en een landgoed. Eens zien of ik het kan vinden...'

Ze stond in een baan zonlicht die door het raam viel, en trok een la open. 'Ik kan u niet het origineel geven, maar Fiona kan een fotokopie voor u maken.'

Terwijl de bejaarde vrouw tussen de paperassen zocht, hief Bertal zijn kop op. Er kwam een sliert kwijl uit zijn bek. Hij gromde.

Maar niet tegen Gray.

'Hier heb ik het.' Grette draaide zich om met een vel vergeeld papier in een plastic beschermhoes.

Gray negeerde haar uitgestoken hand en keek naar haar voeten. Een schaduw bewoog in de baan zonlicht.

'Liggen!'

Gray dook met zijn armen naar de bejaarde vrouw uitgestrekt naar de bank.

Achter hem blafte Bertal, en daarmee overstemde hij bijna het geluid van brekend glas.

Gray was te laat. Hij greep Grette vast, maar haar gezicht spatte al in een mist van bloed en botfragmenten uit elkaar. Ze was van achteren door het raam neergeschoten, door een sluipschutter.

Gray plofte met haar in zijn armen op de bank neer.

Fiona gilde.

Van achter het kapotte raam klonken twee gedempte knallen, en nog meer glas versplinterde. Twee zwarte granaten vlogen het kantoortje in, raakten de muur en vielen vervolgens kletterend op de grond.

Gray sprong van de bank af, greep Fiona beet en rende met haar het kantoortje uit.

De hond waggelde achter hen aan.

Gray sleurde Fiona achter een boekenkast, en meteen daarna klonken er twee ontploffingen. De muur werd in een regen van vuur, pleisterwerk en houtsplinters weggeblazen.

De boekenkast viel om, botste tegen de volgende en bleef daartegenaan hangen. Gray lag op Fiona, hij beschermde haar met zijn lichaam.

Boven hen vlogen de boeken in brand. Gloeiende as regende op hen neer.

Grays oog viel op de oude hond. Door zijn gewonde poot was hij niet snel genoeg geweest. De kracht van de explosie had hem tegen een muur gesmeten en daar was hij bewegingloos blijven liggen. Zijn vacht smeulde.

Dat mocht Fiona niet zien... 'We moeten hier weg,' zei Gray.

Hij trok haar onder de boekenkast uit. De halve winkel stond al in brand, de rook was verstikkend. Uit de sprinklers aan het plafond kwam een miezerig straaltje water. Te weinig en te laat. Er was hier te veel brandbaar spul.

'Naar de uitgang!' riep hij.

Ze wankelde naar de deur.

Te langzaam.

Het hek kwam ratelend naar beneden, voor het raam en de deur. Gray zag gestalten aan weerskanten bewegen. Nog meer schutters.

Gray keek achterom. Een kolkende muur van vuur en rook vulde de winkel.

Ze zaten in de val.

Monk lag heerlijk te soezen. Kat en hij waren opgestaan van de badkamervloer en naar het bed gegaan. Hun naakte lichamen zaten in het beddengoed verstrikt, maar ze hadden nog geen zin om zich van elkaar los te maken.

Loom streelde Monk Kats borst, meer geruststellend dan hartstochtelijk. Zij streelde met haar voet zijn kuit.

Het was perfect. Dit kon door niets worden verpest.

Een doordringend gepiep verbrak de stilte.

Het kwam van naast het bed, waar Monk zijn broek had laten vallen. De pieper zat nog vast aan de broekband. Hij wist nog dat hij het apparaatje op de trilstand had gezet toen hij terugkwam van het joggen. Er was maar één soort oproep die in dat geval toch geluid maakte: een noodoproep.

Aan de andere kant van het bed klonk vanaf het nachtkastje identiek gepiep.

De pieper van Kat.

Allebei gingen ze zitten, en ze keken elkaar ongerust aan.

'Het commandocentrum,' zei Kat.

Monk stak zijn hand naar zijn pieper uit en trok die met broek en al op bed. Toen kon hij haar vermoeden bevestigen.

Hij zette zijn voeten op de grond en pakte de telefoon. Kat zat naast hem met het laken over zich heen getrokken, alsof het nodig was er fatsoenlijk uit te zien wanneer je het commandocentrum moest bellen. Hij toetste het directe nummer van Sigma in. Er werd meteen opgenomen.

'Kapitein Bryant?' vroeg Logan Gregory.

'Nee, met Monk Kokkalis. Maar Kat... kapitein Bryant is hier ook.'

'Jullie moeten allebei onmiddellijk komen.'

Op gespannen toon vertelde Logan wat er aan de hand was.

Monk luisterde en knikte. 'We komen eraan,' zei hij, en vervolgens hing hij op.

Fronsend keek Kat hem aan. 'Wat is er?'

'Problemen.'

'Iets met Gray?'

'Nee, met hem gaat alles vast goed.' Monk trok zijn broek aan. 'Waarschijnlijk heeft hij nu dolle pret met Rachel.'

'Maar wat...'

'Er is iets met directeur Crowe. In Nepal is iets gebeurd. Ze weten er maar weinig van, maar het heeft iets met de een of andere ziekte te maken.'

'Heeft directeur Crowe verslag uitgebracht?'

'Dat is het hem nou net. Het laatste contact was van drie dagen geleden, daarna maakte een storm elke communicatie onmogelijk. Daar maakte niemand zich druk om. Maar de storm is gaan liggen en er is nog steeds geen contact. En nu komen er berichten binnen over ziekte, sterfgevallen en een opstand. Waarschijnlijk een aanval van rebellen.'

Kat zette grote ogen op.

'Logan roept ons allemaal bij elkaar.'

Kat stapte uit bed en pakte haar kleren. 'Wat kan er daar aan de hand zijn?'

'Niet veel goeds, dat staat vast.'

9:22

KOPENHAGEN, DENEMARKEN

'Kunnen we niet naar boven?' vroeg Gray.

Fiona staarde zonder te knipperen naar het gesloten rolhek. Ze stond daar als verstard, met wijd open ogen.

Gray herkende de tekenen van een shock.

'Fiona...' Hij ging recht voor haar staan en hield zijn gezicht vlak voor het hare, bijna neus aan neus. 'Fiona, we moeten vluchten voor de brand.'

Achter hen verspreidde het vuur zich snel. Er was dan ook veel wat vlam kon vatten: stapels kurkdroge boeken en boekenplanken. De vlammen likten het plafond. Kolkende rook steeg op. De sprinklers bleven een miezerig straaltje water spuiten, waardoor het ook nog eens ging stomen.

Het werd steeds warmer, maar toen Gray Fiona's handen pakte, huiverde ze. Ze rilde over haar hele lichaam. Toch had zijn aanraking tot gevolg dat ze haar blik op hem richtte.

'Kunnen we niet naar boven? Naar een bovengelegen verdieping?'

Fiona keek omhoog. Dikke rook maakte de plafondtegels onzichtbaar. 'Er zijn kamers... De zolder...'

'Prima. Hoe komen we daar?'

Eerst schudde ze langzaam haar hoofd. 'Nee, de trap is...' Zwakjes gebaarde ze naar de vuurzee. 'Achterin.'

'Buiten.'

Ze knikte. As dwarrelde om hen heen en de muur van vuur kwam steeds dichterbij.

Gray vloekte zacht. Er moest een binnentrap zijn geweest, voordat het pand werd gesplitst in een winkel en een woonhuis. Maar die was er dus niet meer... Hij moest maar iets anders verzinnen.

'Is er hier een bijl?' vroeg hij.

Fiona schudde haar hoofd.

'Een koevoet misschien? Iets waarmee jullie kisten openmaken?'

Fiona knikte. 'Achter de kassa.'

'Blijf hier.' Gray schuifelde langs de linkermuur. Dat was de beste manier om bij de toonbank te komen. Het vuur had die nog niet bereikt.

Fiona kwam achter hem aan.

'Ik zei toch dat je moest blijven waar je was?'

'Ik weet waar die verdomde koevoet is!' snauwde ze.

Gray hoorde de angst in haar stem, maar alles was beter dan dat ze verstard van schrik bleef staan. Bovendien paste het wel bij zijn eigen woede. Woede op zichzelf gericht. Het was erg genoeg dat hij zich door dit meisje had laten volgen, maar het was veel erger dat hij zich door moordenaars in de val had laten lokken. Hij was te veel met Rachel bezig geweest, hij had deze opdracht onderschat, en nu liep zijn leven gevaar.

Fiona drong zich langs hem heen. Ze had rode ogen en hoestte van de rook. 'Hier.' Ze boog zich over de toonbank heen en trok een lange groene staaf op.

'Kom.' Hij liep voor haar uit naar de naderende vlammen. Vervolgens trok hij zijn wollen trui uit en ruilde die voor de koevoet.

'Maak die trui goed nat onder die sprinkler.' Hij wees er met de koevoet naar. 'En maak jezelf ook maar nat.'

'Wat ga je doen?'

'Ik ga proberen zelf een trap te maken.'

Gray klom een van de ladders op die tegen de boekenkasten stonden geleund. De rook kolkte om zijn hoofd, en de lucht was verschroeiend heet. Gray porde met de koevoet tegen de plafondtegels. De eerste kwam gemakkelijk los, en die schoof hij opzij. Zoals hij al had gehoopt zag hij boven het verlaagde plafond de planken vloer van de bovenliggende verdieping, gesteund door zware balken.

Gray klom nog hoger en kroop op de boekenkast. Daar zette hij de koevoet tussen de vloerdelen. De koevoet verdween er een heel eind in. Vervolgens zette hij kracht met zijn schouders. De koevoet versplinterde het hout, maar het gat was maar net groot genoeg voor een muis.

Met tranende ogen bukte hij zich en hoestte pijnlijk. Niet goed genoeg. Het zou een wedloop worden tussen de koevoet en de verstikkende rook. Hij keek naar de vlammen. De brand werd heviger en de rook dikker.

Op die manier kreeg hij het niet op tijd voor elkaar.

Beneden zag hij iets bewegen. Fiona kwam de ladder op. Ze had een zakdoek natgemaakt en die voor haar gezicht gebonden, zodat ze eruitzag als een bandiet. In haar geval een geschikte vermomming.

Ze hield de doorweekte trui op. Ze had zichzelf ook natgemaakt en zag eruit als een verzopen kat. Ineens drong het tot Gray door dat ze jonger moest zijn dan de zeventien jaar die hij haar eerst had gegeven. Waarschijnlijk was ze nog pas vijftien. Haar ogen waren rood en stonden angstig, maar er stond ook hoop in te lezen. Waarschijnlijk had ze blind vertrouwen in hem.

Gray vond het vervelend wanneer mensen dat deden – omdat het altijd werkte.

Hij bond de mouwen van de trui om zijn nek en liet de rest over zijn rug hangen. Een stuk van de doorweekte wol trok hij op, zodat de natte stof zijn neus en mond bedekte. Zo was hij in elk geval een beetje beschermd tegen de vieze rook.

Het water uit de trui maakte zijn overhemd nat. Gray maakte zich klaar om de planken van de vloer nogmaals te lijf te gaan. Hij was er zich van bewust dat Fiona onder hem stond, en voelde de verantwoordelijkheid op hem drukken.

Hij keek of er tussen het plafond en de vloer nog een andere mogelijkheid tot ontsnappen was. Overal liepen kriskras buizen en kabels. Die waren waarschijnlijk daar bevestigd toen het pand werd gesplitst. Het zag er slordig en rommelig uit, heel anders dan het oude vakmanschap waarmee het huis oorspronkelijk was gebouwd.

Terwijl hij speurde, zag hij een onderbreking in de vloerdelen. Een stuk van een meter in het vierkant, omringd door steviger balken. Hij herkende het meteen voor wat het was. Hij had gelijk gehad, er had hier een binnentrap gezeten.

Hoe stevig was het gat weggewerkt?

Er was maar één manier om daarachter te komen.

Hij stond op en liep over de boekenkast in de richting waar het gat zat. Het was maar een paar meter, maar wel dieper de winkel in, in de richting van het vuur.

'Wat doe je?' vroeg Fiona van boven aan de ladder.

Gray kreeg niet genoeg adem om het allemaal te gaan uitleggen. De rook werd steeds verstikkender, en de hitte leek op die van een oven. Eindelijk kwam hij bij het stuk onder het oude trapgat.

Hij keek naar beneden en zag dat de onderste planken van deze boekenkast al smeulden.

Hij mocht geen seconde verspillen.

Hij zette zich schrap en stootte de koevoet naar boven.

De bovenkant ging gemakkelijk door het dunnere hout. Houtvezelplaat en linoleum. Slordig, zoals hij al had gehoopt. Gelukkig maar dat er tegenwoordig met zo weinig vakmanschap werd gebouwd.

Gray zette kracht tegen de koevoet. Ondertussen werd de hitte bijna ondraaglijk en de rook was verstikkend. Algauw had hij een gat gemaakt dat groot genoeg was om erdoor te kunnen klimmen.

Gray wierp de koevoet door het gat. Die kwam rinkelend op de vloer van de hogere verdieping neer.

Daarna draaide hij zich om naar Fiona.

'Kun je op de boekenkast komen en...'

'Ik heb gezien hoe jij daar bent gekomen.' Ze kroop de boekenkast op.

Gray hoorde iets kraken. De boekenkast waar hij op zat, wankelde.

Door zijn gewicht en door de brandende planken onderaan werd de kast onstabiel. Hij trok zich gedeeltelijk op door het gat, zodat zijn gewicht werd verdeeld.

'Snel!' moedigde hij het meisje aan.

Met haar armen uitgestrekt balanceerde ze over de boekenkast. Nog een meter...

'Snel,' zei hij nog eens.

Met een krakend geluid stortte de boekenkast onder hem in. Hij hield zich vast aan de randen van het trapgat terwijl de planken en de boeken in het vuur vielen. De vlammen rezen hoog op, en de hitte was bijna niet te harden.

Fiona gilde het uit toen haar boekenkast wankelde. Gelukkig hield die het.

Hangend op zijn armen riep Gray: 'Spring naar me toe en grijp je vast aan mijn schouders!'

Fiona hoefde op haar wankelende boekenkast niet aangemoedigd te worden. Ze sprong en kwam hard tegen hem aan. Ze sloeg haar armen om zijn hals en haar benen om zijn middel. Door de klap liet hij bijna los, maar hij herstelde zich.

'Kun je via mij door het gat kruipen?' vroeg hij gesmoord terwijl hij daar bungelde.

'Ik... ik denk het wel.'

Bewegingloos bleef ze aan hem hangen.

De ruwe planken sneden in zijn vingers. 'Fiona...'

Bevend bewoog ze over zijn rug. Ze zette haar voet tegen zijn riem en zette zich vervolgens af tegen zijn schouder. Lenig als een aapje kroop ze door het gat.

Beneden verwoestte het vuur boekenkasten en boeken.

Opgelucht trok Gray zich op door het gat, en op de vloer bleef hij even liggen. Hij bevond zich in een gang waar kamers op uitkwamen.

'Het brandt hier ook al,' fluisterde Fiona, alsof ze bang was de aandacht van de vlammen te trekken.

Gray sprong op. Aan de achterkant van het appartement zag hij een flakkerend schijnsel. De gang stond vol rook, dikker nog dan beneden in de winkel.

'Kom op,' zei hij. De wedloop was nog niet gewonnen.

Hij rende door de gang, weg van het vuur. Hij bereikte een van de dichtgetimmerde ramen en tuurde tussen de planken door. In de verte klonken sirenes, en in de straat hadden zich al nieuwsgierigen verzameld. Met daartussen waarschijnlijk een paar gewapende moordenaars.

Als ze uit het raam klommen, waren ze een wel erg gemakkelijk doelwit.

Ook Fiona keek naar de menigte beneden. 'Ze zullen ons zeker niet laten gaan, hè?'

'We komen er wel op een andere manier uit.'

Gray keek omhoog. Hij herinnerde zich de dakkapellen die hij vanaf de straat had gezien. Ze moesten het dak op.

Fiona begreep wat hij wilde. 'In de kamer hiernaast is een vlizotrap.' Ze ging hem voor. 'Soms kwam ik hier toen mor nog...' Haar stem stierf weg.

Gray wist dat het meisje nog lang door de dood van haar grootmoeder achtervolgd zou worden. Hij sloeg zijn arm om haar schouders, maar die schudde ze kwaad af.

'Hier,' zei ze, en ze liep een kamer in die vroeger de woonkamer moest zijn geweest. Er stonden nu slechts een paar kisten en een verweerde bank met gescheurde bekleding.

Fiona wees naar een versleten touw aan het plafond dat vastzat aan een luik naar het dak.

Gray trok eraan, en de vlizotrap ontvouwde zich. Hij klom naar boven, gevolgd door Fiona.

De zolder was leeg, met isolatiemateriaal tegen de wanden, met balken en rattenkeutels. Het enige licht kwam door de ramen in de dakkapellen. Het ene bood uitzicht op de straat, het ander zat aan de achterkant. Ook hier stond rook, maar de vlammen hadden de zolder nog niet bereikt.

Gray besloot het achterraam te proberen. Dat lag op het westen, en op deze tijd van de dag was het dak beschaduwd. Bovendien stond het huis aan die kant in brand. Misschien hielden hun aanvallers het huis aan deze kant niet in de gaten.

Gray sprong van vloerbalk naar vloerbalk. Hij voelde de hitte van beneden komen. Een gedeelte van het isolatiemateriaal smeulde al, de vezels smolten.

Bij het raam gekomen keek Gray eerst naar beneden. Hij kon niet in de tuin kijken. En als hij beneden niemand kon zien, konden zij hem ook niet zien. Bovendien kolkte er rook omhoog uit de kapotte ramen beneden, en dat gaf extra dekking.

Deze keer bood de brand hun voordeel.

Toch ging hij naast het raam staan toen hij het openzette. Hij wachtte. Geen schoten. Het geluid van de sirenes klonk nu van heel dichtbij.

'Ik ga eerst,' fluisterde hij in Fiona's oor. 'Als het veilig is...'

Achter hen klonk een brullend geluid.

Met een ruk draaiden ze zich om. Een vlam schoot uit het brandende isolatiemateriaal omhoog. Het vuur knapperde en er kwam veel rook vanaf. Ze hadden geen minuut te verliezen.

'Kom achter me aan,' zei Gray.

Gebukt kroop hij uit het raam. Het was heerlijk koel op het dak, en de lucht verrukkelijk fris vergeleken met de verstikkende rook binnen.

Opgetogen dat ze zouden ontsnappen, probeerde Gray het dak. Het was steil, maar met zijn laarzen had hij er goed grip op. Je kon er best voorzichtig op lopen. Hij liep weg bij het raam en keek naar de daken ernaast. Er zat iets van een meter tussen dit huis en het volgende. Dat konden ze wel springen.

Tevreden draaide hij zich om naar het raam. 'Oké, Fiona, wees voorzichtig.'

Het meisje stak haar hoofd naar buiten, keek om zich heen en kroop het dak op. Daar bleef ze op handen en knieën zitten.

Gray wachtte rustig op haar. 'Toe maar, je doet het prima.'

Ze keek naar hem op en daardoor zag ze de gebroken dakpan niet. Met haar voet duwde ze de dakpan weg en raakte uit balans. Ze kwam op haar buik terecht en gleed weg.

Met handen en voeten probeerde ze houvast te vinden, maar dat lukte niet.

Gray dook op haar af, maar wist haar niet te grijpen.

Steeds sneller gleed ze over de dakpannen naar beneden. Door haar pogingen zich ergens aan vast te houden kwamen er nog meer dakpannen los. Ze had een lawine in gang gezet.

Gray lag languit op zijn buik, maar kon niets voor haar doen.

'De goot!' riep hij, vergetend dat hij voorzichtig moest zijn. 'Hou je vast aan de dakgoot!'

Ze leek hem niet te horen. Er kwamen nog meer dakpannen los, en ze kwam op haar zij te liggen, waardoor ze ging rollen. Ze gilde.

Beneden kletterden de dakpannen neer.

Fiona gleed erachteraan terwijl ze wild om zich heen maaide.

En toen was ze verdwenen.

3

UKUFA

Bijna tienduizend kilometer verderop, een wereld van Kopenhagen verwijderd, reed een jeep door de wildernis van Zuid-Afrika.

Het was snikheet. De zon blakerde de savanne en zorgde voor schitterende luchtspiegelingen. In de achteruitkijkspiegel was de zondoorstoofde vlakte te zien, afgewisseld door doornstruiken en eenzame struikjes rooibos. Onmiddellijk daarachter rees een heuvel op, begroeid met knobbelige acacia's en skeletachtige hardekoolbomen.

'Is het daar?' vroeg Khamisi Taylor. Hij draaide aan het stuur om zijn jeep door de droge bedding van de kreek te krijgen. Achter hen werd een stofwolk opgeworpen. Even wierp hij een blik op de vrouw naast hem.

Doctor Marcia Fairfield kwam overeind in de passagiersstoel en hield zich vast aan de voorruit. Ze wees. 'Naar het westen, daar is een diepe kom.'

Khamisi schakelde en stuurde naar rechts. Als jachtopziener van het Hluhluwe-Umfolozi wildpark moest hij zich aan het protocol houden. Stropen was een zware misdaad, maar het kwam toch vaak voor. Vooral in de meer afgelegen gedeelten van het wildpark.

Zelfs zijn eigen volk, de Zoeloes, hielden zich soms aan de traditionele praktijken. Hij had boetes moeten uitdelen aan vrienden van zijn grootvader. De ouden hadden hem een bijnaam gegeven, een woord dat in het

Zoeloe 'Dikke Jongen' betekende. Het werd zonder spot gezegd, maar Khamisi wist dat er gevoelens van afkeer waren. Ze vonden hem geen echte man omdat hij een blank baantje had, hij teerde op andermans zak, werd dik van wat anderen toekwam. Bovendien was hij hier min of meer een vreemdeling. Toen hij twaalf was, was zijn vader met hem naar Australië gegaan, nadat zijn moeder was gestorven. Een groot deel van zijn leven had hij net buiten Darwin gewoond, aan de noordkust van Australië. Hij had zelfs twee jaar aan de universiteit van Queensland gestudeerd. Op zijn achtentwintigste was hij teruggegaan en had een baan als jachtopziener in de wacht gesleept. Hij was aangenomen vanwege zijn studieverleden, maar ook omdat hij banden met de stammen in deze streek had.

Hij werd dik van wat anderen toekwam.

'Kun je niet sneller?' vroeg zijn passagier.

Marcia Fairfield kwam uit Cambridge en was bioloog. Haar haar werd al grijs. Ze had veel respect verdiend met haar Operation Rhino Project, en soms werd ze de Jane Goodall van de neushoorns genoemd. Khamisi vond het prettig werken met haar. Misschien lag dat aan haar gemoedelijkheid, aan de manier waarop ze zich kleedde in een vaal geworden kaki safari-jasje, met haar zilvergrijze haar in een eenvoudige paardenstaart.

Of misschien kwam het omdat ze zo gedreven was.

'Als de koe bij de geboorte is gestorven, kan het kalf nog in leven zijn. Maar hoe lang nog?' Ze sloeg met haar vuist op de voorruit. 'Ik wil niet dat ze allebei doodgaan.'

Daar kon Khamisi inkomen. Sinds 1970 was het aantal zwarte neushoorns in Afrika met zesennegentig procent gedaald. Het Hluhluwe-Umfolozi wildpark probeerde daar iets aan te doen, zoals het ook met de witte neushoorn had gedaan. Het park probeerde de soort te behouden.

Elke zwarte neushoorn telde.

'We hebben haar alleen maar gevonden omdat ze gechipt is,' ging Marcia Fairfield verder. 'Vanuit een helikopter is ze gezien. Maar als de geboorte al heeft plaatsgevonden, zal het moeilijk worden het kalf op te sporen.'

'Het kalf zal toch wel bij de moeder blijven?' vroeg Khamisi. Hij had dat zelf gezien: een paar jaar geleden waren er twee leeuwenwelpjes aangetroffen die tegen de koude buik van hun moeder aan zaten gedrukt. De leeuwin was door stropers afgeschoten.

'Je weet hoe het met weesjes afloopt. Een roofdier wordt aangetrokken door het karkas, en als het kalf er nog is, bebloed na de geboorte...'

Khamisi knikte. Hij gaf meer gas en de jeep schoot de met stenen bedekte helling op. De achterwielen gleden weg, maar de jeep reed verder.

Eenmaal de heuvel over zagen ze dat het terrein uit een stel diepe kloven bestond waardoor beekjes stroomden. Er groeiden hier wilde vijgenbomen, rode essen, en nyala-bomen. Het was een van de weinige 'natte' plekken van het park, en ook een van de meest afgelegen, ver van de gebruikelijke route die jagers en toeristen namen. Alleen personen met de juiste toestemming mochten hier beperkt komen: alleen overdag, de nacht mocht hier niet worden doorgebracht. Dit gebied liep helemaal langs de westelijke grens van het wildpark.

Khamisi tuurde naar de horizon terwijl hij de heuvel af reed. Anderhalve kilometer verder zag hij het zwarte hek van drie meter hoog dat het wildpark scheidde van het privéterrein ernaast. Het was niet ongebruikelijk dat er een privéreservaat naast een wildpark lag. Welgestelde reizigers konden daar de natuur van nabij meemaken.

Maar dit was geen gewoon reservaat.

Het Hluhluwe-Umfolozi wildpark was in 1895 opgericht, het was het oudste wildpark van Afrika. De privéreservaten waren ook oud. Dit reservaat was zelfs ouder dan het wildpark en was in het bezit van de Waalenbergs, een van de oudste families van Zuid-Afrika. Oorspronkelijk waren het Boeren geweest, ze hadden zich hier al in de zeventiende eeuw gevestigd. Het reservaat was ongeveer een kwart zo groot als het wildpark, en er werd gezegd dat er veel wilde dieren leefden. En niet alleen de bekendste soorten, zoals olifanten, neushoorns, luipaarden, leeuwen en Kaapse buffels, maar ook allerlei prooi- en roofdieren: nijlkrokodillen, nijlpaarden, jachtluipaarden, hyena's, wildebeesten, jakhalzen, giraffes, zebra's, ellipswaterbokken, koedoes, impala's, rietbokken, wrattenzwijnen en bavianen. Er werd gezegd dat er in het reservaat van de Waalenbergs een kudde zeldzame okapi's had rondgelopen, lang voordat dit familielid van de giraf in 1901 werd ontdekt.

Maar er deden ook geruchten over het Waalenbergreservaat de ronde. Het park was alleen per helikopter of klein vliegtuig bereikbaar. De wegen die er ooit naartoe hadden geleid, waren door de natuur overwoekerd. Er kwamen maar zelden bezoekers, en dat waren meestal staatshoofden. Teddy Roosevelt scheen er ooit gejaagd te hebben, en hij had in de Verenigde Staten wildreservaten opgezet in navolging van het Waalenbergreservaat.

Khamisi zou er een lief ding voor over hebben om daar eens een kijkje te mogen nemen.

Maar die eer viel alleen de hoofdjachtopziener van Hluhluwe ten deel. Een rondleiding door het landgoed van de Waalenbergs was een van de extraatjes die bij die functie hoorden, en zelfs dan moest er een document worden getekend waarin geheimhouding werd beloofd. Khamisi hoopte ooit ook die hoge post te mogen bekleden.

Maar veel hoop had hij niet. Niet met zijn donkere huid.

Misschien had hij deze baan gekregen dankzij zijn afstamming van de Zoeloes, en natuurlijk dankzij zijn opleiding, maar zelfs na de afschaffing van de apartheid waren er grenzen. Tradities sterven niet snel uit, niet bij blanken en niet bij zwarten. Toch was zijn baan een begin. Een van de akelige resultaten van de apartheid was dat een hele generatie van de stam nauwelijks onderwijs had genoten. Ze hadden geleden onder jaren van sancties, onderdrukking en onrust. Een verloren generatie. Daarom deed hij wat hij maar kon; hij opende deuren voor degenen die na hem zouden komen.

Hij zou voor Dikke Jongen spelen als dat daarvoor nodig was.

En ondertussen...

'Daar!' riep Marcia Fairfield uit, en daardoor richtte Khamisi zijn aandacht weer op de moeilijk begaanbare weg. 'Ga naar links na die baobab onder aan de heuvel.'

Khamisi zag de oeroude, reusachtige boom. Aan de takken hingen grote witte bloemen treurig naar beneden. Links daalde het terrein naar een kom. Khamisi zag water schitteren.

Een poel.

Overal in het wildpark bevonden zich dergelijke poelen, sommige natuurlijk, andere door mensen gemaakt. Daar kon je het best dieren observeren, maar het waren ook gevaarlijke plekken om zich er te voet te begeven.

Khamisi bracht de auto bij de boom tot stilstand. 'Van hieraf moeten we lopen.'

Marcia Fairfield knikte. Ze pakten allebei hun geweer. Hoewel ze beiden de natuur beschermden, waren ze ook goed bekend met de gevaren van het veld.

Terwijl Khamisi uitstapte, hing hij zijn dubbelloops jachtgeweer, een .465 Nitro Holland & Holland Royal, over zijn schouder. Je kon er een olifant mee neerschieten. Tussen dichte begroeiing gaf hij daar de voorkeur aan boven een geweer met een grendelsysteem.

Ze liepen de helling af tussen het stekelige gras en de sekelbosjes door. De hogere begroeiing gaf schaduw, maar het maakte het ook donker. Het viel Khamisi op dat het zo stil was. Er tsjilpten geen vogels, er kwetterden geen apen. Hij hoorde alleen insecten zoemen. De stilte beangstigde hem.

Naast hem keek Marcia Fairfield op het scherm van haar gps-ontvanger.

Ze wees.

Khamisi volgde haar vinger en liep om de modderige poel heen. Toen hij door het riet liep, rook hij rottend vlees. Even later drong hij zich door een paar struiken en ontdekte de oorsprong van de stank.

De zwarte neushoornkoe moest iets van dertienhonderd kilo hebben gewogen. Ze was gigantisch.

'Allemachtig,' zei Marcia Fairfield. Ze hield haar zakdoek voor haar neus en mond. 'Toen Roberto het karkas vanuit de helikopter zag liggen...'

'Op de grond is het altijd erger,' merkte Khamisi op.

Hij liep naar het opgezwollen karkas. Het dier lag op haar linkerzij. Toen ze dichterbij kwamen, steeg er een zwarte wolk vliegen op. De buik was open, de gezwollen ingewanden hingen eruit. Het leek welhaast onmogelijk dat ze allemaal in de buik hadden gepast. Andere organen lagen in het stof. Een bloederige veeg toonde aan dat een lekker hapje in het dichte struikgewas was gesleept.

De vliegen daalden weer neer.

Khamisi stapte over een stuk aangevreten lever heen. De achterpoten leken er bij de heupen vrijwel afgetrokken te zijn. Er waren krachtige kaken voor nodig om zoiets te doen... Zelfs een volwassen leeuw zou er moeite mee hebben.

Khamisi liep om het karkas heen tot hij bij de kop was gekomen.

Een van de oren was eraf gebeten, en de keel was opengereten. Levenloze ogen staarden naar Khamisi op, te groot, te angstig. De lippen waren in doodsangst omhooggetrokken. De dikke tong hing in een plas bloed uit de bek. Maar dat was allemaal niet belangrijk.

Hij wist wat hij moest controleren.

Boven de met opgedroogd schuim bedekte neus stak de hoorn fier naar voren.

'Het is niet het werk van een stroper geweest,' zei Khamisi.

In dat geval zou de hoorn er zijn afgezaagd. De hoorn was de belangrijkste reden waarom de neushoornpopulatie zo sterk daalde. Gemalen hoorn werd in Azië verkocht als middel tegen erectiestoornissen, een soort homeopathische Viagra. Eén enkele hoorn bracht een bijzonder aardige prijs op.

Khamisi ging rechtop staan.

Marcia Fairfield zat geknield aan de andere kant van het karkas. Ze had haar geweer tegen het dier gezet en plastic handschoenen aangetrokken. 'Volgens mij is het kalf niet geboren.'

'Dus geen verweesd kalfje?'

Ze liep om het dier heen naar de buik. Daar knielde ze weer en zonder verdere plichtplegingen hief ze een stuk van de buikwand op en stak haar hand in de buik.

Hij keek weg.

'Waarom is het karkas niet opgevreten door aaseters?' vroeg ze.

'Er zit nogal wat vlees aan,' mompelde hij. Hij liep nog eens om het dode dier heen. De stilte was drukkend, minstens net zo drukkend als de hitte.

De vrouw ging door met haar onderzoek. 'Daar ligt het volgens mij niet aan. Het karkas ligt al de hele nacht naast een drinkplaats. De buikholte zou door jakhalzen moeten zijn leeggegeten.'

Khamisi keek naar de afgerukte achterpoot en naar de kapotgereten keel. Iets heel groots had de neushoorn te pakken gekregen. Iets groots en heel snels.

De haartjes in zijn nek kwamen overeind.

Waar waren de aaseters eigenlijk?

Voordat hij daarover kon nadenken, zei Marcia Fairfield: 'Het kalf is er niet meer.'

'Hè?' Hij draaide zich naar haar om. 'Maar u zei toch dat de geboorte nog niet had plaatsgevonden?'

Ze stond op, trok de handschoenen uit en pakte haar geweer. Met het geweer in de hand liep ze met haar blik op de grond gericht weg van het karkas. Khamisi zag dat ze een bloedspoor volgde. Er was iets uit de buik gerukt om ergens in alle rust te worden opgevreten.

Jezus...

Hij liep achter haar aan.

Aan de rand van een bosschage duwde Marcia Fairfield met de loop van haar geweer de laaghangende takken opzij, om zo te onthullen wat er uit de buik was gesleurd.

Het kalf.

De magere kop was aan stukken gescheurd, alsof erom was gevochten.

'Ik denk dat het kalf nog leefde toen het uit de buik werd gerukt,' zei Marcia Fairfield terwijl ze naar een plas bloed wees. 'Het arme ding...'

Khamisi deinsde achteruit. Hij moest denken aan de vraag die ze daarnet had gesteld. Waarom hadden de aaseters de overblijfselen niet opgevreten? Aasgieren, jakhalzen, hyena's, zelfs leeuwen hadden dat moeten doen. Mevrouw Fairfield had gelijk. Al dat vlees had niet mogen worden overgelaten aan vliegen en maden.

Er klopte iets niet. Tenzij...

Khamisi's hart klopte in zijn keel.

Tenzij het roofdier hier nog in de buurt was.

Khamisi hief zijn geweer van zijn schouder. Diep in de schaduwrijke bosschage werd hij zich intens bewust van de stilte. Het was alsof de natuur zelf zich bedreigd voelde door wat de neushoorn had gedood.

Hij snoof, spitste zijn oren en keek doodstil staand om zich heen. Om hem heen leek het donkerder te worden.

Khamisi had zijn kindertijd in Zuid-Afrika doorgebracht en was goed op de hoogte van het bijgeloof. Hij kende de verhalen over monsters die in het oerwoud jaagden: de *ndalawo*, een krijsende menseneter uit het oerwoud van Oeganda; de *mbilinto*, een neushoorn zo groot als een olifant uit de moerassen van Kongo; de *mngwa*, een harig wezen dat zich verschool in kokosnootaanplanten langs de kust.

Maar soms kwamen de mythen van Afrika tot leven. Zoals de *nsui-fisi*. Dat was een gestreepte menseneter uit Rhodesië die door de blanke kolonisten lang als een fabeltje was beschouwd. Totdat er tientallen jaren later een nieuw soort jachtluipaard werd ontdekt, de *Acinonyx rex*.

Terwijl Khamisi speurend om zich heen keek, herinnerde hij zich een andere legende die in heel Afrika bekend was. Het wezen kende vele namen: *dubu*, *lumbwa*, *kerit* en *getet*. Alleen het horen van zo'n naam was voldoende om de stammen kreten van angst te ontlokken. Het wezen was zo groot als een gorilla, en was duivels snel, slim en woest. Al eeuwenlang beweerden jagers – zowel blanken als zwarten – er een glimp van te hebben opgevangen. Kinderen leerden zijn karakteristieke gekrijs te herkennen. In Zoeloeland was dat niet anders.

'*Ukufa...*' fluisterde Khamisi.

'Wat zei je?' vroeg Marcia Fairfield. Ze stond over het dode kalf gebogen.

Het was de Zoeloenaam voor het monster, een naam die rond kampvuren en in de hutten van de kraal werd gefluisterd.

Ukufa.

De dood.

Hij wist waarom hij aan dat wezen moest denken. Vijf maanden geleden had een oude Zoeloe verteld hier in de buurt een ukufa te hebben gezien. Half dier, half geest, met ogen van vuur, had hij met grote stelligheid beweerd. Alleen degenen die zo oud waren als de hoogbejaarde man hadden hem serieus genomen. De anderen hadden net als Khamisi gedaan of ze hem geloofden.

Maar hier, tussen de donkere schaduwen...

'We moeten hier weg,' zei Khamisi.

'Maar we weten nog niet wat haar heeft gedood.'

'In elk geval geen stropers.' Meer hoefde Khamisi niet te weten. Hij gebaarde met zijn geweer in de richting van de jeep. Hij kon via de radio verslag aan de hoofdjachtopziener uitbrengen en dan was de zaak daarmee ten einde. Gedood door een roofdier. Niet door een stroper. Het karkas zouden ze voor de aaseters achterlaten. De eeuwige levenscyclus.

Met tegenzin kwam Marcia Fairfield overeind.

Rechts van hem verscheurde een schrille kreet tussen de bomen de stilte: *hoe-ie-oe*. Het klonk angstaanjagend.

Khamisi sidderde van top tot teen. Hij herkende die kreet, niet zozeer met zijn hoofd als wel met zijn bloed. Het ging terug tot middernachtelijke kampvuren, tot verhalen over doodsangst en bloedvergieten, en nog verder terug naar oeroude tijden, toen er nog geen gesproken taal bestond en er volgens het instinct werd geleefd.

Ukufa.

De dood.

De kreet stierf weg en de doodse stilte daalde weer neer.

Inwendig schatte Khamisi de afstand die tussen hen en de jeep lag. Ze moesten hier snel weg, maar niet in volle paniek. Een angstige vlucht zou de bloeddorstigheid van het roofdier alleen maar doen toenemen.

Tussen de bomen klonk weer een kreet.

En nog een, en nog een.

Uit verschillende richtingen.

In de plotselinge stilte daarna wist Khamisi dat ze maar één kans hadden.

'Rennen!'

9:31

KOPENHAGEN, DENEMARKEN

Gray lag op zijn buik op het dak, zijn hoofd naar beneden. Hij had Fiona niet kunnen vastgrijpen. Hij zag haar nog over de rand van het dak glijden, de rook in. Het stond op zijn netvlies gebrand. Zijn hart bonsde.

O god, wat heb ik gedaan...

De sirenes klonken nu heel dichtbij, toen zwegen ze.

Achter hem sloegen de vlammen uit het zolderraam, begeleid door hitte en rook. Hij moest hier weg.

Gray duwde zich op zijn ellebogen op, toen op zijn handen.

De vlammen trokken zich even terug. Beneden hoorde hij schreeuwende stemmen. En heel dichtbij hoorde hij kreunen. Net onder het dak.

Fiona?

Gray liet zich weer op zijn buik vallen en schoof voorzichtig naar de rand van het dak. Rook kolkte uit de ramen onder hem. Daardoor kon hij niet worden opgemerkt.

Bij de rand van het dak gekomen keek hij omlaag.

Precies onder hem bevond zich een balkon van gietijzer. Nee, het was geen balkon, het was de overloop van een trap. De buitentrap waarover Fiona het had gehad.

Het meisje lag op de overloop.

Kreunend draaide ze zich om en probeerde zich aan de spijlen van de leuning op te trekken.

Anderen hadden ook een beweging gezien.

In de tuin beneden zag Gray twee gestaltes. De ene stond op de ter- rastegels met een geweer tegen zijn schouder gedrukt, wachtend op het moment dat hij haar goed in het vizier had. Zwarte rook kwam uit het kapotte achterraam en daardoor kreeg de man Fiona niet goed op de kor- rel. Hij wachtte totdat ze haar hoofd boven de leuning zou uitsteken.

'Blijf liggen,' fluisterde Gray tegen Fiona.

Ze keek op. Er sijpelde bloed over haar voorhoofd.

De tweede schutter liep met een zwart pistool in zijn handen naar de trap. Hij wilde voorkomen dat ze zou ontsnappen.

Gray gebaarde dat Fiona moest blijven waar ze was, toen kroop hij over de rand van het dak tot precies boven de tweede schutter. Door de enor- me rookwolken konden ze hem niet zien. Bovendien hadden beide schut- ters hun aandacht op de trap gericht. Zodra Gray positie had ingenomen, bleef hij wachten. In zijn rechterhand had hij een dakpan, een van de dak- pannen die waren losgeraakt tijdens Fiona's glijpartij.

Het moest meteen raak zijn.

Onder hem zette de man met het pistool een voet op de onderste tree.

Gray boog zich met geheven arm over het dak en floot.

De schutter keek op, liet zich op zijn knie vallen en richtte het wapen op Gray. Hij was snel...

Maar de zwaartekracht was sneller.

Gray gooide de dakpan. Wentelend vloog die door de lucht en raakte de man in het gezicht. Het bloed spoot uit zijn neus. Hij viel achterover met zijn hoofd op de tegels en bleef daar bewegingloos liggen.

Gray kroop terug naar Fiona.

De man met het geweer slaakte een kreet.

Gray hield zijn blik op hem gericht. Hij had gehoopt deze man af te schrikken door zijn partner buiten gevecht te stellen. Helaas was dat niet gelukt. De man met het geweer rende weg en verschool zich achter een vuilnisbak, maar van daaraf kon hij nog wel goed richten. Hij zat dicht bij de achterkant van het huis, waar de hevige rook uit de ramen kolkte.

Gray had Fiona bereikt. Hij gebaarde dat ze moest blijven liggen. Als hij Fiona op het dak trok, waren ze er allebei geweest. Ze zouden zich te lang bloot moeten geven.

Er was maar één ding dat hij kon doen.

Met zijn ene hand hield hij zich aan de dakgoot vast en sprong naar beneden. Met veel lawaai kwam hij op de overloop terecht, en daar dook hij in elkaar.

Boven zijn hoofd spatte een baksteen uit elkaar.

Een geweerschot.

Gray trok de dolk uit de schede in zijn laars.

Fiona keek er met grote ogen naar. 'Wat moeten we...'

'Jíj blijft hier,' zei hij bars.

Gray stak zijn hand naar de leuning uit. Hij had alleen het element van verrassing. Geen vloeistofpantser en geen wapen, afgezien van de dolk.

'Zodra ik het zeg, ren je weg,' zei hij. 'De trap af en over de schutting naar de buren. Ga naar de eerste de beste politieagent of brandweerman toe. Kun je dat?'

Fiona keek hem recht aan. Even leek het erop dat ze tegenwerpingen zou maken, maar toen kneep ze haar lippen op elkaar en knikte.

Braaf zo.

Gray hield de dolk in zijn hand. Weer had hij maar één kans. Hij haalde diep adem, sprong op, trok zich op aan de leuning en sprong eroverheen. Terwijl hij naar de terrastegels beneden suisde, deed hij twee dingen tegelijkertijd.

'Rennen!' riep hij, en hij wierp de dolk naar waar de schutter zich verborgen hield. Hij dacht niet dat hij hem op deze manier kon doden, maar hij kon hem wel afleiden en proberen dicht bij hem te komen. Aan een geweer had je weinig bij een man-tegen-mangevecht.

Toen hij neerkwam, vielen hem twee dingen op. Iets goeds en iets slechts.

Hij hoorde Fiona van de trap rennen. Ze ging ervandoor. Dat was goed.

Tegelijkertijd zag hij zijn dolk door de rokerige lucht vliegen, tegen de vuilnisbak aankomen en vallen. Erg goed had hij niet gemikt.

Dat was niet best.

De schutter kwam ongedeerd overeind en richtte het geweer recht op Grays hartstreek.

'Nee!' gilde Fiona zodra ze onder aan de trap was.

De schutter lachte niet eens toen hij de trekker overhaalde.

'Rennen!' riep Khamisi nogmaals.

Marcia Fairfield had geen verdere aansporing nodig. Ze vluchtten in de richting van de wachtende jeep. Bij de poel gekomen, gebaarde Khamisi dat ze voor hem uit moest rennen. Ze drong zich door het hoge riet, nadat ze hem zwijgend had aangekeken. In haar ogen stond net zulke doodsangst te lezen als in de zijne.

Welke dieren er ook in het woud hadden gekrijst, ze klonken enorm groot en bloeddorstig. Khamisi keek achterom naar de verscheurde neushoorn. Monsters of niet, hij hoefde verder niets te weten over wat er verscholen kon zitten tussen de dichte bomen, de kabbelende beekjes en de donkere kloven.

Hij draaide zich weer om en kwam achter de bioloog aan. Vaak keek hij achterom en luisterde of ze niet werden gevolgd. In de poel klonk een plonzend geluid. Khamisi negeerde het. Het was maar een kleine plons. Hij sloeg ook geen acht op de zoemende insecten of het ruisende riet, hij moest zich op werkelijk gevaar concentreren. Khamisi's vader had hem leren jagen toen hij nog pas zes jaar oud was, hij had hem geleerd waarop je moest letten tijdens de jacht.

Alleen was hij nu de prooi.

Het klapperen van vleugels trok zijn aandacht.

Een beweging. Links van hem in de lucht.

Een eenzame klauwier vloog op. Iets had de vogel verschrikt. Iets wat bewoog.

Snel liep Khamisi door het riet totdat hij Marcia Fairfield weer had ingehaald. 'Snel,' fluisterde hij gespannen.

Marcia Fairfield hield haar hoofd schuin en liet de loop van haar geweer om zich heen draaien. Ze hijgde en zag grauw. Khamisi volgde haar blik. De jeep stond boven aan de heuvel, in de schaduw van een baobab aan de rand van de kom. De helling leek veel steiler en langer dan toen ze die afdaalden.

'Blijven lopen,' zei hij.

Khamisi keek achterom en zag een geelbruine klipspringer uit het woud springen en de helling op rennen. Met haar hoeven wierp de ree stof op.

Even later was het dier verdwenen.

Het had het goede voorbeeld gegeven.

Marcia Fairfield begon aan de klim. Khamisi kwam achter haar aan, opzij lopend met het dubbelloopsgeweer op de bosrand gericht.

'Ze doodden niet om te eten,' bracht Marcia Fairfield hijgend uit.

Khamisi keek naar het donker tussen de bomen. Hoe wist hij dat ze gelijk had?

'Ze werden niet door honger gedreven,' ging de bioloog verder, alsof ze door hardop te denken haar angst de baas kon blijven. 'Er was bijna niets van gegeten. Het was alsof ze voor hun plezier hadden gedood. Zoiets als een kat die op een muis jaagt.'

Khamisi had met roofdieren gewerkt. Zo ging het er meestal niet aan toe. Leeuwen vormden na de maaltijd meestal geen bedreiging, dan luierden ze en waren zelfs min of meer benaderbaar. Een volgevreten roofdier zou niet zomaar een neushoorn verscheuren en het kalf uit de buik halen.

Marcia Fairfield bleef maar praten, alsof het gevaar waarin ze verkeerden een moeilijk raadsel was waarvoor een oplossing moest worden gevonden. 'De weldoorvoede huiskat jaagt juist vaker. Dan hebben ze de energie voor zulke spelletjes.'

Spelletjes? Khamisi huiverde.

'Loop maar door,' zei hij omdat hij er liever niets meer over wilde horen.

Marcia Fairfield knikte, maar toch moest Khamisi steeds denken aan wat ze had gezegd. Welk roofdier jaagt voor de lol? Natuurlijk was er een antwoord op die vraag: de mens.

Maar dit was niet het werk van een mens.

Weer trok een beweging Khamisi's aandacht. Heel even zag hij een bleke vorm bij de rand van het woud. De vorm verdween toen hij er goed naar wilde kijken.

Hij wist nog wat de bejaarde Zoeloe had gezegd: half dier, half geest.

Ondanks de hitte kreeg hij het koud. Hij ging sneller lopen en duwde de oudere bioloog bijna omver. De helling was verraderlijk met de loszittende steentjes en zand. Maar ze waren bijna boven. De jeep stond op een afstand van nog maar dertig meter.

En toen gleed Marcia Fairfield uit.

Ze kwam op haar knie terecht en viel achterover, tegen Khamisi aan.

Hij wankelde achteruit, struikelde en viel op zijn achterwerk. Door de steile helling kukelde hij om en rolde naar beneden, tot halverwege de helling. Toen kon hij zich met zijn voeten en de geweerkolf afremmen.

Marcia Fairfield was blijven zitten. Met wijd open ogen van angst keek ze langs hem heen.

Naar het woud.

Khamisi draaide zich om en kwam half overeind. Zijn enkel deed pijn.

Misschien had hij die verstuikt of gebroken. Hij tuurde zonder iets te zien, maar hij richtte toch maar zijn geweer.

'Ga weg!' riep hij. De sleuteltjes zaten nog in het contact. 'Wegwezen!'

Hij hoorde Marcia Fairfield opkrabbelen.

Vanuit het woud klonk weer gekrijs, ondulerend en onmenselijk.

Blindelings haalde Khamisi de trekker over. De knal van het schot was oorverdovend. Achter hem slaakte Marcia Fairfield een verschrikte gil. Khamisi hoopte dat het lawaai zou verjagen wat zich tussen de bomen verschool.

'Naar de jeep!' brulde hij. 'Ga nou! Blijf niet wachten!'

Hij stond op zonder zijn gewicht op zijn pijnlijke enkel te plaatsen. Het geweer hield hij schietklaar. In het woud was het weer stil.

Hij hoorde dat Marcia Fairfield boven was gekomen. 'Khamisi...' riep ze.

'Neem de jeep!'

Even durfde hij achterom te kijken.

Marcia Fairfield liep in de richting van de jeep. Boven haar zag hij iets in de baobab bewegen. De witte bloemen wiegden zachtjes.

Maar er stond geen wind.

'Kijk uit!' riep hij. 'Pas op!'

Achter hem klonk een woeste kreet, waardoor zijn waarschuwing onverstaanbaar werd. Marcia Fairfield zette een pas in zijn richting.

Nee...

Het sprong uit de schaduw van de enorme boom, een bleke, wazige vorm. Het sloeg de bioloog omver en verdween met haar. Khamisi hoorde nog een bloedstollende kreet, maar die hield halverwege abrupt op.

En weer was het stil.

Khamisi draaide zich terug naar het woud.

Overal loerde de dood.

Er was maar één ding dat hij kon doen.

Zonder op de pijn in zijn enkel te letten, zette hij het op een lopen. De helling af.

Hij maakte gebruik van de zwaartekracht. Het was meer een vrije val dan lopen. Hij rende terug naar de voet van de heuvel, en het kostte hem moeite overeind te blijven. Eenmaal beneden richtte hij op de bosrand en haalde nogmaals de trekker over.

Knal.

Hij kon wat op hem jaagde, niet verjagen. Maar hij kon wel extra tijd winnen. Bovendien hielp de terugslag van het geweer hem op de been te blijven. Hij bleef rennen terwijl de pijnscheuten door zijn been trokken en zijn hart vreselijk tekeerging.

Hij zag – of misschien voelde hij het meer – dat er iets gigantisch bij de bosrand bewoog. Een iets blekere schaduw.

Half dier, half geest...

Hoewel hij het niet had gezien, wist hij wat het was.

Ukufa.

De dood.

Maar niet vandaag, hoopte hij.

Khamisi stormde door het riet en dook in de poel.

9:32

KOPENHAGEN, DENEMARKEN

Fiona's gil en het geweerschot klonken gelijktijdig.

Gray draaide zich met een ruk om, in de hoop niet dodelijk gewond te raken. Terwijl hij zich omdraaide, zag hij vaag iets groots uit het kapotte raam vliegen.

De schutter moest het ook hebben gezien, even voordat Gray het zag, want het schot miste.

Gray voelde de hitte van het spoor dat de kogel net langs zijn linkerarm trok.

Hij draaide weg, buiten het schootsveld.

Uit het raam was een grote gestalte op de vuilnisbak gesprongen en toen tegen de schutter aan.

'Berta!' riep Fiona.

De harige sint-bernard was doorweekt. Hij zette zijn tanden in de arm van de schutter. Daar was de man niet op voorbereid. Hij viel achter de vuilnisbak. Zijn geweer kwam kletterend op de tegels terecht.

Gray sprong erop af.

Hij hoorde gejank. Voordat Gray iets kon doen, sprong de schutter hoog op en zette zijn laars tegen Grays schouder. Toen Gray viel, sprong de schutter over hem heen.

Gray draaide zich op zijn zij en richtte het geweer. Maar de man bewoog als een gazelle. Met fladderende zwarte jaspanden vloog hij over de schutting en dook weg. Gray hoorde zijn voetstappen door het steegje verdwijnen.

'Rotzak...'

Fiona rende op Gray toe. Ze had een pistool in haar hand. 'De andere man...' Ze wees naar achter zich. 'Volgens mij is hij dood.'

89

Gray hing het geweer om zijn schouder en pakte het pistool uit haar hand. Ze maakte geen tegenwerpingen omdat ze wel iets anders aan haar hoofd had.

'Bertal...'

De hond schommelde tevoorschijn, zwak en met een geblakerde vacht.

Gray keek achterom naar de brandende winkel. Hoe had het arme beest dat overleefd? De laatste keer dat Gray de hond had gezien, lag die buiten westen tegen de muur waar hij door de ontploffende brandgranaten tegenaan was gesmeten.

Fiona sloeg haar armen om de doornatte hond heen.

De hond moest onder een sprinkler hebben gelegen.

Ze trok de kop omhoog en drukte haar neus tegen de zijne. 'Brave hond.'

Dat was Gray met haar eens. Hij stond bij Bertal in het krijt. 'Je krijgt zoveel koffie als je wilt, jong,' beloofde hij zacht.

Bertal sidderde, toen zakte hij door zijn achterpoten en plofte neer op de tegels. De adrenaline waardoor het dier op de been was gebleven, raakte uitgewerkt.

Van links kwamen stemmen, er werd in het Deens iets geroepen. Een straal water schoot hoog in de lucht. Er kwamen brandweermannen om de hoek van de winkel.

Gray kon niet langer blijven.

'Ik moet weg.'

Fiona stond op en keek van Gray naar de hond.

'Blijf maar bij Bertal,' zei hij terwijl hij een stap naar achteren zette. 'Ga met hem naar de dierenarts.'

Fiona kreeg een harde blik in de ogen. 'En jij gaat gewoon weg?'

'Het spijt me.' Dat was nauwelijks voldoende na al deze afschuwelijke gebeurtenissen. Haar grootmoeder was vermoord, de winkel was afgebrand en ze was ternauwernood aan de dood ontsnapt. Maar hij wist niets anders te zeggen, en er was geen tijd om het uit te leggen.

Hij draaide zich om en liep naar de achterkant van de tuin.

'Ja hoor, ga maar, rot maar op!' riep Fiona hem na.

Blozend sprong Gray over het tuinhek.

'Wacht!'

Hij liep snel door het steegje. Hij vond het vreselijk om haar in de steek te laten, maar hij had geen andere keus. Het was beter voor haar. Met al die politie en brandweer was ze goed beschermd. Waar Gray naartoe ging, was geen plek voor een meisje van vijftien. Toch bleef hij maar blozen, want hij was zich bewust van een heel andere reden om haar alleen te laten, een egoïstische reden: hij was blij van haar af te zijn, om geen verantwoordelijkheid meer voor haar te dragen.

Wat zijn motieven ook waren, gebeurd was gebeurd.

Snel liep hij verder door de steeg. Het pistool had hij in zijn broekband gestoken, en hij had de patronen uit het geweer gehaald. Het geweer zelf had hij achter een stapel kachelhoutjes verstopt. Het zou te opvallend zijn om ermee rond te lopen. Terwijl hij doorliep, trok hij zijn trui weer aan. Hij moest een ander hotel zoeken en van naam veranderen. Er zou een onderzoek komen naar de dode mannen. Het was beter om doctor Sawyer een stille dood te laten sterven.

Maar eerst moest hij nog iets doen.

Hij haalde zijn mobieltje uit zijn achterzak en toetste de sneltoets voor het commandocentrum in. Even later werd hij doorverbonden met Logan Gregory, de coördinator van deze missie.

'We hebben een probleem,' zei Gray.

'Wat is er?'

'Het is allemaal veel groter dan we aanvankelijk dachten. Groot genoeg om ervoor te moorden.' Gray bracht verslag uit van wat er die ochtend was gebeurd. Er volgde een lange stilte.

Uiteindelijk zei Logan duidelijk gespannen: 'Dan halen we je maar van de zaak af totdat er versterkingen zijn.'

'Als ik daarop moet wachten, is het misschien te laat. De veiling begint over een paar uur.'

'Je dekmantel is waardeloos geworden, commandant Pierce.'

'Daar ben ik niet zeker van. Ze denken dat ik gewoon een Amerikaanse koper ben die te veel vragen stelt. Ze zullen waar iedereen bij is niks proberen. Op de veiling zal het druk zijn, en bovendien wordt alles goed beveiligd. Ik kan er best naartoe gaan en misschien kom ik dan te weten wie erachter steekt. Daarna verdwijn ik en houd ik me koest totdat er versterkingen zijn.'

Gray wilde ook dolgraag die bijbel eens zien.

'Dat lijkt me niet verstandig,' zei Logan. 'Te veel risico voor iemand in zijn eentje.'

Gray werd kwaad. 'Dus die rotzakken mogen me bijna in de vlammen laten omkomen, en ik moet dat maar toestaan?'

'Commandant!'

Gray omklemde het mobieltje. Logan deed overduidelijk al te lang papierwerk. Logan was wel geschikt als coördinator van een onderzoek, maar dat was deze opdracht allang niet meer. Het ging niet meer om kalmweg feiten natrekken, het was een waarachtige missie van Sigma geworden.

En in dat geval wilde Gray iemand met ervaring achter zich, iemand die van wanten wist.

'Misschien moet directeur Crowe op de zaak worden gezet,' zei Gray.

Weer zo'n lange stilte. Misschien had hij iets verkeerds gezegd. Het was niet zijn bedoeling geweest Logan te beledigen, maar soms moest je weten wanneer een ander beter aan het roer kon staan.

'Dat is helaas onmogelijk, commandant Pierce.'

'Hoezo?'

'Directeur Crowe is in Nepal, waar we hem niet kunnen bereiken.'

Gray fronste. 'In Nepal? Wat moet hij nou in Nepal?'

'Commandant, je hebt hem er zelf naartoe gestuurd!'

'Hè?'

En toen herinnerde Gray zich het weer.

Een week geleden had een oude vriend hem gebeld.

Gray ging in gedachten terug naar het verleden, naar zijn eerste dagen bij Sigma. Net als de andere agenten van Sigma had Gray een militaire achtergrond: hij was op zijn achttiende in het leger gegaan en op zijn een-entwintigste was hij ingelijfd bij de Rangers. Nadat hij voor de krijgsraad had moeten verschijnen wegens het slaan van een meerdere, was hij door Sigma gerekruteerd, rechtstreeks uit de gevangenis van Leavenworth. Toch was Gray op zijn hoede geweest. Er was een goede reden geweest om die officier te slaan. Door de incompetentie van de officier waren er in Bosnië onnodig veel doden gevallen – onschuldige kinderen – maar Grays woede zat dieper. Het had te maken met dat hij slecht autoriteit kon verdragen, en dat lag weer aan zijn relatie met zijn vader. Er was een wijs man voor nodig geweest om Gray dat duidelijk te maken.

En die wijze man was Ang Gelu.

'Bedoel je dat directeur Crowe in Nepal is vanwege mijn vriend de boeddhistische monnik?'

'Painter weet wat die voor je betekent.'

Gray bleef in een donkere hoek staan.

Vier jaar lang had hij in Nepal bij de monnik gestudeerd, tijdens zijn opleiding voor Sigma. Het was juist vanwege Ang Gelu dat Gray een uniek lesrooster bij Sigma had gehad. Gray had een stoomcursus biologie en fysica op academisch niveau gevolgd, maar door Ang Gelu hadden beide studies extra diepgang gekregen. Van Ang Gelu had hij geleerd naar balans te zoeken. De harmonie van tegengestelden. De yin en yang van de Tao. De een en de nul.

Dankzij dat diepere inzicht had Gray met zijn verleden kunnen afrekenen.

In zijn jeugd zat hij altijd klem tussen tegengestelden. Zijn moeder had lesgegeven aan een katholieke school en was de bron van de spiritualiteit in Grays leven, maar ze was ook bioloog en geloofde in evolutie en rede. Haar geloof in de wetenschap was net zo diep als haar geloof in de Kerk.

Zijn vader had wortels in Wales en woonde in Texas. Hij was werkzaam in de olie-industrie totdat hij invalide was geworden en noodgedwongen de rol van huisman op zich had moeten nemen. Dat had een diepe woede in hem veroorzaakt.

Zo vader, zo zoon.

Totdat Ang Gelu Gray had laten zien dat het anders kon.

Een weg tussen tegenstellingen. Het was geen korte weg. De weg strekte zich uit zowel naar de toekomst als naar het verleden. Gray volgde de weg nog steeds moeizaam.

Maar Ang Gelu had Gray met zijn eerste stappen geholpen. Hij stond bij de monnik in het krijt. Dus toen Gray een week geleden een telefoontje kreeg waarin hem om hulp werd gevraagd, legde hij dat niet naast zich neer. Ang Gelu had hem over vreemde verdwijningen en bijzondere ziektegevallen verteld, en dat alles vond plaats in een bepaalde streek dicht bij de grens met China.

De monnik had niet geweten tot wie hij zich moest wenden. De Nepalese regering had haar handen vol aan de maoïstische rebellen. Ang Gelu wist dat Gray betrokken was bij een vaag netwerk van geheim agenten. Daarom had hij Gray om hulp gevraagd. Maar omdat Gray al bezig was aan een opdracht, had hij de zaak aan Painter Crowe overgedragen.

'Het was de bedoeling dat Painter er een laaggeplaatste agent op uit zou sturen,' reageerde Gray ongelovig. 'Om er eens een kijkje te nemen. Er waren toch zeker wel anderen die...'

Logan viel hem in de rede. 'Er was hier weinig te doen.'

Gray kreunde. Hij wist precies wat Logan bedoelde. Doordat er weinig bedreigingen voor de wereldvrede waren, was Gray naar Denemarken gekomen.

'Dus toen is hij maar zelf gegaan?'

'Je kent hem. Hij kan niet stilzitten.' Logan zuchtte geërgerd. 'En nu hebben we een probleem. Door een storm is de verbinding een paar dagen verbroken geweest, maar nu de storm is gaan liggen, hebben we nog steeds niets van directeur Crowe gehoord. Er zijn ons wel van verschillende kanten geruchten ter ore gekomen. Dezelfde verhalen als die jouw vriend vertelde. Ziekte, sterfgevallen, misschien zelfs aanvallen van rebellen. Het schijnt steeds erger te worden.'

Nu begreep Gray waarom Logan zo gespannen klonk.

Het was niet alleen Gray wiens opdracht lastiger was dan voorzien.

Een ongeluk komt zelden alleen...

'Ik kan Monk naar je toe sturen,' zei Logan. 'Kapitein Bryant en hij zijn net onderweg hiernaartoe. Monk kan over een uur of tien bij jou zijn. Houd je tot die tijd gedeisd.'

'Maar de veiling begint al over...'

'Commandant Pierce, je hebt het gehoord.'

Snel zei Gray: 'Ik heb al camera's opgehangen bij de in- en uitgang. Het zou zonde zijn daar niets mee te doen.'

'Goed dan, hou die camera's dan maar in de gaten. Neem alles op. Maar dat is dan ook alles. Is dat goed begrepen, commandant?'

Gray was kwaad, maar hij begreep dat Logan het moeilijk had. En dat allemaal omdat Gray iemand een gunst had willen bewijzen. Hij kon dus moeilijk tegenwerpingen maken. 'Begrepen.'

'Breng na de veiling verslag uit,' zei Logan.

'Komt in orde.'

De verbinding werd verbroken.

Gray liep op zijn hoede verder door de achterafstraten van Kopenhagen. Hij maakte zich zorgen.

Om Painter en om Ang Gelu...

Wat was er in Nepal verdomme aan de hand?

4

SPOOKLICHT

'Weet je zeker dat Ang Gelu dood is?' vroeg Painter terwijl hij omkeek.

Hij kreeg een knikje ter bevestiging.

Lisa Cummings was klaar met haar verhaal. Ze had hem verteld dat ze was weggehaald uit de groep bergbeklimmers om onderzoek te doen naar een ziekte die in het klooster heerste. Daarna hadden de gruwelen elkaar opgevolgd: de waanzin, de ontploffingen, de sluipschutter.

Painter dacht erover na terwijl ze dieper in de kelder onder het klooster doordrongen. De nauwe, stenen doolhof was niet bedoeld voor iemand met zijn postuur. Hij moest gebogen lopen, en toch kwam hij met zijn hoofd vaak tegen de van het plafond hangende bosjes jeneverbessen aan. De geurige kruiden werden gebruikt voor wierookstokjes in de tempel boven hen, de tempel die nu zelf een gigantische wierookbol was waarvan de rook oprees in de lucht.

Ongewapend waren ze de kelder in gevlucht om aan het vuur te ontkomen. Painter had uit een kleedkamer nog een zware mantel en een paar bontlaarzen meegegrist. Met die aan zag hij er bijna uit als een echte indiaan van de Pequot-stam, ook al was hij slechts een halfbloed. Hij herinnerde zich niet waar zijn eigen kleren en uitrusting waren gebleven.

Drie dagen van zijn leven waren zomaar weg. Samen met vijf kilo.

Toen hij de mantel omsloeg, was het hem opgevallen dat zijn ribben uitstaken. Zelfs zijn schouders leken bottiger. De ziekte was niet ongemerkt aan hem voorbijgegaan. In elk geval voelde hij zich steeds sterker worden.

Dat moest ook wel. Vooral nu er een moordenaar achter hen aan zat.

Tijdens de vlucht had Painter sporadisch geweervuur gehoord. Een sluipschutter schoot iedereen neer die uit het klooster probeerde te ontsnappen. Lisa Cummings had hem de man beschreven. Het was er maar een. Er moesten er meer zijn. Waren het maoïstische rebellen? Maar waarom zouden die monniken willen uitroeien?

Met een kleine zaklantaarn in de hand ging Painter voorop.

Lisa Cummings kwam achter hem aan.

Painter wist al dat ze een Amerikaanse arts was en deel uitmaakte van een groep bergbeklimmers. Af en toe keek hij even naar haar om. Ze had lange benen en zag er sportief uit. Ze had een blonde paardenstaart en rode wangen van de schrale wind. Ze was ook doodsbang. Ze bleef dicht bij hem in de buurt en schrok wanneer er door de brand boven weer iets instortte. Toch bleef ze nooit staan, ze huilde niet en ze klaagde niet. Kennelijk onderdrukte ze de shock door pure wilskracht.

Hoe lang kon ze dat nog volhouden?

Met trillende vingers schoof ze een bosje gedroogd citroengras uit haar gezicht. Ze liepen verder. Hoe dieper ze in de kelder doordrongen, des te sterker rook het naar rozemarijn, alsem, bergrododendron en bijvoet. Allemaal klaar om in verschillende vormen van wierook te worden verwerkt.

Lama Khemsar, de abt van het klooster, had Painter geleerd waar de honderden kruiden voor dienden: om te zuiveren, om goddelijke energie op te wekken, om storende gedachten kwijt te raken, zelfs om verlichting te geven bij astma en verkoudheid. Maar nu wilde Painter zich alleen maar herinneren hoe hij bij de achteruitgang van de kelder moest komen. De kelder stond in verbinding met alle gebouwen van het klooster. In de winter gebruikten de monniken de kelder om onder de grond van gebouw naar gebouw te komen zonder door de dikke laag sneeuw te hoeven ploegen.

Bij die gebouwen hoorde ook de schuur op de grens van het terrein. Die stond een heel eind uit de buurt van de brand, en bovendien uit het zicht.

Als ze de schuur konden bereiken en vervolgens naar het lagergelegen dorp ontsnappen...

Hij moest contact opnemen met het commandocentrum van Sigma.

Net zoals zijn gedachten zich aaneenregen, deden de gangen van de kelder dat.

Painter leunde met zijn hand tegen de muur. Hij was duizelig.

'Gaat het?' vroeg Lisa, die naast hem was komen staan.

Hij haalde een paar keer diep adem en knikte toen. Sinds hij wakker was geworden, had hij al last van vlagen van duizeligheid. Maar die kwamen steeds minder vaak voor – of hoopte hij dat alleen maar?

'Wat is daarboven toch gebeurd?' vroeg ze. Ze nam de zaklamp van hem over. Die was ook eigenlijk van haar, hij had tussen haar medische uitrusting gezeten. Ze scheen ermee in zijn ogen.

'Ik... ik weet het niet... We moeten doorlopen.'

Painter probeerde verder te gaan, maar ze zette haar hand tegen zijn borst en bleef maar naar zijn ogen kijken. 'Je hebt last van nystagmus,' fluisterde ze fronsend.

'Van wat?'

Ze gaf hem de veldfles met koud water en gebaarde dat hij op een strobaal moest gaan zitten. Hij stribbelde niet tegen. De strobaal was hard als steen.

'Je hebt last van horizontale nystagmus, een oogsiddering. Heb je een klap op je hoofd gehad?'

'Ik geloof van niet. Is het ernstig?'

'Dat is moeilijk te zeggen. Zoiets kan het resultaat zijn van een oog- of hersenbeschadiging. Een beroerte, multiple sclerosis, of een klap op het hoofd. Omdat je je duizelig voelt, zou ik zeggen dat je een trauma van je voorhofszenuw zou kunnen hebben. In je oor. Misschien is er iets met het centrale zenuwstelsel aan de hand. Waarschijnlijk niets blijvends, hoor.' Dat laatste mompelde ze.

'Hoe bedoel je dat: waarschijnlijk niets blijvends? Wil je soms zeggen dat ik hier altijd last van kan blijven houden?'

Ze keek weg. 'Ik zou er eens goed naar moeten kijken, onderzoek doen,' zei ze. 'Misschien kun je me eerst eens vertellen wat er allemaal is voorgevallen.'

Hij nam een slok water. Kon hij het maar vertellen... Hij kreeg pijn achter zijn ogen toen hij het zich probeerde te herinneren. De gebeurtenissen van de laatste dagen waren zo vaag...

'Ik logeerde in een van de dorpen. Midden in de nacht verschenen er vreemde lichten op de berg. Ik heb het vuurwerk niet gezien, het was al afgelopen tegen de tijd dat ik wakker werd. Maar 's morgens klaagde iedereen in het dorp over hoofdpijn en misselijkheid. Ikzelf had daar ook last van. Ik vroeg een van de dorpshoofden naar de lichten. Hij zei dat die al generaties lang af en toe verschenen. Het spooklicht. Het wordt toegeschreven aan de kwade geesten op de berg.'

'Kwade geesten?'

'Hij wees naar de plek waar de lichten waren gezien. Een afgelegen stuk berg, met diepe ravijnen en bevroren watervallen, helemaal tot aan de grens met China. Moeilijk begaanbaar terrein. Het klooster staat op een deel van de berg dat uitzicht biedt over dat niemandsland.'

'Dus het klooster staat dichter bij de lichten?'

Painter knikte. 'De schapen waren binnen vierentwintig uur dood. Sommige vielen zomaar dood neer. Andere gingen met hun koppen tegen rotsblokken slaan. Ik kwam er de dag daarop aan. Ik had overal pijn en moest overgeven. Lama Khemsar gaf me thee te drinken. En meer herinner ik me niet.' Hij nam nog een slok uit de veldfles en zuchtte. 'Dat was drie dagen geleden. Toen ik wakker werd, was ik opgesloten. Ik moest de deur inbeuken.'

'Je bofte,' zei de vrouw terwijl ze haar veldfles terugpakte.

'Hoezo?'

Ze sloeg haar armen beschermend om zich heen. 'Je bofte dat je niet in het klooster was. Hoe dichter bij de lichten, des te heviger de symptomen.' Ze keek omhoog, alsof ze door het steen probeerde te kijken. 'Misschien was het een soort straling. Zei je niet dat het niet ver is naar de grens met China? Misschien was het een kernproef.'

Daar had Painter een paar dagen geleden ook al aan gedacht.

'Waarom schud je je hoofd?' vroeg Lisa.

Painter had niet eens beseft dat hij dat deed. Hij drukte zijn hand tegen zijn voorhoofd.

Lisa fronste haar wenkbrauwen. 'Je hebt me nog helemaal niet verteld waarom jíj hier bent.'

Hij vroeg zich af wat hij haar nog meer kon vertellen. Onder de omstandigheden was het misschien het beste om eerlijk te zijn. Zo eerlijk als maar mogelijk was.

'Ik werk voor de regering, bij een dienst die DARPA heet. Wij...'

Ze legde hem met een handgebaar het zwijgen op. 'Ik weet wat DARPA is. De researchafdeling van het leger. Ik heb ooit een onderzoeksbeurs van ze gekregen. Maar wat moeten ze hier?'

'Nou, kennelijk ben jij niet de enige aan wie Ang Gelu om hulp heeft gevraagd. Een week geleden nam hij contact met ons op. Hij vroeg of we onderzoek wilden doen naar geruchten over een vreemde ziekte die hier zou heersen. Ik was bezig met de boel een beetje op te nemen. Ik moest vaststellen welke experts er moesten komen: artsen, geologen, het leger. En toen ging het stormen. Ik wist niet dat ik zo lang van de buitenwereld zou zijn afgesneden.'

'En ben je nog ergens achter gekomen?'

'Ik maakte me na de eerste gesprekken zorgen dat de maoïstische rebellen misschien in het bezit van kernafval waren gekomen, en dat ze een vuile bom aan het maken waren. Net zoiets als wat jij over de Chinezen dacht. Dus terwijl ik wachtte totdat de storm ging liggen, heb ik naar straling gezocht, maar ik kon niets ongebruikelijks vinden.'

Lisa keek hem aan alsof ze met een vreemd soort insect te maken had.

'Als ik jou in een laboratorium kon onderzoeken, zouden er misschien een paar vragen kunnen worden beantwoord,' zei ze.

Dus ze beschouwde hem niet als een soort insect, maar als een proefkonijn. Dat was een hele stap hoger in de evolutie.

'Eerst moeten we zorgen dat we hier levend wegkomen,' zei hij.

Ze keek naar het plafond. Ze hadden al een tijdje geen schoten meer gehoord. 'Misschien denken ze dat iedereen al dood is. We kunnen gewoon hier blijven en...'

Painter stond op van de strobaal. 'Ik heb uit jouw beschrijving opgemaakt dat ze methodisch te werk gaan. Alles was gepland. Ze zullen van het bestaan van de kelder op de hoogte zijn en ons hier komen zoeken. We kunnen alleen maar hopen dat ze wachten totdat de brand is uitgefikt.'

Lisa knikte. 'We gaan dus verder.'

'We moeten hier weg, en dat gaat ons lukken,' stelde hij haar gerust. Hij steunde met zijn hand tegen de muur. 'Het gaat ons lukken,' zei hij, meer tegen zichzelf dan tegen haar.

Ze liepen verder.

Na een paar stappen voelde Painter zich minder duizelig.

Mooi zo.

De uitgang kon niet ver meer zijn.

Ter bevestiging voelden ze een vleugje wind waarin de bosjes gedroogde kruiden ritselend bewogen. Painter voelde de kou in zijn gezicht. Meteen bleef hij stokstijf staan. Het instinct van de jager liet zich horen, wat hij tijdens zijn training had geleerd en wat er in zijn bloed zat. Hij pakte Lisa bij haar elleboog om haar tot stilte te manen.

Hij klikte de zaklamp uit.

Voor hen uit viel iets zwaars op de vloer. Het geluid weergalmde door de gangen. Laarzen. Een deur die dichtsloeg. Het windje verdween.

Ze waren niet langer alleen.

De moordenaar liep gebogen door de kelder. Hij wist dat hier mensen zaten. Hoeveel waren het er? Hij hing zijn geweer om zijn schouder en trok zijn Heckler & Koch MK23 pistool. Hij had alleen nog zijn vingerloze wollen onderhandschoenen aan zijn handen. Luisterend bleef hij staan.

Heel zacht geschuifel.

Ze liepen terug.

Het waren er minstens twee, misschien drie.

Hij rekte zich uit en trok het luik dicht dat toegang gaf tot de schuur. De koude wind blies niet meer door de gangen, en het werd pikkedonker. Hij zette zijn bril met nachtkijkerfunctie op en klikte de lamp met ultraviolet licht aan die op zijn schouder zat bevestigd. De gang lichtte zilvergroen op.

Dichtbij hingen planken aan de muur vol blikjes en rijen potten met amberkleurige honing. Langzaam en stilletjes liep hij erlangs. Hij had geen haast. De andere uitgangen boden enkel toegang tot de brandende ruïnen. De monniken die in hun waanzin nog zo verstandig waren geweest naar buiten te vluchten, had hij neergeschoten.

Allemaal genadeschoten.

Dat wist hij maar al te goed.

De Glocke was te hard geluid.

Het was een ongeluk geweest. Die gebeurden tegenwoordig te vaak.

De afgelopen maand was hij zich bewust geweest van de spanning die de anderen op het Granitschloß hadden gevoeld. Zelfs nog voor het ongeluk. Er was iets in het kasteel gebeurd dat voelbaar was op de afgelegen plek waar hij in alle eenzaamheid woonde. Indertijd had hij er niet veel acht op geslagen. Waarom zou hij ook?

Maar toen was het ongeluk gebeurd, en dat kon hij niet negeren.

Hij moest de rotzooi opruimen.

Dat was zijn plicht als een der laatste Sonnenkönige. De Ridders van de Zon waren in verval geraakt, zowel in aantal als in status. Ze waren verzwakt en werden gemeden, ze waren een anachronisme, een blok aan het been. Het zou niet lang meer duren of er waren er geen meer.

Des te beter.

In elk geval had hij zijn taak er bijna op zitten. Nadat hij de kelder had gedaan, kon hij terug naar zijn hut. De overval op het klooster zou aan de maoïstische rebellen worden toegeschreven. Wie anders dan de goddeloze maoïsten zou een in strategisch opzicht totaal onbelangrijk klooster met de grond gelijkmaken?

Om het allemaal extra echt te laten lijken, gebruikte hij de munitie die de rebellen gebruikten. Zelfs in zijn pistool.

Met zijn wapen in de hand schoof hij langs een rij open eiken vaten. Er zat graan in, rogge, bloem, en zelfs gedroogde appels. Hij was op zijn hoede voor een valstrik. De monniken mochten dan wel waanzinnig zijn geworden, maar ook waanzinnigen kunnen sluw zijn wanneer ze in de val zitten.

Voor hem uit was een bocht naar links. Hij bleef dicht bij de rechtermuur. Even bleef hij staan om te luisteren of hij voetstappen hoorde. Hij schoof de bril omhoog.

Pikkedonker.

Hij zette de bril met nachtkijkerfunctie weer goed, en daar was de gang weer, in groenige tinten. Hij zou iemand die zich schuilhield, kunnen zien lang voordat hijzelf werd gezien. Ontsnappen was onmogelijk. De enige weg naar buiten was langs hem heen.

Hij glipte de hoek om.

Een lage hooibaal lag scheef in de gang, alsof die in haast omver was gegooid. Hij speurde de gang af. Nog meer vaten. Aan het plafond hingen gedroogde kruiden.

Geen enkele beweging, geen enkel geluid.

Hij stapte over de strobaal heen.

Onder de zool van zijn laars knisperde een takje jeneverbes.

Hij keek naar beneden. De vloer was bedekt met takjes.

Een valstrik.

'Nu!'

Hij keek op net op het moment dat alles plotseling fel werd verlicht. Doordat het licht door de nachtkijker werd versterkt, werd hij erdoor verblind.

Flitslicht van een fototoestel.

Werktuiglijk haalde hij de trekker over. In de smalle gang klonken de schoten oorverdovend.

Ze moesten hem in het donker hebben opgewacht. Ze moesten hebben geluisterd totdat hij op zo'n takje stapte, waardoor hij zijn positie had verraden. Wankelend liep hij achteruit en viel bijna over de strobaal.

Door de val schoot hij in het plafond.

Hij had een fout begaan.

Iemand maakte daarvan gebruik door hem te rammen. Hij werd tegen zijn benen geraakt en kukelde over de strobaal heen. Met zijn rug kwam hij hard op de stenen vloer terecht. Er sneed iets in zijn dij. Razendsnel trok hij zijn knie op. Degene die op hem zat, kreunde.

'Wegwezen!' riep de aanvaller, die zijn arm met het pistool tegen de grond hield gedrukt. 'Rennen!'

De aanvaller sprak Engels. Het was geen monnik.

Een tweede persoon sprong langs hen heen. Hij zag vagelijk een gestalte omdat hij niet langer verblind was. Hij hoorde voetstappen die in de richting van het luik naar de schuur verdwenen.

'*Scheiße*,' vloekte hij.

Met een ruk draaide hij zich om, waardoor de man die op hem zat van hem af viel. De Sonnenkönige waren geen gewone mensen. Zijn aanvaller klapte als een lappenpop tegen de muur aan, herstelde zich en probeerde achter de ander aan te vluchten. Maar hij kon steeds beter zien, en woedend greep hij zijn aanvaller bij de enkel en sleurde hem terug.

De man trapte met zijn andere voet naar hem en raakte zijn elleboog. Grauwend zette hij zijn duim in de achillespees van zijn aanvaller. De man schreeuwde het uit. Hij wist hoe pijnlijk dat was. Het was alsof je enkel werd gebroken. Hij trok de man aan zijn been naar zich toe.

Toen hij overeind kwam, draaide alles om hem heen. Zijn kracht leek uit hem te lopen als bij een doorgeprikte ballon. In zijn dij voelde hij een brandend gevoel, daar waar hij met een mes was gestoken. Hij keek naar beneden. Het was geen mes. Uit zijn dij stak een injectiespuit. De naald zat diep in zijn vlees.

Een verdovend middel.

Zijn aanvaller rukte zich los en krabbelde bij hem uit de buurt.

Hij mocht de man niet laten ontkomen.

Hij hief zijn pistool – dat zo zwaar als een aambeeld leek te zijn – en schoot op de man. De kogel ketste af tegen de vloer. Terwijl hij zich snel voelde verzwakken, schoot hij nogmaals. Maar de man was al uit het zicht verdwenen.

Hij hoorde zijn aanvaller wegvluchten.

Hij zakte door zijn knieën. Zijn hart bonsde. Een hart tweemaal zo groot als normaal. Maar dat was gebruikelijk voor een Sonnenkönig.

Hij haalde een paar keer diep adem terwijl zijn stofwisseling zich aanpaste.

De Sonnenkönige waren niet als andere mensen.

Langzaam kwam hij overeind.

Hij moest zijn taak nog afmaken.

Daarom was hij geboren.

Om te dienen.

Painter klapte het luik dicht.

'Help even,' zei hij terwijl hij weg hinkte. Pijnscheuten trokken door zijn been. Hij wees naar een stapel kratten. 'Zet die maar op het luik.'

Hij trok het bovenste krat eraf. Te zwaar om te dragen klapte het met een metalig geluid op de grond. Hij sleepte het naar het luik. Hij wist niet wat er in de kratten zat, maar wel dat ze verdomde zwaar waren.

Hij schoof het krat op het luik.

Lisa worstelde met een tweede krat. Hij hielp haar en pakte vervolgens een derde.

Samen trokken ze dat naar het luik.

'Nog eentje,' zei Painter.

Lisa keek naar de stapel kratten op het luik. 'Daar komt echt niemand door.'

'Nog eentje,' hield Painter vol. Hijgend vertrok hij zijn gezicht. 'Geloof me nou maar.'

Het laatste krat trokken ze samen, en met moeite tilden ze het op de andere.

'Dat verdovende middel zorgt er wel voor dat hij uren buiten westen is,' zei Lisa.

Bij wijze van reactie klonk er een schot. De loop van een geweer stak tussen de planken van het luik heen, en kogels boorden zich in de balken van de zoldering.

'Ik denk dat ik een andere arts wil raadplegen,' zei Painter terwijl hij haar wegtrok.

'Heb je de hele spuit met *midazolam...* met verdovend middel in hem gekregen?'

'O ja.'

'Maar hoe kan het dan...'

'Geen idee. En dat maakt me op dit moment eigenlijk ook niet uit.'

Painter liep met haar naar de open schuurdeur. Nadat ze hadden gekeken of er misschien nog een sluipschutter was, gingen ze naar buiten. Links zagen ze het brandende klooster waar de rook van opsteeg. Gloeiende as dwarrelde door de lucht.

Donkere wolken benamen hun het zicht op de bergtoppen.

'Taski had gelijk,' mompelde Lisa terwijl ze haar capuchon opzette.

'Wie?'

'Onze gids, een sherpa. Hij waarschuwde ons dat het vandaag weer zou gaan stormen.'

Painter keek naar de vlammen die naar de wolken lekten. Er kwamen al dikke sneeuwvlokken naar beneden, vermengd met een regen van zwarte as. Vuur en ijs. Dat was een passend gedenkteken voor de tientallen monniken die in het klooster hadden gewoond en geleefd.

Terwijl Painter aan de vreedzame mannen dacht, stak er een grote woede in hem op. Wie slachtte er nou zo genadeloos monniken af?

Hij wist niet wie het waren, maar wel waarom.

De ziekte.

Er was iets fout gegaan en iemand probeerde de sporen daarvan uit te wissen.

Door een ontploffing werd hij uit zijn gepeins 'gerukt. Vlammen en rook kolkten uit de schuur. Een van de kratten zeilde de binnenplaats op.

Painter greep Lisa bij de arm.

'Heeft hij zichzelf opgeblazen?' vroeg ze terwijl ze ontzet naar de schuur keek.

'Nee, alleen het luik. Kom op, de brand zal hem maar beperkte tijd tegenhouden.'

Painter liep met haar over de bevroren ondergrond, om de karkassen van de geiten en schapen heen.

Het ging steeds heviger sneeuwen. Niet helemaal een zegen. Painter droeg een dikke wollen mantel en met bont gevoerde laarzen. Daar had je niet veel aan in een sneeuwstorm. Maar de vers gevallen sneeuw zou hun sporen verdoezelen, en hen minder goed zichtbaar maken.

Hij ging haar voor over het pad langs de rotswand naar het lagergelegen dorp, het dorp waar hij nog maar een paar dagen geleden had gelogeerd.

'Kijk!' zei Lisa.

Onder hen rees een rookzuil omhoog, een kleinere dan de rookzuil achter hen.

'Het dorp...' Painter balde zijn vuisten.

Dus niet alleen het klooster werd van de kaart geveegd. De huisjes beneden waren ook in brand gestoken. De aanvallers wilden geen getuigen achterlaten.

Painter wist dat ze niet op dit pad langs de rotswand moesten blijven. Het zou zeker in de gaten worden gehouden.

Hij draaide zich om en liep terug naar het brandende klooster.

'Waar gaan we naartoe?' vroeg Lisa.

Painter gebaarde naar de vlammen. 'Naar niemandsland.'

'Maar daar is toch...'

'Waar de lichten zijn gezien,' bevestigde hij. 'Dat is de plek waar we ons kunnen verschuilen. Waar we rustig kunnen blijven wachten totdat de storm gaat liggen. We wachten totdat er mensen komen kijken wat al die rook te betekenen heeft.'

Hij keek naar de zwarte rookkolom. Die moest mijlenver in de omtrek te zien zijn. Een rooksignaal, zoals zijn indiaanse voorouders dat gebruikten. Maar was er wel iemand om het te zien? Hij keek omhoog, naar de wolken. Hij hoopte dat iemand het gevaar zou opmerken.

Tot die tijd...

Hij had slechts één keus.

'Laten we gaan.'

Monk liep met Kat over het donkere Capitol Plaza. Ze zetten er flink de pas in.

'Ik wil er liever mee wachten,' zei Kat. 'Het is te vroeg. Er kan nog van alles gebeuren.'

Monk rook jasmijn. Ze hadden na het telefoontje van Logan Gregory samen snel een douche genomen. Ze hadden elkaar in de stoom gestreeld terwijl ze zich afspoelden; een laatste intimiteit. Maar toen ze zich daarna elk apart afdroogden en aankleedden, kwam de werkelijkheid om de hoek kijken in de vorm van een rits die niet wilde of een knoopje dat loszat. Hun passie werd daar net zo door bekoeld als door de frisse avondlucht.

Monk keek even naar haar.

Kat droeg een marineblauwe broek, een witte blouse en een jack met het embleem van de U.S. Navy erop. Professioneel als altijd waren haar zwartleren pumps glimmend gepoetst. Monk daarentegen droeg zwarte Reeboks, een donkere spijkerbroek en een beige coltrui. Op zijn hoofd had hij een honkbalpet van de Chicago Cubs.

'Totdat ik het zeker weet, wil ik liever niemand vertellen dat ik zwanger ben,' ging Kat verder.

'Wat bedoel je met: totdat ik het zeker weet? Totdat je zeker weet dat je het kind wilt houden? Of totdat je zeker bent van ons?'

De hele weg van Kats appartement op Logan Circle naar hier hadden ze ruziegemaakt. Het pand waarin Kat woonde was een negentiende-eeuws pension geweest dat nu in appartementen was gesplitst. Het lag op loopafstand van het Capitool. Deze avond leek de wandeling eindeloos te duren.

'Monk...'

Hij bleef staan, stak zijn hand naar haar uit en liet die toen weer zakken. Maar zij was ook blijven staan.

Hij keek haar recht aan. 'Zeg het dan, Kat.'

'Ik wil zeker weten dat... dat ik zwanger blijf. Ik wil het pas vertellen wanneer het iets verder gevorderd is.' Haar ogen blonken in het maanlicht.

'Maar lieverd, daarom moeten we het juist vertellen.' Hij kwam dicht bij haar staan en legde zijn hand op haar buik. 'Om te beschermen wat hier groeit.'

Ze draaide zich af zodat zijn hand nu tegen haar rug lag. 'Misschien heb je wel gelijk. Mijn carrière... Misschien is dit niet het moment.'

Monk zuchtte. 'Als alle kinderen op het juiste moment werden geboren, zou het erg leeg zijn in de wereld.'

'Monk, wees nou eens eerlijk. Jouw carrière staat niet op het spel.'

'O nee? Denk je soms dat een kind mijn leven niet verandert? Het verandert alles.'

'Precies. Dat maakt me juist zo bang.' Ze leunde tegen zijn hand, en hij sloeg zijn armen om haar heen.

'We komen er samen wel uit,' fluisterde hij. 'Beloofd.'

'Toch houd ik het liever stil... Nog een paar dagen. Ik ben nog niet eens bij de dokter geweest. Misschien was de zwangerschapstest wel niet helemaal betrouwbaar.'

'Hoe vaak heb je die test gedaan?'

Ze leunde tegen hem aan.

'Nou?'

'Vijf keer,' fluisterde ze.

'Vijf keer?' Het klonk geamuseerd.

Ze porde hem in zijn ribben. Dat deed pijn. 'Lach me niet uit.' Hij hoorde aan haar stem dat ze glimlachte.

Hij trok haar stevig tegen zich aan. 'Goed. Het blijft voorlopig ons geheimpje.'

Ze draaide zich in zijn armen om en kuste hem. Niet hartstochtelijk, maar dankbaar. Ze gingen uit elkaar en liepen hand in hand verder over het plein.

Voor hen uit lag helder verlicht hun bestemming: Smithsonian Castle. De kantelen, torens en spitsen van rossige zandsteen gloeiden in het donker op, een anachronisme in de ordelijke stad eromheen. In het hoofdgebouw zetelde het informatiecentrum van het Smithsonian Institute, maar de schuilkelder eronder was omgetoverd in het commandocentrum van Sigma. Het onder een dekmantel opererende team wetenschappers van DARPA werkte stilletjes onder de musea en laboratoria van het Smithsonian.

Kat liet haar hand uit de zijne glippen toen ze bij het kasteel kwamen.

Bezorgd keek Monk naar haar.

Hoewel ze het eens waren geworden, was hij zich ervan bewust dat ze onzeker was. Was er soms meer dan het kind?

Totdat ik het zeker weet...

Wat wilde ze zeker weten?

De hele weg naar de ondergrondse kantoren van Sigma bleef Monk zich zorgen maken. Eenmaal beneden kreeg hij tijdens het gesprek met Logan Gregory, de waarnemend directeur van Sigma, nog meer zorgen.

'Nog steeds stormt het in het gebied, en boven de hele Baai van Bengalen woeden onweders,' legde Logan uit. Hij zat achter een keurig opgeruimd bureau. Een rij lcd-schermen stond langs een muur. Op twee ervan verschenen gegevens. Het ene was rechtstreeks verbonden met een Aziatische weersatelliet.

Monk gaf een satellietopname door aan Kat.

'Hopelijk komt er meer nieuws voordat de zon opkomt,' ging Logan verder. 'Ang Gelu is in Nepal bij zonsopgang per helikopter vertrokken om een medisch team naar het klooster te brengen. Dat kon in de luwte van de storm. Het is daar nog vroeg, zo tegen de middag. Dus hopelijk weten we binnenkort meer.'

Monk wisselde een blik met Kat. Ze hadden gehoord waar hun directeur mee bezig was. Painter Crowe had al drie dagen niets van zich laten horen. Aan Logans vermoeide en bezorgde gezicht te zien, had hij al die tijd geen oog dichtgedaan. Hij ging zoals gewoonlijk gekleed in een blauw pak, maar dat was bij de ellebogen en knieën gekreukt, en dat was voor de onderdirecteur hetzelfde als er sjofel uitzien. Door zijn stroblonde haar en gebruinde gezicht zag hij er jeugdig uit, maar nu was duidelijk te zien dat hij al over de veertig was. Zijn oogleden waren dik, hij zag bleek en hij had diepe rimpels in zijn voorhoofd.

'En Gray?' vroeg Kat.

Logan schoof een dik dossier weg, trok een ander naar zich toe en sloeg het open. 'Een uur geleden is geprobeerd commandant Gray te vermoorden.'

'Wat?' Monk boog zich naar voren. 'Waarom moeten we dan al die weerberichten zien?'

'Rustig maar, hij is ongedeerd en er komen versterkingen.' Logan vertelde in het kort wat er in Kopenhagen was gebeurd. 'Monk, ik wil dat jij naar commandant Pierce gaat. In Dulles wacht een straalvliegtuig op je dat over precies tweeënnegentig minuten vertrekt.'

Monk moest toegeven dat Logan secuur was. Hij hoefde niet eens op zijn horloge te kijken.

'Kapitein Bryant,' ging Logan tegen Kat verder. 'Ik wil graag dat jij hier blijft om een oogje op de situatie in Nepal te houden. Ik wacht op verbinding met onze ambassade in Kathmandu. Ik kan je ervaring met buitenlandse en binnenlandse inlichtingendiensten goed gebruiken.'

'Natuurlijk.'

Ineens was Monk blij dat Kat bij de inlichtingendienst had gewerkt. In deze crisissituatie zou ze Logan goed terzijde kunnen staan. Hij had liever dat ze veilig onder het Smithsonian Institute zat dan dat ze aan een opdracht werkte. Dat was een hele zorg minder.

Hij merkte dat Kat kwaad naar hem keek, alsof ze zijn gedachten kon lezen. Hij bleef uitdrukkingsloos voor zich uit kijken.

Logan stond op. 'Dan laat ik jullie verder maar jullie gang gaan.' Hij hield de deur voor hen open; ook een manier om hun te vertellen dat ze konden gaan.

Zodra de deur achter hen dichtviel, greep Kat Monks arm beet. 'Dus jij gaat naar Denemarken?'

'Ja. En?'

'Maar...' Ze trok hem mee naar het damestoilet. Dat was op dit late uur verlaten. 'Maar de baby dan?'

'Wat is daarmee? Ik snap niet...'

'Stel dat er iets met je gebeurt?'

Hij knipperde met zijn ogen. 'Er gebeurt me heus niks.'

Ze hief zijn arm op, de arm waar de prothese aan vastzat. 'Je bent niet onverwoestbaar.'

Hij liet zijn arm zakken en verborg de hand achter zijn rug. Blozend zei hij: 'Ik hoef alleen maar een beetje op Gray te passen. Hij is daar bijna klaar. Rachel komt toch ook? Waarschijnlijk moet ik als chaperonne functioneren. We nemen de eerste de beste vlucht naar huis.'

'Als het zo onbelangrijk is, laat dan iemand anders gaan. Ik kan tegen Logan zeggen dat ik je hier nodig heb.'

'Dat gelooft hij natuurlijk meteen.'

'Monk...'

'Kat, ik ga. Jij wilt de zwangerschap stilhouden, ik wil het het liefst van de daken schreeuwen. Hoe dan ook, we hebben onze plicht te doen. Jij hebt jouw werk, ik het mijne. En vertrouw me nu maar, ik zal goed oppassen.' Hij legde zijn hand op haar buik. 'Ik moet voorzichtig zijn voor ons alle drie.'

Ze legde haar hand op de zijne en zuchtte. 'Vooruit dan maar.'

Hij keek haar glimlachend aan. Ze lachte terug, maar hij zag aan haar ogen dat ze moe en bezorgd was. Daar wist hij maar één ding op.

Hij boog zich naar haar toe en fluisterde zacht: 'Ik beloof het.'

'Wat beloof je?' vroeg ze.

'Alles,' antwoordde hij, en hij kuste haar innig.

Hij meende het.

'Je mag het Gray vertellen,' zei ze toen de kus uiteindelijk werd afgebroken. 'Mits je hem geheimhouding laat zweren.'

'Echt?' Hij keek blij, maar kneep zijn ogen toen tot spleetjes. 'Waarom?'

Ze liep langs hem heen naar de spiegel en gaf hem een klapje op zijn kont. 'Ik wil dat hij goed op je past.'

'Oké. Maar zo zit hij volgens mij niet in elkaar.'

Hoofdschuddend keek ze naar zichzelf in de spiegel. 'Wat moet ik toch met jou?'

Hij kwam achter haar staan en legde zijn handen om haar middel. 'Volgens meneer Gregory heb ik nog tweeënnegentig minuten.'

12:15

DE HIMALAYA

Lisa kwam snel achter Painter aan.

Als een berggeit klom hij een steile helling af, vol rotsblokken en verraderlijk door het vastgevroren grind. Het sneeuwde flink en daardoor konden ze maar een paar meter voor zich uit kijken. Het was vreemd grijs en schemerig. Maar in elk geval waren ze uit de ijzige wind.

Toch was er geen ontsnappen aan de koude. De temperatuur daalde razendsnel. Zelfs in haar jack en met wanten aan moest ze huiveren. Ze waren minder dan een uur onderweg, en de hitte van het brandende klooster was een vage herinnering geworden. De plekjes blote huid op haar gezicht voelden schraal.

Painter moest nog veel meer last van de kou hebben. Hij had een dikke broek en wollen wanten aangetrokken die van een dode monnik waren geweest. Maar hij had geen capuchon, alleen maar een sjaal die hij om zijn neus en mond had gewikkeld. Zijn adem kwam als een wolkje uit zijn mond.

Ze moesten een schuilplaats zien te vinden. En een beetje gauw ook.

Painter bood haar zijn hand aan toen ze haar evenwicht verloor op een bijzonder steil stuk en op haar billen een eindje verder gleed. Ze waren op de bodem van het dal gekomen. Hoge rotswanden rezen op.

De sneeuw lag hier al dertig centimeter hoog. Het zou zonder sneeuwschoenen een moeilijke tocht worden.

Alsof Painter haar gedachten kon lezen, wees hij naar opzij. Een overhangend stuk rots bood bescherming tegen de elementen. Ze sjokten er door de diepe sneeuw naartoe.

Eenmaal bij de overhangende rotsplaat gekomen, werd het makkelijker.

Ze keek achterom. Hun voetsporen werden al door verse sneeuw bedekt. Over een paar minuten zouden die zijn verdwenen. Dat was prettig omdat het het eventuele achtervolgers moeilijk maakte hun spoor te volgen, maar het had ook iets verontrustends. Het leek of hun hele bestaan werd uitgewist.

Ze draaide zich om. 'Weet je wel waar we heen gaan?' vroeg ze. Ze fluisterde, niet zozeer omdat ze bang was gehoord te worden, maar meer omdat het zo stil was in de sneeuw.

'Niet echt,' antwoordde Painter. 'Deze grensstreek is nooit goed in kaart gebracht. In sommige stukken heeft geen mens ooit voet gezet.' Hij gebaarde met zijn hand. 'Toen ik hier aankwam, heb ik satellietopnames bekeken. Maar daar had ik niet veel aan. Het terrein is te ingewikkeld. Dat maakt het extra moeilijk voor landmeters.'

In stilte liepen ze een eindje door.

Toen keek Painter naar haar om. 'Wist je dat ze hier in 1999 Shangri-la hebben ontdekt?'

Lisa keek hem aan. Door de sjaal kon ze niet zien of hij lachte. Misschien probeerde hij haar minder bang te maken. 'Shangri-la... Het land uit *Het verloren paradijs?*' Ze had het boek gelezen en de film *Lost Horizon* gezien over een utopisch paradijs in de Himalaya.

Hij draaide zich om, sjokte terug en legde het uit. 'Twee onderzoekers van de *National Geographic* ontdekten een verschrikkelijk diepe kloof in de Himalaya, een paar honderd kilometer ten zuiden van hier. De kloof bevond zich in een uitloper van een berg en was vanuit de lucht onzichtbaar. Beneden was een subtropisch paradijs met watervallen, naaldbomen, velden vol rododendrons, beekjes omzoomd met dollekervel en sparren. Een soort wilde tuin vol leven, aan alle kanten omringd door sneeuw en ijs.'

'Shangri-la?'

Hij haalde zijn schouders op. 'Dat toont maar weer eens aan dat de wetenschap en satellieten niet altijd alles onthullen wat liever verborgen wil blijven.'

Hij was gaan klappertanden. Zelfs spreken was adem en warmte verspillen. Ze moesten gauw hun eigen shangri-la zien te vinden.

Zwijgend liepen ze verder. De sneeuwval werd heviger.

Na tien minuten maakte de kloof een scherpe bocht, en daarna was er geen overhangende steenplaat meer.

Wanhopig keken ze om zich heen.

De bodem van de kloof liep steil naar beneden en verbreedde zich. Een sluier van sneeuw benam hun het uitzicht, maar wanneer een windvlaag de sluier uiteenschoof, konden ze een vallei zien liggen.

Het was geen shangri-la.

Voor hen uit strekte zich een reeks steile rotswanden uit, te steil om zonder touwen te beklimmen. Een beekje stroomde ertussendoor en stortte zich hier en daar als een waterval van de kliffen – een beek van ijs, bevroren in de tijd.

Half verscholen door sneeuw en mist lag een diep ravijn. Van hieraf zag het er bodemloos uit. Het leek wel het einde van de wereld.

'We komen heus wel beneden,' zei Painter klappertandend.

Hij liep weer verder. De sneeuw kwam tot boven hun enkels, en niet veel later tot halverwege hun kuiten. Painter baande een pad voor haar.

'Wacht,' zei ze. Ze wist dat ze het niet lang meer zou kunnen volhouden. Hij had haar tot hier kunnen helpen, maar ze waren niet goed genoeg uitgerust om verder te gaan. 'Kijk eens! Hier!'

Ze bracht hem naar de rotswand, die aan de lijzijde een beetje beschutting bood.

'W-w-wat?' vroeg hij klappertandend.

Ze wees naar waar de bevroren beek over de kliffen viel. Taski Sherpa had haar enkele overlevingsstrategieën bijgebracht. De belangrijkste les was: zoek een schuilplaats.

Ze wist waar je een schuilplaats kon vinden.

Ze liep naar waar de ijswaterval ongeveer op hun hoogte was. Zoals ze had geleerd, keek ze naar de plek waar het zwarte steen samenkwam met het blauwwitte ijs. Volgens de gids smolten de watervallen in de zomer en werden ze kolkende stromen die diepe spleten in het steen uitsleten. Aan het eind van de zomer kwam er minder water naar beneden, en dat bevroor vaak met een soort grot erachter.

Tot haar opluchting zag ze dat dit bij deze waterval ook het geval was.

Ze was Taski en zijn voorouders ontzettend dankbaar.

Met haar elleboog duwde ze een stuk ijs kapot. Er verscheen een zwart gat tussen de ijswaterval en het steen. Erachter zat een kleine grot.

Painter kwam helpen. 'We moeten eerst kijken of het wel veilig is.'

Zijwaarts wrong hij zich door de spleet en verdween. Even later werd de waterval van de achterkant verlicht.

Lisa tuurde door de spleet.

Painter stond een paar passen van haar af. Hij liet het licht van zijn zaklamp door de grot dwalen. 'Ziet er goed uit. Hier kunnen we de storm wel uitzitten.'

Het was Lisa's beurt om zich door de spleet te wringen. Uit de wind en de sneeuw leek het meteen al warmer.

Painter klikte de zaklantaarn uit. Licht hadden ze niet echt nodig. De ijswand liet het daglicht door en versterkte het zelfs. De bevroren waterval leek schitterend op te gloeien.

Painter draaide zich naar haar om. Zijn ogen leken nog blauwer, zo blauw als het ijs. Ze keek of hij nergens bevriezingsverschijnselen vertoonde. Door de wind zag zijn huid schraal en rood. In zijn gezicht ontdekte ze zijn indiaanse afkomst; heel bijzonder met die blauwe ogen.

'Bedankt,' zei Painter. 'Ik denk dat je daarnet ons leven hebt gered.'

Schouderophalend keek ze weg. 'Dat was ik je wel schuldig.'

Ook al reageerde ze nog zo achteloos, zijn bedankje deed haar toch plezier.

'Hoe wist je waar je moest zoeken?' Ineens moest Painter niezen. 'Au!'

Lisa liet haar rugzak van haar schouders glijden. 'Genoeg gevraagd. We kunnen beter zorgen dat we warm worden.'

Ze haalde een MPI warmtedeken tevoorschijn. Ook al was die nog zo dun, de vezels van Astrolar zouden negentig procent van hun lichaamswarmte vasthouden. En zij rekende niet uitsluitend op lichaamswarmte.

Ze haalde een katalysatorkacheltje uit haar rugzak. Zonder zo'n ding was het niet verantwoord je op een berg te begeven.

'Ga zitten,' zei ze terwijl ze de deken op het ijskoude steen uitspreidde.

Uitgeput deed hij wat ze zei.

Ze kwam bij hem zitten en sloeg de deken om hen heen. Ze zaten in een cocon. Daarna drukte ze op het knopje van het kacheltje van Coleman Sport-Cat. Dat werkte op butagas, en de inhoud kon veertien uur mee. Als ze het af en toe aanzetten en in de deken bleven, konden ze het hier een dag of drie uithouden.

Naast haar zat Painter te rillen terwijl het kacheltje opwarmde.

'Doe je handschoenen en laarzen uit,' zei ze terwijl ze het goede voorbeeld gaf. 'Warm je handen boven het kacheltje, en masseer dan je vingers, je tenen, je neus en je oren.'

'Om n-niet t-te b-bevriezen...'

Ze knikte. 'Zorg dat er zoveel mogelijk kleding zit tussen jou en het steen, zodat je daardoor geen warmte verliest.'

Ze trokken van alles uit en maakten een gezellig nest van wol en ganzendons.

Algauw kregen ze het behaaglijk.

'Ik heb een paar PowerBars bij me,' zei ze. 'En we kunnen sneeuw smelten.'

'Je bent goed in survivallen,' merkte Painter op. Hij klappertandde niet meer en zijn humeur was beter geworden.

'Maar ik heb niets wat een kogel kan tegenhouden,' zei ze. Ze keek hem strak aan terwijl ze bijna neus aan neus in de deken zaten.

Met een zucht knikte Painter. Ze waren ontsnapt aan de koude, maar niet aan het gevaar. De storm, die eerst een bedreiging was geweest, bood hun nu bescherming. Maar wat als de storm ging liggen? Ze hadden niets om berichten naar de buitenwereld mee te sturen, en ook geen wapens.

'We blijven ons hier schuilhouden,' zei Painter. 'Degene die het klooster in de fik heeft gestoken, kan ons spoor onmogelijk volgen. Zodra de storm is gaan liggen, zal een reddingsteam ons komen zoeken. Hopelijk met helikopters. We kunnen seinen met de lichtkogel die ik in je rugzak heb gezien.'

'En dan maar hopen dat onze redders er eerder zijn dan die anderen.'

Hij kneep even in haar knie. Ze leek het te waarderen dat hij geen valse hoop wilde wekken. Hij zei onverbloemd waar het op neerkwam. Ze pakte zijn hand en hield die stevig vast. Dat was voldoende steun.

Stilletjes bleven ze zo zitten, elk in zijn of haar gedachten verloren.

'Wie denk je dat het zijn?' vroeg ze uiteindelijk.

'Ik weet het niet. Maar ik hoorde die man vloeken toen ik hem neersloeg. Hij sprak Duits. Het was net of ik tegen een muur op liep.'

'Duits? Weet je dat wel zeker?'

'Ik weet nooit iets zeker. Maar ik denk dat hij een Duitse huurling is. Hij had duidelijk een militaire opleiding gehad.'

'Wacht eens,' zei Lisa. Ze draaide zich om om haar rugzak te pakken. 'Mijn camera.'

Painter ging rechtop zitten en sloeg daarbij een punt van de deken weg, die hij meteen weer instopte. 'Denk je dat je hem erop hebt staan?'

'Om goed te kunnen flitsen, heb ik de camera op continu opname maken gezet. Op die manier worden er vijf opnames per seconde gemaakt. Ik weet niet wat ik er allemaal op heb staan.' Ze draaide zich terug met het fototoestel in haar handen.

Dicht tegen elkaar aan keken ze naar het lcd-schermpje achter op de camera. Ze haalde de laatste opnames op. De meeste waren vaag, maar terwijl ze ze liet opkomen, leek het of ze hun eigen ontsnapping in slow motion zagen: de verraste moordenaar die met zijn hand zijn ogen pro-

beerde te beschermen en vervolgens ging schieten toen ze achter het vat
dook; Painter die hem ramde.

Op een paar opnames stond gedeeltelijk zijn gezicht. Ze kregen daarvan een grove indruk: witblond haar, een grof voorhoofd en een vooruit-
stekende kaak. De laatste opname moest zijn gemaakt toen ze over Painter en de moordenaar sprong. Ze had de ogen van de moordenaar in
close-up. Zijn bril met nachtkijker hing op een oor. Hij had een woeste
blik, die nog versterkt werd door de rode pupillen.

Lisa dacht aan Relu Na, de verre verwant van Ang Gelu die hen met
een sikkel had aangevallen. De ogen van de waanzinnige monnik hadden
ook zo gegloeid. Ze kreeg er kippenvel van.

Er was nog iets wat haar aan die ogen opviel.

Ze waren verschillend. Het ene oog was blauw als ijs. Het andere was
wit.

Misschien lag dat aan de flits...

Lisa bekeek alle opnames nog eens aandachtig, maar toen ze terug-
klikte, ging ze te ver door, en de laatste opname van voor de serie in de
kelder verscheen. Het was een foto van de muur waar in bloed letters op
geschreven stonden. Ze was vergeten dat ze die opname had gemaakt.

'Wat is dat?' vroeg Painter.

Ze had hem al het verdrietige verhaal van de abt van het klooster verteld, Lama Khemsar. 'Dat is wat de oude monnik op de muur had geschreven. Steeds weer dezelfde tekens.'

Painter boog zich over het schermpje. 'Kun je inzoomen?'

Dat deed ze, en meteen werd het beeld veel vager.

Painter fronste diep. 'Dat is geen Tibetaans of Nepalees. Kijk eens hoe
hoekig die tekens zijn. Het ziet er meer uit als runen.'

'Denk je?'

'Misschien.' Met een vermoeide zucht ging hij weer rechtop zitten.
'Hoe dan ook, je vraagt je toch af of Lama Khemsar meer wist dan hij
wilde vertellen.'

Er schoot Lisa iets te binnen wat ze Painter nog niet had verteld. 'Nadat de bejaarde monnik zijn keel had doorgesneden, zagen we nog een
symbool op zijn borst. Toen dacht ik dat het toeval was, de uiting van een
waanzinnige, maar nu ben ik daar niet meer zo zeker van.'

'Hoe zag het eruit? Kun je het tekenen?'

'Dat hoeft niet. Het was een swastika.'

Painter trok zijn wenkbrauwen op. 'Een swastika?'

'Volgens mij wel. Zou hij een flashback uit het verleden hebben gehad? Deed hij misschien iets waar hij bang voor was?'

Lisa vertelde hem het verhaal van Ang Gelu's verwant. Dat Relu Na voor de maoïstische rebellen was gevlucht, nadat hij was getraumatiseerd door de gewelddadigheid waarmee ze de ledematen van onschuldige boeren met sikkels hadden afgehakt. Daarna had Relu Na dat zelf gedaan, toen hij waanzinnig was geworden. Hij had gedaan waar hij zo bang voor was.

Toen ze klaar was, zei Painter fronsend: 'Lama Khemsar was dik in de zeventig. Tijdens de Tweede Wereldoorlog moet hij een tiener zijn geweest. Het is dus mogelijk. De nazi's stuurden expedities naar de Himalaya.'

'Echt waar? Waarom?'

Painter haalde zijn schouders op. 'Ze zeggen dat Heinrich Himmler, die aan het hoofd van de ss stond, geobsedeerd was door occulte zaken. Hij heeft de oude Vedische teksten bestudeerd die duizenden jaren geleden in India zijn ontstaan. De rotzak geloofde dat deze bergen de bakermat van het Arische ras zijn. Hij stuurde er expedities op uit om daar bewijs voor te vinden. Natuurlijk was Himmler zo gek als een deur.'

Lisa glimlachte. 'Misschien heeft de oude lama een akkefietje met zo'n expeditie gehad. Misschien was hij hun gids of zoiets.'

'Misschien. Dat zullen we nu nooit weten. Zijn geheimen heeft hij mee in het graf genomen.'

'Dat hoeft niet. Misschien probeerde hij in zijn kamer iets verschrikkelijks los te laten. Misschien wilde hij zich onbewust ontdoen van wat hij wist.'

'Misschien... misschien.' Painter wreef over zijn voorhoofd en vertrok zijn gezicht. 'Ik weet ook nog wel iets: misschien is het gewoon wartaal.'

Daar wist Lisa niets tegen in te brengen. Ze zuchtte. Ze voelde zich moe nu er niet meer zoveel adrenaline door haar aderen stroomde. 'Heb je het warm genoeg?'

'Ja, dank je wel.'

Ze zette het kacheltje uit. 'We moeten zuinig met het butagas zijn.'

Hij knikte, en geeuwde vervolgens.

'We moeten eens gaan slapen,' zei hij. 'Om de beurt.'

Uren later werd Painter wakker omdat iemand hem door elkaar schudde.

Hij leunde tegen de muur, maar ging meteen rechtop zitten. Buiten was het donker. De muur van ijs was net zo zwart als het steen.

Eindelijk leek de storm te zijn gaan liggen.

'Wat is er?' vroeg hij.

Lisa had een stuk deken weggeslagen.

Ze wees en fluisterde: 'Wacht.'

Hij schoof naar haar toe, ineens helemaal niet slaperig meer. Hij wachtte een halve minuut. Niets. De storm was absoluut afgezwakt. De wind huilde niet meer. Buiten was het winters stil geworden. Hij spitste zijn oren, maar hoorde niets verdachts.

En toch was Lisa ergens bang van geworden.

Hij voelde haar angst, haar hele lichaam straalde angst uit.

'Lisa, wat...'

Plotseling lichtte de muur van ijs op, alsof er buiten vuurwerk werd ontstoken. Er klonk geen geluid. Het flikkerende licht danste over het ijs en verdween toen weer. Het ijs werd weer zwart.

'Het spooklicht...' fluisterde Lisa, en ze draaide zich naar hem om.

Painter dacht terug aan drie nachten daarvoor. Toen het allemaal was begonnen. De ziekte in het dorp, de waanzin in het klooster. Hij herinnerde zich ook dat Lisa had vermoed dat hoe dichter iemand zich bij de lichten bevond, des te heviger de symptomen waren.

En zij zaten er middenin.

Dichterbij kon nauwelijks.

De bevroren waterval lichtte weer fel op. Het spooklicht was teruggekomen.

5

ER SCHUILT
VERDERF

18:12

KOPENHAGEN, DENEMARKEN

Begint er in Europa nooit iets op tijd?

Gray keek op zijn horloge.

De veiling zou om vijf uur beginnen.

Je kon hier de klok op het openbaar vervoer gelijkzetten, maar bij andere gelegenheden bleef het maar raden of iets op tijd zou beginnen. Het was al na zessen. Het laatste nieuws was dat de veiling rond halfzeven zou aanvangen. Er werd op een paar mensen gewacht die vanwege een storm boven de Noordzee vluchtvertraging hadden opgelopen.

Er kwamen beneden nog steeds mensen binnen.

Toen de zon begon onder te gaan, had Gray een plekje gevonden op een balkon op de tweede verdieping van hotel Scandic Webers. Dat lag tegenover het Ergenschein-veilinghuis, een modern gebouw van vier verdiepingen dat meer op een kunstgalerie leek dan op een veilinghuis. Het was geheel in de stijl van het Deense minimalisme, met veel glas en blank hout. De veiling zou in de kelder plaatsvinden.

Hopelijk begon het allemaal gauw.

Gray rekte zich geeuwend uit.

Eerder op de dag was hij naar zijn hotel bij de Nyhavn gegaan om zijn spullen op te halen en uit te checken. Onder een andere naam en met een andere MasterCard had hij een kamer in dit hotel genomen. Hij had een prachtig uitzicht over het Radhuspladsen, en op het balkon kon hij de muziek in het Tivoli horen, een van de oudste amusementsparken ter wereld.

Zijn laptop stond open, en ernaast lag een half opgegeten worstenbroodje dat hij aan een kraampje op straat had gekocht. De enige maaltijd van die dag. Het leven van een geheim agent bestond niet alleen uit casino's in Monte Carlo en vijfsterrenrestaurants. Maar het was een lekker worstenbroodje, al kostte het omgerekend vijf dollar.

Het beeld op de laptop bewoog toen de bewegingsgevoelige camera snel een paar foto's schoot. Hij had al meer dan twintig aanwezigen op de plaat gezet: stijve bankiers, louche Europeanen, een drietal maffiosi met stierennekken en glanzende pakken aan, een mollige vrouw die eruitzag of ze professor was, en een viertal nouveaux riches met witte pakken aan en allemaal dezelfde matrozenpet op. Die laatsten spraken natuurlijk Amerikaans. En te hard.

Hij schudde zijn hoofd.

Er konden onmogelijk nog veel mensen komen.

Er reed een lange zwarte limousine voor. Twee personen stapten uit. Ze waren allebei lang en mager en gekleed in zwarte pakken van Armani. Hij had een lichtblauwe das om, en zij droeg een blouse in dezelfde kleur. Ze waren allebei jong, op zijn hoogst halverwege de twintig. Maar hun houding was als van veel oudere mensen. Misschien lag het aan hun wit gebleekte haar, dat ze allebei in eenzelfde soort kapsel droegen: heel kortgeknipt en plat tegen de schedel gekamd. Ze zagen eruit als een stel filmsterren uit de periode van de stomme film. Ze hadden iets tijdloos. Ze lachten niet, maar straalden ook geen kilte uit. Zelfs op de fotootjes lag er iets geamuseerds in hun blik.

De portier hield de deur van het veilinghuis voor hen open.

Ze knikten bij wijze van dank – weer niet erg hartelijk, meer als erkenning. Daarna verdwenen ze naar binnen. De portier kwam achter hen aan en draaide een bordje om. Kennelijk waren zij de mensen op wie werd gewacht, en kon de veiling eindelijk beginnen.

Wie waren ze?

Hij onderdrukte zijn nieuwsgierigheid. Logan Gregory had hem een duidelijke opdracht gegeven.

Hij bekeek de opnames nog eens goed om er zeker van te zijn dat alle aanwezigen waren vereeuwigd. Tevreden kopieerde hij alles naar de geheugenstick, en stak die in zijn zak. Hij hoefde nu alleen nog maar te wachten totdat de veiling was afgelopen. Logan had het zo geregeld dat hij een lijst kreeg van alle voorwerpen die te koop werden aangeboden, en wie ze had gekocht. Er zouden een paar valse namen bij staan, maar alle informatie ging ook naar de Amerikaanse dienst voor terrorismebestrijding, en uiteindelijk naar Europol en Interpol. Gray zou er misschien nooit achter komen wat hier allemaal had gespeeld.

En ook niet waarom hij was aangevallen, of waarom Grette Neal was vermoord.

Hij dwong zich te ontspannen. Hij had er de hele middag voor nodig gehad, maar nu kon hij zich neerleggen bij Logans besluit. Hij wist niet wat er hier allemaal aan de hand was, en als hij roekeloos handelde, zou dat ertoe kunnen leiden dat er nog meer doden vielen.

Omdat hij zich toch nog schuldig voelde, kon hij moeilijk stilzitten. Het grootste deel van de middag had hij door de hotelkamer lopen ijsberen. Steeds weer speelde hij de gebeurtenissen van de afgelopen dagen voor zijn geestesoog af.

Als hij in het begin voorzichtiger was geweest... Als hij meer voorzorgsmaatregelen had getroffen...

In zijn zak trilde het mobieltje. Hij haalde het tevoorschijn en keek wie er belde. Gelukkig. Hij klapte het mobieltje open en liep naar de balustrade van het balkon.

'Rachel... Ik ben blij dat je terugbelt.'

'Ik heb je boodschap gekregen. Is alles in orde met je?'

Ze luisterde bezorgd en vol beroepsmatige interesse terwijl hij verslag uitbracht. Hij had haar een berichtje gestuurd om haar te waarschuwen dat ze elkaar misschien niet lang konden zien. Zonder verdere details. Ze hadden dan wel een relatie, maar hij moest ook aan de veiligheid denken.

'Met mij gaat het goed. Maar Monk komt hier ook. Hij landt even na middernacht.'

'Ik sta nu in Frankfurt,' zei Rachel. 'Ik wacht op mijn vlucht naar Kopenhagen. Zodra ik hier was geland, heb ik gekeken of er nog boodschappen waren.'

'Het spijt me echt...'

'Kan ik beter naar huis gaan?'

Hij wilde haar hier niet bij betrekken. 'Misschien is dat wel het beste. We moeten maar een andere afspraak maken. Als hier weer wat rust in de tent is, kan ik misschien nog even naar Rome vliegen voordat ik terugga naar de Verenigde Staten.'

'Dat zou ik fijn vinden.'

Hij hoorde hoe teleurgesteld het klonk.

'Ik maak het allemaal goed,' zei hij, in de hoop dat hij die belofte kon nakomen.

Ze zuchtte – niet geërgerd, maar begrijpend. Ze waren allebei niet naïef, en begrepen dat het moeilijk was om een relatie in stand te houden wanneer je door de oceaan en je carrières werd gescheiden. Maar ze waren bereid er hun best voor te doen, en te kijken waartoe het zou leiden.

'Ik had gehoopt dat we elkaar eens lang konden spreken,' zei Rachel.

Hij wist wat ze bedoelde. Ze hadden samen veel meegemaakt, ze hadden het goede en slechte in elkaar gezien, en toch was geen van beiden bereid de handdoek in de ring te gooien, ook al was het moeilijk een relatie op afstand in stand te houden. Ze wisten zelfs dat het tijd werd de volgende stap te bespreken: de afstand bekorten.

Waarschijnlijk was dat een van de redenen waarom het zo lang had geduurd voordat ze elkaar weer eens zagen. Een onuitgesproken bekentenis dat ze tijd nodig hadden om na te denken. En nu was het tijd om de kaarten op tafel te leggen.

Verdergaan of niet.

Maar wist hij het antwoord zelf al wel? Hij hield van Rachel. Hij was bereid zijn leven met haar te delen. Ze hadden het zelfs al over kinderen gehad. En toch zat iets hem dwars. Het maakte dat hij bijna opgelucht was dat hun afspraak niet doorging. Het was niet zomaar angst om zich te binden. Maar wat was het dan wel?

Misschien moesten ze inderdaad maar eens praten.

'Ik kom naar Rome,' zei hij. 'Beloofd.'

'Daar houd ik je aan. Ik zal een pannetje *vermicelli alla panna* van oom Vigor voor je warm houden.' Hij hoorde dat haar stem minder gespannen klonk. 'Ik mis je, Gray. We...'

Wat ze verder zei, kon hij niet horen omdat er een auto toeterde.

Gray keek naar beneden, op straat. Er rende iemand zonder uit te kijken de straat over. Een vrouw in een jasje van kasjmier en een jurk tot op haar enkels, en haar haar in een knotje. Gray herkende haar eerst niet. Hij herkende haar pas toen ze een kwaad gebaar maakte naar de automobilist die had getoeterd.

Fiona.

Wat deed zij hier?

'Gray?' hoorde hij Rachel.

Snel zei hij: 'Sorry, Rachel, ik moet ophangen.'

Hij verbrak de verbinding en stopte het mobieltje in zijn zak.

Beneden rende Fiona naar het veilinghuis en wrong zich naar binnen. Gray keek naar het scherm van zijn laptop. De camera vertoonde het beeld van het meisje dat door de glazen deuren liep. Een man in uniform keek naar een stukje papier dat ze hem in handen duwde, fronste en gebaarde dat ze mocht doorlopen.

Fiona stampte langs hem heen en verdween. De camera schakelde uit. Gray keek van de laptop naar de straat.

Verdomme...

Dit zou Logan niet bevallen. Geen ondoordachte handelingen.

Maar wat zou Painter Crowe doen?

Gray liep terug naar binnen en trok zijn dagelijkse kloffie uit. Op het bed lag zijn nette pak. Dat had hij klaargelegd voor het geval dat...

Painter zou zeker niet hebben afgewacht zonder iets te doen.

10:22

DE HIMALAYA

'We moeten kalm blijven,' zei Painter. 'Blijf rustig zitten.'

Het spooklicht lichtte op en stierf weg, winters en stil, en deed de ijzige waterval opgloeien. Wanneer het weer donker werd, leek de grot killer en zwarter.

Lisa schoof dichter naar hem toe. Ze pakte zijn hand en kneep daar hard in.

'Geen wonder dat ze niet achter ons aan kwamen,' fluisterde ze ademloos van angst. 'Waarom moeite doen in de storm om ons spoor te volgen als ze gewoon die lichten kunnen aandoen en wachten tot ze ons te pakken hebben? Daar kunnen we ons niet voor verstoppen.'

Painter besefte dat ze gelijk had. Eenmaal waanzinnig geworden zouden ze zich niet kunnen verdedigen. Ze zouden hier sterven van de kou. Het was niet nodig een sluipschutter het vuile werk te laten opknappen.

Toch wilde hij de hoop nog niet opgeven.

Het duurde uren voordat de waanzin intrad. Die uren mocht hij niet zomaar verspillen. Als ze op tijd hulp konden bereiken, zou er misschien kunnen worden ingegrepen en hoefden ze niet waanzinnig te worden.

'We redden het wel,' zei hij.

Dat ergerde haar alleen maar.

'Hoe dan?'

Ze draaide zich naar hem om, net op het moment dat de lichten weer verschenen waardoor de wanden van de grot wel van diamanten leken te zijn gemaakt. Lisa keek minder bang dan hij had gedacht. Ze was bang – en terecht – maar in haar ogen lag iets hards.

'Zeg, ik ben geen klein kind, hoor,' zei ze terwijl ze haar hand terugtrok.

Painter knikte. 'Als ze erop vertrouwen dat we aan de effecten van straling of zoiets zullen doodgaan, houden ze de bergen misschien minder goed in de gaten. Zodra de storm echt is gaan liggen, kunnen we...'

Geweervuur verbrak de winterse stilte.

Painter keek Lisa aan.

Het klonk van nabij.

Als bewijs daarvoor sloegen er kogels in de muur van ijs. Painter en Lisa schoven snel naar achteren, waardoor de deken van hen af viel. Tegen de achterwand gedrukt bleven ze zitten. Verder konden ze niet.

Painter had nog iets anders opgemerkt.

Het spooklicht was niet weggestorven, zoals eerst telkens het geval was geweest. De bevroren waterval bleef maar schitteren.

Er klonk een versterkte stem: 'Painter Crowe! We weten dat u en die vrouw zich daar verschuilen!'

Het was een vrouwenstem, met een accent.

'Kom naar buiten met jullie handen omhoog!'

Painter greep Lisa bij de schouder om haar zo goed mogelijk gerust te stellen. 'Blijf hier.'

Hij gebaarde naar de kleren die ze hadden uitgetrokken. Lisa moest zich aankleden. Zelf trok hij zijn laarzen aan en liep naar de spleet in het ijs. Hij stak zijn hoofd naar buiten.

Zoals gebruikelijk in de bergen was de storm net zo plotseling gaan liggen als die was opgestoken. Aan de donkere hemel fonkelden sterren. De Melkweg stond in een boog boven het winterse dal, geëtst in sneeuw en ijs, onderbroken door ijzige nevel.

Dichterbij drong een lichtbundel door het duister, gericht op de bevroren waterval. Vijftig meter verderop zat een gestalte op een sneeuwmobiel de schijnwerper te bedienen. Het was een doodgewone lamp, waarschijnlijk xenon, aan de felheid en blauwige tint te zien.

Het was geen mysterieus spooklicht.

Painter voelde zich erg opgelucht. Was het aldoor al het licht van deze schijnwerper geweest, dat de komst van de voertuigen had aangekondigd? Painter telde er vijf. Hij zag ook een stuk of tien gestalten in witte parka's die in een grote kring om de ingang van hun grot stonden. Allemaal waren ze met een geweer bewapend.

Omdat Painter geen andere keus had, en ook omdat hij zo nieuwsgierig was, stak hij zijn handen omhoog en stapte de grot uit. Een enorme man met een geweer kwam voorzichtig op hem af. Een dunne lichtstraal speelde over Painters borst. Een vizier met laser.

Ongewapend kon Painter daar alleen maar staan. Hij overwoog zijn kansen om de man zijn geweer afhandig te maken.

Geen goed idee.

Painter keek recht in zijn ogen.

Het ene was ijzig blauw, het andere mistig wit.

De moordenaar uit het klooster.

Hij herinnerde zich dat de man ontzaglijk sterk was geweest. Nee, hij kon maar beter niets proberen. En trouwens, wat moest hij doen als het hem lukte het geweer te pakken te krijgen? Hij stond tegenover een grote overmacht.

Van achter de enorme man stapte een gestalte tevoorschijn. Het was een vrouw. Misschien wel dezelfde vrouw die daarnet door de megafoon had gesproken. Met haar vinger duwde ze de loop van het geweer naar beneden.

Toen ze naar voren liep, kon Painter haar in het felle licht van de schijnwerper goed zien. Ze liep tegen de veertig, en ze had halflang zwart haar en groene ogen. Ze droeg een witte parka met een met bont gevoerde capuchon. In de parka zag ze er vormeloos uit, maar ze bewoog zich sierlijk.

'Doctor Anna Sporrenberg,' zei ze terwijl ze haar hand uitstak.

Painter keek naar haar handschoen. Als hij haar naar zich toe rukte en zijn arm om haar keel sloeg, kon hij haar als gijzelaar gebruiken...

Maar achter haar keek de enorme man hem strak aan. Painter besloot maar geen trucjes uit te halen. Hij schudde de vrouw de hand. Omdat ze hem nog steeds niet hadden neergeschoten, kon hij ten minste beleefd zijn. Zolang ze hem in leven lieten, zou hij het spelletje meespelen. Bovendien moest hij aan Lisa denken.

'Directeur Crowe,' zei ze, 'tussen de internationale inlichtingendiensten wordt veel gepraat over waar u zou kunnen zijn.'

Painter keek haar uitdrukkingsloos aan. Er was geen reden om te ontkennen dat hij was wie hij was. Misschien kon hij er nog gebruik van maken. 'Dan weet u ook dat ze alles op alles zullen zetten om me te vinden.'

'*Natürlich*,' zei ze in het Duits. 'Maar ik denk niet dat ze succes zullen hebben. Ondertussen moet ik u en de jonge vrouw vragen met mij mee te gaan.'

Painter zette een stap naar achteren. 'Mevrouw Cummings heeft hier niets mee te maken. Ze is arts, ze is erbij gehaald om voor de zieken te zorgen. Ze weet van niets.'

'Daar komen we gauw genoeg achter.'

Dus ze mochten beiden nog even in leven blijven omdat werd vermoed dat ze ergens achter waren gekomen. En wat ze wisten, zou hun na veel bloed en pijn worden ontfutseld. Painter dacht erover nu maar vast iets uit te halen, dan was het maar achter de rug. Liever een snelle dood dan een pijnlijk langzame. Hij had te veel gevoelige informatie tot zijn beschikking om het risico te nemen gemarteld te worden.

Maar hij was hier niet alleen. Hij dacht aan Lisa die haar handen in de zijne had verwarmd. Zolang er leven is, is er hoop.

Er kwamen andere mannen bij staan. Lisa werd onder schot de grot uit gedwongen. Daarna werden ze naar de sneeuwmobiel gebracht.

Lisa keek hem angstig aan.

Hij was vastbesloten haar zo goed hij kon te beschermen.

Toen ze werden vastgebonden, zei Anna Sporrenberg: 'Voordat we op pad gaan, wil ik duidelijk zijn. We kunnen jullie niet laten gaan. Ik denk dat jullie dat zelf ook wel begrijpen. Ik wil jullie geen valse hoop geven. Maar ik kan jullie wel een pijnloze en vredige dood beloven.'

'Zoals de monniken,' reageerde Lisa zuur. 'We hebben gezien hoe genadig jullie daar te werk zijn gegaan.'

Painter probeerde Lisa's blik te vangen. Dit was niet het moment om hun tegenstanders op stang te jagen. De rotzakken zagen er overduidelijk geen been in om mensen zomaar overhoop te schieten. Ze konden beter doen alsof ze braaf meewerkten.

Het was al te laat.

Anna leek Lisa voor de eerste keer echt te zien. Ze draaide zich naar haar toe en zei verhit: 'Dat wás genadig.' Haar blik dwaalde af naar de enorme man die hen nog steeds bewaakte. 'Jullie weten niets van de ziekte die in het klooster heerste. Of welke gruwelen de monniken te wachten stonden. Wij wel. Het was geen moord, het was euthanasie.'

'Wie geeft jullie het recht...' begon Lisa.

Painter kwam dichter bij haar staan. 'Lisa, misschien...'

'Nee, meneer Crowe.' Anna keek Lisa recht aan. 'Met welk recht? Het recht van ervaring, mevrouw Cummings. Ervaring. Vertrouw me maar wanneer ik zeg... Echt, het was niet wreed om hen te doden, het was een daad van barmhartigheid.'

'En de mannen in de helikopter? Was dat ook een daad van barmhartigheid?'

Anna zuchtte vermoeid. 'Het was een moeilijk dilemma. Maar ons werk hier is van het grootste belang.'

'En wij dan?' vroeg Lisa terwijl Anna zich omdraaide. 'Wij krijgen een pijnloos spuitje als we braaf meewerken? Maar als we nu eens niet willen meewerken?'

Anna liep naar de dichtstbijzijnde sneeuwmobiel. 'We zullen jullie niet de duimschroeven aanleggen, als u dat soms bedoelt. We werken met drugs. We zijn geen barbaren.'

'Nee, jullie zijn nazi's!' riep Lisa haar na. 'We hebben die swastika heus wel gezien!'

'Doe niet zo mal. We zijn geen nazi's.' Rustig keek Anna naar hen om terwijl ze plaatsnam op de sneeuwmobiel. 'Niet meer.'

18:38

KOPENHAGEN, DENEMARKEN

Gray stak snel over naar het veilinghuis.

Wat haalde Fiona zich in haar hoofd om na wat er was gebeurd zomaar daar naar binnen te gaan?

Hij maakte zich grote zorgen over haar. Maar hij moest ook toegeven dat ze hem door naar binnen te gaan een excuus had gegeven om dat ook te doen. Hij kon de veiling nu zelf meemaken. Degene die de winkel in brand had gestoken, had ook Grette Neal vermoord en geprobeerd hem om zeep te helpen. Het spoor liep naar de veiling.

Aan de overkant gekomen hield hij stil. De laagstaande zon maakte de glazen deur van het veilinghuis tot een zilveren spiegel. Hij controleerde zijn kleding omdat hij zich zo razendsnel had moeten kleden. Het pak van Armani, met krijtstreepje, paste goed, maar het overhemd had een te strakke boord. Hij trok de zachtgele das recht.

Hij zag er bepaald niet onopvallend uit, maar hij moest dan ook de rol spelen van iemand die in opdracht van een rijke Amerikaan op de veiling kwam bieden.

Hij duwde de deur open. De lobby was geheel volgens Scandinavisch design ingericht. Of liever gezegd: niet ingericht. Blank hout en glas, verder niets. Het enige meubilair bestond uit een skeletachtige stoel naast een tafeltje met het formaat van een postzegel. Er stond een orchidee in een pot op. Aan de dunne stengel groeiden bloedeloze bruinachtig roze bloemen.

De portier tikte de as van zijn sigaret in de pot af en liep met een zuur gezicht naar Gray toe.

Gray haalde een uitnodiging uit zijn zak. Daarvoor had een kwart miljoen dollar moeten worden gestort, als garantie dat de aanwezige de middelen had om zo'n exclusieve bijeenkomst bij te wonen.

De portier keek naar de uitnodiging, knikte en liep naar een fluwelen koord voor een brede trap naar beneden. Hij haakte het koord los en gebaarde dat Gray mocht doorlopen.

Beneden bood een klapdeur toegang tot de veilingruimte. Bij de ingang stonden twee bewakers. De ene hield een metaaldetector op. Gray liet zich controleren, met zijn armen wijd. Hij zag aan weerskanten van de drempel videocamera's. Het was hier goed beveiligd. Even later drukte de bewaker op een knopje en zoemend sprong de deur open.

Hij hoorde geroezemoes van stemmen. Hij herkende Italiaans, Nederlands, Frans, Arabisch en Engels. Het leek wel of er uit alle windstreken mensen naar de veiling waren gekomen.

Gray liep naar binnen. Er werd even naar hem gekeken, maar de meeste aanwezigen hielden hun aandacht gericht op de vitrines die langs de muren stonden. Personeel van het veilinghuis, allemaal identiek in het zwart gekleed, stond achter de toonbank, alsof het hier een juwelier betrof. Ze hadden witte handschoenen aan en lieten de aanwezigen de voorwerpen zien.

In een hoekje speelde een strijkkwartet. Er liepen serveersters rond die de gasten hoge glazen met champagne aanboden.

Gray meldde zich bij de balie en kreeg een genummerd bordje. Hij liep verder. Een paar mensen hadden al plaatsgenomen. Gray zag de twee laatkomers die de boel hadden opgehouden, de bleke jonge man en vrouw, de filmsterren uit de periode van de stomme film. Ze zaten op de voorste rij. De vrouw had haar bordje op schoot liggen. De man boog zich naar haar toe en fluisterde iets in haar oor. Het zag er heel intiem uit, misschien door de ranke hals van de vrouw en haar schuingehouden hoofd, alsof ze op een kus wachtte.

Haar blik dwaalde af naar Gray die over het middenpad liep. Daarna wendde ze haar blik weer af.

Geen teken van herkenning.

Gray bereikte de voorste rij, voor het podium. Langzaam draaide hij zich om. Hij had niets bedreigends opgemerkt.

Fiona had hij ook niet gezien. Waar was ze?

Hij liep naar de vitrines en drentelde erlangs. Hij hield zijn oren gespitst om de gesprekken te kunnen opvangen. Hij kwam langs een vitrine waarop de medewerker van het veilinghuis een dik, in leer gebonden boek had gelegd. Een gezette man keek er aandachtig naar, en boog zich eroverheen. Zijn bril gleed naar het puntje van zijn neus.

Gray zag dat het een boek uit 1884 was. Een verhandeling over vlinders, met handgekleurde gravures.

Hij liep weer verder. Eenmaal terug bij de deur werd hij aangeklampt door de slecht geklede vrouw die hij eerder op de foto had vastgelegd. Ze stak een wit envelopje naar hem uit. Gray pakte het aan, nog voordat hij zich kon afvragen wat het kon zijn. Ongeïnteresseerd liep de vrouw weg.

De envelop was geparfumeerd.

Vreemd.

Met zijn duimnagel verbrak hij het zegel, en trok vervolgens een opgevouwen velletje papier uit de envelop. Het was duur briefpapier, met een watermerk. Er stond iets op geschreven:

ZELFS HET GILDE IS NIET ZO STOM OM ZICH TE DICHT IN DE BUURT VAN DEZE VLAM TE BEGEVEN. PAS GOED OP.
KUSJE.

Er stond geen afzender onder. Maar helemaal onderaan stond in rood een draakje getekend. Grays hand vloog naar zijn hals, waar hij aan een ketting een soortgelijk zilveren draakje had hangen, een cadeautje van een tegenstandster.

Seichan.

Ze werkte voor het Gilde, een duister kartel van terroristische cellen wiens pad in het verleden dat van Sigma had gekruist. De haartjes in Grays nek kwamen overeind. Hij draaide zich om en keek speurend rond. De slecht geklede vrouw die hem het briefje had overhandigd, was verdwenen.

Weer keek hij naar het briefje.

Het was een waarschuwing.

Beter laat dan nooit...

In elk geval liet het Gilde dit aan zich voorbijgaan. Als hij Seichan moest geloven...

En dat deed Gray.

De dievencode en zo.

Zijn aandacht werd getrokken door rumoer aan de andere kant van het vertrek.

Een lange man kwam door een achterdeur. Hij zag er prachtig uit in een smoking. Het was meneer Ergenschein in hoogsteigen persoon; hij zou de veiling zelf afhandelen. Hij streek zijn geoliede zwarte haar goed. Dat zwart kwam overduidelijk uit een potje. Er zat een lach op zijn uitgemergelde gezicht geplakt.

Achter hem aan kwam de reden van het rumoer. Die werd binnengeleid door een bewaker die haar stevig aan haar arm vasthield.

Fiona.

Ze had rode blosjes op haar wangen en hield haar lippen op elkaar geknepen. Ze was razend van woede.

Gray liep ernaartoe.

Ergenschein had een voorwerp in zijn handen dat in zacht, ongebleekt zeemleer was gewikkeld. Hij ging naar de voorste vitrine, die nog leeg was. Een lid van het personeel maakte de vitrine open, en Ergenschein haalde het voorwerp uit het zeemleer en legde het voorzichtig in de vitrine.

Toen de veilingmeester Gray zag aankomen, wreef hij in zijn handen en kwam hem tegemoet. Hij hield zijn handen tegen elkaar alsof hij bad. Achter hem deed het personeelslid de vitrine op slot.

Gray zag wat erin was gelegd: de Darwinbijbel.

Fiona sperde haar ogen open toen ze Gray zag.

Hij lette niet op haar en vroeg aan Ergenschein: 'Zijn er problemen?'

'Natuurlijk niet. De jongedame wordt naar buiten gebracht. Ze beschikt niet over een uitnodiging.'

Gray liet hem de zijne zien. 'Ik geloof dat ik een introducé mag meenemen.' Hij stak zijn andere hand naar Fiona uit. 'Ik ben blij dat ze er al is. Ik werd opgehouden door een telefoontje van mijn opdrachtgever. Eerder vandaag heb ik juffrouw Neal in verband met de veiling benaderd. Ik was vooral in één ding geïnteresseerd.'

Gray knikte in de richting van de Darwinbijbel.

Ergenschein slaakte een bedroefde zucht. 'Een ware tragedie, die brand. Maar ik ben bang dat Grette Neal het voorwerp heeft overgedragen aan de veiling. Zonder tegenbericht van de notaris moet het toch echt worden geveild. Zo is de wet nu eenmaal.'

Fiona probeerde zich met een boze blik los te rukken.

Ergenschein sloeg totaal geen acht op haar. 'Ik ben bang dat u zelf een bod zult moeten uitbrengen. Het spijt me, ik kan er niets aan doen.'

'In dat geval heeft u vast geen bezwaar dat juffrouw Neal bij mij blijft. Ze kan me helpen het voorwerp te bekijken.'

'Zoals u wilt.' Ergenscheins lach maakte plaats voor een frons. Hij gebaarde dat de bewaker kon gaan. 'Ze moet wel bij u blijven. Als uw gast is ze uw verantwoordelijkheid.'

Fiona werd losgelaten. Terwijl Gray met haar wegliep, viel het hem op dat de bewaker hen volgde, al bleef hij bij de muur. Kennelijk hadden ze een bodyguard gekregen.

Gray bracht Fiona naar de achterste rij. Er klonk een gong, het teken dat de veiling over een minuut een aanvang zou nemen. De aanwezigen namen plaats op de stoelen. De meesten gingen vooraan zitten, zodat Gray en Fiona de achterste rij voor henzelf hadden.

'Wat doe jij hier?' fluisterde hij.

'Ik wil mijn bijbel terug,' reageerde ze uit de hoogte. 'Tenminste, dat wil ik proberen.'

Ze zakte onderuit, haar armen over haar leren tas geslagen.

Vooraan besteeg Ergenschein het podium en begon aan een formeel toespraakje. Engels zou de voertaal zijn, want dat was een taal die alle leden van de internationale clientèle spraken. Ergenschein weidde nog uit over de procedure van het bieden, het percentage voor het veilinghuis en de etiquette. De belangrijkste regel was dat niet hoger mocht worden geboden dan tien keer het bedrag dat was gestort.

Gray lette nauwelijks op. Hij praatte verder met Fiona, en dat leverde hem een paar boze blikken van de mensen voor hem op.

'Ben je teruggekomen voor de bijbel? Maar waarom?'

Het meisje hield haar tas nog steviger vast.

'Fiona...'

Met een boze blik keek ze hem aan. 'Omdat hij van mor was!' Tranen blonken in haar ogen. 'Ze hebben haar ervoor vermoord. Ze mogen hem niet hebben!'

'Wie niet?'

Ze maakte een handgebaar. 'De rotzakken die haar hebben vermoord. Ik wil die bijbel terug en dan verbrand ik hem.'

Met een zucht leunde Gray achterover. Fiona wilde wraak nemen. Ze wilde de schuldigen terugpakken. Dat kon Gray haar niet kwalijk nemen. Maar haar roekeloze gedrag kon haar wel eens het leven kosten.

'Die bijbel is van ons. Ik wil hem gewoon terug.' Haar stem brak. Ze schudde haar hoofd en veegde langs haar neus.

Gray sloeg zijn arm om haar heen.

Ze vertrok haar gezicht, maar schudde zijn arm niet af.

De veiling begon. Bordjes werden opgeheven en teruggetrokken. De voorwerpen kwamen en gingen, maar de beste dingen werden voor het laatst bewaard. Gray hield nauwkeurig in de gaten wie wat kocht. Hij was vooral nieuwsgierig naar de kopers van de voorwerpen die hij in zijn notitieboekje had staan, de drie bijzondere boeken: het artikel van Mendel over genetica, het boek van Planck over fysica, en het dagboek van De Vries over mutaties.

Al die voorwerpen gingen naar de filmsterren.

Gray wist niet wie ze waren. Hij hoorde de andere aanwezigen over hen fluisteren; zij wisten het ook niet. Het enige wat over hen bekend was, was het nummer op hun bordje: 002.

Gray boog zich naar Fiona toe. 'Ken je die twee? Heb je hen ooit in de winkel gezien?'

Fiona ging rechtop zitten, keek lang naar hen en zakte vervolgens weer onderuit. 'Nee.'

'Herken je misschien iemand anders?'

Ze haalde haar schouders op.

'Weet je dat heel zeker, Fiona?'

'Ja,' snauwde ze. 'Dat weet ik heel zeker.'

Er werden weer geërgerde blikken op hen geworpen.

Eindelijk zou het laatste voorwerp worden geveild. De Darwinbijbel werd uit de vitrine gehaald en als een kostbaar reliek naar een ezel gebracht die onder een speciale halogeenlamp stond. De band was niet erg indrukwekkend: verweerd zwart leer, gescheurd en bevlekt, zonder titel erop. Het had ook een oud logboek kunnen zijn.

Fiona ging rechtop zitten. Hier had ze duidelijk op gewacht. Ze pakte Gray bij zijn pols. 'Ga je er echt op bieden?' vroeg ze hoopvol.

Gray keek haar fronsend aan, maar toen drong het tot hem door dat het helemaal geen slecht idee was. Als mensen bereid waren er een moord voor te plegen, zouden er misschien aanwijzingen in kunnen worden gevonden. Bovendien wilde hij het boek dolgraag eens van nabij bekijken. Sigma had tweehonderdvijftig duizend euro op de rekening van het veilinghuis gestort. Dat hield in dat hij een bod van maximaal tweeënhalf miljoen kon uitbrengen. Dat was twee keer zoveel als de geschatte waarde van de bijbel. Als hij de bijbel in de wacht zou weten te slepen, kon hij hem eens goed bekijken.

Maar hij herinnerde zich ook wat Logan Gregory had gezegd. Hij was al buiten zijn boekje gegaan door achter Fiona aan te komen. Hij kon zich moeilijk nog verder met de zaak bemoeien.

Hij voelde Fiona's blik op zich rusten.

Als hij ging bieden, liet hij hen allebei gevaar lopen. Het zou zijn of hij een schietschijf van hen maakte. Stel dat hij niet het hoogste bod kon uitbrengen? Dan nam hij heel veel risico voor niets. Had hij vandaag niet al genoeg domme dingen gedaan?

'Dames en heren, het openingsbod voor het laatste voorwerp,' zei Ergenschein. 'We beginnen met honderdduizend. Ja, er is een bod uitgebracht van honderdduizend... Van een nieuwe bieder. Geweldig! Nummer 144.'

Gray liet zijn bordje zakken. Iedereen keek naar hem. Hij kon nu niet meer terug.

Naast hem zat Fiona breed te grijnzen.

'We verdubbelen het bod,' zei Ergenschein. 'Tweehonderdduizend van nummer 002!'

De filmsterren.

Gray voelde dat ieders aandacht nu weer naar hem uit ging, ook die van het stel op de voorste rij. Hij moest nu wel doorzetten. Hij stak zijn bordje weer omhoog.

Het bieden ging nog tien minuten vol spanning door. Niemand was nog vertrokken. Iedereen wilde weten wat de Darwinbijbel zou opbrengen. Onbewust was er steun voor Gray. Te veel mensen hadden niet tegen nummer 002 kunnen opbieden. Toen er een bod van meer dan twee miljoen werd uitgebracht – veel meer dan de geschatte waarde – klonk er geroezemoes op.

Het werd allemaal nog spannender toen er een telefonisch bod werd uitgebracht van iemand die zich er nog niet mee had bemoeid, maar daar maakte 002 korte metten mee, en er werd niet nog een telefonisch bod uitgebracht.

Maar Gray bood wel. Twee miljoen driehonderdduizend. Zijn handen voelden klam.

'Twee miljoen vierhonderdduizend van nummer 002! Dames en heren, blijft u alstublieft zitten.'

Gray stak zijn bordje voor de laatste keer op.

'Twee miljoen vijfhonderdduizend.'

Gray wist dat hij niet hoger kon gaan. Hij kon alleen maar naar 002 kijken die genadeloos zijn bordje hief.

'Drie miljoen,' zei de bleke jongeman vermoeid. Hij had er schoon genoeg van. Hij stond op en keek Gray uitdagend aan.

Gray was aan de limiet gekomen. Ook als hij dat had gewild, kon hij niet hoger gaan. Hij omklemde zijn bordje en schudde zijn hoofd.

De jongeman maakte een buiging. Twee hoffelijke tegenstanders. Hij deed of hij zijn hoed afnam, en toen viel het Gray op dat de jongeman een blauwe vlek op zijn hand had, op het stukje vel tussen duim en wijsvinger. Een tatoeage. De jonge vrouw, die zijn zuster moest zijn, misschien wel zijn tweelingzuster, had precies zo'n tatoeage op haar linkerhand.

Gray prentte de tatoeage in zijn geheugen. Misschien kon hij aan de hand daarvan achter hun identiteit komen.

Hij werd uit zijn gedachten gerukt doordat Ergenschein riep: 'Nummer 144 trekt zich terug! Wil iemand anders nog een bod uitbrengen? Eenmaal, andermaal...' Hij hief zijn hamertje, bleef even zo staan en liet het toen neerkomen. 'Verkocht!'

Er klonk beleefd applaus op.

Gray wist dat het er enthousiaster aan toe zou zijn gegaan als híj had gewonnen. Toch verbaasde het hem toen hij Fiona zag klappen.

Ze keek hem lachend aan. 'Kom, laten we gaan.'

Ze voegden zich bij de mensen die door de deur stroomden. Een paar mensen gaven blijk van hun medeleven. Algauw stonden ze op straat en ging ieder zijns weegs.

Fiona trok hem een eindje mee langs een paar winkels en vervolgens naar een patisserie met gebloemde gordijntjes en gietijzeren tafeltjes. Ze gingen naar binnen, en het meisje koos een plekje uit bij een vitrine vol roomsoezen, moorkoppen en smørrebrød.

Ze sloeg geen acht op de lekkernijen, maar keek Gray alleen maar stralend aan.

'Waarom ben je zo blij?' vroeg Gray uiteindelijk. 'We hebben verloren.'

Gray zat tegenover het raam. Hij had liever met zijn rug tegen de muur gezeten. Maar nu de bijbel was verkocht, was het gevaar misschien geweken.

'We hebben ze een poot uitgedraaid!' zei Fiona. 'We hebben de prijs tot drie miljoen opgedreven. Geweldig!'

'Ik geloof niet dat dat bedrag veel voor hen betekent.'

Fiona trok de haarspeld uit haar haar en schudde het los. Meteen leek ze tien jaar jonger. Met een ondeugende blik keek ze hem aan.

Plotseling voelde Gray zich misselijk worden.

'Fiona, wat heb je uitgespookt?'

Ze zette haar tas op tafel en hield die geopend schuin, zodat Gray erin kon kijken.

'Jezus, Fiona...'

Er zat een verweerd, oud boek in haar tas. Het leek precies op de Darwinbijbel die daarnet was geveild.

'Is dat het echte boek?' vroeg hij.

'Ik heb het gejat waar die stekeblinde klojo bij stond.'

'Maar hoe...'

'De wisseltruc. Het kostte me een hele dag om een bijbel van het juiste formaat te vinden. Natuurlijk moest ik die toen nog een beetje aanpassen. Maar met bloed, zweet en tranen...' Ze haalde haar schouders op. 'Eigenlijk was het een fluitje van een cent.'

'Maar als je de bijbel al had, waarom liet je mij er dan op bieden?' Ineens drong het tot Gray door. 'Je hebt me bedonderd.'

'Ik heb ervoor gezorgd dat die rotzakken drie miljoen voor een goedkope flutbijbel hebben betaald.'

'Ze komen er gauw genoeg achter dat ze de verkeerde bijbel hebben,' zei Gray. Het was een beangstigende gedachte.

'Jawel, maar dan ben ik hem allang gesmeerd.'

'Waar wil je dan naartoe?'

'Ik ga met jou mee.' Fiona deed de tas weer dicht.

'Geen sprake van.'

'Weet je nog wat mor zei over de bibliotheek waar de Darwinbijbel vandaan komt?'

Gray herinnerde zich dat. Gretta Neal had erop gezinspeeld dat iemand de werken uit die bibliotheek aan het opkopen was. Ze had hem een kopie van de aankoopbon willen geven, maar toen was de winkel in brand gestoken en was alles door het vuur verteerd.

Fiona tikte tegen haar voorhoofd. 'Ik weet het adres nog. Dat zit in mijn hoofd.' Ze stak haar hand uit. 'Nou?'

Met een frons schudde hij haar hand.

Vol afkeer trok ze haar hand terug. 'Dat had je gedacht.' Ze hield haar hand op. 'Ik wil je echte paspoort zien, sul. Dacht je dat ik niet had gezien dat het andere vals was?'

Hij keek haar recht aan. Eerder die dag had ze zijn paspoort gestolen. Ze keek hem zonder met haar ogen te knipperen aan. Fronsend haalde hij zijn echte paspoort uit een geheime binnenzak.

Fiona bladerde het door. 'Grayson Pierce.' Ze gooide het op tafel. 'Leuk je te leren kennen. Eindelijk.'

Hij stopte zijn paspoort weer weg. 'En nu over de bijbel: waar komt die vandaan?'

'Dat vertel ik je als je me met je mee laat gaan.'

'Doe niet zo belachelijk. Je kunt niet met me mee, je bent nog maar een kind.'

'Een kind met de Darwinbijbel.'

Gray kreeg genoeg van haar pogingen tot chantage. Hij kon de bijbel wanneer hij maar wilde van haar afpakken, maar dat zou met de informatie die ze bezat niet lukken. 'Fiona, dit is verdomme geen spelletje!'

Met een harde blik in haar ogen keek ze hem aan, en ineens zag ze er veel ouder uit. 'Dacht je dat ik dat niet wist?' Haar stem klonk kil. 'Waar was jij toen ze mor in zakken uit het huis droegen? In zakken, verdomme!'

Gray sloot zijn ogen. Ze had hem geraakt, maar hij weigerde op haar eisen in te gaan. 'Fiona, het spijt me,' zei hij gespannen. 'Maar je vraagt het onmogelijke. Ik kan je niet...'

Door de explosie schudde de patisserie alsof er een aardbeving plaatsvond. Het raam ratelde en er vielen schoteltjes op de grond. Fiona en Gray sprongen op en keken naar buiten. Dikke rookwolken hingen in de straat en stegen kolkend op. Uit het gebouw aan de overkant lekten vlammen naar boven.

Fiona keek Gray aan. 'Moet ik raden?' vroeg ze.

'Mijn hotelkamer,' gaf hij toe.

'Daar gaat onze voorsprong.'

23:47

DE HIMALAYA

Als gevangene van de Duitsers reed Painter samen met Lisa op een slee die door een van de sneeuwmobielen werd voortgetrokken. Ze waren al bijna een uur onderweg, stevig vastgebonden met nylon koorden. In elk geval was de slee verwarmd.

Toch zat hij dicht tegen Lisa aan en probeerde haar zo goed mogelijk met zijn lichaam te beschermen. Meer kon hij niet doen, omdat ze allebei aan een stang vastzaten.

Voor hen uit reed de enorme man achter op de sneeuwmobiel mee. Hij zat achterstevoren, zijn geweer op hen gericht, en hij hield zijn ogen van verschillende kleur geen moment van hen af. Anna Sporrenberg bestuurde het voertuig. Zij was de leider van deze groep.

Een groep gewezen nazi's. Of een groep bekeerde nazi's. Of wat ze ook waren.

Painter onderdrukte die gedachte. Hij had wel iets anders aan zijn hoofd: hoe ze het er levend van af konden brengen.

Painter had gemerkt dat Lisa en hij heel gemakkelijk in hun grot waren ontdekt. Met infrarood. In deze ijskoude condities was hun lichaamswarmte makkelijk op te sporen geweest, en op die manier was hun schuilplaats ontdekt.

Dat maakte het bijna onmogelijk om te ontsnappen.

Hij bleef diep nadenken, geconcentreerd op zijn doel: ontsnappen. Maar hoe?

Het afgelopen uur hadden de sneeuwmobielen zich door de winterse nacht geploegd. De voertuigen waren van elektromotoren voorzien, en gleden bijna geluidloos over de sneeuw. In stilte koersten de vijf voertuigen door de doolhof van steile hellingen, diepe dalen en ijsbruggen.

Hij probeerde deze route in zijn geheugen te prenten, maar hij was moe en er waren nauwelijks herkenningspunten. Dat hij weer hoofdpijn kreeg, hielp ook niet erg mee. Bovendien voelde hij zich weer duizelig en gedesoriënteerd. Hij kon niet anders dan toegeven dat de symptomen niet minder waren geworden. En hij kon ook niet anders dan toegeven dat hij geen flauw benul had van waar ze waren.

Hij keek omhoog naar de nachtelijke hemel. Sterren fonkelden kil. Misschien kon hij toch hun positie bepalen.

Maar de sterren tolden in het rond, en hij moest wegkijken. Achter zijn ogen voelde hij een stekende pijn.

'Gaat het?' fluisterde Lisa.

Painter mompelde iets. Hij voelde zich misselijk.

De enorme man grauwde kwaad, en ze deden er maar het zwijgen toe. Dat vond Painter wel best. Hij deed zijn ogen dicht en haalde diep adem terwijl hij wachtte totdat het ergste voorbij was.

Dat gebeurde uiteindelijk ook.

Op het moment dat de karavaan een helling op reed en tot een halt kwam, deed hij zijn ogen open en keek om zich heen. Er was hier niets bijzonders te zien. Een met ijs bedekte rotswand rechts van hen. Het was weer gaan sneeuwen.

Waarom waren ze gestopt?

De enorme man stapte af.

Anna kwam bij hem staan, en de enorme man zei iets in het Duits tegen haar.

Painter spitste zijn oren en ving een flard op.

'... gewoon afmaken.'

Het werd niet met felheid gezegd, meer als zakelijke oplossing voor een probleem.

Anna fronste haar voorhoofd. 'We moeten hen ondervragen, Gunther.' Ze keek in Painters richting. 'Je weet dat we de laatste tijd problemen hebben gehad. Als hij hiernaartoe is gestuurd... Misschien weet hij iets wat er een einde aan kan maken.'

Painter wist niet waarover ze het hadden. Maar als ze dachten dat hij ergens vanaf wist, liet hij hen graag in de waan. Vooral als hij daardoor in leven kon blijven.

Gunther schudde zijn hoofd. 'Hij zal voor problemen zorgen, dat ruik ik gewoon.' Hij draaide zich om, alsof de zaak daarmee voor hem had afgedaan.

Anna legde even haar hand tegen Gunthers wang, dankbaar en teder, en misschien nog iets meer. '*Danke*, Gunther.'

De man draaide zich om, maar Painter had het verdriet in zijn ogen gezien. De man sjokte naar de rotswand en verdween in een spleet. Even later kwam er een wolk stoom uit, begeleid door fel licht dat al snel weer verdween.

Een deur die open- en dichtging.

Achter Painter maakte een van de bewakers een misprijzend geluid. Hij mompelde iets beledigends, uitsluitend verstaanbaar voor degenen bij hem in de buurt: *Leprakönig*.

Koning der melaatsen.

Het viel Painter op dat de bewaker had gewacht totdat Gunther buiten gehoorsafstand was. Hij durfde het niet in zijn gezicht te zeggen. Maar aan Gunthers afhangende schouders en onbehouwen manieren te zien, had hij dit soort dingen wel vaker gehoord.

Anna nam weer plaats op de sneeuwmobiel. Een andere bewaker nam de plaats van Gunther in en hield zijn wapen op de slee gericht. Even later reden ze verder.

Ze reden om een rotsblok heen en naar een nog steilere bergpas. Voor hen uit hing een dikke nevel, waardoor ze niet naar beneden konden kijken. Een bergtop stak boven de nevel uit, alsof die door koesterende handen werd verwarmd.

Ze reden naar beneden de nevel in, die door de lichtbundels van de sneeuwmobielen werd doorboord.

Even later konden ze maar een paar meter ver kijken. De sterren waren verdwenen.

Plotseling werd het nog donkerder. Ze reden onder een overhangende steenplaat door. Maar het werd niet kouder, eerder warmer. Terwijl ze daalden, verschenen er stukken rots die uit de sneeuw staken. Er droop smeltwater vanaf.

Painter besefte dat dit een afgesloten gebied met geothermische activiteit moest zijn. Warme bronnen, hoewel zeldzaam, kwamen in het Himalayagebergte voor. De plaatselijke bevolking wist waar die waren. Ze waren ontstaan door de druk van het Indiase continentaal plat dat tegen Azië aan schoof. De mythe van Shangri-la zou ontleend zijn aan zo'n plek met geothermische activiteit.

De sneeuw werd minder diep, en de karavaan moest de sneeuwmobielen laten staan. Painter en Lisa werden uit de slee gehaald, en hun polsen werden vastgebonden. Painter bleef dicht bij Lisa. Bezorgd keek ze hem aan.

Waar waren ze in vredesnaam?

Omringd door mannen met witte parka's en geweren moesten ze verder lopen. Onder hun laarzen veranderde de sneeuw in water. Ze zagen in het steen uitgehouwen treden waar vocht vanaf droop. De nevel werd ijler en week uiteen.

Na een paar stappen stonden ze tegenover een uitstekende rotspunt die tegen de bergwand leunde. Een natuurlijke grot. Maar het was geen paradijs – alleen maar zwart graniet, vochtig en klam.

Meer een hel dan een shangri-la.

Lisa struikelde. Zo goed en zo kwaad als dat met geknevelde polsen ging, ving Painter haar op. Maar hij kon zich voorstellen dat ze zich verstapt had.

Uit de nevel rees een kasteel op.

Of liever: een half kasteel.

Dichterbij gekomen zag Painter dat het een ruw uitgehakte gevel achter in de grot was. Twee enorme torens met kantelen aan weerskanten van de donjon. Achter ramen van dik glas brandde licht.

'Het Granitschloß,' zei Anna. Ze ging hen voor door een hoge boog waar enorme ridders van graniet naast stonden.

Een zware deur van eikenhout, met zwarte ijzeren banden verstevigd, sloot de ingang af. Maar toen ze naderden, werd de deur als een valhek omhooggetrokken.

Anna liep verder. 'Kom op. Het is een lange nacht geweest.'

Painter en Lisa liepen door de ingang. Hij keek naar de façade met de kantelen, borstweringen en spitse ramen. Er droop water van het zwarte graniet. Het water zag eruit als zwarte olie, alsof het kasteel voor hun ogen wegsmolt in de rotswand.

Door de felle lichten achter de spitse ramen leek het kasteel met een helse gloed te stralen, en dat deed hem denken aan een schilderij van Jeroen Bosch. Deze vijftiende-eeuwse schilder had zich gespecialiseerd in verwrongen beelden uit de hel. Als Bosch de poorten van de hel had kunnen maken, zouden ze er zo hebben uitgezien.

Painter had geen keus en liep achter Anna aan door de boog heen het kasteel in. Hij keek omhoog, zoekend naar de woorden die volgens Dante op de poort naar de onderwereld stonden: Laat varen alle hoop, gij die hier binnentreedt.

Die tekst stond er niet, maar het had wel gekund.

Laat varen alle hoop...

Dat beschreef het wel zo'n beetje.

Terwijl de knal van de explosie wegstierf, greep Gray Fiona bij de arm en trok haar mee door een zijdeur van de patisserie. Hij rende naar een steeg, en drong zich door de mensen op een terrasje.

In de verte klonken de sirenes al.

De Kopenhaagse brandweer had het maar druk.

Met Fiona achter zich aan kwam Gray bij de hoek naar de steeg, weg van de rook en de chaos. Er vlogen stukken uit een baksteen, gevolgd door een tinkelend geluid van de afgeketste kogel. Er was op hen geschoten. Met een ruk draaide hij zich om, duwde Fiona de steeg in en dook weg. Speurend keek hij om zich heen naar de schutter.

Daar was ze.

Heel dichtbij, aan de overkant.

Het was de witblonde vrouw van de veiling. Alleen droeg ze nu een strak zittend zwart joggingpak. Ze had zich ook voorzien van een nieuw, modieus accessoire: een pistool met geluiddemper. Ze hield het laag terwijl ze snel naar de plek toe liep waar hij zat weggedoken. Ze hield haar andere hand bij haar oor, en haar lippen bewogen.

Een zendertje.

Toen de vrouw onder een straatlantaarn ging staan, drong het tot Gray door dat hij het verkeerd had gezien. Dit was niet dezelfde vrouw van de veiling. Ze had langer haar, en haar gezicht was magerder.

Een ouder zusje van de tweeling?

Gray draaide zich om.

Hij had verwacht dat Fiona al halverwege de steeg zou zijn. Maar ze stond slechts vijf meter verderop, met haar been over het zadel van een limoengroene Vespa geslagen.

'Wat...'

'Ik zorg voor vervoer.' Ze stopte een schroevendraaier terug in haar tas.

Snel liep Gray naar haar toe. 'Er is geen tijd om het ding aan de praat te krijgen.'

Fiona keek even op van de draden waarmee ze bezig was. Ze draaide er twee in elkaar, en de motor sputterde, jankte even en begon vervolgens te snorren.

Verdomme, ze was echt heel goed. Maar er waren grenzen aan het vertrouwen dat hij in haar stelde.

'Ik stuur,' zei Gray.

Schouderophalend ging Fiona achterop zitten. Gray stapte op, trapte de standaard weg en gaf gas. Met de lichten uit reed hij sputterend de donkere steeg door.

'Kom op,' foeterde hij.

'Zet hem dan in de tweede versnelling,' zei Fiona. 'Sla de derde maar over. Deze oude bakken moet je een beetje opjutten.'

'Ik heb geen behoefte aan een bijrijder die alles beter weet.'

Maar Gray deed toch wat ze zei en schakelde. De scooter ging er als een veulen vandoor. Ze zoefden zigzaggend langs de vuilnisbakken door de steeg.

Achter hen klonken sirenes. Gray keek om. Een brandweerwagen reed met toeters en bellen langs de opening van de steeg, op weg naar de brand. Even later verscheen er in silhouet een gestalte, scherp afgetekend tegen het licht van de straatlantaarn.

De schutter.

Hij gaf nog een pietsje meer gas en zwenkte langs een container met bouwafval, zodat die tussen hem en de vrouw stond. Als hij dicht langs de huizen reed, kon hij zo de steeg uit rijden.

De straat waar de steeg op uitkwam, was verlicht als een veilige haven.

Het was hun enige kans.

Ineens verscheen daar ook een gestalte. In het schijnsel van de koplampen van een passerende auto lichtte zijn blonde haar zilverachtig op. Nog een broer. De man droeg een lange zwarte jas. Hij hield die open en haalde er een pistool uit.

De vrouw moest hem via het zendertje hebben gewaarschuwd.

'Hou je vast!' riep Gray.

De man hief zijn pistool op, en toen zag Gray dat hij zijn andere arm, van pols tot elleboog in het verband, in een mitella had. Hoewel zijn gezicht in de schaduw was, wist Gray toch wie hun ontsnappingsroute blokkeerde.

De man die Grette Neal had vermoord.

Onder het verband zaten de wonden die Bertal hem had toegebracht.

Het pistool stond recht op Gray gericht.

Er was geen tijd meer.

Gray rukte het stuur naar opzij, en de scooter vloog met piepende banden schuin op de man af.

Er klonk het gedempte geluid van een schot, vergezeld van een versplinterend geluid toen de kogels zich in een deur boorden.

Fiona slaakte een gil van schrik.

Maar de man kreeg niet de tijd om nog eens te schieten. Hij sprong weg voor de slippende scooter.

Eenmaal uit de steeg gekomen, rukte Gray de scooter uit de slip door gas te geven. De wielen piepten op het asfalt. Hij stuurde de scooter het verkeer in, en werd beloond met boos getoeter van de bestuurder van een Audi.

Gray reed door.

Fiona hield hem niet meer zo stevig vast.

Gray reed zwenkend tussen de langzamer rijdende auto's door, en toen de weg naar beneden ging, kwam hij goed op snelheid. Beneden liep de straat uit op een aan weerszijden met bomen omzoomde dwarsstraat. Gray remde af voor de scherpe bocht. De scooter reageerde niet. Hij keek naar beneden, en zag een kabel naast het achterwiel over de grond slepen.

De remkabel. Die moest tijdens de slip zijn losgeschoten.

'Langzamer!' riep Fiona in zijn oor.

'De rem is kapot!' riep hij terug. 'Hou je vast!'

Gray zette de motor uit en probeerde door veel te zwenken en te slippen vaart te minderen, net zoiets als iemand die van een helling skiet. Het achterwiel liet hij langs de stoeprand wrijven, waardoor er rook van het rubber kwam.

Met een veel te hoge snelheid kwamen ze bij de hoek.

Gray liet de scooter schuin hangen. Het metaal schraapte vonkend over het asfalt. De scooter gleed de kruising op, pal voor een vrachtwagen langs. Er werd getoeterd en met piepende banden geremd.

Toen kwamen ze tegen de stoeprand terecht.

De scooter sloeg over de kop, en Gray en Fiona vlogen door de lucht.

De ergste klap werd opgevangen door een heg, maar toch schoven ze nog een eind door over de stoep totdat ze tegen een muur botsten. Gray sprong op en boog zich over Fiona heen.

'Gaat het?'

Ze stond op, eerder kwaad dan dat ze zich had bezeerd. 'Deze rok heeft me tweehonderd euro gekost.' Er zat een flinke scheur in. Ze hield de flarden met haar ene hand bij elkaar en bukte om de tas op te rapen.

Grays pak van Armani was er ook niet al te best aan toe. Er zat een gat in de knie, en de rechterkant van het jasje zag eruit of het met een staalborstel onder handen was genomen. Maar afgezien van een paar blauwe plekken en schaafwonden, mankeerden ze zelf niets.

Het verkeer reed gewoon langs.

Fiona liep weg. 'Hier vliegen voortdurend Vespa's uit de bocht. En ze worden net zo vaak gejat. In Kopenhagen zijn scooters zo'n beetje algemeen bezit. Heb je er eentje nodig? Dan pak je er een en je laat hem ergens staan voor de volgende. Niemand trekt zich daar iets van aan.'

Maar dat was niet helemaal waar.

Ze hoorden gierende banden. Een zwarte auto reed de straat in, recht op hen af. Het was te donker om te zien wie erin zaten. Het licht van de koplampen kwam snel naderbij.

Gray liep haastig met Fiona over het trottoir met de bomen. Aan deze kant van de straat stond een hoge bakstenen muur. Er waren geen gebouwen, geen dwarsstraten, alleen maar die muur. Achter de muur hoorden ze muziek van fluiten en strijkinstrumenten.

De zwarte auto hield halt bij de Vespa. Hun ontsnapping per scooter was doorgegeven.

'Hier,' zei Fiona.

Ze hing haar tas over haar schouder en ging hem voor naar een bankje. Daar klom ze op, zette zich vervolgens af en sprong op naar een boomtak. Ze trok zich op en sloeg haar benen over de tak.

'Wat doe je?'

'Straatkinderen doen dit altijd. Gratis toegang.'

'Wat?'

'Kom nou.'

Hand over hand kroop ze via de tak over de hoge muur. Aan de andere kant liet ze zich vallen. Gray kon haar niet meer zien.

Verdomme.

De auto reed langzaam zijn richting op.

Gray had geen andere keus dan haar te volgen. Hij klom op het bankje en sprong op. Er kwam muziek over de muur, opgewekt en betoverend. Hangend aan de tak kroop hij over de muur.

Erachter lag een wonderland van lampionnen, miniatuurpaleisjes en draaiende attracties.

Tivoli.

Het amusementspark uit 1843 lag in het centrum van Kopenhagen. Vanaf de muur kon Gray de vijver in het midden zien. In het spiegelgladde wateroppervlak werden duizenden lichtjes weerkaatst. Er waren met bloeiende planten omzoomde paden die naar door lampionnen verlichte paviljoens leidden, houten achtbanen, draaimolens en een reuzenrad. Het oude park was niet zozeer een technocratisch Disneyland, maar eerder een gezellig buurtpark.

Gray klom langs de tak over de muur.

Aan de andere kant stond Fiona op hem te wachten. Ze zwaaide. Ze stond achter een schuurtje.

Gray liet de tak met zijn benen los en bleef aan zijn handen hangen.

Naast zijn rechterhand vloog een stuk schors van de tak. Geschrokken liet hij los, en met maaiende armen viel hij naar beneden. Hij kwam hard neer in een bloembed. Zijn knie deed pijn, maar de zachte grond brak toch zijn val. Achter de muur gromde een motor, en een portier werd dichtgeslagen.

Ze waren gezien.

Met vertrokken gezicht liep Gray naar Fiona toe. Ze had haar ogen opengesperd. Ook zij had het schot gehoord. Zonder een woord te wisselen vluchtten ze naar het midden van het park.

6

HET LELIJKE
JONGE EENDJE

1:22

DE HIMALAYA

Nog na middernacht lag Lisa in een dampend bad van natuurlijk verhit mineraalwater te weken. Als ze haar ogen sloot, kon ze zich voorstellen dat ze zich in een duur Europees kuuroord bevond. De kamer zag er chic genoeg voor uit: dikke handdoeken en badjassen van Egyptisch katoen, een enorm hemelbed met veel dekens en een dik dekbed. Aan de wanden hingen middeleeuwse wandkleden, en op de stenen vloer lagen Turkse tapijten.

Painter was in de andere kamer, hij was bezig met hun open haard.

Deze aangename kerker deelden ze samen.

Painter had Anna Sporrenberg verteld dat ze in de Verenigde Staten samenwoonden. Een list om ervoor te zorgen dat ze bij elkaar konden blijven.

Lisa had geen bezwaar gemaakt, want ze wilde hier liever niet alleen zijn.

Hoewel het water erg warm was, huiverde ze. Als arts herkende ze in zichzelf de tekenen van een shock. De adrenaline die haar op de been had gehouden, verdween uit haar bloed. Ze herinnerde zich dat ze de Duitse vrouw verbaal had aangevallen. Hoe haalde ze dat in haar hoofd? Ze hadden allebei ter plekke kunnen worden neergeschoten.

Painter was aldoor de rust zelve gebleven. Zelfs nu ontleende ze kracht aan hem. Ze hoorde hem nog een houtblok op het vuur leggen. Hij was zorgzaam, terwijl hij toch uitgeput moest zijn. Hij had ook een hele tijd in het warme bad gelegen, niet zozeer om schoon te worden, als wel om te zorgen dat de bevriezingsverschijnselen verdwenen. Lisa had gezien dat er witte plekjes op zijn oren zaten, en ze had hem gedwongen als eerste in bad te gaan.

Zij was warmer gekleed geweest, en had minder last van de kou gehad.

Toch dompelde ze zich helemaal onder in het warme water, ook haar hoofd. Haar haar waaierde uit. De warmte drong overal in haar lichaam door. Ze werd er doezelig van. Ze hoefde alleen maar water in te ademen, dan zou ze verdrinken. Een moment van paniek, en vervolgens was alles voorbij. Geen angst meer, geen spanningen. Ze zou haar lot in eigen handen hebben genomen en niet langer gegijzeld zijn.

Gewoon diep inademen...

'Ben je bijna klaar?' Ze hoorde zijn stem, gedempt door het water. 'Ze hebben eten voor ons gebracht.'

Lisa kwam boven. Het water droop uit haar haar en over haar gezicht. 'Ik... ik kom zo.'

'Er is geen haast bij, hoor,' riep Painter vanuit het andere vertrek.

Ze hoorde hem nog een houtblok op het vuur leggen.

Hoe kon hij nog zo actief zijn? Hij had drie dagen op bed gelegen, had in de kelder een gevecht geleverd, en had ook nog die ijskoude tocht achter de rug... En toch ging hij maar door. Het gaf haar hoop. Misschien was het uit wanhoop geboren, maar ze voelde een kracht in hem die niets met gewoon maar lichaamskracht te maken had.

Terwijl ze aan hem dacht, hield ze op met trillen.

Ze stapte uit het bad en droogde haar dampende huid af. Aan een haakje hing een dikke badjas. Ze liet die nog even hangen. Naast een antieke wastafel stond een hoge spiegel. Die was beslagen, maar ze kon zich er toch vaag naakt in zien. Ze draaide haar been; niet om dat te bewonderen, maar om naar de blauwe plekken te kijken. De pijn in haar kuiten herinnerde haar aan iets heel belangrijks: ze leefde nog.

Ze wierp een blik op het bad.

Zo gemakkelijk liet ze hen er niet mee wegkomen. Ze ging doorzetten.

Ze trok de badjas aan en sloeg de ceintuur om haar middel. Daarna tilde ze de zware grendel voor de badkamerdeur op en duwde de deur open. In de andere kamer was het warmer. Met stoom was het vertrek bewoonbaar gehouden, maar door het vuur in de open haard was het er nu behaaglijk. Het vuur knapperde vrolijk en zette het vertrek in een warme gloed. Naast het bed stonden kaarsen, de enige verlichting, en dat had ook iets zeer huiselijks.

Er was geen elektriciteit.

Toen Anna Sporrenberg hen opsloot, had ze trots uitgelegd dat de energie hier geothermisch werd opgewekt, gebaseerd op een ontwerp van honderd jaar oud. Dat was bedacht door Rudolf Diesel, de in Frankrijk geboren Duitse ingenieur die later de dieselmotor zou uitvinden. Maar ze waren zuinig met elektriciteit, en alleen in bepaalde delen van het kasteel kon die worden gebruikt.

Hier dus niet.

Painter draaide zich naar haar om. Het viel haar op dat zijn haar was opgedroogd en erg door de war zat, iets wat hem een jongensachtig uiterlijk verleende. Op blote voeten en gehuld in net zo'n badjas als de hare schonk hij een dampende vloeistof in twee mokken.

'Jasmijnthee,' zei hij, en hij gebaarde dat ze op de bank voor de open haard moest gaan zitten.

Op een lage tafel stond een schaal met kaasjes, donker brood, plakjes rosbief, een kom met zwarte bessen en een kannetje room.

'Ons galgenmaal?' vroeg Lisa. Ze probeerde nonchalant te klinken, maar dat ging haar niet helemaal goed af. De volgende morgen vroeg zouden ze worden ondervraagd.

Painter ging zitten en klopte op de plek naast hem.

Ze nam ook plaats.

Terwijl hij het brood sneed, pakte zij een plakje cheddar. Ze rook eraan en legde het terug. Ze had helemaal geen zin om te eten.

'Je moet iets eten,' zei Painter.

'Waarom? Zodat ik sterker ben als ze hun drugs in me spuiten?'

Painter rolde een plakje rosbief op en stak het in zijn mond. Met zijn mond vol zei hij: 'Niets is zeker. Als ik iets in mijn leven heb geleerd, is dat het wel.'

Niet overtuigd schudde ze haar hoofd. 'Dus we moeten maar gewoon het beste ervan hopen? Is dat wat je bedoelt?'

'Ik geef de voorkeur aan een plan.'

Ze keek hem aan. 'En heb je al een plan gemaakt?'

'Een heel eenvoudig plan. Zonder bommen en granaten.'

'Wat dan?'

Hij slikte de rosbief door en draaide zich naar haar om. 'Iets wat verbazend vaak werkt.'

Ze wachtte totdat hij het zou uitleggen. 'Nou?'

'Gewoon eerlijk zijn.'

Ze liet haar schouders hangen. 'Geweldig.'

Painter pakte een snee brood, smeerde daar grove mosterd op, en legde er vervolgens een plakje rosbief en een plakje cheddar op. Hij stak haar de sandwich toe. 'Opeten.'

Met een zucht nam ze het brood aan, alleen maar om hem tevreden te stellen.

Painter maakte voor zichzelf nog zo'n boterham. 'Ik ben bijvoorbeeld directeur van een onderafdeling van DARPA die Sigma heet. Wij doen onderzoek naar bedreigingen van de Verenigde Staten, en daarvoor hebben we gespecialiseerd legerpersoneel in dienst. Wij zijn de sterke arm van DARPA.'

Lisa knabbelde aan de broodkorst, waar een beetje pittige mosterd op zat. 'Komen die soldaten ons redden, denk je?'

'Dat betwijfel ik. Niet op korte termijn, en veel tijd hebben we niet. Het zal dagen duren voordat ze erachter komen dat mijn lijk zich niet in het afgebrande klooster bevindt.'

'Dan begrijp ik niet...'

Painter stak zijn hand op en zei met volle mond: 'Het gaat om eerlijk zijn. Gewoon open kaart spelen. Kijken wat er gebeurt. De aandacht van Sigma werd op deze streek gericht doordat er verslagen over vreemde ziektegevallen binnenkwamen. Ze hebben jarenlang in het geheim kunnen opereren. Waarom gaat er de afgelopen maanden zo vaak iets mis? Ik geloof niet in het toeval. Ik hoorde wat Anna tegen die enorme man zei, de moordenaar. Ze had het over een probleem. Er is iets wat hen voor een raadsel stelt. Ik denk dat we min of meer hetzelfde doel nastreven. Misschien is er ruimte voor samenwerking.'

'En denk je dan dat ze ons in leven laten?' vroeg ze een beetje spottend, maar toch ook hoopvol. Ze nam een hap om haar verlegenheid te verbergen.

'Dat weet ik niet,' antwoordde hij naar waarheid. 'Misschien zolang we hun van nut zijn. Maar als we een paar dagen kunnen winnen... Dat geeft ons meer kans op redding, of misschien veranderende omstandigheden.'

Peinzend at Lisa van haar boterham. Voordat ze het wist, was die op. En ze had nog steeds honger. Samen aten ze de kom zwarte bessen leeg, nadat ze er eerst room over hadden geschonken.

Ze bezag Painter met een heel nieuwe blik. Er was meer in hem aanwezig dan koppige kracht. Er straalde intelligentie uit zijn blauwe ogen, en een flinke portie gezond verstand. Alsof hij zich ervan bewust was dat ze hem bestudeerde, keek hij op. Haastig richtte ze haar aandacht weer op haar eten.

Zwijgend dronken ze van hun thee. Na het maal merkten ze pas goed hoe uitgeput ze waren. Zelfs praten kostte te veel moeite. Bovendien vond ze het wel prettig om in stilte naast hem te zitten. Ze hoorde hem ademen, en ze rook zijn schone geur.

Toen ze het laatste slokje met honing gezoete thee had opgedronken, merkte ze dat Painter over zijn rechterslaap wreef. Hij had weer last van hoofdpijn. Ze wilde geen doktertje spelen en hem lastigvallen, maar ze hield hem vanuit haar ooghoeken wel in de gaten. Zijn andere hand trilde. Ze zag zijn pupillen sidderen terwijl hij in het vuur keek.

Painter had het over eerlijk zijn gehad, maar wilde hij wel echt weten hoe hij eraan toe was? De aanvallen leken vaker te komen. En ze was egoïstisch genoeg om bang te worden – niet vanwege zijn conditie, maar vanwege de hoop die hij haar gaf. Ze had hem nodig.

Ze stond op. 'We kunnen beter even gaan slapen. Het zal niet lang meer duren of het wordt licht.'

Painter stond kreunend op. Ze moest hem bij zijn elleboog pakken omdat hij wankelde.

'Met mij is er niets aan de hand,' zei hij.

Moest dat eerlijk zijn voorstellen?

Ze bracht hem naar het bed en sloeg de dekens terug.

'Ik slaap wel op de bank,' zei hij.

'Doe niet zo maf. Kruip in bed. Dit is niet het moment om over de goede zeden na te denken. We zitten hier in een fort van de nazi's.'

'Gewezen nazi's.'

'Ja, dat is een hele geruststelling.'

Toch kroop hij met een zucht in bed. De badjas hield hij aan. Lisa liep om het bed heen en kroop er ook in. Daarna blies ze de kaarsen uit. Het werd niet echt donker omdat het schijnsel van het vuur door de kamer speelde. Lisa wist niet of ze het wel prettig zou hebben gevonden als het pikkedonker was geworden.

Ze trok de dekens op tot haar kin, en draaide haar rug naar Painter toe. Hij moest hebben gemerkt dat ze bang was.

'Als we doodgaan, gaan we samen,' mompelde hij.

Ze slikte. Dat was niet erg geruststellend, niet wat ze had verwacht te horen. En toch voelde ze zich erdoor getroost. Het lag aan zijn toon, zijn eerlijkheid en de belofte in zijn woorden. Als hij zou hebben beweerd dat het natuurlijk allemaal goed kwam, zou ze hem niet hebben geloofd.

Nu wel.

Ze schoof dichter naar hem toe en zocht zijn hand. Het had niets seksueels, ze waren gewoon twee mensen die lichamelijk contact goed konden gebruiken. Ze trok zijn arm om zich heen.

Hij kneep geruststellend in haar hand.

Als lepeltjes in een doosje lagen ze daar dicht tegen elkaar aan. Lisa sloot haar ogen, maar verwachtte niet te kunnen slapen.

Maar in zijn armen viel ze toch in slaap.

22:39
KOPENHAGEN, DENEMARKEN

Gray keek op zijn horloge.

Ze verstopten zich hier al twee uur. Fiona en hij zaten in een dienstruimte van een attractie die de *Minen* heette, de Mijn. Het was een ouderwetse attractie waarbij de karretjes langs een soort mollen in mijnwerkerskledij reden die in een aan de fantasie ontsproten ondergrondse steengroeve werkten. Keer op keer hoorden ze hetzelfde deuntje; een marteling voor het gehoor.

Niet lang nadat ze zich onder de bezoekers van het park hadden gemengd, waren ze in deze oude attractie gestapt. Vader en dochter die samen een uitje hadden. Maar bij de eerste onbewaakte bocht waren ze uit het karretje gesprongen en waren ze door een deur gerend waar een gevarenteken op stond. Zo waren ze in een dienstruimte gekomen. Ze hadden de rit niet afgemaakt, maar Gray kon zich de rest goed voorstellen: de molletjes lagen allemaal met stoflongen in een vrolijk ziekenhuisbed.

Dat hoopte hij tenminste.

Het opgewekte deuntje werd voor de duizendste keer afgedraaid. Misschien was het niet zo erg als het deuntje in Disneyland bij It's a Small World, maar het kwam er dicht in de buurt.

In de kleine ruimte zat Gray met de Darwinbijbel op schoot. Met zijn penlight bekeek hij het boek bladzij voor bladzij, op zoek naar een aanwijzing waarom het zo belangrijk was. Zijn hoofd bonsde op de maat van de muziek.

'Heb je een pistool?' vroeg Fiona. Ze zat met haar armen over elkaar in een hoek gedoken. 'Als je er eentje hebt, schiet me dan nu maar dood.'

Gray slaakte een zucht. 'Nog een uur.'

'Zo lang houd ik het niet uit.'

De bedoeling was dat ze hier zouden wachten totdat het park sloot. Er was maar één officiële uitgang, maar Gray wist bijna zeker dat alle andere uitgangen ook in de gaten zouden worden gehouden. Ze moesten opgaan in de massa en om middernacht met de meute het park uit lopen. Hij had geprobeerd erachter te komen of Monk al was geland, maar door het ijzer en koper in het oude gebouw kon hij zijn mobieltje niet gebruiken. Ze moesten naar de luchthaven.

'Heb je nog iets bijzonders in de bijbel ontdekt?' vroeg ze.

Gray schudde zijn hoofd. Het was interessant om de stamboom van Darwin op het schutblad te zien. Maar verder had hij nog niets bijzonders op de broze bladzijden ontdekt. Er stond alleen af en toe iets geschreven: steeds weer hetzelfde teken, in allerlei posities.

Gray keek in zijn notitieboekje. Hij had de symbolen overgetekend zoals hij ze in de marge van de bladzijden had aangetroffen. Of Charles Darwin ze zelf had gemaakt of een latere eigenaar, dat wist hij niet.

Hij liet Fiona het notitieboekje zien.

'Herken je dat?'

Met een zucht boog ze zich over het boekje en keek naar de tekens.

'Vogelpootjes,' zei ze. 'Niet de moeite waard om een moord voor te plegen.'

Gray keek geërgerd, maar zei maar niets. Fiona was somber geworden. Hij zag haar liever wraakzuchtig en kwaad. Hij vermoedde dat ze haar verdriet en energie had opgebruikt toen ze met een list de bijbel in handen had gekregen. Dat was een kleine daad om wraak te nemen voor de moord op haar grootmoeder. Maar nu, in het donker, werd ze met haar neus op de feiten gedrukt.

Daar kon hij weinig aan doen.

Hij pakte een pen en deed een poging haar af te leiden. Hij tekende nog een symbool, het symbool dat hij op de hand van de man in het veilinghuis had gezien.

Hij liet het haar zien. 'En dit?'

Met een nog diepere zucht boog ze zich over het papier. Ze schudde haar hoofd. 'Een klavertjevier? Weet ik het... Wat moet ik daarmee? O... Wacht eens...' Ze pakte het notitieboekje en keek nog eens goed. Haar ogen werden groot. 'Dit heb ik eerder gezien!'

'Waar?'

'Op een visitekaartje,' antwoordde ze. 'Alleen was het daar anders.' Ze pakte zijn pen en ging aan de slag.

'Van wie was dat visitekaartje?'

'Van die kwal die een paar maanden geleden ons archief heeft beke-ken. Die gozer met de vervalste creditcard.' Ze tekende stug verder. 'Waar heb jij het gezien?'

'Op de hand van de man die de bijbel heeft gekocht.'

'Zie je nou!' riep Fiona uit. 'Die rotzak zit erachter! Eerst probeert hij de bijbel te jatten, en dan probeert hij zijn sporen uit te wissen door mor te vermoorden en de winkel te laten affikken.'

'Weet je nog welke naam er op het visitekaartje stond?' vroeg Gray.

Ze schudde haar hoofd. 'Ik weet alleen nog dat het symbool erop stond. Omdat ik het herkende.'

Ze overhandigde hem haar tekening. Het was een gedetailleerde lijn-tekening van de tatoeage, die duidelijk liet zien hoe het echt in elkaar zat.

Gray tikte op de bladzij. 'Je herkende het?'

Fiona knikte. 'Ik spaar speldjes. Natuurlijk draag ik die niet op deze kakkerkleren.'

Gray wist nog dat ze eerst een trui met capuchon had gedragen, met allerlei buttons en speldjes erop.

'Vroeger vond ik Keltische muziek tof,' zei Fiona. 'En toen droeg ik ook veel Keltische speldjes.'

'Weet je wat dit symbool betekent?'

'Dat is de *Earth Square* of het St-Hanskruis. Het is een beschermend symbool, het roept de macht van de vier windstreken op.' Ze wees naar de vier klaverblaadjes. 'Ze noemen het ook wel de schildknoop. Een schild om je te beschermen.'

Gray fronste, maar zag niet in hoe dit hem verder moest helpen.

'Daarom zei ik tegen mor dat ze hem kon vertrouwen,' ging Fiona verder. Ze leunde weer tegen de muur en praatte zachtjes, alsof ze bang was om iets te zeggen. 'Ze mocht die man niet. Ze had meteen een hekel aan hem. Maar toen zag ik dat symbool op zijn visitekaartje, en toen dacht ik dat hij wel oké moest zijn.'

'Je kon het ook niet weten.'

'Mor wist het wel,' reageerde ze kortaf. 'En nu is ze dood. En dat is mijn schuld.' Het klonk intens bedroefd.

'Onzin.' Gray schoof dichter naar haar toe en sloeg zijn arm om haar heen. 'Wie het ook zijn, ze waren vanaf het begin zeer doelgericht. Dat weet je best. Ze zouden toch wel achter die informatie zijn gekomen. Als jij je grootmoeder niet had overgehaald om hen in het archief te laten snuffelen, zouden ze jullie meteen al hebben vermoord. Dat soort lui gaat over lijken.'

Fiona leunde tegen hem aan.

'Je grootmoeder...'

'Ze was mijn grootmoeder niet,' viel ze hem toonloos in de rede.

Dat had Gray al gedacht, maar hij zei niets.

'Ze betrapte me toen ik iets uit haar winkel probeerde te jatten. Dat was twee jaar geleden. Ze belde de politie niet, maar gaf me een kom soep. Kippensoep.'

Gray kon het in het donker niet zien, maar hij wist dat Fiona glimlachte.

'Zo zat ze in elkaar. Ze hielp de straatkinderen altijd. Ze nam zwervers in huis.'

'Zoals Bertal.'

'En mij.' Ze bleef lang stil. 'Mijn ouders zijn bij een auto-ongeluk om het leven gekomen. Het waren immigranten. Pakistanen, uit de Punjab. We hadden een huis in Londen, in Waltham Forest. Een huis met een tuintje. We wilden een hond nemen. En toen... toen gingen ze dood.'

'Dat spijt me, Fiona.'

'Mijn oom en tante namen me in huis... Ze kwamen net uit de Punjab.' Weer zo'n lange stilte. 'Na een maand kwam mijn oom 's nachts op mijn kamer.'

Gray sloot zijn ogen. Jezus...

'Daarom liep ik weg... Ik woonde een paar jaar op straat, in Londen. Maar ik kreeg problemen met de verkeerde mensen. Dus toen moest ik er weer vandoor. Ik trok met een rugzak door Europa. Ik redde me wel. En toen kwam ik hier.'

'En nam Grette je in huis.'

'En nu is zij ook dood.' Weer dat schuldgevoel. 'Misschien breng ik ongeluk.'

Gray trok haar tegen zich aan. 'Ik heb gezien hoe ze naar je keek. Je bracht haar zeker geen ongeluk. Ze hield van je.'

'Dat... dat weet ik.' Ze draaide haar hoofd weg. Haar schouders schokten toen ze stilletjes huilde.

Gray hield haar vast. Uiteindelijk begroef ze haar gezicht tegen zijn schouder. Nu was het Grays beurt om zich schuldig te voelen. Grette was een vrouw met een groot hart geweest, ze was vriendelijk, zorgzaam en meelevend. En nu was ze dood. Hij had daarbij een rol gespeeld. Als hij voorzichtiger was geweest... Als hij dit onderzoek minder roekeloos had aangepakt...

Dit was de prijs die hij daarvoor betaalde.

Fiona bleef maar huilen.

Zelfs als moord en brandstichting toch al op het programma stonden, en niets met zijn onderzoek van doen hadden, had hij toch niet altijd even juist gehandeld. Hij was weggevlucht en had Fiona in de steek gelaten, alleen met haar verdriet. Hij herinnerde zich nog dat ze hem had nageroepen, eerst kwaad, vervolgens smekend.

Hij was niet teruggekomen.

'Nu heb ik helemaal niemand meer,' bracht Fiona snikkend uit.

'Je hebt mij toch?'

Met betraande ogen keek ze op. 'Maar jij gaat weer weg.'

'En jij gaat met me mee.'

'Maar je zei...'

'Vergeet wat ik zei.' Gray wist dat het meisje hier niet veilig was. Ze zou worden afgemaakt, als het niet was om de bijbel in handen te krijgen, dan toch om haar het zwijgen op te leggen. Ze wist te veel. Zoals... 'Zei je niet dat je het adres op de verkoopbon nog wist?'

Achterdochtig keek ze hem aan. Ze huilde niet meer. Ze schoof bij hem weg en keek naar hem alsof ze vermoedde dat hij alleen maar zo aardig was om uit haar te trekken wat hij weten wilde. Nu begreep hij waarom ze zo argwanend was; dat had ze op straat wel geleerd.

Gray besefte dat hij niet moest aandringen. 'Een vriend van me komt hier per privéstraalvliegtuig aan. Rond middernacht moet hij hier zijn. We nemen contact met hem op, en we kunnen overal waar we maar willen naartoe gaan. Zodra we aan boord zijn, mag je het zeggen.' Hij stak zijn hand uit om de afspraak te bekrachtigen.

Wantrouwig schudde ze zijn hand.

'Afgesproken,' zei ze.

Op deze manier kon hij nog een beetje goedmaken wat hij allemaal verkeerd had gedaan. Ze moest hier weg, en aan boord van het vliegtuig zou ze veilig zijn. Ze kon daar goed bewaakt blijven terwijl Monk en hij onderzoek verrichtten.

Fiona gaf hem het notitieboekje met de tekeningen terug. 'Nou, we moeten naar Paderborn in Midden-Duitsland. Dan weet je dat vast. Ik zeg het adres pas als we er zijn.'

Gray was blij met dit blijk van vertrouwen. 'Prima.'

Ze knikte.

'Kun je nu misschien iets aan die tyfusherrie doen? Dat deuntje komt me de strot uit,' zei ze met een vermoeide zucht.

Precies op dat moment zweeg de muziek. Het zachte gesnor van de motoren en het geklikklak van de karretjes op de rails hield ook op. In de plotselinge stilte hoorden ze voetstappen aan de andere kant van het deurtje.

Voorzichtig stond Gray op. 'Blijf vlak achter me,' fluisterde hij.

Fiona pakte de bijbel op en propte die in haar tas. Gray pakte het stuk ijzer op dat hij had gevonden.

De deur ging open en ze werden verblind door fel licht.

Geschrokken zei een man in het Deens: 'Wat spoken jullie hier nou uit?'

Gray liet de ijzeren staaf zakken. Hij had de man in het pak van een onderhoudsmonteur bijna doorboord.

'We gaan dicht,' zei de man, terwijl hij plaats voor hen maakte. 'Donder op of ik roep de beveiliging erbij.'

Gray stapte naar buiten. De monteur keek hem kwaad aan. Gray wist wat hij moest denken... Een volwassen man die met een tienermeisje in een hok zit...

'Gaat het, meid?' vroeg de man. Het was hem zeker opgevallen dat ze behuilde ogen had en dat haar kleren gescheurd waren.

'Jawel.' Ze gaf Gray een arm en bewoog wulps met haar heupen. 'Hij heeft er dik voor betaald.'

De man fronste afkeurend. 'De achterdeur is die kant op.' Hij wees naar een verlicht bordje. 'Zorg dat ik je hier nooit meer zie. Het is gevaarlijk om hier zomaar rond te dollen, met al die machinerie.'

Niet zo gevaarlijk als het buiten was... Gray liep voor hen uit naar de deur en zette die open. Hij keek op zijn horloge. Even over elven. Het park ging pas over een uur dicht. Misschien konden ze nu al weg.

Toen ze om de hoek van het gebouw liepen, merkten ze dat dit deel van het park uitgestorven was. Geen wonder dat deze attractie vast dichtging.

Gray hoorde muziek en gelach uit de richting van de vijver komen.

'Daar gaat iedereen naartoe voor de parade,' vertelde Fiona. 'En er is dan ook vuurwerk, voordat het park sluit.'

Gray hoopte dat het vuurwerk niet inhield dat er gewonden zouden vallen. Hij keek zoekend om zich heen. Lampionnen schenen in de nacht. Overal stonden tulpen in de bloembedden. Er liepen maar weinig mensen over de paden. Het was moeilijk om je hier te verschuilen.

Gray zag een man en een vrouw van de beveiliging iets te vastberaden hun kant op komen. Had de monteur toch een waarschuwing doen uitgaan?

'Tijd om ervan tussen te gaan,' zei Gray, en hij sleurde Fiona mee, weg van de beveiligingsmedewerkers. Hij liep in de richting waar een grote menigte bij elkaar was gekomen. Ze liepen snel door en zorgden ervoor dat ze onder de bomen bleven. Ze waren gewoon twee bezoekers die de parade wilden zien.

Het pad kwam uit op het plein bij de vijver. Hier brandden lampions, en de paviljoens eromheen straalden licht uit. Aan de overkant werd gejuicht toen de eerste praalwagen het plein op reed. Die was hoog en stelde een zeemeermin op een rots voor, omringd door groene en blauwe lampen. De zeemeermin zwaaide. Erachteraan kwamen nog meer praalwagens, vol bewegende poppen van wel vijf meter hoog. Er klonk fluitmuziek en tromgeroffel.

'De Hans Christian Andersenparade,' legde Fiona uit. 'Om te vieren dat hij tweehonderd jaar geleden is geboren. Hij is een soort beschermheilige van de stad geworden.'

Gray liep met haar naar de mensen die langs de route om de vijver stonden. In het water werd een vurige bloem weerspiegeld, begeleid door een zware knal. Slierten vuur spoten fluitend door de lucht.

Aan de rand van de menigte hield Gray zijn ogen goed open. Hij zocht naar iemand die in het zwart was gekleed en die hoogblond was. Maar ze waren hier in Kopenhagen, en daar was bijna iedereen hoogblond. En zwart was dit jaar in Denemarken blijkbaar de modekleur.

Grays hart bonsde op de maat van de trommels. Er klonk een oorverdovend salvo.

Boven hun hoofden spatte weer met veel lawaai een bloem van vuur uit elkaar.

Fiona struikelde.

Gray greep haar beet. Zijn oren suisden.

Terwijl het geluid van de ontploffing wegstierf, keek Fiona hem ontzet aan. Ze drukte haar hand tegen haar zij en stak die toen naar hem uit. Haar hand zat onder het bloed.

4:02

DE HIMALAYA

Painter werd in het donker wakker. Het vuur was uitgegaan. Hoe lang had hij geslapen? Zonder ramen had hij geen besef van tijd. Toch had hij het gevoel dat er veel tijd voorbij was gegaan.

Hij was ergens van wakker geworden.

Hij hief zich op een elleboog op.

Aan de andere kant van het bed was Lisa ook ontwaakt. Ze keek naar de deur. 'Voelde je ook...'

De kamer werd door elkaar geschud. Ergens ver weg hoorden ze een knal, die ze in hun buik voelden.

Painter wierp de dekens van zich af. 'Er is iets aan de hand.'

Hij gebaarde naar de kleren die hun gastheren voor hen hadden klaargelegd. Snel kleedden ze zich aan, met lang ondergoed, stevige, gedragen spijkerbroeken en dikke truien.

Lisa had de kaarsen aangestoken. Ze stak haar voeten in een paar stevige laarzen die meer voor mannen geschikt waren. Zwijgend bleven ze een poosje wachten, misschien een kwartier, terwijl ze luisterden naar het rumoer dat langzaam wegstierf.

Allebei gingen ze weer op bed liggen.

'Wat denk je dat dat was?' fluisterde Lisa.

Er klonken geblafte bevelen.

'Geen idee... We komen er zo meteen wel achter.'

Achter de deur van dik eikenhout klonken zware voetstappen. Laarzen. Painter stond op en hield zijn hoofd schuin.

'Ze komen deze kant op,' zei hij.

Als om dat te bevestigen, werd er op de deur geklopt. Painter stak zijn arm uit en zette een stap naar achteren. Er klonk een krassend geluid, waarschijnlijk de zware ijzeren grendel die werd teruggeschoven.

De deur werd opengerukt. Vier mannen kwamen binnen en richtten geweren op hen. Een vijfde man verscheen. Hij leek sterk op de moordenaar in het klooster, Gunther. Een enorme kerel met een stierennek en kort zilvergrijs haar. Hij droeg een wijde bruine broek waarvan de pijpen in zijn hoge zwarte laarzen zaten gepropt, en een hemd van dezelfde kleur bruin.

Afgezien van een zwarte armband met swastika leek hij precies op een lid van een nazistormtroep.

Of liever gezegd: een gewezen lid van een nazistormtroep.

Hij zag net zo bleek als Gunther, maar zijn gezicht was toch heel anders. De linkerkant zag er verlamd uit, alsof hij ooit door een beroerte was getroffen. Zijn linkerarm trilde toen hij ermee naar de deur wees.

'*Kommen Sie mit!*'

Ze moesten met de man mee. De enorme man draaide zich om en beende weg, alsof het niet in hun hoofden zou opkomen een bevel van hem niet op te volgen. Misschien had hij ook wel gelijk; met die geweren op hen gericht konden ze moeilijk weigeren.

Painter gaf Lisa een knikje. Ze liepen achter de leider aan de kamer uit, gevolgd door het gewapende escorte. Ze kwamen in een smalle gang, uit de rots gehouwen en nauwelijks breed genoeg om naast elkaar te kunnen lopen. De enige verlichting kwam van de zaklantaarns die op de geweren van hun bewakers waren bevestigd, en die voor dansende schaduwen zorgden. In de gang was het beduidend kouder dan in hun kamer, maar het vroor er niet.

Ze hoefden niet ver. Painter dacht dat ze naar de voorkant van het kasteel werden gebracht, en daar had hij gelijk in. Hij hoorde zelfs de wind huilen. De storm moest in de loop van de nacht weer zijn opgestoken.

Voor hem klopte de enorme man op een met houtsnijwerk versierde deur. Een gemompelde reactie moedigde hem aan de deur open te doen. Warm licht stroomde de gang in, vergezeld van warme lucht.

De bewaker stapte naar binnen en hield de deur voor hen open.

Painter liep met Lisa naar binnen en keek om zich heen. Ze leken zich in een landelijke studeerkamer te bevinden. Er waren twee verdiepingen, met tegen alle muren boekenplanken. Rond de bovenste verdieping liep een ijzeren loopbrug, zwaar en zonder decoratie. De enige manier om boven te komen, was via een steile ladder.

De warmte in het vertrek was afkomstig van een grote stenen haard waar een vuur in knapperde. Op een portret aan de muur keek een man in Duits uniform op hen neer.

'Mijn grootvader,' zei Anna Sporrenberg toen ze merkte dat Painter ernaar keek. Ze stond op achter een monsterlijk bureau met veel houtsnijwerk. Ook zij ging gekleed in spijkerbroek en trui. Kennelijk was dat de correcte kledingstijl voor de kasteelbewoners. 'Hij heeft na de oorlog het kasteel overgenomen.'

Ze gebaarde dat ze in de fauteuils rond de open haard moesten plaatsnemen. Het viel Painter op dat ze donkere kringen onder haar ogen had.

Kennelijk had zij helemaal niet geslapen. Hij rook ook iets rokerigs, een geur die hem aan cordiet deed denken.

Painter ontmoette haar blik toen ze naar de stoelen toe liep. De haartjes in zijn nek kwamen overeind. Ook al was ze uitgeput, toch stonden haar ogen helder. Hij zag er iets roofdierachtigs in, iets sluws en berekenends. Ze was iemand om goed in de gaten te houden. Zij nam hem net zo onderzoekend op.

Wat was hier aan de hand?

'*Setzen Sie sich, bitte*,' zei ze, en ze knikte in de richting van de stoelen.

Painter en Lisa gingen naast elkaar zitten, en Anna tegenover hen. De bewaker bleef met over elkaar geslagen armen bij de deur staan. Painter wist dat de andere bewakers op de gang zouden blijven. Hij keek om zich heen of er nergens een mogelijkheid tot ontsnappen was. De enige andere uitgang was een beijzeld raam met tralies ervoor.

Daardoor konden ze niet weg.

Painter richtte zijn aandacht weer op Anna. Misschien was er nog een andere uitweg. Anna was op haar hoede, maar ze waren niet voor niets hier gebracht. Hij moest zoveel mogelijk te weten zien te komen, maar hij zou omzichtig te werk moeten gaan. Het viel hem op dat Anna een sterke gelijkenis vertoonde met de man van het portret. Daar kon hij mee beginnen.

'U zei dat uw grootvader het kasteel had overgenomen,' zei hij. 'Van wie was het dan eerst?'

Anna leunde achterover in haar stoel, duidelijk blij om even rustig bij het vuur te kunnen zitten. Maar toch was ze heel geconcentreerd. Ze keek naar Lisa, en toen weer terug naar hem. 'Het Granitschloß kent een lange en duistere geschiedenis, meneer Crowe. Hebt u wel eens van Heinrich Himmler gehoord?'

'De plaatsvervangend Reichsführer?'

'Ja, en tevens de man die aan het hoofd van de ss stond. Een moordenaar en een waanzinnige.'

Het verbaasde Painter dat uit haar mond te horen. Was dit een list? Hij voelde dat er een spelletje werd gespeeld, maar hij kende de regels daarvan niet. Nog niet.

Anna ging verder: 'Himmler dacht dat hij de incarnatie van koning Heinrich was, een tiende-eeuwse koning der Saksen. Hij dacht zelfs dat hij boodschappen van hem doorkreeg.'

Painter knikte. 'Ik heb gehoord dat hij in occulte zaken was geïnteresseerd.'

'Geobsedeerd.' Anna haalde haar schouders op. 'Veel mensen in Duitsland deelden een dergelijke interesse. Dat gaat terug tot madame Blavatsky, die de term "ariër" introduceerde. Ze beweerde dat ze geheime kennis had opgedaan terwijl ze in een boeddhistisch klooster studeerde. Geheime leermeesters zouden haar hebben verteld dat de mensheid van een superieur ras afstamt, en dat de mensheid zich weer superieur zal evolueren.'

Painter knikte.

'Een eeuw later vermengde Guido von List haar ideeën met de Germaanse mythologie. Hij gaf het mythische Arische ras een oorsprong in Noord-Europa.'

'En het Duitse volk slikte het allemaal voor zoete koek,' reageerde Painter om haar op stang te jagen.

'Waarom niet? Na onze nederlaag van 1918 was het een prettige gedachte, die werd overgenomen door occulte broederschappen die in Duitsland waren ontstaan. Het Thule-Gesellschaft, de geheime orde Vril, de Ordo Novi Templi – de orde van de Nieuwe Tempeliers.'

'Ik meen me te herinneren dat Himmler zelf lid van het Thule-Gesellschaft was.'

'Ja, de Reichsführer geloofde er volledig in. Zelfs in de magie van runen. Daarom koos hij voor het dubbele teken *sig*, twee weerlichten, om zijn eigen orde van krijger-priesters te vertegenwoordigen: de Schutzstaffel, de ss. Nadat hij het werk van madame Blavatsky had bestudeerd, kwam hij tot de overtuiging dat het Arische ras in de Himalaya was ontstaan, en dat het daar weer tot bloei zou komen.'

Voor de eerste keer maakte Lisa een opmerking: 'Daarom zond Himmler expedities naar de Himalaya.' Ze wisselde een blik met Painter uit. Hier hadden ze het eerder ook over gehad. Ze hadden er niet ver naast gezeten. Maar Painter vroeg zich nog af wat Anna had bedoeld toen ze had gezegd dat ze geen nazi's meer waren.

Hij moedigde haar aan verder te spreken zolang ze daarvoor in de stemming was. Hij vermoedde dat het een list was, maar hij had geen idee waar het allemaal toe moest leiden. Hij had er een hekel aan om niet te weten waar hij aan toe was, maar dat liet hij niet merken.

'Waar zocht Himmler dan naar?' vroeg hij. 'Een verloren stam ariërs? Een shangri-la van het superieure blanke ras?'

'Niet precies. Onder de dekmantel van antropologisch en zoölogisch onderzoek stuurde Himmler er leden van zijn ss op uit om bewijs voor het lang geleden verloren gegane superieure ras te zoeken. Hij was ervan overtuigd dat er sporen van moesten zijn. En hoewel de expedities niets opleverden, werd hij steeds vastberadener en waanzinniger. Toen hij in Duits-

land een fort van de ss liet bouwen, kasteel Wewelsburg, liet hij hier eenzelfde kasteel neerzetten. Daarvoor liet hij per vliegtuig duizend dwangarbeiders uit Duitse concentratiekampen overkomen. Hij liet ook een ton
goud verschepen. Om ervoor te zorgen dat we ons hier zelfstandig konden bedruipen. Dat is ook gelukt doordat we verstandig belegden.'

'Maar waarom hier een kasteel neergezet?' vroeg Lisa.

Painter kon dat wel raden. 'Hij dacht dat het Arische ras tussen deze
bergen weer zou opstaan. Hij bouwde hun eerste citadel.'

Anna knikte, alsof ze hem een punt moest toekennen. 'Hij dacht ook
dat de geheime leermeesters nog leefden die madame Blavatsky hadden
onderwezen. Hij bouwde een fort voor hen, een centrale plek waar hun
kennis en ervaring kon worden samengebracht.'

'Zijn die geheime leermeesters ooit komen opdagen?' vroeg Painter
spottend.

'Nee. Maar mijn grootvader wel, tegen het einde van de oorlog. En hij
had iets heel bijzonders bij zich, iets wat Himmlers droom tot werkelijkheid zou kunnen maken.'

'Wat was dat dan?' vroeg Painter.

Anna schudde haar hoofd. 'Voordat we verder praten, moet ik u eerst
iets vragen. En ik zou het op prijs stellen als u een eerlijk antwoord gaf.'

Painter fronste zijn wenkbrauwen over deze onvoorziene wending. 'U
weet dat ik dat niet kan beloven.'

Voor de eerste keer glimlachte Anna. 'Zulke eerlijkheid stel ik erg op
prijs, meneer Crowe.'

'Wat is de vraag?' vroeg hij nieuwsgierig. Langzamerhand moest de
kern van de zaak worden aangeroerd.

Anna keek hem strak aan. 'Bent u misschien ziek? Ik kan het niet goed
zien. U lijkt helder te zijn.'

Painter sperde zijn ogen open. Deze vraag had hij niet verwacht.

Voordat hij antwoord kon geven, deed Lisa dat al voor hem. 'Ja.'

'Lisa...' zei Painter waarschuwend.

'Ze komt er toch wel achter, daarvoor hoef je geen medicijnen te hebben gestudeerd.' Lisa wendde zich tot Anna. 'Er zijn tekenen dat er iets
met de voorhofszenuw is: oogsidderingen en desoriëntatie.'

'Migraine met lichtflitsen?'

Lisa knikte.

'Dat dacht ik al.' Ze leunde achterover, kennelijk gerustgesteld.

Painter fronste zijn voorhoofd. Wat was daar voor geruststellends aan?

Lisa wilde er meer van weten. 'Wat is er toch met hem? Ik vind dat
we... dat hij er recht op heeft dat te weten.'

'Daar zullen we het later nog wel eens over hebben, maar ik kan wel vast een prognose geven.'

'En die is?'

'Dat hij over drie dagen doodgaat. Met gruwelijke pijnen.'

Painter dwong zichzelf zijn gezicht in de plooi te houden.

Lisa bleef even onverstoord en vroeg zakelijk: 'Bestaat er een remedie?'

'Nee.'

23:18

KOPENHAGEN, DENEMARKEN

Hij moest het meisje in veiligheid brengen, en naar een dokter. Gray voelde het bloed uit Fiona's schotwond sijpelen, het doorweekte haar hemd. Hij ondersteunde haar met zijn arm.

Om hen heen drong de menigte op. Er flitsten camera's en daar werd Gray zenuwachtig van. Er schalde muziek terwijl de praalvoertuigen om de vijver reden. Enorme poppen torenden boven iedereen uit, ze knikten en bogen.

Ondertussen bleef het vuurwerk maar knallen.

Gray sloeg er geen acht op. Hij keek speurend om zich heen of hij de schutter die op Fiona had geschoten nergens zag. Even bekeek hij de wond. Het was een schampschot, maar er kwam nogal wat bloed uit. Toch had ze een dokter nodig, want ze zag bleek van de pijn.

Het schot was van achter hen gekomen. Dat hield in dat de schutter tussen de bomen en de struiken moest zitten. Ze hadden geboft dat ze in de menigte konden opgaan. Maar nu ze gezien waren, zouden de jagers dichterbij komen. Waarschijnlijk bevonden ze zich al in de menigte.

Hij keek op zijn horloge. Nog drie kwartier voordat het park de deuren sloot.

Gray moest iets verzinnen. Ze konden niet langer wachten om tussen het publiek het park te verlaten. Voor die tijd zouden ze allang zijn ontdekt. Ze moesten nu meteen weg.

Maar het stuk tussen het plein en de uitgang was bijna verlaten omdat iedereen zich rond de vijver had verzameld. Als ze naar de uitgang probeerden te rennen, moesten ze zich blootgeven. En de uitgang zou vast en zeker in de gaten worden gehouden.

Naast hem drukte Fiona haar hand tegen de wond in haar zij. Het bloed druppelde tussen haar vingers door. Met grote paniekogen keek ze naar hem op.

'Wat moeten we doen?' fluisterde ze.

Gray zorgde dat ze steeds in beweging bleven. Hij had een idee. Het was gevaarlijk, maar als ze voorzichtig deden, kwamen ze het park nooit meer levend uit. Hij draaide Fiona naar zich toe.

'Ik moet bloed aan mijn handen hebben.'

'Hè?'

Hij gebaarde naar haar hemd.

Met een frons tilde ze haar hemd een beetje op. 'Voorzichtig, hoor.'

Heel zacht veegde hij het bloed van haar wond. Ze vertrok haar gezicht en maakte een kermend geluidje.

'Sorry,' zei hij.

'Je hebt koude handen,' mopperde ze.

'Gaat het een beetje?'

'Ik overleef het wel.'

Dat was hun doel.

'Ik moet je zo meteen dragen,' zei Gray.

'Wat ben je van plan...'

'En jij moet gillen wanneer ik het zeg.'

Ze trok haar neus op, maar knikte erbij.

Hij wachtte op het juiste moment. Verderop klonk fluitmuziek en tromgeroffel. Gray duwde Fiona in de richting van de uitgang. Achter een stel schoolkinderen zag Gray een bekende gestalte met een lange jas aan en zijn arm in een mitella. De man die Grette had vermoord. Zoekend liep hij tussen de kinderen door.

Gray verschool zich tussen een groep Duitsers die meezongen met de muziek. Zodra het nummer was afgelopen, knalde er weer vuurwerk.

'Daar gaan we,' zei Gray. Hij bukte, smeerde bloed op zijn gezicht en tilde Fiona op. Daarna riep hij in het Deens: 'Een bom!'

Nog meer knallen.

'Gillen,' fluisterde hij in Fiona's oor.

Hij hief zijn bebloede gezicht op. Fiona gilde het in zijn armen uit, in levensechte doodsangst.

'Een bom!' riep Gray weer.

Mensen draaiden zich naar hem om. Er knalde nog meer vuurwerk. Het bloed glom op zijn wangen. Eerst bleef iedereen doodstil staan, toen deinsde iemand achteruit en botste tegen de anderen op. Er werd geschreeuwd en gegild. Meer mensen probeerden weg te komen.

Gray liep achter hen aan, hij bleef in de buurt van de mensen die er het angstigst uitzagen.

Fiona gilde en sloeg wild om zich heen. Bloed droop van haar handen af.

Er ontstond een chaos. Na wat er in Madrid en Londen was gebeurd, was iedereen doodsbang voor bommen. Meer mensen begonnen te roepen dat er een bom was.

Als een kudde vee sloeg de menigte op hol. Mensen botsten tegen elkaar op, en ze werden nog banger omdat ze gevangenzaten in de mensenmassa. Er knalde geen vuurwerk meer, maar overal klonk geschreeuw en gegil. Als één persoon wegrende, volgden er meteen anderen. Als kippen zonder kop krioelden de mensen door elkaar heen, en de menigte bewoog zich in de richting van de uitgang.

Eerst een paar, toen de hele horde.

Gray liet zich door de mensenmassa meevoeren, met Fiona in zijn armen. Hij hoopte maar dat er in de paniek niemand vertrapt zou worden. Maar er heerste meer chaos dan paniek nu het vuurwerk niet meer knalde. Toch wilde iedereen zo snel mogelijk naar de uitgang.

Gray zette Fiona weer neer, daarna veegde hij met de mouw van zijn jasje van Armani het bloed van zijn gezicht. Fiona bleef bij hem, ze hield zich vast aan zijn riem om maar niet te worden meegesleurd.

Ze zagen de poort al.

Gray knikte in de richting daarvan. 'Als er iets gebeurt, ren je hard weg. Blijven lopen.'

'Ik weet niet of ik het wel haal. Het doet hartstikke pijn.'

Gray zag dat ze licht gebogen liep en hinkte.

Voor zich uit zag Gray mensen van de beveiliging die de zich door de poort dringende mensen tot rust probeerden te manen. Hij zag ook een paar mensen in hetzelfde uniform die er een eindje vanaf stonden en niet meehielpen. Een jonge man en een jonge vrouw, allebei met witblond haar. Het paar uit het veilinghuis. In vermomming hielden ze de uitgang in de gaten, en ze hadden hun hand op het pistool in hun holster.

Heel even ontmoette hij de blik van de vrouw, maar ze keek weg.

En toen weer terug. Ze had hem herkend.

Gray liep tegen de stroom in terug.

'Wat is er?' vroeg Fiona, die bij hem bleef.

'We moeten terug. We moeten een andere uitgang zien te vinden.'

'Waar dan?'

Gray drong zich naar de zijkant van de mensenmassa en ging verder tegen de stroom in. Het was lastig om zich los te maken, maar even later lukte hem dat. Slechts een handvol mensen liep hier naar de uitgang.

Ze moesten ergens dekking zoeken.

Gray zag dat ze vlak bij de praalwagens waren. Ze stonden stil, met de lichten nog aan, maar de muziek uit. De paniek leek ook de bestuurders in haar greep te hebben gekregen, want ze hadden hun voertuigen in de steek gelaten en waren op de vlucht geslagen.

Gray zag dat de bestuurderscabine van een van de praalwagens openstond.

'Hierheen,' zei hij.

Hij sleurde Fiona mee uit de menigte en naar de praalwagen toe. Boven de cabine torende een verlichte pop van een enorme eend met een veel te grote kop uit. Gray herkende de pop meteen. Het was het lelijke jonge eendje uit het sprookje van Hans Christian Andersen.

Ze doken onder een van de vleugels met knipperende gele lichtjes door, die duidelijk bedoeld was om te fladderen. Gray hielp Fiona de cabine in, en ondertussen verwachtte hij elk moment in de rug te worden geschoten. Hij klom achter haar aan naar binnen en trok het portier zo stilletjes mogelijk dicht.

Toen hij door de voorruit keek, was hij blij dat hij zo voorzichtig was geweest.

Er kwam een in het zwart geklede gestalte uit de menigte. De moordenaar van Grette. Hij deed geen moeite zijn pistool verborgen te houden. Ieders aandacht ging uit naar de uitgang. Hij liep langs de mensen en keek naar de vijver en de praalwagens.

Gray dook weg.

De man passeerde hen op enkele meters en liep verder langs de achtergelaten praalwagens.

'Dat scheelde maar een haartje,' fluisterde Fiona. 'We zouden...'

'Sst!' Gray drukte zijn vinger tegen haar lippen. Met zijn elleboog kwam hij tegen een hendel. Op het dashboard klikte iets.

Shit...

Boven hen klonk er uit de luidsprekers in de pop: *kwakkwak kwak, kwakkwak kwak.*

Het lelijke jonge eendje was ontwaakt. En dat moest iedereen weten.

Gray richtte zich op. Dertig meter verderop draaide de man met het pistool zich met een ruk om.

Nu konden ze zich nergens meer verbergen.

Plotseling begon de motor te draaien. Hij keek om en zag Fiona aan de versnellingspook rukken.

'Het sleuteltje zat in het contact,' legde ze uit terwijl ze schakelde. Met een ruk bewoog de praalwagen naar voren.

'Fiona, laat mij nou...'

'Jij zat de vorige keer achter het stuur. En kijk eens, nu zitten we pas echt in de puree.' Ze reed recht op de man met het pistool af. 'Bovendien heeft die klootzak nog iets van me tegoed.'

Zij had hem dus ook herkend: de man die haar grootmoeder had vermoord. Tegen de tijd dat hij zijn pistool hief, reed ze al in zijn twee, en ze bleef recht op hem af rijden.

Gray keek of er niets was waarmee hij haar kon helpen.

Er waren zo veel hendeltjes...

De moordenaar schoot.

Gray vertrok zijn gezicht, maar Fiona had al een ruk aan het stuur gegeven omdat ze dit had verwacht. Er sloeg een ster in de voorruit. Fiona rukte het stuur terug en probeerde de man te overrijden.

Door het plotselinge zwenken ging de topzware praalwagen op twee wielen hangen.

'Hou je vast!' riep Fiona.

De praalwagen plofte terug, maar het had de man de gelegenheid gegeven naar links weg te springen. Hij was snel; hij stond al klaar om nog eens te schieten wanneer de praalwagen hem voorbijreed. Door het zijraam.

Ze hadden geen tijd om te keren.

Gray greep de meest linkse hendel en rukte die naar beneden. Er klonk geratel, toen klapte de linkervleugel van het lelijke jonge eendje naar beneden. De schutter werd in zijn nek geraakt, zijn wervels braken. Hij vloog door de lucht en kwam hard neer.

'Naar de poort!' riep Gray.

Het lelijke jonge eendje had zijn eerste slachtoffer gemaakt.

Kwakkwak kwak, kwakkwak kwak...

Mensen weken opzij voor de lawaaiige praalwagen. De mensen van de beveiliging werden door de massa naar achteren geduwd. Ook de mensen in vermomming. De dienstingang naast de poort was opengezet om meer mensen tegelijk naar buiten te kunnen laten.

Fiona reed ernaartoe.

Het eendje paste er niet door en de dodelijke linkervleugel werd eraf gerukt. De cabine sidderde, en toen reden ze de straat op.

'Sla de eerste de beste hoek om,' zei Gray.

Ze deed wat hij zei, en schakelde terug alsof ze niet anders gewend was. Het eendje ging de hoek om. Na nog twee hoeken te zijn omgeslagen, zei Gray dat ze vaart moest minderen.

'Vind je?' Fiona keek hem aan en schudde geërgerd haar hoofd.

In een gereedschapskist vond Gray een lange moersleutel. Hij zei Fiona dat ze boven op een heuvel moest stoppen en gebaarde vervolgens dat ze moest uitstappen. Gray zette met de moersleutel het gaspedaal klem en sprong uit de cabine.

Het lelijke jonge eendje reed verder. De lichten knipperden en de spiegels vlogen van de geparkeerde auto's af terwijl het eendje de heuvel af sjeesde. Waar het ook tot stilstand zou komen, daar zouden hun achtervolgers naartoe gaan.

Gray liep in tegengestelde richting weg. Gedurende een paar uur zouden ze veilig zijn. Hij keek op zijn horloge. Nog tijd genoeg om naar de luchthaven te gaan. En naar Monk. Monk zou binnenkort wel landen.

Fiona hinkte naast hem en keek af en toe achterom naar het lelijke jonge eendje dat kwaakte in de nacht.

Kwakkwak kwak, kwakkwak kwak...

'Ik zal hem missen,' zei ze.

'Ik ook.'

4:35
DE HIMALAYA

Painter stond bij de open haard. Nadat hij zijn doodvonnis had gekregen, was hij opgestaan uit de stoel.

De enorme bewaker had een paar passen zijn richting op gezet toen hij was opgestaan, maar Anna had hem met een gebaar teruggestuurd. *'Nein, Klaus, es ist in Ordnung.'*

Painter wachtte totdat Klaus weer zijn positie bij de deur had ingenomen. 'En er is geen geneesmiddel?'

Anna knikte. 'Ik sprak de waarheid.'

'Waarom vertoont Painter dan niet net zoals de monniken tekenen van waanzin?' vroeg Lisa.

Anna keek naar Painter. 'U bevond zich niet in het klooster, hè, maar in het dorp? U bent er in mindere mate aan blootgesteld. U ondervindt geen snelle neurologische degeneratie, maar een langzamer, meer algemene lichamelijke achteruitgang. Maar toch is het een doodvonnis.'

Anna moest iets in zijn gezicht hebben gezien.

'Er bestaat geen geneesmiddel voor, maar de achteruitgang kan wel worden vertraagd. In de loop der jaren hebben we veel experimenten op dieren gedaan, en daar zijn veelbelovende resultaten uit naar voren gekomen. We kunnen uw leven verlengen. Of dat konden we althans.'

'Wat wilt u daarmee zeggen?' vroeg Lisa.

Anna stond op. 'Daarom heb ik u hier laten komen. Om het u te laten zien.' Ze knikte naar Klaus, en die deed de deur open. 'Wilt u mij maar volgen? Misschien zal dan blijken hoe we elkaar kunnen helpen.'

Painter bood Lisa zijn hand aan. Hij was vreselijk nieuwsgierig. Hij was voorbereid op een valstrik, maar voelde ook hoop opkomen.

Ze hadden hem in de tang.

Lisa boog zich naar hem toe toen ze opstond. 'Wat gebeurt er allemaal?' fluisterde ze in zijn oor.

'Dat weet ik niet precies.' Hij keek even naar Anna die zachtjes iets met Klaus stond te bespreken.

Misschien zal dan blijken hoe we elkaar kunnen helpen...

Painter had ook samenwerking willen voorstellen, hij had het daar zelfs met Lisa over gehad. Hij had willen onderhandelen, tijd willen rekken. Waren ze soms afgeluisterd? Zaten er microfoontjes in hun kamer verstopt? Of was er hier zoiets verschrikkelijks aan de hand dat hun medewerking vereist was?

Hij begon zich echt zorgen te maken.

'Het heeft vast iets te maken met de ontploffing die we hebben gehoord,' zei Lisa.

Painter knikte. Hij had absoluut meer informatie nodig. Voorlopig moest hij maar niet aan zijn eigen gezondheid denken... Al was dat moeilijk, want hij voelde weer een migraineaanval opkomen, met pijn achter zijn ogen en pijn in zijn kaken. Zo kon hij zijn ziekte echt niet vergeten.

Anna gebaarde dat ze moesten komen, en Klaus ging opzij. Hij zag er niet blij uit. Maar Painter had hem nog nooit blij zien kijken. Om de een of andere reden hoopte hij dat hij dat nooit zou hoeven zien. Deze man werd vast blij van veel gegil en bloedvergieten.

'Als u mij wilt volgen?' vroeg Anna ijselijk beleefd.

Ze liep de deur uit, en twee bewakers uit de gang voegden zich bij haar. Klaus liep achter Painter en Lisa aan, gevolgd door nog twee bewakers.

Ze liepen in tegengestelde richting van hun luxekerker. Na een paar bochten werd de tunnel recht, en was hij breder. De gang liep recht de berg in. Hij werd verlicht door elektrische peertjes die achter een rooster langs de muur hingen. Het was het eerste teken van modern comfort.

Ze liepen door de gang.

Het viel Painter op dat er een rooklucht in de gang hing, en die geur werd steeds sterker. Hij wendde zich tot Anna.

'Dus u weet waardoor ik ziek ben geworden,' zei hij.

'Zoals ik al zei: het was een ongeluk.'

'Een ongeluk waarmee?' drong hij aan.

'Daar is geen eenvoudig antwoord op te geven. Daarvoor moeten we terug in de geschiedenis.'

'Terug naar de tijd dat jullie nog nazi's waren?'

Anna keek even naar hem op. 'Terug naar het begin van het leven op deze planeet.'

'Echt waar?' reageerde Painter. 'Hoe lang duurt dat verhaal wel niet? Want ik heb nog maar drie dagen...'

Ze schudde glimlachend haar hoofd. 'In dat geval zal ik het een en ander overslaan, en meteen naar de tijd gaan dat mijn grootvader naar het Granitschloß kwam. Dat was tegen het einde van de oorlog. Weet u een beetje van de chaos die toen heerste? De chaos in Europa toen het Duitse Rijk ineenstortte?'

'Iedereen pakte wat hij pakken kon.'

'En dat gold niet alleen voor delen van Duitsland, maar ook voor de onderzoeksresultaten. De geallieerden stuurden er wetenschappers op uit die met het leger het land afschuimden, op zoek naar geheime technologie. Zoals u al zei: het was pakken wat je pakken kon.'

Painter en Lisa knikten.

'Alleen de Britten stuurden al vijfduizend militairen en burgers erop uit, onder de codenaam T-force. Technology Force. Hun doel was officieel om de Duitse technologie voor plundering en diefstal te behoeden, maar in feite waren plundering en diefstal juist hun doel. Ze moesten het opnemen tegen de Amerikanen, de Fransen en de Russen, die allemaal hetzelfde doel voor ogen hadden. Weet u wie de oprichter is van de Britse T-Force?'

Painter schudde zijn hoofd. Hij vergeleek zijn eigen Sigma met de Britse teams van na de Tweede Wereldoorlog. Technologieplunderaars. Hij zou het hier graag eens over hebben met Sean McKnight, de oprichter van Sigma. Als hij daar nog tijd voor had...

'Wie stond er aan het hoofd?' vroeg Lisa.

'Een zekere Ian Fleming van de Royal Navy.'

Lisa snoof. 'De schepper van James Bond?'

'Precies. Er wordt gezegd dat hij James Bond heeft gebaseerd op sommige van zijn teamleden. Zo krijgen jullie een beetje een idee van hoe ruig het er indertijd aan toeging.'

'De overwinnaar gaat met de buit naar huis,' merkte Painter schouderophalend op.

'Misschien. Maar het was de plicht van mijn grootvader zoveel mogelijk van die technologie te behouden. Hij was officier bij de Sicherheitsdienst.' Ze keek Painter aan alsof ze hem op de proef stelde.

Het spelletje was dus nog niet voorbij, maar hij pakte de handschoen graag op. 'De Sicherheitsdienst bestond uit commando's van de ss die ervoor moesten zorgen dat het Duitse erfgoed veilig werd gesteld: kunstvoorwerpen, goud, antiquiteiten en technologie.'

Ze knikte. 'In de laatste dagen van de oorlog, toen de Russen vanuit het oosten oprukten, kreeg mijn grootvader een zeer geheime opdracht, van Reichsführer Heinrich Himmler zelf. Dat was voordat hij gevangen werd genomen en zelfmoord pleegde.'

'En die opdracht was?' vroeg Painter.

'Om elk bewijs te verwijderen, bewaren of vernietigen van een project met de codenaam Chronos. Het project draaide om een apparaat dat eenvoudigweg *die Glocke* werd genoemd. De Klok. Het onderzoekslaboratorium lag diep onder de grond, in een verlaten mijn in het Sudetengebergte. Hij had geen flauw benul waartoe het project diende, maar daar zou hij nog wel achter komen. Indertijd had hij het bijna vernietigd, maar hij moest aan zijn opdracht denken.'

'Dus hij is met de Glocke ontsnapt. Hoe dan?'

'Er waren twee plannen. Het ene behelsde een vluchtroute naar het noorden, via Noorwegen, het andere naar het zuiden, over de Adriatische Zee. Langs beide routes stonden agenten klaar om hem bij te staan. Mijn grootvader koos voor de noordelijke route. Himmler had hem over het Granitschloß verteld. Daar is hij met een groep nazigeleerden – sommigen met een kampverleden – naartoe gevlucht. Ze moesten allemaal ergens onderduiken. En mijn grootvader kon met een project op de proppen komen waar maar weinig geleerden weerstand aan konden bieden.'

'De Glocke,' zei Painter.

'Precies. Dat project bood iets waarnaar veel geleerden in die periode op zoek waren, zij het met andere middelen.'

'En dat was?'

Met een zucht keek Anna achterom naar Klaus op. 'Perfectie.' Daarna zweeg ze, verloren in verdrietige gedachten.

Eindelijk kwam de gang uit op een paar enorme, openstaande deuren van ijzerhout. Achter de deuren was een wenteltrap naar beneden. De trap was uit de rots uitgehakt, maar cirkelde om een metalen zuil zo dik als een boomstam. Ze liepen de wenteltrap af.

Painter keek naar boven. De zuil stak door het plafond en liep misschien wel helemaal door de berg heen. Een bliksemafleider, vermoedde hij. Hij rook ook ozon, die geur was sterker dan de rooklucht.

Anna had opgemerkt dat hij ernaar keek. 'De schacht is om het teveel aan energie kwijt te raken.' Ze wees naar boven.

Painter keek en dacht aan het spooklicht dat hier in de buurt was gezien. Waren zij daar de bron van? Van zowel het spooklicht als de ziekte?

Painter verbeet zijn woede en liep verder de trap af. Zijn hoofd bonsde en door het draaien van de trap werd hij duizelig. Als afleiding pakte hij het gesprek weer op. 'Maar wat deed die Glocke dan?'

Anna schrok op uit haar gepeins. 'Eerst wist niemand dat. Het had te maken met onderzoek naar nieuwe energiebronnen. Er werd zelfs gedacht dat het een soort tijdmachine in ruwe vorm kon zijn. Daarom had het de codenaam Chronos gekregen.'

'Tijdreizen?' vroeg Painter.

'U moet niet vergeten dat de nazi's op het gebied van technologie andere landen lichtjaren voor waren,' zei Anna. 'Daarom werd er op wetenschappelijk gebied zoveel geplunderd. Maar laat ik bij het begin beginnen. In het begin van de vorige eeuw waren er twee theoretische systemen in omloop: de relativiteitstheorie en de kwantumtheorie. Die spraken elkaar niet noodzakelijkerwijs tegen. Zelfs Einstein, de grondlegger van de relativiteitstheorie, zei dat ze niet onverenigbaar waren. Maar de twee theorieën verdeelden de geleerden in twee kampen. En we weten allemaal aan wiens kant de westerse wereld zich opstelde.'

'Die van Einsteins relativiteitstheorie.'

Anna knikte. 'En die leidde tot atoomsplitsing, bommen en kernenergie. De hele wereld werd een Manhattanproject. Allemaal gebaseerd op het werk van Einstein. De nazi's kozen een andere weg, maar met niet minder hartstocht. Ze hadden hun eigen equivalent van het Manhattanproject, gebaseerd op de andere theorie: de kwantumtheorie.'

'Waarom?' vroeg Lisa.

'Om een heel eenvoudige reden.' Anna draaide zich naar haar om. 'Einstein was een Jood.'

'Wat?'

'Vergeet niet over welke periode we het hebben. Einstein was een Jood. In de ogen van de nazi's maakte dat zijn ontdekkingen minder waardevol. De nazi's besteedden liever aandacht aan de ontdekkingen van zuiver Duitse geleerden, zoals Werner Heisenberg en Erwin Schrödinger. En natuurlijk Max Planck, de grondlegger van de kwantumtheorie. Allemaal waren het Duitsers van zuiver Duitse afkomst. De nazi's bestudeerden praktische toepassingen van de kwantummechanica, werk dat zelfs heden ten dage als baanbrekend wordt beschouwd. De nazigeleerden dachten dat er een energiebron kon worden aangeboord, en dat baseerden ze op experimenten met kwantummodellen. Iets wat pas nu kan worden gerealiseerd. In de moderne wetenschap noemen we dat nulpuntenergie.'

'Nulpunt?' Lisa keek Painter eens aan.

Hij knikte. Hij was bekend met dit wetenschappelijke concept. 'Wanneer iets wordt gekoeld tot het absolute nulpunt – bijna driehonderd graden Celsius onder nul – houdt alle atomische beweging op. Alles staat stil. Het natuurlijke nulpunt. En toch bestaat er dan nog energie. Een achtergrondstraling die er niet zou moeten zijn. Door de traditionele theorieën kan de aanwezigheid van die energie niet afdoende worden verklaard.'

'Maar de kwantumtheorie kan het wel verklaren,' zei Anna. 'Die staat beweging toe, zelfs wanneer een stof tot absolute stilstand is bevroren.'

'Hoe kan dat?' vroeg Lisa.

'Bij het absolute nulpunt kunnen deeltjes misschien niet naar boven, beneden, links of rechts bewegen, maar volgens de kwantummechanica kunnen ze wel verdwijnen en weer ontstaan, en daarbij wordt energie geproduceerd. En dat proces wordt nulpuntenergie genoemd.'

'Verdwijnen en weer ontstaan?' Lisa leek niet erg overtuigd.

Painter probeerde het uit te leggen. 'Kwantumfysica is nogal vreemd. Het concept mag dan nog zo waanzinnig lijken, de energie bestaat wel degelijk. Dat is in laboratoria aangetoond. Overal ter wereld proberen wetenschappers een manier te vinden om deze energie te onttrekken, de energie die de bron van het bestaan vormt. Het is een bron van oneindige energie.'

Anna knikte. 'De nazi's experimenteerden er net zo druk mee als de Amerikanen met het Manhattanproject.'

Lisa zette grote ogen op. 'Een onuitputtelijke bron van energie... Als ze die hadden ontdekt, was de oorlog heel anders afgelopen.'

Anna stak haar hand op. 'Wie zegt dat ze die niet hebben ontdekt? Er is bewijs dat de nazi's in de laatste maanden van de oorlog een doorbraak hadden bereikt. Projecten met namen als Feuerball en Kugelblitz. De details staan in de geheime dossiers van de Britse T-Force. Maar de ontdekkingen kwamen te laat. De laboratoria waren gebombardeerd, de wetenschappers waren omgekomen en de dossiers gestolen. Wat ervan over was, verdween in de geheime projecten van verschillende landen.'

'Maar de Glocke niet,' zei Painter, en daarmee keerde hij terug naar waar ze begonnen waren. Hij voelde zich zo misselijk dat hij liever niet te ver van het onderwerp wilde afdwalen.

'De Glocke niet,' gaf Anna toe. 'Mijn grootvader wist met de kern van het Chronosproject te ontsnappen. Het project was voortgekomen uit onderzoek naar nulpuntenergie. Mijn grootvader gaf het project een andere naam: Schwarze Sonne.'

'Zwarte Zon,' vertaalde Painter.

'*Sehr gut.*'

'Maar die Glocke dan?' vroeg Painter. 'Wat deed die?'

'Daar bent u ziek van geworden,' zei Anna. 'U hebt op kwantumniveau schade opgelopen, en daar kan geen pil of ander geneesmiddel bij.'

Painter verstapte zich. Dat moest hij even laten bezinken. Schade op kwantumniveau? Wat hield dat in?

Aan de voet van de wenteltrap werd hun de weg afgesneden door kruislings staande rozenhouten balken, bewaakt door nog meer mannen met geweren. Hoewel Painter nog erg van slag was, was het hem wel opgevallen dat de wanden hier zwartgeblakerd waren.

Ze stonden voor een gewelf. Painter kon er niet ver in kijken, maar hij voelde wel de hitte. Elk oppervlak was hier zwartgeblakerd, en onder dekzeilen lag een rij onbestemde vormen. Lijken.

Hier had dus die ontploffing plaatsgevonden.

Er verscheen een gestalte. Hij zat onder het roet, maar zijn gezicht was herkenbaar. Het was Gunther, de enorme man die het klooster had laten afbranden. Kennelijk hadden ze hier geoogst wat ze hadden gezaaid.

Vuur om vuur.

Gunther liep naar de balken toe. Anna en Klaus kwamen bij hem staan. Nu Painter Klaus en Gunther samen zag, merkte hij een overeenkomst tussen hen op – niet zozeer in hun gezichten, maar meer dat ze iets hards en vreemds over zich hadden dat moeilijk te omschrijven was.

Gunther knikte naar Klaus.

Klaus deed of hij Gunther nauwelijks zag.

Anna en Gunther spraken in rap Duits. Painter kon maar één woord verstaan, want dat was in het Duits en het Engels hetzelfde: sabotage.

Dus er was iets loos in het Granitschloß... Was er soms een verrader? En wie zou dat dan zijn? En wat wilden ze? Waren het medestanders, of was hier nog weer een vijand?

Gunthers blik viel op Painter. Painter zag zijn lippen bewegen, maar hij kon niet horen wat hij zei. Anna schudde haar hoofd; ze was het niet met hem eens. Gunther kneep zijn ogen tot spleetjes, maar knikte toch.

Painter besefte dat hij zich opgelucht moest voelen.

Na nog een blik op hem draaide Gunther zich om en liep terug de geblakerde chaos in.

Anna kwam terug. 'Dit wilde ik jullie laten zien.' Ze gebaarde naar de verwoesting om hen heen.

'De Glocke,' zei Painter.

'Verwoest. Het was sabotage.'

Lisa staarde naar de ravage. 'En door de Glocke is Painter ziek geworden.'

'Het was ook de enige kans op genezing.'

Painter bekeek de puinhopen.

'Hebben jullie niet nog een Glocke?' vroeg Lisa. 'Kunnen jullie er niet nog eentje maken?'

Langzaam schudde Anna haar hoofd. 'Een van de belangrijkste componenten kan niet worden gerecreëerd. Xerum 525. Zelfs na zestig jaar weten we daarvan de formule niet precies.'

'Dus zonder Glocke geen genezing,' zei Painter.

'Maar er is nog een kans... Als we elkaar helpen.' Anna stak haar hand uit. 'Als we samenwerken... Ik geef u mijn woord.'

Houterig schudde Painter haar hand. Toch aarzelde hij nog. Hij voelde dat er iets werd verzwegen. Anna had hem iets niet verteld. Ze had veel gepraat, veel uitgelegd. Ze was bezig hen te misleiden. Waarom bood ze hun dit aan?

En toen drong het tot hem door. Ineens wist hij het.

'Het ongeluk...' zei hij.

Hij voelde Anna's vingers in zijn hand bewegen.

'Het was helemaal geen ongeluk, hè?' Hij wist nog wat hij daarnet had opgevangen. 'Dat was ook sabotage.'

Anna knikte. 'Eerst dachten we dat het een ongeluk was. Soms hebben we problemen met schommelingen. Dan slaat de Glocke op tilt. Maar het is nooit ernstig. Door de energie weg te sluizen zijn er wel eens mensen ziek geworden, en heel af en toe ging er iemand dood.'

Painter moest moeite doen om zijn hoofd niet te schudden. Niets ernstigs? De ziekte- en sterfgevallen waren ernstig genoeg om Ang Gelu om hulp te doen vragen, en daarom was Painter hier.

Anna ging verder. 'Een paar dagen geleden heeft iemand met de instellingen geknoeid toen we een routinetest van de Glocke uitvoerden. De output werd exponentieel vergroot.'

'En het klooster en het dorp werden getroffen.'

'Ja.'

Painter omklemde Anna's hand. Het leek erop of ze zich wilde terugtrekken, maar dat stond hij niet toe. Ze had nog steeds niet het achterste van haar tong laten zien. Maar Painter kende de waarheid, die drukte net zo op hem als zijn hoofdpijn. Het verklaarde meteen waarom ze op samenwerking uit was.

'Niet alleen het klooster en het dorp werden getroffen,' zei hij. 'Iedereen die hier was, werd er ook het slachtoffer van. Jullie zijn allemaal ziek, net als ik. Jullie lijden niet aan de snelle neurologische degeneratie van de monniken, maar aan de langzame lichamelijke achteruitgang.'

Anna kneep haar ogen tot spleetjes. Ze vroeg zich af hoeveel ze hem kon vertellen – en knikte uiteindelijk. 'We waren hier gedeeltelijk beschermd. De ergste straling van de Glocke ging naar boven en weg.'

Painter herinnerde zich het spooklicht dat hij op de bergtoppen had zien spelen. Om zichzelf te sparen, hadden de Duitsers de streek met straling gebombardeerd, ook het klooster. Maar de geleerden hier waren er zelf niet zonder kleerscheuren van afgekomen.

Anna keek hem zonder met haar ogen te knipperen aan. 'We hebben allemaal hetzelfde doodvonnis gekregen.'

Painter dacht na over de keuzes die hij had. Geen. Hoewel ze elkaar niet vertrouwden, zaten ze allemaal in hetzelfde schuitje. Ze moesten dan maar samenwerken. Hij schudde haar hand, en daarmee waren ze het eens geworden.

Sigma en de Duitsers streefden hetzelfde doel na.

TWEEDE
DEEL

7

ZWARTE MAMBA

5:45

HLUHLUWE-UMFOLOZI WILDPARK

ZOELOELAND, ZUID-AFRIKA

Khamisi Taylor stond voor het bureau van de hoofdjachtopziener. Met kaarsrechte rug wachtte hij terwijl Gerald Kellogg het verslag over de tragedie van de vorige dag doorlas.

Het enige geluid kwam van de plafondventilator die langzaam ronddraaide.

Khamisi droeg geleende kleren. De broekspijpen waren te lang en het hemd zat te strak. Maar ze waren droog. Na een dag en een nacht in de poel met lauw water, tot zijn schouders in de modder en met armen die pijn deden van het geweer schietklaar omhooghouden, was hij blij met de kleren, en met vaste grond onder zijn voeten.

Hij was ook blij dat het licht was. Door het raam zag hij dat de hemel in een rozige gloed werd gezet. De wereld kwam uit de schaduwen tevoorschijn.

Hij had het overleefd. Hij leefde nog. Maar dat kon hij nog niet helemaal bevatten. In zijn hoofd weergalmden nog de kreten van de ukufa.

De hoofdjachtopziener, Gerald Kellogg, streek afwezig over zijn borstelige kastanjebruine snor terwijl hij las. Het vroege zonlicht liet zijn kale schedel rozig glanzen. Uiteindelijk keek hij op over het leesbrilletje dat hij op zijn neus had staan.

'U wilt dat ik dit verslag in het archief bewaar, meneer Taylor?' Kellogg liet zijn vinger over een regel op het gelige papier glijden. '"Een onbekend, enorm groot roofdier." Is dat alles wat u te zeggen hebt over wat mevrouw Fairfield heeft gedood en meegesleurd?'

'Ik kon het dier niet goed zien. Het was enorm groot, met een witte vacht. Precies zoals het in mijn verslag staat.'

'Misschien een leeuwin?' opperde Kellogg.

'Nee, het was geen leeuwin.'

'Hoe weet u dat zo zeker? U zei toch dat u het niet goed had gezien?'

'Jawel, maar... Wat ik bedoel, is dat wat ik zag geen roofdier is zoals we dat in het veld aantreffen.'

'Wat was het dan?'

Khamisi zweeg. Hij wist dat hij het beter niet over de ukufa kon hebben. Ze zouden hem maar uitlachen en hem als bijgelovig bestempelen.

'Dus een of ander wezen viel mevrouw Fairfield aan en sleurde haar mee, een wezen dat u niet goed kon zien en dus ook niet kon identificeren...'

Khamisi knikte langzaam.

'En toch vluchtte u weg om u in de poel te verstoppen?' Gerald Kellogg maakte een prop van het verslag. 'Wat denkt u dat dat met de goede naam van het wildpark zal doen? Een van onze jachtopzieners kijkt gewoon toe terwijl een vrouw van eenenzestig jaar wordt verscheurd, en vlucht vervolgens weg en verstopt zich. Met de staart tussen de benen. En u wist niet eens om welk dier het ging.'

'Dat is niet helemaal eerlijk...'

'Eerlijk?' bulderde Kellogg zo hard dat het in het andere kantoor te horen was, waar het voltallige personeel in verband met de noodtoestand bijeen was geroepen. 'Is het soms eerlijk dat ik mevrouw Fairfields familie moet bellen om hun te vertellen dat hun moeder of grootmoeder is verscheurd terwijl de jachtopziener – de bewapende jachtopziener – is gevlucht?'

'Ik kon niets uitrichten.'

'Maar u kon wel het vege lijf redden.'

Khamisi liet zijn hoofd hangen.

Gerald Kellogg was niet bepaald in zijn nopjes geweest toen Khamisi werd aangenomen. De familie van de hoofdjachtopziener had banden met de oude Afrikaner regering, en zelf was hij dankzij deze banden opgeklommen. Hij was lid van de Oldavi Countryclub, waar uitsluitend blanken lid van waren die ook na de val van het apartheidsregime nog steeds economische macht uitoefenden. Hoewel er andere wetten golden, er barrières waren geslecht en er vakbonden waren opgericht, ging het er in

Zuid-Afrika niet heel anders aan toe. De De Beers waren nog steeds eigenaar van hun diamantmijnen, en de Waalenbergs bezaten bijna al het andere.

Veranderingen gingen erg langzaam.

Khamisi had iets bereikt, en hij wilde dat deze mogelijkheid ook zou openstaan voor de generatie na hem. Daarom hield hij zich koest. 'Ik ben ervan overtuigd dat als de omgeving is doorzocht, zal blijken dat ik niet anders kon doen dan ik deed.'

'Denkt u dat, meneer Taylor? Ik heb er een tiental mannetjes op uitgestuurd, een uur nadat de reddingshelikopter u na middernacht in dat modderige water aantrof. Een kwartier geleden hebben ze verslag uitgebracht. Ze hebben het karkas van een neushoorn aangetroffen, bijna helemaal door jakhalzen en hyena's opgevreten. Geen spoor van het kalf waarover u het had. En belangrijker nog: geen spoor van mevrouw Fairfield.'

Khamisi schudde zijn hoofd. Hoe moest hij deze beschuldigingen weerleggen? Hij dacht aan de lange nacht in het water. De dag leek eindeloos te duren, en de nacht was het ergste geweest. Zonder licht van de zon had hij gewacht totdat hij zou worden aangevallen. Maar in plaats daarvan had hij hyena's horen janken, en jakhalzen horen blaffen. De aaseters waren terug in het dal gekomen.

Door de aanwezigheid van de aaseters was Khamisi bijna tot de overtuiging gekomen dat hij wel naar de jeep kon rennen. Als de jakhalzen en hyena's waren teruggekomen, kon dat inhouden dat de ukufa weg was.

Toch was hij blijven zitten waar hij zat.

Hij kon niet vergeten dat de ukufa voor Marcia Fairfield op de loer had gelegen.

'Er moeten toch sporen zijn geweest,' zei hij.

'Die waren er ook.'

Khamisi keek op. Als er bewijzen waren...

'Sporen van leeuwen,' zei Kellogg. 'Twee volwassen wijfjes. Precies zoals ik daarnet al zei.'

'Leeuwen?'

'Jazeker. Ik denk dat we hier wel ergens plaatjes van die diersoort hebben. Misschien moet u die maar eens goed bekijken, dan weet u ze de volgende keer vast te herkennen. Want u krijgt natuurlijk veel vrije tijd.'

'Pardon?'

'U bent geschorst, meneer Taylor.'

Khamisi kon zijn gezicht niet in de plooi houden. Hij wist dat als dit een blanke jachtopziener was overkomen, er milder zou zijn geoordeeld. Maar hij was zwart. En hij wist ook dat hij maar beter geen bezwaar kon maken. Daar zou het alleen maar erger van worden.

'U wordt niet doorbetaald, meneer Taylor. Eerst moet het onderzoek zijn afgerond.'

Khamisi wist al wat de uitslag van dat onderzoek zou zijn.

'De politie heeft me gevraagd u mede te delen dat u in de buurt moet blijven. Het kan zijn dat er een aanklacht wegens plichtsverzuim tegen u wordt ingediend.'

Khamisi sloot zijn ogen.

Ook al was de zon opgekomen, de nachtmerrie was nog niet afgelopen.

Tien minuten later zat Gerald Kellogg nog achter zijn bureau in zijn nu verder verlaten kantoor. Hij streek met zijn klamme hand over zijn hoofd dat glom als een appeltje. Zijn lippen hield hij op elkaar geklemd. Het was een lange en drukke nacht geweest. En er was nog steeds veel te doen: de media te woord staan, de familie van de biologe bellen – en haar partner.

Kellogg schudde zijn hoofd. Doctor Paula Kane zou zijn grootste probleem zijn. Hij wist dat de twee vrouwen niet alleen partners op onderzoeksgebied waren. Paula Kane had erop aangedrongen dat er een helikopter op uit werd gestuurd toen mevrouw Fairfield niet was teruggekomen van een tocht in de bush.

Toen Gerald in het holst van de nacht was wakker gemaakt, had hij gezegd dat er waarschijnlijk niets aan de hand was. Het was niet ongebruikelijk dat onderzoekers een nacht in het veld bleven. Hij werd pas echt verontrust toe hij hoorde waar precies mevrouw Fairfield met de jachtopziener naartoe was gegaan: naar de noordwestelijke grens. Niet ver van het land van de Waalenbergs.

Als daar werd gezocht, moest hij zelf de leiding hebben.

Het werd een drukke nacht. Hij had moeten improviseren en coördineren. Maar nu was het allemaal bijna afgelopen en zat de geest weer in de fles.

Er was alleen nog een klein detail dat moest worden afgehandeld. Dat kon hij niet langer uitstellen.

Hij pakte de telefoon en toetste een nummer in. Terwijl hij wachtte totdat er werd opgenomen, tikte hij met zijn pen op een notitieblok.

'Ja?' hoorde hij zodra de verbinding tot stand was gekomen.

'Ik heb hem net gesproken.'

'En?'

'Hij heeft niets gezien. Tenminste, niet duidelijk.'

'Wat bedoel je daarmee?'

'Hij zegt dat hij een glimp heeft opgevangen, maar hij kon het niet thuisbrengen.'

Er volgde een lange stilte.

Gerald werd zenuwachtig. 'Zijn verslag wordt nog bewerkt. De conclusie wordt dat het leeuwen waren. We schieten er een paar af, en over een paar dagen zetten we er een punt achter. Ondertussen heb ik die vent geschorst.'

'Goed. Je weet wat je te doen staat.'

Dat beviel Kellogg allerminst. 'Hij is geschorst. Hij zal zich zeker koest houden. Ik heb hem goed bang gemaakt, ik denk niet dat...'

'Je moet niet denken, je moet doen wat je is opgedragen. Zorg dat het op een ongeluk lijkt.'

De verbinding werd verbroken.

Kellogg legde de hoorn terug. Het was bloedheet in het kantoor, ook al stond de airconditioning aan en draaide de plafondventilator. In de loop van de dag was er niets wat de zinderende hitte van de savanne kon buitenhouden.

Maar het lag niet aan de hitte dat er een zweetdruppel over zijn voorhoofd rolde.

Je moet doen wat je is opgedragen...

Hij wist dat hij maar beter gehoorzaam kon zijn.

Hij keek naar het notitieblok op zijn bureau. Terwijl hij aan de telefoon was, had hij afwezig zitten tekenen. Daaruit bleek maar weer eens dat hij zich niet op zijn gemak voelde wanneer hij met de man aan de andere kant van de lijn sprak.

Gejaagd kraste hij het weg, daarna scheurde hij het blaadje uit en versnipperde dat vervolgens. Er mocht nooit een bewijs achterblijven. Dat was de regel. En hij had een opdracht: zorg dat het op een ongeluk lijkt.

'We landen over een uur,' zei Monk. 'Misschien kun je beter nog even een dutje doen.'

Gray rekte zich uit. Het zware gedreun van de motoren van het Challenger 600 straalvliegtuig had hem slaperig gemaakt, maar de gebeurtenissen van de afgelopen dag spookten nog door zijn hoofd. Hij probeerde de puzzelstukjes op hun plaats te krijgen. De Darwinbijbel had hij opengeslagen voor zich liggen.

'Hoe is het met Fiona?' vroeg hij.

Monk knikte naar de bank achter in het vliegtuig waar Fiona onder een deken op lag. 'Helemaal van de wereld. Ik heb haar iets tegen de pijn gegeven, en daarvan ging ze onder zeil. Die meid kan geen moment haar mond houden.'

Sinds ze op de luchthaven van Kopenhagen waren aangekomen, had ze aan één stuk doorgerateld. Gray had Monk per telefoon gewaarschuwd, en hij had voor een huurauto gezorgd die hen veilig naar het wachtende vliegtuig had gebracht. Het vliegtuig werd al volgetankt terwijl Logan de vergunningen en de visa regelde.

Toch had Gray pas opgelucht kunnen ademhalen toen de Challenger was opgestegen.

'En haar verwonding?'

Monk plofte schouderophalend op de stoel naast Gray. 'Een schampschot. Nou ja, een naar schampschot. Het zal de komende dagen flink pijn doen, maar het is goed schoon, en er zit een vloeibare pleister op, en verband. Over een dag of wat is ze weer de oude en kan ze weer fijn zakkenrollen.'

Hij klopte op zijn jasje om zich ervan te vergewissen dat zijn portemonnee er nog was.

'Stelen is voor haar een manier om iemand te begroeten,' zei Gray. Hij verborg een vermoeide glimlach. Grette Neal had hem dat de vorige dag uitgelegd. Allemachtig, was dat pas gisteren?

Terwijl Monk voor Fiona zorgde, had Gray rapport aan Logan uitgebracht. De plaatsvervangend directeur was niet erg blij om te horen wat hij allemaal had uitgespookt na de veiling... De veiling waarnaar Gray niet had mogen gaan. Maar goed, gebeurd was gebeurd. Gelukkig had hij de geheugenstick nog waarop de foto's van de aanwezigen stonden, inclusief die van het blonde stel. Hij had alles opgestuurd naar Logan, samen met gefaxte kopieën van een paar bladzijden uit de bijbel en zijn aantekeningen. Hij had zelfs zijn tekening van de 'klaverblad'-tatoeage gestuurd die hij op de hand van zijn aanvallers had gezien. Een onbekend team van hoogblonde moordenaars.

Logan en Kat zouden aan de andere kant hun best doen uit te vinden wie er achter dit alles zat. Logan had al bij de Kopenhaagse politie geïnformeerd. Er waren in het park geen doden gevallen. Het lijk van de man die een klap van de vleugel van het lelijke jonge eendje had gekregen, was dus al afgevoerd. Hun vlucht uit het Tivoli had de geschrokken bezoekers niet meer kwaad gedaan dan een paar blauwe plekken en schrammen. Geen gewonden... Er was alleen een praalwagen verwoest.

Hij zag dat Monk zijn broekzakken controleerde.

'Heb je de ring nog?' vroeg Gray plagerig.

'Die had ze toch niet hoeven te stelen...'

Gray moest het Fiona nageven: ze was vingervlug.

'Ga je me nog over de ring vertellen?' vroeg Gray terwijl hij de Darwinbijbel dichtsloeg.

'Ik wilde je ermee verrassen.'

'Monk, ik wist niet dat het zo diep zat.'

'Och, hou je kop toch! Ik bedoelde dat ik het je nog wel wilde vertellen wanneer de tijd daarvoor rijp was, niet omdat... omdat juffertje Vingervlug er ineens mee op de proppen kwam.'

Gray leunde met over elkaar geslagen armen naar achter en keek Monk aan. 'Dus je gaat haar vragen? Ik weet het niet, hoor... Mevrouw Kat Kokkalis. Ik denk niet dat ze zo wil heten.'

'Dat dacht ik ook niet. Ik heb het kreng al twee maanden geleden gekocht, maar het juiste moment om haar te vragen is nog steeds niet gekomen.'

'Beken het maar: je durft niet.'

'Nou ja, dat heeft er misschien ook mee te maken.'

Gray klopte even op Monks knie. 'Ze houdt van je, Monk. Maak je maar geen zorgen.'

Er verscheen een brede grijns op Monks gezicht, en ineens zag hij eruit als een schooljongen. Dat paste niet bij Monk. Maar Gray zag in zijn ogen dat zijn gevoelens oprecht waren. En hij zag ook angst. Monk wreef over de plek waar de prothese aan zijn pols vastzat. Ook al deed hij nog zo stoer, hij was toch geschrokken toen hij een jaar geleden zijn hand was kwijtgeraakt. Misschien had Kat het genezingsproces nog wel meer bespoedigd dan de artsen. Maar toch bleef Monk een beetje onzeker.

Monk knipte het met fluweel beklede doosje open en keek naar de verlovingsring met een diamant van drie karaat. 'Misschien had ik beter een grotere diamant kunnen kopen... Vooral nu.'

'Wat bedoel je?'

Op Monks gezicht stond een soort prille hoop te lezen. 'Kat is zwanger.'

Verrast ging Gray rechtop zitten. 'Wat? Maar hoe dan?'

'Dat weet je denk ik zelf wel,' reageerde Monk.

'Jezus... Gefeliciteerd,' zei Gray, die het nog even moest verwerken. Daarna zei hij: 'Ik bedoel... Jullie houden de baby?'

Monk trok zijn wenkbrauw op.

'Uiteraard,' zei Gray, hoofdschuddend omdat hij zo dom had kunnen zijn.

'Het is allemaal nog in een heel pril stadium,' zei Monk. 'Kat wil niet dat iemand het weet, maar ik mocht het jou wel vertellen.'

Gray knikte, nog steeds bezig het te laten bezinken. Hij stelde zich Monk als vader voor, en tot zijn verbazing kostte hem dat geen enkele moeite.

'Dat is geweldig nieuws.'

Monk klikte het doosje weer dicht. 'En hoe zit het met jou?'

Gray fronste zijn wenkbrauwen. 'Wat bedoel je?'

'Rachel en jij. Wat zei ze toen je haar vertelde over je uitspatting in het Tivoli?'

Gray sloeg zijn ogen neer.

'Gray...'

'Wat?'

'Je hebt haar niet gebeld, hè?'

'Ik dacht niet...'

'Ze hoort bij de carabinieri. Je weet dat ze moet hebben gehoord dat er in Kopenhagen een terroristische aanslag is gepleegd. Er heeft iemand in een drukbezocht park geroepen dat er een bom was, en diegene is er met een praalwagen vandoor gegaan. Ze weet vast wel dat jij daar iets mee te maken hebt.'

Monk had gelijk. Hij had haar meteen moeten bellen.

'Grayson Pierce, wat moet ik toch met jou?' Bedroefd schudde Monk zijn hoofd. 'Wanneer laat je dat meisje eens vrij?'

'Waar heb je het over?'

'Kom op, ik ben blij dat Rachel en jij elkaar hebben gevonden, maar waar moet het toe leiden?'

Geërgerd zei Gray: 'Niet dat jij er iets mee te maken hebt, maar daar wilden we het net over hebben toen de hel losbrak.'

'Dat kwam goed uit.'

'Weet je, je hebt dan misschien wel een verlovingsring in je zak, maar daardoor ben je niet ineens een deskundige op relatiegebied geworden.'

Monk stak zijn handen in de lucht. 'Oké... Ik wilde alleen maar zeggen...'

Maar zo gemakkelijk kwam hij er niet van af. 'Wat wilde je zeggen?'

'Je wilt helemaal geen relatie.'

Gray knipperde met zijn ogen. 'Wat bedoel je in vredesnaam? Rachel en ik hebben het uitgebreid besproken. Ik hou van Rachel, dat weet je toch?'

'Ja, dat weet ik. Ik heb ook niet gezegd dat dat niet zo is. Maar je wilt geen echte relatie met haar.' Monk stak drie vingers op. 'Want een relatie betekent: een vrouw, een hypotheek en kinderen.'

Gray schudde zijn hoofd.

'Wat jij met Rachel wilt, is een eindeloos durend eerste afspraakje.'

Gray wilde dat ontkennen, maar Monk had eigenlijk wel gelijk. Hij dacht aan de verlegen periode die er altijd was wanneer Rachel en hij elkaar weer eens zagen, de barrière die moest worden geslecht voordat het tot intimiteiten kon komen. Net als op een eerste afspraakje.

'Hoe lang ken ik jou al?' vroeg Monk.

Gray wuifde die vraag weg.

'En hoeveel vriendinnen heb je in die tijd gehad?' Monk maakte een nul van zijn duim en wijsvinger. 'En kijk eens wie je uitkiest voor je eerste serieuze relatie.'

'Rachel is geweldig.'

'Absoluut. En ik vind het prettig dat je eindelijk voor zoiets openstaat. Maar jezus, er zijn wel heel wat horden die moeten worden genomen.'

'Welke horden?'

'Nou, de Atlantische Oceaan bijvoorbeeld. Die staat tussen jou en een serieuze relatie in.' Monk stak die drie vingers weer op.

Vrouw, hypotheek, kinderen...

'Je bent er nog niet klaar voor,' zei Monk. 'Ik bedoel, je had je gezicht moeten zien toen ik zei dat Kat zwanger is. Dat was een hele schrik, hè? En het is niet eens jouw kind.'

Grays hart bonsde in zijn keel. Hij moest diep ademhalen. Het was of hij een stomp in zijn maag had gekregen.

Monk slaakte een zucht. 'Er zit jou van alles dwars, jong. Misschien moet je eens nadenken over je verhouding met je vader. Weet ik het...'

Gray hoefde daar geen antwoord op te geven omdat net op dat moment de stem van de piloot door de intercom klonk: 'Over een halfuur gaan we landen.'

Gray keek uit het raampje. In het oosten kwam de zon al op.

'Misschien kan ik beter nog even een dutje doen,' mompelde hij.

'Goed idee.'

Gray keek Monk aan en opende zijn mond om te reageren op wat Monk had gezegd, maar er kwam alleen maar uit: 'Ik hou van Rachel.'

Monk ging onderuit zitten en mompelde: 'Dat weet ik, en dat maakt het nou juist zo moeilijk.'

7:05

HLUHLUWE-UMFOLOZI WILDPARK

In de kleine woonkamer nipte Khamisi Taylor van zijn thee. Hoewel die goed getrokken was en gezoet met honing, proefde hij er niets van.

'En er bestaat geen enkele kans dat Marcia nog leeft?' vroeg Paula Kane.

Khamisi schudde zijn hoofd. Hij was niet bang de realiteit onder ogen te zien. Daarom was hij hier na de schrobbering door de hoofdjachtopziener ook naartoe gegaan. Hij had zich willen terugtrekken in zijn dienstwoning met twee kamers aan de rand van het wildpark. Hij vroeg zich af hoe lang hij daar nog zou mogen blijven wonen nadat hij echt ontslagen werd.

Maar hij was niet linea recta naar zijn huis gegaan. Hij was het halve wildpark door gereden naar een andere plek waar huisjes stonden, naar de kleine enclave waar onderzoekers mochten wonen zolang ze een onderzoeksbeurs hadden.

Khamisi was al vaak in dit witgekalkte huisje in koloniale stijl geweest, met de enorme acaciabomen, het tuintje, en de hof waar kippen rondliepen. De twee bewoners leken altijd wel een beurs te hebben. De vorige keer dat Khamisi hier was, hadden ze gevierd dat de vrouwen al tien jaar in het wildpark woonden. Ze hoorden gewoon bij het Hluhluwe-Umfolozi wildpark.

En nu was er nog maar één.

Paula Kane zat op het bankje aan de andere kant van de lage tafel. Ze had tranen in haar ogen.

'Het geeft niet,' zei ze. Ze liet haar blik dwalen naar een muur vol foto's, een panorama van een gelukkig leven. Khamisi wist dat de twee vrouwen al met elkaar optrokken toen ze jaren geleden aan de universiteit van Oxford afstudeerden. 'Veel hoop had ik al niet meer.'

Ze was klein en tenger, met peper-en-zoutkleurig haar dat op de schouders recht was afgeknipt. Khamisi wist dat ze ergens in de vijftig was, maar ze zag er jonger uit. Ze had een bepaald soort harde schoonheid en straalde zelfvertrouwen uit. Maar nu zag ze er verslagen uit, een schim van zichzelf. Ze zag eruit alsof ze in haar kaki broek en losvallende witte overhemd had geslapen.

Khamisi kon haar geen troost bieden, alleen maar medeleven. 'Het spijt me.'

Paula keek hem aan. 'Ik weet dat je alles hebt gedaan wat je maar kon. Ik heb de geruchten gehoord. Een blanke vrouw komt om, en een zwarte man blijft in leven. Sommigen hier zal dat niet bevallen.'

Khamisi wist dat ze op de hoofdjachtopziener doelde. Paula en Marcia hadden vaak aanvaringen met hem gehad. Ze wist van welke clubs hij lid was, met wie hij omging. In de steden en de townships was het systeem van apartheid dan misschien uitgebannen, maar hier in de bush was de mythe van de Grote Blanke Jager nog springlevend.

'Het is niet jouw schuld dat ze dood is,' zei Paula, die zeker iets in zijn gezicht had gezien.

Hij wendde zijn blik af. Hij vond het prettig dat ze het begreep, maar door wat de hoofdjachtopziener had gezegd, voelde hij zich toch erg schuldig. Hij wist dat hij alles had gedaan wat hij kon om Marcia Fairfield te beschermen. Maar hij was levend teruggekomen en zij niet. Dat waren de harde feiten.

Hij stond op. Hij wilde Paula Kane niet langer storen. Hij was gekomen om zijn condoleances over te brengen, en om Paula Kane zelf te vertellen wat er was gebeurd. En dat had hij nu gedaan.

'Ik moet maar eens opstappen,' zei hij.

Paula stond ook op en liep met hem mee naar de hordeur. Daar raakte ze hem even aan. 'Wat denk je dat het was?' vroeg ze.

Hij keek haar zwijgend aan.

'Wat heeft haar gedood?' vroeg Paula.

Khamisi tuurde in het ochtendlicht, te helder om het over monsters te hebben. Bovendien was het hem verboden het daarover te hebben. Zijn baan stond op het spel.

Hij keek Paula recht aan en vertelde haar de waarheid: 'Het was geen leeuw.'

'Wat was het dan?'

'Dat wil ik uitzoeken.'

Hij duwde de hordeur open en klom de treetjes af. Zijn roestige pick-uptruck stond in de zon te stoven. Hij liep ernaartoe, stapte in en zette koers naar huis.

Voor de honderdste keer die morgen speelde hij de gruwelijke gebeurtenissen van de vorige dag af. Hij hoorde het gebrom van de motor nauwelijks boven de kreten van de ukufa uit. Het was geen leeuw geweest. Niemand zou hem ooit kunnen wijsmaken dat het een leeuw was geweest.

Hij kwam bij de rij eenvoudige huisjes zonder airconditioning. Hier woonden de mensen die een baan in het wildpark hadden. Toen hij remde, stoof er een wolk rossig stof op.

Hij was uitgeput. Hij kon beter eerst een paar uur gaan slapen voordat hij op onderzoek ging. De waarheid moest boven water komen.

Hij wist al waar hij zijn onderzoek zou beginnen. Maar dat moest nog even wachten.

Toen hij naar zijn huisje liep, viel het hem op dat het hek half openstond. Hij deed dat altijd keurig op de grendel voordat hij vertrok om aan het werk te gaan. Maar het was natuurlijk mogelijk dat ze hem hier waren gaan zoeken toen Marcia Fairfield en hij als vermist waren opgegeven.

Maar toch was Khamisi extra op zijn hoede, zeker na die eerste afgrijselijke kreet in het oerwoud. Hij betwijfelde het zelfs of hij ooit weer zou kunnen ontspannen.

Hij glipte door het hek. De voordeur leek nog goed dicht te zijn. Hij zag dat er post in de brievenbus zat. Langzaam klom hij de treetjes voor het huis op.

Het speet hem dat hij geen pistool bij zich had.

Er kraakten vloerplanken. Niet onder zijn eigen voeten, maar in het huis.

Khamisi's eerste ingeving was om hard weg te rennen.

Maar dat deed hij niet. Niet nog een keer.

Op de veranda probeerde hij de klink. De deur zat niet op slot.

Hij duwde de deur open. Achter in het huis kraakte weer een vloerplank.

'Wie is daar?' riep hij.

8:52

DE HIMALAYA

'Kom eens kijken!'

Painter schrok wakker. Hij had een stekende hoofdpijn, precies tussen zijn ogen. Geheel gekleed liet hij zich van het bed rollen. Lisa en hij waren een paar uur geleden door de bewakers naar hun kamer gebracht. Anna moest van alles regelen, en ze moest zorgen dat de dingen er waren waarom Painter had gevraagd.

'Hoe lang heb ik geslapen?' vroeg hij. Hij voelde de hoofdpijn zakken.

'Sorry, ik wist niet dat je sliep.' Lisa zat in kleermakerszit voor het tafeltje bij de open haard. Op de tafel lagen vellen papier. 'Hooguit een kwartier, denk ik. Ik wilde je dit laten zien.'

Painter kwam overeind. Even draaide de kamer, toen stond die stil. Niet zo best. Hij liep naar Lisa toe en ging naast haar zitten.

Hij zag haar camera op een paar vellen papier liggen. Lisa had gevraagd of ze de Nikon mocht terughebben, als blijk van medewerking.

Ze schoof een vel in zijn richting. 'Kijk dan.'

Lisa had de symbolen nagetekend. Painter herkende de runen die Lama Khemsar op de muur had geschreven. Die moest ze hebben overgetekend van de digitale foto. Painter zag dat ze onder elke rune een letter had geschreven.

ᛋᚲᚺᚹᛈᛁᛚᛏᛗᛋᛟᚾᚾᛖ
S C H W A R Z E S O N N E

'Het was niet zo'n moeilijke code om te kraken. Elke rune staat voor een letter uit het alfabet. Het was een beetje puzzelen, en toen kwam er dit uit.'

'Schwarze Sonne,' las hij hardop.

'De naam van het project hier.'

'Dus Lama Khemsar was daarvan op de hoogte,' zei Painter hoofdschuddend. 'De oude boeddhist had dus inderdaad banden met deze plek.'

'En kennelijk was dat traumatiserend.' Lisa nam het vel papier van hem over. 'Door de waanzin werden oude wonden opengereten. Alles kwam weer naar boven.'

'Of misschien werkte de lama met hen samen, en was het klooster een soort buitenpost van het kasteel.'

'Nou, dan heeft hij niet veel aan die samenwerking gehad,' merkte Lisa op. 'Zou dat een typisch voorbeeld zijn van hoe ze hun bondgenoten belonen?'

'We hebben geen keus. Het is de enige manier voor ons om in leven te blijven: zorgen dat ze ons nodig hebben.'

'En daarna? Wanneer ze ons niet meer "nodig" hebben?'

Painter wond er geen doekjes om. 'Dan vermoorden ze ons. Door samen te werken, winnen we tijd.'

Het viel Painter op dat ze niet terugschrok voor de waarheid, maar dat ze daar juist kracht aan ontleende. Ze rechtte vastberaden haar rug.

'Wat doen we eerst?' vroeg ze.

'Het eerste wat je bij een conflict moet doen.'

'En dat is?'

'Zoveel mogelijk over de vijand te weten zien te komen.'

'Ik weet al meer dan genoeg over Anna en haar mannetjes.'

'Nee, ik bedoelde: te weten zien te komen wie er achter de ontploffing zit. Wie de saboteur is, en voor wie die werkt. Er is hier meer aan de hand. De eerste daden van sabotage – het hannesen met het controlepaneel van de Glocke, de eerste ziektegevallen – dat was om ons hierheen te lokken.'

'Maar waarom wilden ze ons hierheen lokken?'

'Om ervoor te zorgen dat Anna en haar club werden ontdekt en onschadelijk gemaakt. Vind je het niet vreemd dat de Glocke, waar alles om draait, pas werd verwoest toen wij hier eenmaal waren? Wat denk je dat dat betekent?'

'Misschien wilden ze dat Anna's project werd beëindigd, maar niet dat de technologie in handen van anderen viel.'

Painter knikte. 'En misschien is er nog wel iets ernstigers aan de hand. Misschien is dit allemaal bedoeld om ons zand in de ogen te strooien. Onze aandacht is op iets hier gericht, en ondertussen vindt de echte goocheltruc elders plaats. Maar wie is de mysterieuze goochelaar in de coulissen? Welk doel heeft hij voor ogen? Daar moeten we achter zien te komen.'

'En de elektronica waar je Anna om hebt gevraagd?'

'Misschien kunnen we er daarmee achter komen wie hier de mol is. Als we de saboteur kunnen betrappen, komen we misschien te weten wie hier werkelijk de touwtjes in handen heeft.'

Ze schrokken allebei toen er op de deur werd geklopt.

Painter stond op toen de grendel werd weggeschoven en de deur openzwaaide.

Anna kwam binnen met Gunther. De bewaker zag er beter uit dan de vorige keer dat Painter hem had gezien. En het was tekenend dat er niet meer bewakers bij waren. Gunther kon het wel alleen af, ook zonder wapen.

'Ik dacht dat jullie misschien met ons zouden willen ontbijten,' zei Anna. 'Tegen de tijd dat we klaar zijn, moet de uitrusting waarom u hebt gevraagd, hier zijn.'

'Alles? Hoe kan dat? Waar komt het dan vandaan?'

'Uit Kathmandu. Aan de andere kant van de berg hebben we een heliport.'

'Echt waar? En toch zijn jullie nooit ontdekt?'

Anna haalde haar schouders op. 'We vliegen wanneer er toch al veel helikopters met toeristen of bergbeklimmers in de lucht zijn. De piloot moet over een uurtje terug zijn.'

Painter knikte. Hij wilde dat uur zo goed mogelijk gebruiken met het vergaren van informatie.

Voor elk probleem bestond een oplossing. Dat hoopte hij althans.

Ze liepen de kamer uit en door de gang, waar het ongewoon druk was. Iedereen scheen te weten dat ze er waren, en ze kregen boze blikken toegeworpen, alsof het hun schuld was dat er hier sabotage was gepleegd. Maar niemand kwam dicht bij hen in de buurt, ze weken uiteen voor Gunther. De man die hen gevangen had genomen, was nu hun beschermer.

Eindelijk kwamen ze bij Anna's studeerkamer.

Er was een lange tafel voor de open haard neergezet. Er stonden schalen op met worst, donker brood, dampende gerechten, pap, kaas en zwarte bessen, pruimen en meloenen.

'Komt er een heel leger ontbijten?' vroeg Painter.

'In een koud klimaat heb je voortdurend brandstof nodig,' zei Anna als een gastvrije Duitser.

Ze namen plaats en gaven elkaar de schalen door; net een gelukkig gezin.

'Als er hoop op een geneesmiddel bestaat, moeten we meer over die Glocke van jullie weten,' zei Lisa. 'De geschiedenis ervan, en hoe het allemaal werkt.'

Anna, die er bedrukt had uitgezien, klaarde op. Welke onderzoeker praat niet graag over zijn of haar ontdekkingen?

'Het begon als een experiment om energie op te wekken,' zei ze. 'Een nieuw soort motor. De Glocke kreeg die naam omdat het buitenste omhulsel de vorm van een kerkklok had, een aardewerken vat met een inhoud van vierhonderd liter, bekleed met lood. Erin waren twee metalen cilinders, de ene in de ander, en die draaiden in tegengestelde richting rond.'

Anna deed het met haar handen voor.

'Om alles te smeren werd de Glocke met een op kwik gelijkend vloeibaar metaal gevuld: Xerum 525.'

Painter herinnerde zich dat ze die naam eerder had genoemd. 'Dat is toch de vloeistof die jullie niet opnieuw kunnen maken?'

Anna knikte. 'We hebben het tientallen jaren geprobeerd. We hebben het vloeibare metaal grondig ontleed, maar sommige onderdelen van het composietmateriaal konden niet worden vastgesteld. We weten dat er thorium en berylliumperoxide in zit, maar meer niet. Wat we wel weten, is dat Xerum 525 als bijproduct is ontstaan tijdens het onderzoek dat de nazi's naar nulpuntenergie deden. Het werd samengesteld in een laboratorium dat vlak na de oorlog is verwoest.'

'En jullie weten niet hoe jullie er meer van kunnen maken?' vroeg Painter.

Anna schudde haar hoofd.

'Maar wat doet de Glocke nu eigenlijk?' vroeg Lisa.

'Zoals ik al zei: het was een experiment. Waarschijnlijk bedoeld om de oneindige kracht van nulpuntenergie op te wekken. De nazi-onderzoekers hebben de Glocke ooit in werking gezet, maar er traden vreemde effecten op. De Glocke straalde een bleke gloed uit. Elektrische apparaten die in de buurt stonden, kregen kortsluiting. Er vielen doden. Bij een paar volgende experimenten werd het apparaat verbeterd en voorzien van een beschermlaag. Er werd in een verlaten mijn mee geëxperimenteerd. Er vielen geen doden meer, maar de bewoners van een dorp dat op een afstand van een kilometer lag, kregen last van slapeloosheid, duizelingen en spierkrampen. De Glocke zorgde voor straling. En dat wekte veel interesse op.'

'Omdat de Glocke als wapen zou kunnen worden ingezet?' vroeg Painter.

'Dat zou ik niet durven zeggen. Degene die aan het hoofd van het onderzoek stond, heeft veel gegevens vernietigd. Maar we weten wel dat het oorspronkelijke team onderzoekers biologisch materiaal aan de straling van de Glocke blootstelde: varens, schimmels, eieren, vlees en melk. En dieren, zowel ongewervelde als gewervelde. Kakkerlakken, slakken, kameleons, padden, en natuurlijk muizen en ratten.'

'En de top van de voedselketen?' vroeg Painter. 'De mens?'

Anna knikte. 'Ik ben bang van wel. Bij de vooruitgang is de moraal vaak het eerste slachtoffer.'

'Wat gebeurde er tijdens die experimenten?' vroeg Lisa. Ze was totaal niet meer in haar eten geïnteresseerd. Niet omdat ze het onderwerp misselijkmakend vond, maar eerder omdat het haar fascineerde.

Anna leek aan te voelen dat ze iets gemeen hadden en wendde zich tot Lisa. 'De effecten waren wederom onverklaarbaar. Het chlorofyl verdween uit planten, zodat die wit werden. Binnen een paar uur vielen ze uiteen tot een vettig bezinksel. Bij dieren stolde het bloed in de aderen. In de cellen vormden zich een soort kristallen waardoor ze van binnenuit werden vernietigd.'

'Laat me raden,' zei Painter. 'Alleen de kakkerlakken vertoonden geen enkel effect.'

Lisa keek hem fronsend aan en richtte zich toen tot Anna. 'Weet u wat die effecten veroorzaakte?'

'Daar kunnen we zelfs nu alleen maar naar raden. Wij denken dat de Glocke tijdens het draaien een krachtige elektromagnetische werveling opwekt. Wanneer Xerum 525, een bijproduct van eerder onderzoek naar nulpuntenergie, aan deze werveling wordt blootgesteld, ontstaat er een aura van vreemde kwamtumenergie.'

Painter probeerde het kort samen te vatten. 'Dus Xerum 525 is de brandstof, en de Glocke de motor.'

Anna knikte.

'De Glocke werd een soort mixer,' mompelde Gunther.

Iedereen keek hem aan. Hij had zijn mond vol worst. Dit was de eerste keer dat hij interesse in het gesprek toonde.

'Een grove maar toepasselijke omschrijving,' was Anna het met hem eens. 'Stel je de alomtegenwoordige aard van het nulpunt voor als een kom met cakebeslag. De draaiende Glocke is de klopper die kwamtumenergie naar de buitenkant drijft, naar ons bestaan, en die allerlei vreemde subatomische deeltjes laat rondvliegen. De vroegste experimenten waren pogingen de snelheid van de mixer aan te passen en zo de rondvliegende deeltjes te beheersen.'

'Zodat er minder rotzooi is.'

'En om de bijverschijnselen te minimaliseren. Daarin zijn ze geslaagd. De kwalijke bijverschijnselen verdwenen, en er gebeurde iets heel bijzonders.'

Painter wist dat ze kwamen bij waar het allemaal om draaide.

Anna boog zich over de tafel heen. 'De biologische weefsels degenereerden niet meer, maar het viel de nazigeleerden op dat ze werden verbeterd. Schimmels groeiden sneller. Bij varens trad reuzengroei op. De muizen hadden snellere reflexen, de ratten waren intelligenter. Deze resultaten konden niet uitsluitend aan toevallige mutaties worden toegeschreven. Het bleek ook dat hoe hoger de diersoort, des te meer baat het dier erbij had om blootgesteld te worden.'

'Dus toen kwamen er proeven op mensen,' zei Painter.

'Meneer Crowe, u moet dit wel in historisch perspectief zetten. De nazi's waren ervan overtuigd dat zij het volgende superieure ras gestalte zouden geven. En ineens hadden ze het werktuig in handen waarmee dat binnen één generatie kon worden bereikt. Normen en waarden hadden voor hen weinig betekenis; er stond iets veel belangrijkers op het spel.'

'Het scheppen van een Herrenvolk dat over de wereld zou heersen.'

'Dat dachten de nazi's. Om dat doel te bereiken, investeerden ze veel in het onderzoek met de Glocke. Maar het onderzoek kon niet worden afgerond omdat er geen tijd meer voor was. Duitsland werd verslagen. De Glocke was naar elders overgebracht, dus het onderzoek kon in het geheim worden voortgezet. Dat was de laatste hoop voor het Derde Rijk. Een kans om het Arische ras opnieuw geboren te laten worden, zodat het over de wereld kon heersen.'

'En Himmler koos voor deze plek,' zei Painter. 'Diep in het Himalya-gebergte. Wat een waanzin...' Hij schudde zijn hoofd.

'Vaak is het meer uit waanzin dan uit genialiteit dat de wereld een stapje voorwaarts maakt. Wie anders dan een waanzinnige zou het onmogelijke proberen te bewerkstelligen? En daardoor aantonen dat het onmogelijke wel degelijk mogelijk is.'

'En soms wordt dan een efficiënte manier uitgevonden om genocide te plegen.'

Anna slaakte een zucht.

Lisa zorgde ervoor dat ze weer op het oorspronkelijke onderwerp terugkwamen. 'En hoe ging het verder met de proeven op mensen?' vroeg ze zakelijk.

Anna keek dankbaar op. 'Bij volwassenen had het een schadelijk effect. Vooral bij hogere doses. Maar tijdens verder onderzoek werden ongeboren kinderen aan de Glocke blootgesteld, foetussen nog in de baarmoeder, en één op de zes kinderen die daarna werden geboren, vertoonde opmerkelijke vooruitgang. Doordat het myostatine-gen was veranderd, ontwikkelden de kinderen sterke spieren. Er waren ook andere verbeteringen: scherpere ogen, uitstekende oog-handcoördinatie, en ongelooflijke scores bij intelligentietests.'

'Superkinderen,' zei Painter.

'Helaas werden deze kinderen zelden ouder dan twee jaar,' zei Anna. 'Uiteindelijk degenereerden ze toch en werden ze bleek. In hun weefsel vormden zich kristallen. De vingers en tenen stierven af.'

'Interessant,' merkte Lisa op. 'Dat klinkt precies als de neveneffecten bij de eerste proeven.'

Painter keek tersluiks naar haar. Vond ze dit echt interessant? Hij zag dat Lisa Anna gefascineerd aankeek. Hoe kon ze zo zakelijk blijven? Toen viel het hem op dat Lisa's linkerknie op en neer bewoog. Onder tafel legde hij zijn hand op haar knie. Ze huiverde onder zijn aanraking, maar de uitdrukking op haar gezicht bleef onveranderd. Het drong tot Painter door dat ze alleen maar interesse voorwendde. Ze kropte haar woede en afschuw op zodat hij de slechterik kon spelen. Doordat zij zo goed meewerkte, kon hij straks tijdens hun ondervraging met harde vragen komen en op die manier achter dingen komen die hij moest weten.

Painter kneep in haar knie ten teken dat hij het had begrepen.

Lisa speelde haar rol goed. 'U had het over een op de zes baby's die tijdelijk grote vooruitgang boekte. En de andere vijf, wat gebeurde daarmee?'

Anna knikte. 'Die werden doodgeboren. Dodelijke mutaties. De moeders stierven ook. Er waren veel sterfgevallen.'

'En wie waren die moeders?' vroeg Painter. In zijn stem klonk ontzetting door. 'Ik neem aan dat het geen vrijwilligers waren.'

'Oordeelt u niet te hard, meneer Crowe. Weet u wel hoe hoog de zuigelingensterfte in uw land is? Hoger dan in sommige derdewereldlanden.'

Jezus, dat meende ze toch niet echt? Die vergelijking sloeg helemaal nergens op.

'Bij de nazi's dienden deze sterfgevallen tenminste nog een doel,' zei Anna.

Painter was zo kwaad dat hij maar zijn mond hield.

Het was Lisa die iets zei. Ze legde haar hand onder tafel op de zijne en hield die stevig vast. 'Ik neem aan dat de geleerden de Glocke probeerden fijner af te stemmen om deze bijverschijnselen uit te schakelen.'

'Natuurlijk probeerden ze dat. Maar tegen het einde van de oorlog hadden ze nog niet veel vorderingen gemaakt. Er bestaat maar één anekdote over een succesvol geval. Een kind dat wordt verondersteld perfect te zijn geweest. Daarvoor hadden alle kinderen die aan de Glocke waren blootgesteld, kleine afwijkingen. Pigmentloze plekjes, asymmetrische organen, ogen van verschillende kleur.' Anna wierp even een blik op Gunther. 'Maar dit kind leek volmaakt te zijn. Zelfs een ruwe test van het genoom van het jongetje bracht geen foutje aan het licht. Het hoofd van het team van onderzoekers verrichtte dit laatste experiment in het geheim. Toen mijn grootvader de Glocke kwam weghalen, maakte deze geleerde bezwaar en vernietigde al zijn aantekeningen. Niet lang daarna is het kind overleden.'

'Aan bijwerkingen?'

'Nee. De dochter van deze onderzoeker heeft zichzelf en het kind verdronken.'

'Waarom?'

Anna schudde haar hoofd. 'Mijn grootvader wilde er niet over praten. Zoals ik al zei: het is een anekdote.'

'Hoe heette die onderzoeker?' vroeg Painter.

'Dat herinner ik me niet. Als u wilt, kan ik het opzoeken.'

Painter haalde zijn schouders op. Had hij de computers van Sigma maar tot zijn beschikking... Hij had het idee dat er veel meer over de 'anekdote' van haar grootvader te weten viel.

'En nadat de Glocke was weggehaald?' vroeg Lisa. 'Toen is het onderzoek hier voortgezet?'

'Ja. Hoewel we hier een geïsoleerd bestaan leidden, konden we wel de ontwikkelingen op wetenschappelijk gebied blijven volgen. Na de oorlog vluchtten de nazigeleerden naar alle windstreken, en velen raakten bij zeer geheim onderzoek betrokken. In de Sovjet-Unie, in Zuid-Amerika, in de Verenigde Staten... Zij waren onze oren en ogen in het buitenland, en zij speelden ons informatie toe. Er waren er die nog steeds in de goede zaak geloofden. Anderen werden met hun verleden gechanteerd.'

'Dus jullie bleven goed op de hoogte.'

Ze knikte. 'In de volgende twintig jaar werd er grote vooruitgang geboekt. De superkinderen die werden geboren, bleven langer in leven. Ze werden hier als prinsenkinderen opgevoed. Ze kregen de titel: Ritter der Sonnenkönige. Ridders van de Zonnekoning. Omdat hun geboorte in verband stond met het Schwarze Sonne-project.'

'Klinkt erg wagneriaans,' merkte Painter spottend op.

'Misschien. Mijn grootvader was zeer op traditie gesteld. Maar ik wil toch graag benadrukken dat bij de experimenten op het Granitschloß uitsluitend met vrijwilligers werd gewerkt.'

'Maar was dat een morele keuze? Of waren er gewoon geen Joden in de Himalaya voorhanden?'

Anna fronste haar voorhoofd. Op die opmerking reageerde ze maar niet. Ze vertelde verder: 'Er werd vooruitgang geboekt, maar toch bleven de Sonnenkönige gebukt gaan onder degeneratie. Meestal kwamen de eerste symptomen daarvan op tweejarige leeftijd naar buiten. De symptomen waren wel veel milder. Wat eerst acute degeneratie was, werd chronisch. En doordat de kinderen langer leefden, trad een nieuw symptoom naar voren: geestelijke achteruitgang. Acute paranoia, schizofrenie, psychoses.'

Lisa zei: 'Die laatste symptomen... Dat klinkt als wat er met de monniken in het klooster is gebeurd.'

Anna knikte. 'Het hangt af van de hoeveelheid straling en de leeftijd waarop men eraan wordt blootgesteld. Kinderen die in de baarmoeder aan een dosis kwantumstraling van de Glocke werden blootgesteld, vertoonden verbeteringen, gevolgd door een levenslange, chronische achteruitgang. Maar wanneer volwassenen zoals Painter en ik aan een kleine dosis straling worden blootgesteld, treedt een acute vorm van achteruitgang op, een snelle degeneratie. De monniken die aan een hoge dosis straling blootstonden, kregen meteen last van geestelijk verval.'

'En de Sonnenkönige?' vroeg Painter.

'Net als dat bij ons het geval is, was er geen genezing mogelijk. De Glocke kan ons helpen, maar de Sonnenkönige zijn immuun voor de Glocke. Kennelijk ligt dat aan het feit dat ze zo verschrikkelijk jong aan de straling zijn blootgesteld; de Glocke kan daarna niets meer voor hen doen – niet ten goede en niet ten kwade.'

'Dus wanneer zij waanzinnig werden...' Painter zag het al voor zich: supermensen die als dollen in het kasteel tekeergingen.

'Ze vormden een bedreiging voor ons. Uiteindelijk zijn de proeven op mensen stopgezet.'

Painter kon zijn verbazing niet verbergen. 'Jullie hielden met het onderzoek op?'

'Dat nu ook weer niet. Proefnemingen op mensen was toch al geen goede onderzoeksmethode. Het duurt te lang voordat er resultaat is. Er werden nieuwe soorten onderzoek geprobeerd, op gemodificeerde muizenrassen, foetale weefsels die in reageerbuisjes werden gekweekt, en op stamcellen. Toen het menselijk genoom in kaart was gebracht, konden we snelle resultaten bereiken met proeven met DNA-materiaal. Het onderzoek kwam in een stroomversnelling. Ik denk dat als we nu het Sonnenkönigeproject zouden heropenen, we veel betere resultaten zouden zien.'

'Waarom hebben jullie dat dan niet gedaan?'

Anna haalde haar schouders op. 'Bij onze muizen komen nog steeds tekenen van geestelijke aftakeling voor. Dat baart ons zorgen. Maar de voornaamste reden dat we van proefnemingen met mensen afzien, is dat we de afgelopen tien jaar meer in het klinische aspect geïnteresseerd zijn geraakt. We zien onszelf niet langer als de voorbode van een superieur ras. We zijn inderdaad geen nazi's meer. Wij denken dat de hele mensheid baat bij ons werk kan hebben, zodra ons onderzoek tot resultaat heeft geleid.'

'Waarom geven jullie er dan nu vast geen bekendheid aan?' vroeg Lisa.

'En dan moeten we ons zeker aan de wetten van de dommen houden? De wetenschap is geen democratisch proces. Zulke arbitraire normen en waarden zouden onze vooruitgang verschrikkelijk afremmen. En dat kunnen we niet accepteren.'

Painter weerhield zich er met moeite van afkeurend te snuiven. Kennelijk floreerde het nazigedachtegoed hier nog volop.

'Wat is er met de Sonnenkönige gebeurd?' vroeg Lisa.

'Dat is allemaal erg tragisch. Velen zijn aan aftakeling gestorven, en op nog veel meer moest euthanasie worden gepleegd omdat hun geestelijke vermogens te zeer achteruitgingen. Maar een handjevol hebben het overleefd. Zoals Klaus. Die heeft u ontmoet.'

Painter zag de enorme bewaker weer voor zich. Hij herinnerde zich dat Klaus' hand had getrild en dat zijn gezicht half verlamd was; allemaal tekenen van verval. Toen keek Painter eens naar Gunther. Met uitdrukkingsloos gezicht ontmoette Gunther zijn blik. Een blauw oog en een wit oog. Een Sonnenkönig.

'Gunther is de laatste die hier is geboren.'

Anna wees naar haar schouder en maakte vervolgens een gebaar naar de enorme man.

Gunther fronste diep, maar trok toch zijn tuniek van zijn schouder om zo een zwarte tatoeage te onthullen.

'Het symbool van de Sonnenkönige,' zei Anna. 'Een teken van trots, plicht en bekwaamheid.'

Gunther trok zijn tuniek weer goed.

Painter dacht terug aan de tocht per slee door de sneeuw, en aan de gefluisterde opmerking die een bewaker ten koste van Gunther had gemaakt. Wat had hij ook weer gezegd? Leprakönig. Koning der melaatsen. Blijkbaar hadden ze hier weinig respect voor de vroegere Ridders van de Zon. Gunther was de laatste van zijn soort. Hij zou degenereren en in de vergetelheid geraken. Wie zou er om hem treuren?

Anna's blik bleef even op Gunther rusten, toen keek ze van Painter naar Lisa.

Misschien zou er toch iemand om hem treuren.

Nog steeds met Painters hand in de hare zei Lisa: 'U heeft één ding nog niet uitgelegd: hoe kan de Glocke voor zulke veranderingen zorgen? U zei dat de veranderingen zo consistent zijn dat de mutaties niet aan het toeval kunnen worden toegeschreven.'

Anna knikte. 'We hebben inderdaad niet alleen onderzoek gedaan naar de effecten van de Glocke. Ons onderzoek was voornamelijk gericht op hoe de Glocke werkt.'

'En hebben jullie vooruitgang geboekt?' vroeg Painter.

'Natuurlijk. We denken zelfs dat we begrijpen wat het basisprincipe ervan is.'

Verrast knipperde Painter met zijn ogen. 'O ja?'

Anna fronste haar voorhoofd. 'Ik dacht dat dat wel duidelijk was...' Ze keek van Painter naar Lisa en weer terug. 'De Glocke regelt de evolutie.'

7:35

HLUHLUWE-UMFOLOZI WILDPARK

'Wie is daar?' vroeg Khamisi nogmaals. Hij stond op de drempel van zijn huisje. Iemand was daarbinnen, in de slaapkamer aan de achterkant.

Het kon ook een dier zijn.

Apen hadden de gewoonte om in de huisjes in te breken, en soms deden grotere dieren dat ook.

Toch ging hij liever niet naar binnen. Hij tuurde de kamer in, maar de gordijnen waren dicht. Na de rit in de verblindende zon was het hierbinnen zo donker als in het oerwoud.

Khamisi stak zijn hand naar binnen en tastte naar het lichtknopje. Hij vond dat en klikte het licht aan. Een lamp verlichtte de schaars gemeubileerde kamer en het keukentje. Maar hij kon nog steeds niet zien wie of wat er zich in de slaapkamer ophield.

Achter in het huis hoorde hij geschuifel.

'Wie...'

Hij voelde een stekende pijn in zijn nek. Verbaasd liep hij naar binnen. Hij sloeg met zijn hand naar wat hem had gestoken en voelde iets zachts, met veertjes.

Hij trok het eruit en staarde er niet-begrijpend naar.

Een dartpijl.

Die gebruikte hij om grote dieren mee te verdoven.

Maar deze was anders.

Hij liet hem uit zijn vingers glippen.

Hij begreep het pas op het moment dat het gif zijn hersens bereikte. De wereld draaide om hem heen. Hij probeerde ergens steun te zoeken, maar dat lukte niet.

Hij viel op de houten vloer.

Hij probeerde de val nog te breken, maar hij kwam toch hard neer en stootte zijn hoofd. Het werd donker, met lichtflitsen. Hij draaide zijn hoofd en zag een touw op de vloer. Hij keek nog eens. Het was geen touw.

Het was een drie meter lange slang.

Hij herkende hem meteen: een zwarte mamba.

De slang was dood, in tweeën gehakt. Niet ver ervandaan lag een machete. Zijn eigen machete.

Zijn ledematen voelden al koud en stijf toen hij het begreep.

De vergiftigde pijl. Het was een ander soort pijl dan hij gebruikte: een pijl met twee punten. Net tanden.

Hij keek naar de dode slang. Het was een valstrik. Het moest eruitzien of hij aan een slangenbeet was gestorven.

Achter in de slaapkamer kraakte de vloer. Hij had nog net de kracht om zijn hoofd om te draaien. Er stond een donkere gestalte in de deuropening, die uitdrukkingsloos naar hem keek.

Nee.

Het klopte niet.

Waarom?

Daar zou hij het antwoord nooit op weten. Alles werd donker, en hij zweefde weg.

8

GEMENGD BLOED

'Jij blijft hier,' zei Gray. Hij stond in het midden van de cabine van de Challenger, met zijn handen onverzettelijk in zijn zij.

'Gelul,' zei Fiona. Zij stond er net zo onverzettelijk bij.

Met zijn armen over elkaar stond Monk geamuseerd in de deuropening.

'Ik heb je het adres nog niet verteld,' zei Fiona. 'Kies maar uit: je gaat een maand lang van deur tot deur totdat je de hele stad hebt afgewerkt, of je neemt mij mee en ik breng je er zo naartoe. Jij mag het zeggen.'

Gray schudde zijn hoofd. Waarom had hij het adres niet uit het meisje getrokken toen ze nog onder de invloed van de pijnstillers was?

'Nou?'

'Volgens mij krijgen we gezelschap,' zei Monk tegen Gray.

Gray wilde niet toegeven. Misschien kon hij haar bang maken, haar eraan herinneren dat het in het Tivoli kantje boord was geweest. 'En je kogelwond dan?'

Fiona keek verontwaardigd. 'Wat is daarmee? Met die vloeibare pleister heb ik er totaal geen last meer van.'

'Ze kan er zelfs mee zwemmen,' zei Monk. 'Die pleisters zijn waterbestendig.'

Gray keek zijn partner kwaad aan. 'Dat doet er niet toe.'

'Wat doet er dan wel toe?' vroeg Fiona.

Gray richtte zijn blik weer op haar. Hij wilde niet langer de verantwoordelijkheid voor het meisje dragen. En hij had al helemaal geen tijd om voor haar oppas te spelen.

'Hij is bang dat je weer iets overkomt,' zei Monk.

Gray zuchtte diep. 'Fiona, geef ons nou maar gewoon het adres.'

'Zodra we in de auto zitten,' zei ze. 'Dan vertel ik het jullie. Ik blijf hier niet in dat vliegtuig zitten.'

'We verspillen onze tijd,' merkte Monk op. 'En het ziet ernaar uit dat we het niet droog houden.'

Het was een stralende ochtend, maar vanuit het noorden kwamen er donkere wolken aangedreven. Er zat onweer in de lucht.

'Goed dan.' Gray gebaarde Monk dat ze konden uitstappen. Hij moest Fiona maar goed in de gaten houden.

Het drietal klom het vliegtuigtrappetje af. Met de douane was alles in orde gemaakt, en een gehuurde BMW stond op hen te wachten. Monk en Gray hadden allebei een zwartleren rugzak over hun schouder. Gray keek naar Fiona. Zij had ook zo'n rugzak. Hoe kwam ze daar in godsnaam aan?

'Er was er eentje extra,' legde Monk uit. 'Maar maak je geen zorgen, er zitten geen pistolen of lichtgranaten in. Voor zover ik weet.'

Hoofdschuddend liep Gray over het asfalt naar de parkeergarage. Ze waren alle drie hetzelfde gekleed, in zwarte spijkerbroek, gympen en truien. Echte toeristen. Maar Fiona had haar trui met buttons opgeleukt. Er was er eentje die vooral zijn aandacht trok: STRANGERS HAVE THE BEST CANDY.

Terwijl Gray de parkeergarage in liep, controleerde hij zijn wapens nog eens. Hij klopte op de 9mm Glock die in de holster onder zijn trui zat, en voelde aan het gevest van zijn dolk van geharde kunststof aan zijn linkerpols. In de rugzak zat nog meer wapentuig: lichtgranaten, zakjes met c4-explosieven, en extra munitie.

Deze keer was hij niet onvoorbereid.

Eindelijk kwamen ze bij de auto, een nachtblauwe BMW 525i.

Fiona liep naar de kant van de bestuurder.

Gray sneed haar de pas af. 'Leuk geprobeerd.'

Monk liep naar de andere kant van de auto en riep: '*Pang!*'

Meteen dook Fiona weg en keek ze zoekend om zich heen.

Gray hielp haar overeind en duwde haar naar het achterportier. 'Hij bedoelde dat hij voorin wil.'

Met een boze blik keek ze Monk aan. 'Klootzak.'

'Sorry, hoor. Zeg, je moet minder schichtig zijn.'

Ze stapten allemaal in. Gray startte de motor en keek toen achterom naar Fiona. 'Nou? Waar gaan we naartoe?'

Monk had de plattegrond al uitgevouwen.

Fiona boog zich tussen de stoelen door en wees het op de kaart aan.

'Twintig kilometer ten zuidwesten van de stad. We gaan naar het plaatsje Büren in het dal van de Alme.'

'En wat is het adres dat we daar moeten hebben?'

Fiona leunde naar achteren. 'Leuk geprobeerd,' zei ze, herhalend wat Gray daarnet had gezegd.

Hij ontmoette haar blik in de achteruitkijkspiegel. Ze keek hem minachtend aan.

Nou ja, hij had het toch moeten proberen?

Ze gebaarde dat hij moest wegrijden. En omdat hij geen andere keus had, deed hij dat.

Aan de andere kant van de parkeergarage zaten twee personen in een witte Mercedes sportwagen. De man liet de verrekijker zakken en zette een zonnebril van Italiaanse makelij op. Hij knikte naar zijn tweelingzuster naast hem. Zij zei iets in zacht Afrikaans in het mobieltje met satellietverbinding.

Met haar andere hand hield ze zijn hand vast. Hij wreef met zijn duim over haar tatoeage. Ze kneep in zijn vingers.

Hij keek naar beneden en zag dat ze een van haar nagels tot op het bot had afgekloven. De imperfectie was net zo opvallend als een gebroken neus.

Ze merkte dat hij ernaar keek en probeerde beschaamd haar nagel te verbergen.

Ze hoefde zich niet te schamen. Hij begreep best waarom ze haar nagel had afgekloven. De vorige avond hadden ze Hans verloren, een van hun oudere broers.

Hans was gedood door de bestuurder van de auto die net was weggereden.

Vol woede zag hij de bmw uit de parkeergarage rijden. De gps-zender die ze erin hadden geplaatst, zou hen in staat stellen de auto te volgen.

'Begrepen,' zei zijn zusje in de telefoon. 'Zoals verwacht volgen ze het spoor van het boek. Ze gaan ongetwijfeld naar het Hirszfeldlandgoed in Büren. We laten het vliegtuig bewaken. We zijn overal op voorbereid.'

Terwijl ze luisterde, keek ze haar broer aan.

'Ja,' zei ze zowel tegen degene aan de andere kant van de lijn als tegen haar broer. 'We zullen niet falen. Straks hebben we de Darwinbijbel in handen.'

Hij knikte instemmend. Hij liet haar hand los en draaide het sleuteltje in het contact om.

'Dag *oupa*,' zei zijn zuster.

Ze liet het mobieltje zakken en streek een lok blond haar uit zijn gezicht. Met haar vingers streek ze de lok glad.

Perfect. Altijd even perfect.

Hij drukte een kus op haar vinger, vol liefde en beloften.

Ze zouden wraak nemen, en pas daarna de tijd nemen om te rouwen.

Hij stuurde de sneeuwwitte Mercedes de parkeergarage uit om aan de jacht te beginnen.

11:08

DE HIMALAYA

De soldeerbout gloeide vuurrood op. Painter keek naar het gereedschap. Zijn hand trilde, maar niet van angst. Nog steeds had hij een bonzende pijn precies achter zijn rechteroog. Hij had een paar paracetamolletjes genomen, en twee tabletten fenobarbital, een middel tegen stuiptrekkingen. Geen van deze middelen kon de uiteindelijke aftakeling en waanzin tegenhouden, maar volgens Anna zou hij daarmee een paar uur beter kunnen functioneren.

Hoeveel tijd had hij nog?

Minder dan drie dagen, en veel minder totdat hij nergens meer toe in staat was.

Hij dwong zichzelf daar niet bij stil te staan. Zich almaar zorgen maken was zeker net zo fnuikend als de ziekte. Zoals zijn grootvader altijd op die echte manier van de indiaanse wijze man zei: handenwringen weerhoudt je er maar van de mouwen op te rollen.

Painter nam dat gezegde ter harte en ging verder met het solderen van een snoer en een kabel. De bedrading liep door het hele ondergrondse stuk van het kasteel, en vervolgens naar verschillende antennes. Ook die van de verborgen satellietschotel, diep in de berg.

Eenmaal klaar wachtte Painter tot het soldeer afkoelde. Hij zat aan een werkbank met al het gereedschap en de onderdelen netjes uitgespreid. Hij leek wel een chirurg tijdens een operatie. Naast hem stonden twee open laptops.

Die had Gunther hem gebracht. De man die de monniken had afgeslacht. Die Ang Gelu had vermoord. Telkens wanneer Painter bij de man in de buurt kwam, welde er woede in hem op.

Zoals nu.

De enorme bewaker stond naast hem en hield hem goed in de gaten. Ze waren alleen in de onderhoudsruimte. Painter dacht erover de soldeerbout op het oog van Gunther te richten. Maar wat moest hij daarna? Ze waren mijlenver van de beschaafde wereld verwijderd, en hij had een doodvonnis moeten aanhoren. Alleen door samen te werken bestond er een kans dat ze dit zouden overleven. Daarom zat Lisa nog steeds met Anna in de studeerkamer, om te zoeken naar een geneesmiddel.

Painter en Gunther zochten daar met andere methodes naar. Zij waren op zoek naar de saboteur.

Volgens Gunther was de bom die de Glocke had verwoest, handmatig tot ontploffing gebracht. En omdat er na de explosie niemand uit het kasteel was vertrokken, moest de saboteur nog hier zijn.

Als ze de schuldige in de kraag konden vatten, zouden er veel vragen kunnen worden beantwoord.

Daarom hadden ze via geruchten een lokkertje geregeld. Ze hoefden nu alleen nog maar de bijbehorende valstrik op te zetten.

De ene laptop stond in verbinding met het communicatienetwerk van het kasteel. Painter zat al in het systeem, met gebruikmaking van wachtwoorden die Gunther hem had verstrekt. Hij had een aantal pakketjes met code rondgestuurd om te kijken wat het systeem met berichten naar buiten deed. Als de saboteur contact met de buitenwereld probeerde op te nemen, hadden ze hem te pakken.

Maar Painter verwachtte niet dat de saboteur zo dom zou zijn. Hij of zij had al heel lang zonder ontdekt te worden in het geheim geopereerd. Dat hield in dat het een sluw iemand was, en dat er een manier bestond om buiten het netwerk van het kasteel om met de buitenwereld te communiceren.

Painter moest dus iets heel nieuws in elkaar zetten.

Waarschijnlijk had de saboteur de beschikking over een eigen mobieltje met satellietverbinding, en gebruikte hij dat om contact met zijn opdrachtgevers te houden. Maar met zo'n mobiele telefoon moest je een open verbinding hebben tussen de antenne en de satelliet die rond de aarde draaide. Helaas waren er te veel nissen, ramen en luiken waar de saboteur kon gaan staan om verbinding te maken, en die konden niet allemaal in de gaten worden gehouden zonder achterdocht op te wekken.

Dus moesten ze iets anders verzinnen.

Painter controleerde de signaalversterker die hij met het aardesnoer had verbonden. Dit apparaat had hij bij Sigma zelf uitgevonden. Voordat hij directeur van Sigma werd, was hij expert op het gebied van bewaking en microtechniek geweest. Dit was zijn vakgebied.

De versterker was via het aardesnoer met de tweede laptop verbonden.

'Zo zou het goed moeten zijn,' zei Painter, wiens hoofdpijn eindelijk een beetje zakte.

'Zet maar aan.'

Painter klikte de accu aan en zocht de juiste frequentie. De laptop zou voor de rest zorgen. Die zou elke poging tot verbinding oppikken. Het was allemaal nogal ruw, en je kon er niet mee afluisteren, maar je wist wel waarvandaan iemand stiekem contact met de buitenwereld zocht, tot binnen een straal van tien meter precies. Dat moest voldoende zijn.

Painter stelde het apparaat nog fijner af. 'Oké, nu hoeven we alleen nog maar te wachten totdat die rotzak verbinding maakt.'

Gunther knikte.

'Tenminste, als de saboteur erin trapt,' voegde Painter eraan toe.

Een halfuur geleden hadden ze het gerucht verspreid dat een portie Xerum 525 in een met lood beklede geheime bergruimte de ontploffing had overleefd. Iedereen in het kasteel had nieuwe hoop gekregen. Als er nog een beetje van de onvervangbare vloeistof was, zou er misschien een nieuwe Glocke kunnen worden gebouwd. Anna had zelfs mensen aan het werk gezet om van onderdelen een nieuwe Glocke te maken. Ook al bestond er geen geneesmiddel tegen de ziekte, met de Glocke konden ze tijdrekken. Voor iedereen.

Maar hoop was niet het doel van de list.

De geruchten moesten de saboteur ter ore komen. Hij moest worden overtuigd dat hij had gefaald, en dat de Glocke toch kon worden herbouwd. Hij zou zijn opdrachtgevers om raad willen vragen, en daarvoor moest hij contact met hen opnemen.

En zodra dat gebeurde, stond Painter klaar om toe te slaan.

Painter richtte zich tot Gunther. 'Hoe voelt het om een supermens te zijn?' vroeg hij. 'Een Ridder van de Zwarte Zon?'

Gunther haalde zijn schouders op. Hij leek met niet veel meer dan gegrom, gefrons en eenlettergrepige woorden te communiceren.

'Ik bedoel, voel je je boven de anderen verheven? Ben je sterker en sneller? Kun je met één sprong over gebouwen heen springen?'

Gunther keek hem alleen maar aan.

Painter zuchtte en probeerde iets anders om Gunther aan de praat te krijgen. Hij moest op de een of andere manier een band zien te scheppen. 'Wat betekent Leprakönig? Ik heb gehoord dat ze dat zeggen wanneer jij in de buurt bent.'

Painter wist donders goed wat het betekende, maar hij kreeg er de reactie door die hij wilde. Gunther keek weg, maar Painter had de woedende blik in zijn ogen al gezien. Er viel een pijnlijke stilte. Painter begon zich al af te vragen of Gunther nog iets zou zeggen.

'Koning der melaatsen,' zei Gunther uiteindelijk.

Nu was het Painters beurt om te zwijgen. Hij moest lang wachten, maar uiteindelijk besloot Gunther het nader toe te lichten.

'Wanneer er naar volmaaktheid wordt gestreefd, wil niemand de mislukkingen zien. Als we niet waanzinnig worden, is de ziekte iets gruwelijks om te zien. Beter om de zieken ergens op te sluiten waar ze niet kunnen worden gezien.'

'Zoals vroeger met leprozen gebeurde.'

Painter vroeg zich af hoe het moest voelen om als laatste van de Sonnenkönige te worden opgevoed, om al jong te weten dat je gedoemd bent. Ooit een vereerde generatie van prinsen, nu een stelletje leprozen met wie niemand iets te maken wil hebben.

'Maar je helpt hen toch,' zei Painter. 'Je werkt voor hen.'

'Daarvoor ben ik geboren. Ik ken mijn plicht.'

Painter vroeg zich af of dat hem met de paplepel was ingegoten, of dat het op de een of andere manier genetisch was bepaald. Aandachtig nam hij de man op, en kwam tot de conclusie dat het dieper ging.

'Wat maakt het jou uit wat er met iedereen hier gebeurt?' vroeg hij.

'Ik geloof in het werk dat ze hier doen. Mijn lijden kan anderen misschien ooit voor eenzelfde lot behoeden.'

'En de zoektocht naar een geneesmiddel? Dat heeft niets te maken met het verlengen van jouw leven.'

Gunthers ogen schoten vuur. *'Ich bin nicht krank.'*

'Wat bedoel je? Lijd jij niet aan de ziekte?'

'De Sonnenkönige zijn onder de Glocke geboren,' zei Gunther veelbetekenend.

Ineens begreep Painter het. Hij herinnerde zich wat Anna over de supermensen in het kasteel had gezegd: dat de Glocke op hen geen effect meer had. Ten goede of ten kwade.

'Je bent er immuun voor,' zei hij.

Gunther wendde zijn gezicht af.

Painter liet het bezinken. Dus Gunther hielp niet om zijn eigen leven te redden. Maar waarom dan wel?

En toen herinnerde Painter zich hoe Anna tijdens het ontbijt naar Gunther had gekeken: met een warme en liefdevolle blik. En Gunther had daar geen bezwaar tegen gemaakt. Blijkbaar had hij een goede reden om behulpzaam te zijn, ook al kreeg hij van de anderen geen greintje respect.

'Je houdt van Anna,' mompelde Painter.

'Natuurlijk hou ik van haar,' reageerde Gunther kortaf. 'Ze is mijn zuster.'

In Anna's studeerkamer stond Lisa bij de muur waaraan een lichtbak hing. Normaal werden die gebruikt om röntgenfoto's van patiënten te bekijken, maar Lisa keek naar twee vellen van acetaat waarop zwarte strepen stonden. Het waren in kaart gebrachte chromosomen, uit het archief van het onderzoek naar de mutaties die de Glocke veroorzaakte. Het waren afbeeldingen van het via het vruchtwater verkregen DNA van de foetus van voor en na de blootstelling aan de straling. Op de vellen van na de bestraling stonden kringen om bepaalde chromosomen die door de Glocke waren veranderd. Ernaast stonden in het Duits opmerkingen geschreven.

Anna had die voor haar vertaald, en was vervolgens weggegaan om boeken te halen.

Bij de lichtbak liet Lisa haar vinger over de mutaties dwalen. Ze zocht naar een patroon. Ze had al een heel aantal van deze gevallen gezien, maar ze kon er absoluut geen verband in ontdekken.

Zonder antwoord op haar vragen liep ze terug naar de eettafel, waar nu hoge stapels boeken op lagen, alsmede paperassen vol onderzoeksgegevens uit tientallen jaren van experimenten op mensen.

Achter haar knapperde het vuur in de open haard. Ze moest een neiging bedwingen de hele bups in de vlammen te gooien. Maar ook als Anna er niet was geweest, zou ze dat waarschijnlijk niet hebben gedaan. Ze was naar Nepal gekomen om de effecten van grote hoogte op het menselijk lichaam te bestuderen. Ze was arts, maar eigenlijk ging haar hart naar research uit.

Ze leek op Anna.

Nee, ze leek helemaal niet op Anna.

Lisa schoof een boek op tafel weg: *Teratogenese in het foetale blastoderm.* Het ging over geaborteerde zuigelingen die na blootstelling aan de straling van de Glocke monsterlijke misvormingen hadden ontwikkeld. Wat op de acetaatvellen zo zakelijk had geleken, toonden de foto's hier in gruwelijke detail: embryo's zonder ledematen, foetussen met maar één oog, doodgeboren kinderen met enorme waterhoofden.

Nee, ze leek absoluut niet op Anna.

Er welde woede in haar op.

Anna kwam omlaag langs de ijzeren ladder die naar de loopbrug rond de bibliotheek voerde. Onder haar arm had ze nog een stapel boeken. De Duitsers waren er vol tegenaan gegaan. En waarom ook niet? Het was heel belangrijk voor hen om een geneesmiddel voor de kwantumziekte te ontdekken. Anna dacht dat het geen zin had, ze was ervan overtuigd dat al het mogelijke onderzoek al was verricht, maar het had weinig moeite gekost haar over te halen om toch mee te werken.

Het was Lisa opgevallen dat Anna's handen trilden, al was het nauwelijks merkbaar. In een poging het te verbergen, wreef Anna voortdurend in haar handen. De andere bewoners van het kasteel verborgen het minder goed. De hele ochtend al was de spanning voelbaar. Lisa was getuige geweest van een paar felle woordenwisselingen, en zelfs van een knokpartij. Ze had ook gehoord dat er de afgelopen paar uur twee zelfmoorden hadden plaatsgevonden. Nu de Glocke verwoest was en er weinig hoop op genezing bestond, stortte de boel in elkaar. Stel dat er mensen waanzinnig werden voordat Painter en zij een oplossing hadden gevonden?

Die gedachte verdrong ze. Ze ging het niet opgeven. Wat ze ook voor redenen had om mee te werken, ze ging haar uiterste best doen.

Lisa knikte Anna toe. 'Goed, ik heb nu wel een beetje overzicht. Maar je zei daarnet iets wat me aldoor maar bezighoudt.'

Anna legde de boeken op tafel en ging zitten. 'Wat dan?'

'Je zei dat de Glocke de evolutie stuurt.' Lisa gebaarde naar alle boeken en manuscripten op de tafel. 'Maar wat ik hier zie, gaat allemaal over mutagene straling in verband met een rasveredelingsproject. Het veredelen van de mens door middel van genetische manipulatie. Toen je het woord evolutie liet vallen, was dat niet een beetje hoogdravend?'

Anna schudde haar hoofd, totaal niet beledigd. 'Hoe zou jij "evolutie" omschrijven?'

'Zoals Darwin dat deed, denk ik.'

'En hoe deed hij dat?'

Lisa fronste haar voorhoofd. 'Een geleidelijk proces van biologische veranderingen... Waar een eencellig organisme wordt verspreid en veranderd, totdat alle huidige levende organismen zijn ontstaan.'

'En God heeft daar niet de hand in?'

Die vraag verraste Lisa. 'Bedoel je het creationisme?'

Anna keek haar schouderophalend aan. 'Ze noemen het ook wel *intelligent design.*'

'Dat meen je toch niet? Straks vertel je me nog dat evolutie iets theoretisch is...'

'Doe niet zo mal. Ik ben heus geen leek die een theorie in verband brengt met een "gevoel" of een "veronderstelling". In de wetenschap is iets pas een theorie als er voldoende feiten zijn en alle hypothesen zijn getoetst.'

'Dus jij houdt Darwins evolutietheorie voor waar aan?'

'Absoluut. Zonder enige twijfel. Die wordt door alle takken van wetenschap onderschreven.'

'Maar waarom had je het dan...'

'Het ene sluit het andere niet noodzakelijkerwijs uit.'

Lisa trok haar wenkbrauwen op. 'Intelligent design én evolutie?'

Anna knikte. 'Maar laten we er even op doorgaan, zodat je me goed begrijpt. Eerst verwerpen we de rare uitspraken van de Flat Earth Creationists, die betwijfelen of de aarde wel rond is. En natuurlijk de uitspraken van degenen die zich strikt aan de Bijbel houden, en die beweren dat de wereld ten hoogste tienduizend jaar bestaat. We concentreren ons op de belangrijkste uitspraken van degenen die geloof hechten aan intelligent design.'

Lisa schudde haar hoofd. Een gewezen nazi die aan zweverige wetenschap deed. Wat was dit in hemelsnaam?

Anna schraapte haar keel. 'Ik moet toegeven dat de beweringen van de aanhangers van de intelligent design-theorie nogal misleidend zijn. Ze interpreteren de tweede wet van de thermodynamica verkeerd, ze bouwen statistische modellen op die grondig onderzoek niet kunnen verdragen, en ze sjoemelen met de radiometrische datering van gesteente. En zo kan ik nog wel even doorgaan. Niets klopt, en veel is misleidend.'

Lisa knikte. Dat was de belangrijkste reden waarom ze zich zorgen maakte over de huidige plannen om op de middelbare scholen bij het vak biologie deze pseudowetenschap naast de evolutietheorie te onderwijzen. Een afgestudeerd filosoof zou er nog moeite mee hebben onzin van feiten te scheiden, laat staan een leerling van een middelbare school.

Maar Anna was nog niet klaar. 'Dat gezegd hebbende, wil ik iets aantippen wat uit het kamp van de aanhangers van de intelligent design-theorie komt, iets wat wel hout snijdt.'

'En dat is?'

'De toevalsfactor bij mutaties. Door toeval alleen kunnen er niet zoveel veranderingen ten goede zijn gekomen. Hoeveel afwijkingen bij de geboorte hebben voor veranderingen ten goede gezorgd?'

Dat had Lisa eerder gehoord: het leven heeft zich te snel ontwikkeld om puur toeval te kunnen zijn. Ze trapte er niet in.

'Evolutie is toeval,' zei ze. 'Door natuurlijke selectie, of door omgevingsomstandigheden, verdwijnen veranderingen ten kwade. Alleen de goed aangepaste organismen geven hun genen door.'

'De sterkste overleeft.'

'De organismen die redelijk goed zijn aangepast. Ze hoeven niet vol-maakt te zijn, als ze maar in het voordeel zijn. In de loop van honderden miljoenen jaren hebben deze voordelen of veranderingen geleid tot de soorten die we tegenwoordig kennen.'

'In de loop van honderden miljoenen jaren? Ik moet toegeven dat dat veel tijd is, maar is dat voldoende voor al die evolutionaire veranderin-gen? En de snelle evolutie dan die af en toe voorkomt, waarbij de veran-deringen heel snel plaatsvinden?'

'Ik neem aan dat je het hebt over de explosie tijdens het cambrium?' vroeg Lisa. Dat was een van de steunpilaren onder de intelligent design-theorie. Het cambrium had maar relatief kort geduurd: vijftien miljoen jaar. Maar in die periode waren er tal van nieuwe levensvormen ontstaan: sponzen, slakken, kwallen en trilobieten. Ogenschijnlijk zomaar ineens. Veel te snel voor tegenstanders van de evolutietheorie.

'*Nein*. Aan de hand van fossielen is er voldoende bewijs vergaard dat de "plotselinge verschijning" van ongewervelden niet zo plotseling was. In het precambrium waren er al sponzen en wormachtige metazoa, meer-cellige eucarya. De verscheidenheid aan vormen gedurende deze periode kan worden verklaard door het verschijnen van de genetische code van de Hox-genen.'

'Hox-genen?'

'Vier tot zes sturende genen verschenen net voor het cambrium in de genetische code. Er kon worden aangetoond dat deze genen de ontwik-keling van het embryo aansturen, ze zorgen voor een linker- en rechter-kant, een onder- en een bovenkant, voor de basis van de lichaamsvorm. Fruitvliegjes, kikkers en mensen beschikken allemaal over dezelfde Hox-genen. Je kunt een Hox-gen van een vlieg met dat van een kikker ver-wisselen, en alles zal nog prima functioneren. Omdat deze genen de fun-damentele aanstuurders zijn van de ontwikkeling van het embryo, zijn er maar zeer kleine veranderingen van zo'n gen nodig om nieuwe lichaams-vormen te doen ontstaan.'

Hoewel Lisa niet wist waar dit allemaal heen ging, was ze toch onder de indruk van Anna's kennis op dit gebied. Anna wist er net zoveel van als zijzelf. Als ze Anna op een congres was tegengekomen, zou ze graag met haar in debat hebben willen gaan. Ze moest er zich zelfs aan herin-neren met wie ze hier te maken had.

'Het ontstaan van Hox-genen net voor het cambrium zou dus de plot-selinge verschijning van al die nieuwe levensvormen kunnen verklaren,' zei Anna. 'Maar Hox-genen verklaren niet de andere momenten van snelle, bijna doelbewuste perioden van evolutie.'

'Zoals?' Dit werd steeds boeiender.

'Zoals de berkenspanner. Ken je dat verhaal?'

Lisa knikte. Anna was bij een van de belangrijkste argumenten uit het andere kamp beland. Berkenspanners waren nachtvlinders die in berken leefden. Ze waren witgevlekt om niet tegen de bast af te steken, zodat ze tegen hongerige vogels werden beschermd. Maar toen er tijdens de industriële revolutie in de buurt van Manchester fabrieken werden gebouwd en de bomen zwart van het roet werden, hadden de witte vlinders geen camouflage meer en waren ze gemakkelijke prooien voor de vogels. Toen veranderde de hele populatie binnen een paar generaties van wittig naar zwart, als camouflage in de met roet bedekte bomen.

'Als mutaties puur toevallig zouden zijn, dan boften de berkenspanners wel heel erg dat ze zwart werden. Als het echt puur toeval was, waar waren dan de rode vlinders, de groene en de paarse? Of zelfs vlinders met twee koppen?'

Het koste Lisa moeite haar ergernis niet te tonen. 'Ik zou kunnen zeggen dat die nachtvlinders ook werden opgevreten. En die met twee koppen gingen allemaal dood. Maar je interpreteert dit verkeerd. De nachtvlinders veranderden niet door een kleurmutatie. Ze beschikten al over een gen voor zwart. Elke generatie waren er een paar zwarte vlinders, maar die werden meestal opgegeten zodat de witte de overhand hielden. Maar zodra de bomen zwart waren geworden, waren de zwarte in het voordeel. De witte werden opgegeten en de zwarte kregen de overhand. Daar gaat het om. De omgevingsomstandigheden kunnen zeker van invloed zijn, maar dit had niets met mutaties te maken. Het zwarte gen was al aanwezig.'

Anna keek haar glimlachend aan.

Het drong tot Lisa door dat het een test was geweest. Anna wilde erachter komen wat ze allemaal wist. Ze ging rechtop zitten, zowel kwaad als gefascineerd.

'Heel goed,' zei Anna. 'Dan wil ik het nu hebben over iets wat meer recent is gebeurd. Het vond in een laboratorium plaats, onder goed gecontroleerde condities. Een onderzoeker kweekte een stam van E. coli-bacteriën die geen lactose konden verteren. Daarna smeerde hij de stam uit over een voedingsbodem die uitsluitend uit lactose bestond. Wat denk je dat er volgens de wetenschap had moeten gebeuren?'

Lisa haalde haar schouders op. 'De bacteriën konden de lactose niet verteren en stierven de hongerdood.'

'Dat gebeurde inderdaad met achtennegentig procent van de populatie. Maar twee procent floreerde. Er was een spontane mutatie in een gen opgetreden waardoor ze wel lactose konden verteren. En dat in één generatie! Dat kan toch geen toeval zijn. Als we kijken naar alle genen waarover een E. colibacterie beschikt, en de zeldzaamheid van mutaties, waarom verscheen er dan bij twee procent van de populatie een mutatie in het gen waardoor ze konden overleven? Dat kan gewoonweg geen toeval zijn.'

Lisa moest toegeven dat het vreemd was. 'Misschien heeft er in het laboratorium een besmetting plaatsgevonden.'

'Het experiment is herhaald, en de resultaten waren hetzelfde.'

Lisa was nog steeds niet overtuigd.

'Ik zie aan je dat je twijfelt. Ik zal je een ander voorbeeld geven dat aantoont dat toevallige mutatie bij genen niet bestaat.'

'O?'

'We gaan terug naar het ontstaan van het leven, naar de oersoep, toen de motor van de evolutie voor het eerst werd opgestart.'

Lisa herinnerde zich dat Anna had gezegd dat de geschiedenis van de Glocke helemaal terugging tot het ontstaan van leven. Ging ze daar nu meer over vertellen? Lisa spitste nieuwsgierig haar oren.

'Laten we teruggaan in de tijd,' zei Anna. 'Naar toen er nog geen cellen bestonden. Denk aan wat Darwin zei: alles wat bestaat moet zijn voortgekomen uit eenvoudiger, minder complexe vormen. Wat was er dus voor de eencellige? Hoe ver kunnen we teruggaan? Wanneer leeft iets? Leeft DNA? Leeft een chromosoom? Leeft proteïne? Leeft enzym? Waar trekken we de grens tussen scheikunde en leven?'

'Dat is inderdaad een interessante vraag,' moest Lisa toegeven.

'Dan zal ik nog een vraag stellen. Hoe maakte het leven de sprong van de scheikundige oersoep naar de eerste eencellige?'

Daar kende Lisa het antwoord op. 'De vroege aardatmosfeer bestond voornamelijk uit waterstof, methaangas en water. Doe er een beetje energie bij, bijvoorbeeld van bliksems, en deze gassen kunnen eenvoudige organische verbindingen vormen. Sudderend in de spreekwoordelijke oersoep werd er uiteindelijk een molecule gevormd die zich kon voortplanten.'

'Dat is in het laboratorium aangetoond,' was Anna het met haar eens. 'In een fles vol oergassen ontstond bezinksel van aminozuren, de bouwstenen van proteïne.'

'En zo ontstond er leven.'

'Nu maak je een te grote sprong,' reageerde Anna. 'Er zijn nog maar net aminozuren ontstaan. Bouwstenen. Hoe maak je de sprong van een paar aminozuren naar het eerste proteïne dat tot voortplanting in staat was?'

'Meng voldoende aminozuren en uiteindelijk vormen ze een keten met de juiste combinaties.'

'Zomaar toevallig?'

Lisa knikte.

'En nu komen we bij de kern van het probleem. Ik wil best toegeven dat Darwins evolutietheorie een belangrijke rol speelde nadat het eerste proteïne was gevormd dat in staat was tot voortplanting. Maar weet je hoeveel aminozuren zich moeten verbinden om deze zich voortplantende proteïne te doen vormen?'

'Nee.'

'Minimaal tweeëndertig aminozuren. Dan heb je het kleinste soort proteïne dat in staat is zich voort te planten. De kans dat zoiets toevallig gebeurt, is astronomisch klein. Tien tegen eenenveertig in het kwadraat.'

Lisa haalde haar schouders op. Ook al verachtte ze deze vrouw, ze kreeg toch bewondering voor haar.

'Ik zal je een voorbeeld geven,' zei Anna. 'Als je alle proteïne van alle regenwouden op aarde neemt, en je lost die allemaal op in een oersoep van aminozuren, dan is het nog heel onwaarschijnlijk dat zich een keten van tweeëndertig aminozuren vormt. Daar zijn er vijfduizend keer meer voor nodig. Vijfduizend regenwouden. Dus: hoe gaan we van die soep van aminozuren naar de eerste zich voortplantende proteïne, het begin van leven?'

Lisa schudde haar hoofd.

Tevreden sloeg Anna haar armen over elkaar. 'Dat is een leemte in de evolutietheorie waar Darwin ook moeite mee had.'

Lisa wilde het nog niet opgeven. 'Maar die leemte opvullen met de hand van God, dat is niet wetenschappelijk. Goed, we hebben nog geen antwoord op die leemte, maar dat wil nog niet zeggen dat de oorzaak bovennatuurlijk is.'

'Ik zeg niet dat die bovennatuurlijk is. En wie zegt dat ik geen antwoord op die leemte heb?'

Lisa's mond viel open. 'Wat is het antwoord dan?'

'Iets waar we tientallen jaren geleden door ons onderzoek met de Glocke achter zijn gekomen. Iets wat wetenschappers pas de laatste tijd zijn gaan onderzoeken.'

'Wat dan?' Lisa zat stijf rechtop en deed geen poging om haar interesse in de Glocke te verbergen.

'Wij noemen het: kwantumevolutie.'

Lisa wist nog wat de geschiedenis van de Glocke was: nazi-onderzoek naar de vreemde en warrige wereld van subatomische deeltjes en kwantumfysica. 'Maar wat heeft dat met de evolutie te maken?'

'Niet alleen ondersteunt dit nieuwe gebied van kwantumevolutie de theorie van intelligent design,' zei Anna, 'maar het geeft ook antwoord op de vraag wie de "designer" is.'

'Je meent het... Wie dan? God?'

'Nein.' Anna keek Lisa recht aan. 'Wij.'

Voordat Anna het kon uitleggen, klonk er geruis uit een oude radio aan de muur, en even later hoorden ze een bekende stem. Het was de stem van Gunther.

'We hebben het spoor van de saboteur opgepikt. We gaan tot actie over.'

7:37
BÜREN, DUITSLAND

Gray stuurde de BMW langs een oude vrachtwagen waarop het hooi hoog opgestapeld lag. Hij schakelde naar de vijfde versnelling en scheurde door de laatste haarspeldbocht. Boven op de heuvel hadden ze een schitterend uitzicht over het dal.

'Het dal van de Almé,' zei Monk naast hem. Hij hield zich stevig vast aan de lus boven het portier.

Gray schakelde terug en ging langzamer rijden.

Monk keek hem kwaad aan. 'Ik merk dat Rachel je rijles op zijn Italiaans heeft gegeven.'

'Ach, 's lands wijs, 's lands eer.'

'We zijn hier niet in Italië.'

Dat was wel duidelijk. Een brede vallei strekte zich voor hen uit, met groene weiden, bossen en velden. Aan de overkant lag een pittoresk Duits plaatsje, met stenen huisjes met spitse daken van rode dakpannen aan smalle, kronkelende straten.

Maar alle drie keken ze naar het enorme kasteel daarboven, in het bos met uitzicht over het plaatsje. De torens staken fier in de lucht, met wapperende banieren erop. Het was een log kasteel, zoals zoveel van de kastelen langs de bredere Rijn, maar het had ook iets sprookjesachtigs; het was een plek voor betoverde prinsessen en ridders op witte strijdrossen.

'Als Dracula homo was geweest, zou hij zo'n kasteel hebben gehad,' zei Monk.

Gray begreep precies wat hij bedoelde. Het kasteel had iets sinisters, maar dat kon ook komen door de donkere wolken in het noorden. Ze boften als ze het plaatsje bereikten voordat het onweer losbarstte.

'En waar gaan we nu naartoe?' vroeg hij.

Achter in de auto klonk geritsel. Fiona keek op de kaart. Ze had die Monk afgetroggeld, en de rol van bijrijder op zich genomen omdat alleen zij wist wat hun bestemming was.

Ze boog zich naar voren en wees naar de rivier. 'Je moet over die brug.'

'Zeker weten?'

'Heel zeker. Ik kan heus wel kaartlezen, hoor!'

Gray reed het dal in. Hij moest oppassen voor een lange rij wielrenners in kleurige truitjes. Daarna reed hij met forse snelheid over de kronkelweg het dal in en vervolgens door de eerste straten van het plaatsje.

Ineens waren ze terug in de tijd. Voor de ramen hingen plantenbakken vol bloemen. Op de hoofdweg kwamen straatjes met keien uit. Ze reden langs een plein waar cafés met terrasjes aan stonden, een biergarten, en in het midden een muziektent. Gray wist zeker dat daar elke avond polka's werden gespeeld.

Even later reden ze over de brug en algauw kwamen ze weer langs de weiden en kleine boerderijen.

'De volgende links!' riep Fiona.

Gray moest op de rem gaan staan om de scherpe bocht te nemen. 'Kun je dat de volgende keer misschien een beetje eerder zeggen?'

De weg versmalde zich. Aan weerskanten stonden heggen, en het asfalt ging over in keien. De BMW reed hobbelend verder. Niet veel later stond er onkruid tussen de stenen. Voor hen uit zagen ze een ijzeren hek over de hele breedte van de weg. Het hek stond open.

Gray minderde vaart. 'Waar zijn we?'

'Hier is het,' zei Fiona. 'Hier komt de Darwinbijbel vandaan. Het landgoed van Hirszfeld.'

Gray stuurde de auto door het hek. Uit de grauwe lucht vielen de eerste regendruppels. Eerst zacht, toen krachtig.

'Net op tijd,' zei Monk.

Achter het hek was een brede binnenhof, met aan weerskanten de vleugels van een klein landhuis. Het huis telde twee verdiepingen, maar doordat het leistenen dak zo steil was, had het geheel toch iets majesteitelijks.

Boven hen flitste de bliksem.

Het kasteel dat ze eerder hadden gezien, rees achter de bomen achter het landhuis op. Het torende erbovenuit.

'Hedaar!' hoorden ze roepen.

Gray richtte zijn aandacht weer op de weg.

Hij had bijna een fietser aangereden. Een jongeman in een voetbalshirt en een fietsbroekje sloeg met zijn hand op de motorkap.

'Kijk een beetje uit je doppen, ja?' Hij stak zijn vinger naar Gray op.

Fiona had het raampje al opengedraaid en stak haar hoofd naar buiten. 'Rot toch op, klojo! Kijk jij een beetje uit waar je fietst met die belachelijke ballenknijper aan.'

Monk schudde zijn hoofd. 'Dat wordt geen gezellig afspraakje voor Fiona.'

Gray zette de auto op een parkeerinham voor het huis. Er stond maar één andere auto, maar er waren wel veel mountainbikes en racefietsen in een rek. Een paar uitgeputte jonge vrouwen en mannen stonden onder een afdakje, met voor hen op de grond hun rugzakken. Hij hoorde hen praten toen hij de motor uitschakelde. Ze waren Spaans. Dit was zeker een jeugdherberg. Hij kon de patchoeli en de hasj al bijna ruiken.

Was dit echt waar ze moesten zijn?

Ook al was dat wel het geval, dan betwijfelde Gray toch of ze hier zouden vinden wat ze zochten. 'Wacht hier,' zei hij. 'Monk, blijf jij bij...'

Het achterportier zwaaide open en Fiona stapte uit.

'De volgende keer moet je een auto met kinderslot nemen,' zei Monk terwijl hij zijn portier opende.

'Kom terug.' Gray liep achter haar aan.

Met haar rugzak over de schouder beende Fiona naar de voordeur.

Bij het bordes haalde hij haar in en greep haar bij de elleboog. 'We blijven bij elkaar. Niemand gaat er in zijn eentje op uit.'

Ze keek hem net zo kwaad aan. 'Precies. We blijven bij elkaar. Niemand gaat er in zijn eentje op uit. Dat houdt in dat je me niet in vliegtuigen of auto's kunt achterlaten.' Ze rukte zich los en trok de deur open.

Er klonk een belletje om hun komst aan te kondigen.

Achter een mahoniehouten balie naast de deur keek iemand op. In de haard gloeiden nog de laatste resten van een vuur dat de ergste kou had verdreven. De hal was voorzien van een balkenplafond, en er lagen plavuizen op de vloer. De muren waren versierd met vervaagde muurschilderingen die er eeuwenoud uitzagen. Toch was alles niet al te best onderhouden; gebladderd pleisterwerk, stof op de balken, en rafelige kleden op de plavuizen. Dit huis had betere tijden gekend.

De man achter de balie knikte naar hen. Hij zag er sportief uit in een rugbyshirt en een groene broek. Waarschijnlijk was hij begin twintig. Hij leek precies op de blonde, studentikoze modellen uit de catalogus van Abercrombie & Fitch.

'*Guten morgen*,' zei hij toen Gray naar de balie toe liep.

Monk keek rond in de hal. In het dal weergalmde de donder. 'Niks te "guten" vanmorgen,' mompelde hij.

'Aha, Amerikanen,' zei de baliemedewerker. Het klonk een beetje koeltjes.

Gray schraapte zijn keel. 'We vroegen ons af of dit het oude Hirszfeldlandgoed was.'

De jongeman sperde zijn ogen open. '*Ja, aber...* Het is al twintig jaar jeugdherberg Burgschloß. Al sinds mijn vader Johann Hirszfeld het landgoed erfde.'

Dus ze waren hier aan het juiste adres. Hij keek naar Fiona, die hem vragend aankeek. Ze zocht iets in haar rugzak. Hij hoopte maar dat Monk gelijk had en dat er geen lichtgranaten in zaten.

Gray richtte zich weer tot de jongeman achter de balie. 'Kan ik uw vader misschien even spreken?'

'Waarover wilt u het met hem hebben?' Het klonk weer zo koel, en ook achterdochtig.

Fiona duwde Gray opzij. 'Hierover,' zei ze, en ze smakte een bekend boek op de balie: de Darwinbijbel.

Jezus... Hij had de bijbel toch in het vliegtuig gelaten?

Kennelijk had hij het niet goed genoeg laten bewaken.

'Fiona...' zei hij waarschuwend.

'Het is van *míj*,' siste ze hem toe.

De jongeman pakte het boek op en sloeg een paar bladzijden om. Geen enkel teken dat hij het herkende. 'Een bijbel? In deze jeugdherberg mogen geen zieltjes worden gewonnen.' Hij sloeg het boek dicht en schoof het terug naar Fiona. 'Trouwens, mijn vader is Joods.'

Nu het toch geen geheim meer was, vond Gray dat hij wel open kaart mocht spelen. 'Die bijbel is van Charles Darwin geweest. Wij denken dat die ooit deel uitmaakte van het boekenbezit van uw familie. We vroegen ons af of uw vader ons er meer over kon vertellen.'

De jongeman keek minder spottend naar de bijbel. 'De bibliotheek is verkocht toen mijn vader het huis in bezit kreeg,' zei hij langzaam. 'Ik heb die boeken nooit gezien. Ik heb van de buren gehoord dat ze al eeuwen in het bezit van de familie waren.'

De jongeman kwam van achter de balie vandaan en ging hen voor door een boog naar een andere hal. In de ene wand zaten smalle, hoge ramen, waardoor het vertrek een beetje op een klooster leek. In de andere muur was een open haard geplaatst, zo groot dat een volwassen man er rechtop in kon staan. Er stonden rijen tafels en lange banken. Het vertrek was verlaten, afgezien van een vrouw die de vloer veegde.

'Dit was vroeger de bibliotheek en studeerkamer. Nu is het de eetzaal. Mijn vader wilde het landgoed niet verkopen, maar er was een grote belastingschuld. Ik denk dat daarom de bibliotheek werd verkocht. Vijftig jaar geleden moest mijn vader het grootste deel van het meubilair laten veilen. Bij elke generatie verdwijnt er weer een beetje geschiedenis...'

'Doodzonde,' vond Gray.

De jongeman knikte, en draaide zich toen om. 'Ik ga even naar mijn vader. Misschien is hij bereid u te woord te staan.'

Niet veel later bracht de jongeman hen naar een brede, dubbele deur. Hij deed die van het slot en hield hem open. De deur gaf toegang tot het privégedeelte van het huis.

Nadat de jongeman zich als Ryan Hirszfeld had voorgesteld, ging hij hen voor door het huis naar een serre van glas en brons. Langs de wanden stonden kuipen met varens en kleurige bromelia's. Aan de kant waar geen ramen waren, hingen planken aan de muur met daarop bijzondere planten. Sommige zagen eruit als onkruid. Achterin stond een palm. De top kwam tegen het glazen plafond aan, en sommige bladeren waren door verwaarlozing geel geworden. Het zag er allemaal een beetje onverzorgd uit, en veel te vol. De verwaarloosde indruk werd nog versterkt doordat er water door een kapot raam in een emmer drupte.

Deze zonnige serre was helemaal niet zo zonnig.

Midden in de serre zat een frêle man in een rolstoel. Met een deken over zijn knieën keek hij uit het raam. De regen gutste langs de ramen, waardoor de wereld daarbuiten er onwerkelijk uitzag.

Een beetje bedeesd liep Ryan op hem toe. '*Vater, hier sind die Leute mit der Bibel.*'

'*Auf Englisch*, Ryan... *Auf Englisch.*' Met een ruk aan het wiel draaide de frêle man de rolstoel om. Zijn huid was teer, en zijn stem klonk iel. Gray veronderstelde dat hij longemfyseem had.

Ryan keek gepijnigd. Gray vroeg zich af of hij dat zelf wel besefte.

'Ik ben Johann Hirszfeld,' zei de bejaarde man. 'U wilt dus iets over de oude bibliotheek vragen? De laatste tijd bestaat daar veel interesse voor. Tientallen jaren hoor je er niks over, en nu komen er binnen een jaar twee verzoeken om inlichtingen.'

Gray wist nog dat Fiona hem had verteld over een geheimzinnige oude man die in Grettes boekwinkel het archief had doorgespit. Hij moest de verkoopnota hebben gevonden, en hiernaartoe zijn gekomen.

'Ryan zegt dat u in het bezit van een van de boeken bent.'

'De Darwinbijbel,' zei Gray.

De bejaarde man stak zijn hand uit. Fiona kwam naar voren en gaf hem het boek. Hij legde het op zijn schoot. 'Dit heb ik sinds mijn jeugd niet meer gezien,' bracht hij ademloos uit. Hij keek op naar zijn zoon. *'Danke,* Ryan. Ga nu maar weer terug naar de balie.'

Ryan knikte en liep toen met tegenzin weg.

Johann wachtte totdat zijn zoon de deur achter zich had dichtgedaan, toen keek hij met een zucht naar de bijbel. Hij sloeg hem open en bestudeerde de stamboom van de familie Darwin op het schutblad. 'Mijn familie koesterde dit boek. In 1901 werd het door de Royal Society aan mijn overgrootvader geschonken. Rond de eeuwwisseling was hij een befaamd botanicus.'

Gray hoorde iets melancholieks in zijn stem.

'In onze familie komen veel wetenschappers voor. Niet dat we aan Herr Darwin kunnen tippen, maar we hebben ons toch niet onbetuigd gelaten.' Zijn blik dwaalde af naar de ramen waarlangs het water gutste. 'Maar dat is nu allemaal voorbij. Nu moeten we maar bekendstaan als een familie van hoteliers.'

'Kunt u me misschien iets meer over de bijbel vertellen?' vroeg Gray.

'Natürlich. Die maakte deel uit van onze bibliotheek. Sommige boeken werden wel eens voor veldonderzoek door een lid van de familie meegenomen. Maar dit boek heeft slechts één keer het huis verlaten. Dat weet ik omdat ik erbij was toen het terugkwam. Mijn grootvader had het per post laten terugsturen. We waren er allemaal nogal van slag van.'

'Hoezo?'

'Ik dacht al dat u dat zou vragen. Daarom stuurde ik Ryan weg. Hij kan dit maar beter niet weten.'

'Wat kan hij beter niet weten?'

'Mijn grootvader Hugo werkte voor de nazi's. Evenals mijn tante Tola. Ze waren onafscheidelijk. Later hoorde ik van familieleden dat ze bij een geheim onderzoeksproject betrokken waren. Ze waren allebei befaamde biologen.'

'Waar bestond dat onderzoek uit?' vroeg Monk.

'Dat heeft niemand ooit geweten. Zowel mijn grootvader als mijn tante Tola is tegen het einde van de oorlog overleden. Een maand voordien werd er een kist gebracht, afkomstig van mijn grootvader. Daar zaten de boeken in die hij uit de bibliotheek had meegenomen. Misschien besefte hij dat zijn dagen geteld waren, en wilde hij ervoor zorgen dat de boeken bewaard bleven. Het waren vijf boeken.' Hij klopte op de bijbel. 'Dit was er een van. Maar waarom je een bijbel bij je onderzoek nodig zou kunnen hebben, dat weet ik niet.'

'Misschien wilde hij iets van thuis bij zich hebben,' opperde Fiona zacht.

Eindelijk leek Johann het meisje op te merken. Hij knikte langzaam. 'Misschien. Of misschien had het iets met zijn vader te maken, een symbolische goedkeuring voor waar hij mee bezig was.' De bejaarde man schudde zijn hoofd. 'Voor de nazi's werken... Verschrikkelijk.'

Gray herinnerde zich wat Ryan had gezegd. 'Wacht eens, uw familie is toch Joods?'

'Ja. Maar ziet u, mijn overgrootmoeder, de moeder van Hugo, was een Duitse uit deze streek. Haar familie had banden met de nazipartij. Toen de Jodenvervolging begon, werd onze familie gespaard. Wij waren Mischlinge – mensen van gemengd ras. Duits genoeg om niet meteen te worden afgemaakt. Maar mijn grootvader en mijn tante moesten bewijzen dat ze trouw aan het bewind waren, en werden door de nazi's geronseld. De nazi's verzamelden wetenschappers zoals eekhoorns nootjes verzamelen.'

'Ze werden dus gedwongen,' zei Gray.

Johann staarde uit het raam naar buiten, waar het onweer woedde. 'Het waren moeilijke tijden. En mijn grootvader hield er soms vreemde opvattingen op na.'

'Zoals?'

Johann scheen de vraag niet gehoord te hebben. Hij sloeg de bijbel open en bladerde erin. Gray liep naar hem toe en wees op een paar van de tekens in de marge.

'We vroegen ons af wat daar de betekenis van was,' zei hij.

'Heeft u wel eens van het Thule-Gesellschaft gehoord?' vroeg de bejaarde man. Blijkbaar had hij Grays vraag niet gehoord.

Gray schudde zijn hoofd.

'Het was een zeer nationalistische groepering. Mijn grootvader is er lid van geworden toen hij tweeëntwintig jaar oud was. De familie van zijn moeder was verwant aan de oprichters. Ze geloofden in de theorie van de übermensch.'

'Het superieure ras.'

'Precies. Het genootschap was vernoemd naar het mythische land Thule, een overblijfsel van het verloren koninkrijk Atlantis, bevolkt door een superieur ras.'

Monk maakte een geluid van afschuw.

'Zoals ik al zei, hield mijn grootvader er soms vreemde opvattingen op na,' zei Johann met zijn ijle stem. 'Maar in die tijd was hij niet in de minderheid. Vooral niet in deze streek. In de wouden hier hielden de Germaanse stammen de Romeinse legioenen op afstand, hier hield het Romeinse Rijk op. Het Thule-Gesellschaft was de mening toegedaan dat deze Germaanse krijgers de afstammelingen van dit verloren superieure ras waren.'

Gray kon zich voorstellen dat dat een aantrekkelijke gedachte was. Als deze Germaanse krijgers een soort supermensen waren geweest, waren hun afstammelingen – de Duitsers – dat ook. 'Dat is de filosofie achter het Arische ras.'

'Hun gedachtegoed was verweven met mystiek en occultisme. Ik heb het allemaal nooit goed kunnen begrijpen... Maar volgens mijn familie was mijn grootvader ongebruikelijk nieuwsgierig. Hij zocht altijd rare dingen op, hij deed onderzoek naar mysteries uit de geschiedenis. In zijn vrije tijd probeerde hij zijn geest te scherpen. Hij deed geheugenspelletjes en maakte legpuzzels. Altijd maar legpuzzels. En toen ontdekte hij het occultisme en probeerde hij uit te zoeken wat daarvan waar was. Het werd een echte obsessie.'

Onder het spreken sloeg hij de bladzijden van de bijbel om. Uiteindelijk kwam hij bij het laatste schutblad. *'Das ist merkwürdig...'*

Gray keek over de schouder van de bejaarde man mee. 'Wat is er vreemd?'

De bejaarde man voelde aan het schutblad, opende het boek toen bij het begin en voelde daar aan het schutblad. 'De stamboom van de familie Darwin... Die stond niet alleen op het voorste schutblad, maar ook op het laatste. Ik was toen nog jong, maar dat herinner ik me heel goed.'

Johann hield het boek op en liet het laatste schutblad zien. 'De stamboom hier is weg.'

'Laat eens kijken?' Gray nam het boek van hem over en bekeek de schutbladen nauwkeurig. Fiona en Monk kwamen naast hem staan.

Gray voelde aan de omslag, en keek toen nog eens naar het laatste schutblad.

'Kijk,' zei hij. 'Hier heeft iemand de laatste bladzij van de bijbel tegen het schutblad geplakt.' Hij keek Fiona aan. 'Denk je dat Grette dat heeft gedaan?'

'Nee, geen sprake van. Ze zou nog liever de Mona Lisa aan flarden snijden.'

Als het Grette niet was geweest...

Gray keek Johann aan.

'Ik weet zeker dat niemand van mijn familie dat zou hebben gedaan. De bibliotheek is een paar jaar na de oorlog van de hand gedaan. Nadat de bijbel was teruggestuurd, heeft waarschijnlijk niemand die meer aangeraakt.'

Dan bleef alleen Hugo Hirszfeld nog over.

'Een mes,' zei Gray. Hij liep naar een tafel.

Monk haalde het Zwitserse zakmes uit zijn rugzak. Hij knipte het open en gaf het aan Gray. Voorzichtig sneed Gray de randen van het schutblad los en trok een hoekje los. Het schutblad kwam gemakkelijk vrij. Alleen de randen waren geplakt.

Johann rolde dichter naar hen toe. Hij moest zich een beetje opduwen om op de tafel te kunnen kijken. Gray deed geen poging te verbergen wat hij deed. Misschien had hij Johann nog nodig om te verklaren wat ze zouden aantreffen.

Het schutblad kwam los en de rest van de stamboom van de familie Darwin werd zichtbaar. Johann had gelijk gehad. Maar dat was niet alles wat er te zien was.

'Afschuwelijk,' zei Johann. 'Waarom zou mijn grootvader zoiets doen? Waarom heeft hij de bijbel zo beklad?'

Over de stamboom heen stond een vreemd zwart symbool, diep in het papier gekrast.

In dezelfde inkt stond iets geschreven, in het Duits: *Gott, verzeih mir.*

Gray vertaalde het: Heer, vergeef me.

Monk wees naar het symbool. 'Wat is dat?'

'Een rune,' antwoordde Johann. Met een diepe frons liet hij zich weer in zijn stoel zakken. 'Weer die waanzin van mijn grootvader.'

Gray keek hem vragend aan.

Johann legde het uit. 'Het Thule-Gesellschaft geloofde in de magie van de runentekens. Die werden in verband gebracht met macht en oude rituelen. De nazi's omarmden niet alleen het gedachtegoed van het Thule-Gesellschaft met betrekking tot het superieure ras, maar ook met betrekking tot de mystiek rond de runen.'

Gray wist dat de nazi's gek op symboliek waren geweest, en dat veel van die symbolen op runen waren gebaseerd, maar wat was de betekenis van dit teken?

'Weet u wat deze rune betekent?' vroeg hij.

'Nee. Een Duitse Jood interesseert zich daar niet voor. Niet na de oorlog.' Johann draaide zijn rolstoel en keek naar buiten. De donder rolde, en dat klonk zowel dichtbij als veraf. 'Maar ik weet wel iemand die u zou kunnen helpen. De conservator van het museum boven.'

Gray sloeg de bijbel dicht. 'Welk museum?'

Een bliksem zette de serre in een hel licht. Johann wees naar boven. Gray keek op en door de regensluier heen zag hij het enorme kasteel.

'Het Historisches Museum des Hochstifts Paderborn,' zei Johann. 'Vandaag zijn ze geopend. In het kasteel.' De bejaarde man vertrok zijn gezicht tot een grimas. 'Zij zullen wel weten waar dat symbool voor staat.'

'Hoezo?' vroeg Gray.

Johann keek hem aan of hij ze niet allemaal op een rijtje had. 'Natuurlijk weten ze dat: dat is de Wewelsburg.' Toen Gray hem niet-begrijpend aankeek, slaakte de bejaarde man een zucht. 'Himmlers zwarte Camelot. Het bolwerk van de ss.'

'Dus het was toch het kasteel van Dracula,' mompelde Monk.

Johann vertelde verder: 'In de zeventiende eeuw vonden daar heksenprocessen plaats. Duizenden vrouwen werden er gemarteld en gedood. Himmler liet er nog meer bloed vloeien. Tijdens de renovatie van het kasteel zijn er twaalfhonderd Joden uit het concentratiekamp Niederhagen omgekomen. Er rust een vloek op het kasteel, ze zouden het moeten slopen.'

'En in het kasteel is een museum?' vroeg Gray om Johann af te leiden van zijn stijgende woede. Johann was gaan piepen en ademde moeizaam. 'Daar weten ze wat deze rune betekent?'

Johann knikte. 'Heinrich Himmler was lid van het Thule-Gesellschaft, hij wist alles van runen. Daarom ook viel zijn aandacht op mijn grootvader: ze deelden een obsessie met runen.'

Gray had het idee dat ze eindelijk ergens kwamen. Kennelijk draaide alles om het occulte Thule-Gesellschaft. Maar waar ging het allemaal om? Hij had meer informatie nodig. Ze moesten echt een bezoekje aan het kasteel brengen.

Johann reed weg van Gray. 'Omdat ze deze interesse deelden, spaarde Himmler de familie van mijn grootvader, een familie van Mischlinge. Wij werden niet naar de kampen gestuurd.'

En dat hadden ze aan Himmler te danken...

Plotseling begreep Gray wat er aan de woede van de bejaarde man ten grondslag lag, en waarom hij zijn zoon de kamer uit had gestuurd. Het was een smet op de familie waarvan de jongen maar beter niet op de hoogte kon zijn. Johann keek weer door het raam naar het onweer.

Gray pakte de bijbel op en gebaarde de anderen dat ze hier weggingen. 'Danke,' zei hij tegen de bejaarde man.

Johann reageerde niet, hij was nog verdiept in het verleden.

Algauw stonden Gray en de anderen weer buiten. De regen kwam nog steeds bij bakken uit de lucht. De hof was verlaten. Vandaag zou er niet worden gefietst of gewandeld.

'Kom, we gaan,' zei Gray terwijl hij de regen in liep.

'Mooie dag om een kasteel te bestormen,' merkte Monk spottend op.

Toen ze snel over de hof liepen, zag Gray dat er een auto naast die van hen was komen staan. Er zat niemand in.

Het was een sneeuwwitte Mercedes.

9

SABOTEUR

'Waar komt het signaal vandaan?' vroeg Anna.

Ze was meteen na Gunthers oproep naar de onderhoudsruimte gekomen. Ze was alleen, ze had gezegd dat Lisa liever in de bibliotheek bleef om iets uit te zoeken. Painter vond het waarschijnlijker dat Anna hen bij elkaar uit de buurt wilde houden.

Het was maar goed ook dat Lisa veilig was, nu ze op het spoor van de saboteur waren.

Hij boog zich over de laptop heen en masseerde zijn vingers. Onder zijn nagels jeukte het. Hij hield even op met wrijven om naar de driedimensionale plattegrond van het kasteel te wijzen.

'Daar zit hij,' zei Painter. Hij tikte tegen het scherm. Het had hem verbaasd dat het kasteel zo diep in de berg was uitgehakt; de berg moest bijna hol zijn. Het signaal kwam helemaal van de andere kant. 'Maar het is slechts globaal. De saboteur moet buiten zijn om zijn mobiele telefoon met satellietverbinding te kunnen gebruiken.'

Anna ging rechtop staan. 'Daar is de heliport.'

Gunther grauwde instemmend.

Op het scherm verdween de pulserende stip ineens. 'Hij heeft de verbinding verbroken,' zei Painter. 'We moeten snel zijn.'

Anna draaide zich om naar Gunther. 'Ga Klaus waarschuwen. Zeg hem dat zijn mannen de heliport moeten afsluiten. Gauw!'

Gunther liep naar de telefoon aan de muur en gaf het bevel door. Iedereen in de buurt waar het signaal vandaan kwam, moest worden gefouilleerd. Zo zouden ze er snel achter komen wie een clandestien mobieltje in zijn of haar bezit had.

Anna zei tegen Painter: 'Bedankt voor je hulp. We komen er nu wel uit.'

'Misschien kan ik nog meer voor jullie doen.' Painter had iets op het toetsenbord van de laptop zitten tikken. Hij leerde het nummer dat op het scherm verscheen uit zijn hoofd en koppelde toen zijn zelfgemaakte signaalversterker los van het aardesnoer. Hij ging rechtop staan. 'Maar dan heb ik wel een van jullie mobieltjes met satellietverbinding nodig.'

'Ik kan je hier niet met een telefoon alleen laten,' zei Anna. Ze wreef over haar slapen. Ze had hoofdpijn.

'Je hoeft me hier niet alleen te laten. Ik ga mee naar de heliport.'

Met een frons liep Gunther op hem toe.

Anna gebaarde dat hij achteruit moest. 'We hebben geen tijd om ruzie te maken.' Woordeloos maakte ze het Gunther duidelijk dat hij een oogje op Painter moest houden.

Daarna ging Anna hen voor de ruimte uit.

Painter kwam achter haar aan. Hij wreef over zijn vingers. Hij had een brandend gevoel onder zijn nagels, en toen hij keek, zag hij dat de nagelbedden niet ontstoken waren, zoals hij had verwacht, maar dat zijn nagels vreemd bleek en kleurloos waren.

Bevriezingsverschijnselen?

Gunther gaf hem een mobieltje, maar toen hij zag dat Painter naar zijn nagels keek, schudde hij zijn hoofd en stak zijn hand uit. Eerst begreep Painter het niet, maar toen zag hij dat Gunther drie nagels miste.

Gunther liet zijn hand zakken en liep achter Anna aan.

Painter balde zijn vuisten. Dat brandende gevoel was dus geen bevriezingsverschijnsel. Het was de kwantumziekte. Hij wist nog wat Anna had gezegd over de verschijnselen die de proefpersonen hadden vertoond: het verlies van vingers, oren en tenen. Dat leek inderdaad op lepra.

Hoeveel tijd had hij nog?

Terwijl ze verder liepen naar de andere kant van het kasteel, nam Painter Gunther eens goed op. Gunther had zijn hele leven met een zwaard van Damocles boven zijn hoofd geleefd. Chronische en progressieve aftakeling, gevolgd door waanzin. Painter moest dat traject versneld afleggen. Hij kon niet ontkennen dat het hem beangstigde – niet zozeer de lichamelijke aftakeling als wel de geestelijke.

Hoe lang had hij nog?

227

Gunther moest hebben geraden waaraan hij dacht. 'Dit laat ik met Anna niet gebeuren,' grauwde hij zachtjes tegen Painter. 'Ik ben tot alles bereid om het een halt toe te roepen.'

Weer werd Painter eraan herinnerd dat ze broer en zuster waren. Pas toen hij dat eenmaal wist, had hij een oppervlakkige gelijkenis gezien: de vorm van de mond en de kin, de denkrimpels in hun voorhoofd. Ze waren familie. Maar daar hield elke gelijkenis op. Anna had donker haar en groene ogen, en haar broer zag er flets uit. Maar Gunther was dan ook onder de Glocke geboren, hij was een kind dat was geofferd, de laatste van de Sonnenkönige.

Terwijl ze door gangen kwamen en trappen afliepen, peuterde Painter de achterkant van het mobieltje los. Hij stak het in zijn zak en haalde de batterij eruit. Daarna verbond hij het zendertje met de antenne achter de batterij. Hij zou een signaal van een paar seconden kunnen maken, maar dat moest voldoende zijn.

'Wat is dat?' vroeg Gunther.

'Een gps-ontvanger. De versterker pikte het signaal op van het mobieltje van de saboteur. Misschien kan ik dit gebruiken om hem te vinden.'

Gunther gromde. Hij slikte de leugen als zoete koek.

De trap kwam uit op een brede gang, breed genoeg om met een tank doorheen te rijden. Op de grond lagen oude rails, recht de berg in. De heliport was verderop, ver van het eigenlijke kasteel. Ze stapten op een lage wagon. Gunther haalde de handrem eraf en zette met een voetpedaal de elektromotor aan. Er waren geen zitplaatsen, alleen stangen. Painter hield zich goed vast terwijl ze door de gang zoefden die spaarzaam door lampen aan de zoldering werd verlicht.

'Jullie eigen metro,' zei hij.

'Voor goederenvervoer,' reageerde Anna kortaf. Ze had diepe rimpels in haar voorhoofd. Onderweg naar hier had ze twee tabletten geslikt. Pijnstillers?

Ze kwamen langs opslagruimtes vol tonnen en kisten. Blijkbaar waren er voorraden ingevlogen en werden ze hier bewaard. Even later kwamen ze bij het einde van de gang. Het was hier warmer en vochtig, en het rook er vagelijk naar zwavel. Er klonk een dreunend geluid, Painter voelde het in zijn benen toen hij van het treintje stapte. Omdat hij de plattegrond van het kasteel had gezien, wist hij dat het geothermische energiestation hier ergens beneden moest zijn.

Maar ze gingen niet naar beneden, maar naar boven.

Ze liepen een hellende tunnel door, breed genoeg voor een terreinwagen. Ze kwamen uit in een soort grot. Door stalen luiken in het plafond viel licht naar binnen. Het zag eruit als een opslagruime van een vliegveld: er waren hijskranen en vorkliften. In het midden stonden twee A-Star Ecuriel helikopters, de ene zwart, de andere wit. Ze zagen er allebei uit als woedende horzels, gemaakt om op grote hoogte te kunnen vliegen.

Klaus, de enorme Sonnenkönig en bewaker, zag hen binnenkomen en liep op hen toe. Hij negeerde de anderen en zei in kortaf Duits: 'Alles is in orde.'

Hij knikte naar een rij mannen en vrouwen langs de wand. Zo'n tien mensen werden door bewapende bewakers in de gaten gehouden.

'En niemand is langs jullie geglipt?' vroeg Anna.

'Nein. We stonden paraat.'

Anna had in elk kwadrant van het kasteel een Sonnenkönig geposteerd, klaar om het gebied af te sluiten dat Painter met zijn apparaat zou aanwijzen. Maar stel dat Painter het bij het verkeerde eind had? Het rumoer hier zou de saboteur waarschuwen, en hij of zij zou nog beter op zijn of haar tellen gaan passen. Dit was hun enige kans.

Dat wist Anna heel goed. Stijfjes liep ze verder. 'Hebben jullie...'

Ze wankelde. Met een bezorgde uitdrukking op zijn gezicht pakte Gunther haar bij de arm om haar te ondersteunen.

'Het gaat wel,' fluisterde ze, en ze liep zelfstandig verder.

'We hebben iedereen gefouilleerd,' zei Klaus. Hij deed zijn best geen acht te slaan op het feit dat ze onvast ter been was. 'We hebben geen telefoons of zenders aangetroffen. We wilden net de heliport doorzoeken.'

Anna fronste diep. Hier waren ze al bang voor geweest. De saboteur had de mobiele telefoon kunnen verstoppen omdat hij of zij er liever niet mee rondliep.

Maar Painter had het ook mis kunnen hebben gehad. In dat geval zou hij erg zijn best moeten doen om het goed te maken.

Painter kwam bij Anna staan en liet haar zien wat hij had gefabriekt. 'Misschien kan ik helpen de telefoon snel te vinden.'

Achterdochtig keek ze hem aan, maar ze had weinig keus, dus knikte ze.

Gunther bleef vlak bij hem staan.

Painter zette het mobieltje met satellietverbinding aan en toetste het nummer in dat hij uit zijn hoofd had geleerd. Negen cijfers. Er gebeurde niets. Iedereen keek hem aan.

Geconcentreerd toetste hij het nummer nogmaals in.

Nog steeds niets.

Had hij soms het verkeerde nummer in zijn geheugen geprent?

'*Was ist los?*' vroeg Anna.

Painter keek naar de rij getallen op het schermpje. Hij controleerde ze en zag waar hij een fout had gemaakt. 'Ik heb de laatste twee cijfers verwisseld.'

Hoofdschuddend toetste hij het nummer weer in, heel geconcentreerd en langzaam. Eindelijk had hij alles in de goede volgorde. Toen hij opkeek, ontmoette hij Anna's blik. Zijn fout was niet alleen aan stress te wijten, en dat wist zij net zo goed als hij. Vaak werd het correct getallen intoetsen gebruikt als een proef van geestelijke scherpte.

En dit was maar een eenvoudig telefoonnummer...

Maar wel een heel belangrijk telefoonnummer.

Met zijn netwerk had hij het nummer van de saboteur kunnen oppikken. Hij drukte op het knopje om verbinding te maken en keek op.

In de ruimte klonk het geluid van een mobieltje.

Iedereen keek naar Klaus.

De Sonnenkönig deinsde achteruit.

'Jullie saboteur...' zei Painter.

Klaus deed zijn mond open om alles te ontkennen, maar in plaats daarvan trok hij ineens zijn pistool. Er verscheen een harde uitdrukking op zijn gezicht.

Gunther was net iets sneller, hij had zijn MK23 al klaar.

Een schotenwisseling volgde.

Klaus' wapen vloog met een tik uit zijn hand.

Gunther sprong op hem af en zette de nog rokende loop van zijn pistool tegen Klaus' wang. Het maakte een sissend geluid, alsof er iemand werd gebrandmerkt. Klaus vertrok niet eens zijn gezicht. Ze moesten de saboteur levend in handen krijgen, opdat hij vragen kon beantwoorden. En Gunther stelde de eerste vraag.

'*Warum?*' grauwde hij.

Klaus keek hem met zijn goede oog kwaad aan. Het andere oog ging verscholen onder zijn ooglid, en omdat de ene helft van zijn gezicht verlamd was, zag hij er angstaanjagend uit toen hij grijnsde. Hij spuugde op de grond. 'Om een eind te maken aan de heerschappij van de Leprakönige.'

De haat straalde van zijn gezicht af. Painter kon zich alleen maar voorstellen hoe die haat jarenlang in Klaus had gesmeuld, hoe hij had geleden onder de spot terwijl zijn lichaam langzaam aftakelde. Eens een prins, nu een melaatse. Maar Painter had ook het idee dat er meer achter stak dan wraak alleen. Er was iets gebeurd waardoor Klaus een mol was geworden.

Wie had dat voor elkaar gekregen?

'Broer, het hoeft niet zo te zijn,' zei Klaus tegen Gunther. 'Je hoeft niet te leven als een wandelende dode. Er bestaat een geneesmiddel.' Er klonk iets van hoop door in zijn stem. 'We kunnen weer koningen onder de mensen zijn.'

Dat was dus de worst die iemand hem had voorgehouden: de belofte van genezing.

Gunther liet zich niet overtuigen. 'Ik ben je broer niet,' zei hij. 'En ik ben nooit koning geweest.'

Painter begreep wat het verschil tussen deze twee Sonnenkönige was. Klaus was tien jaar ouder. Hij was als een prins opgevoed, alleen maar om zijn bevoorrechte positie te verliezen. Gunther daarentegen was pas op het eind van de proefnemingen geboren, toen het al bekend was dat deze wezens zouden aftakelen en waanzinnig worden. Hij was altijd melaats geweest; hij wist niet beter.

En er was nog een belangrijk verschil.

'Door jouw verraad is Anna ten dode opgeschreven,' zei Gunther. 'Ik zal zorgen dat jij en degenen die je hiertoe hebben aangezet, ervoor boeten.'

Klaus vertrok geen spier. 'Zij kan ook worden genezen. Dat kan geregeld worden.'

Gunther kneep zijn ogen tot spleetjes.

Klaus merkte dat zijn tegenstander aarzelde, dat hij hoop had gekregen. Niet voor zichzelf, maar voor zijn zuster. 'Ze hoeft niet te sterven.'

Painter wist nog dat Gunther had gezegd dat hij tot alles bereid was om Anna te redden. Hield dat ook in dat hij iedereen zou willen verraden? Tegen de wens van zijn zuster in?

'Wie heeft je genezing beloofd?' vroeg Anna bars.

Klaus lachte. 'Mensen die veel verhevener zijn dan dat stelletje dwazen hier. Het is niet meer dan gepast dat ze aan de kant worden geschoven. Jullie hebben afgedaan.'

Er klonk een knal. Het mobieltje met satellietverbinding spatte in Painters hand uit elkaar toen de accu ontplofte omdat de versterker kortsluiting had gemaakt. Met pijnlijke vingers liet hij de restanten van het mobieltje vallen. Hij keek omhoog door het luik in het dak. Hij hoopte dat de versterker het lang genoeg had uitgehouden.

Hij was niet de enige die werd afgeleid. Iedereen had naar hem gekeken toen het mobieltje ontplofte, ook Gunther.

Klaus maakte gebruik van zijn onoplettendheid door zijn jachtmes te trekken en op de andere Sonnenkönig af te springen. Gunther vuurde zijn pistool af en raakte de ander in zijn buik. Wankelend liet Klaus zijn mes diep in Gunthers schouder doordringen.

Met een kreet wierp Gunther Klaus op de grond.

Klaus kwam hard neer, maar met zijn ene hand tegen zijn buik gedrukt kwam hij toch overeind. Het bloed droop uit de wond. Hij hoestte en gaf helderrood bloed op. Er was een ader geraakt. Gunthers schot had voor een levensbedreigende verwonding gezorgd.

Snel liep Anna op Gunther toe om zijn wond te bekijken. Hij duwde haar weg en hield zijn pistool op Klaus gericht. Het bloed kleurde Gunthers mouw rood en drupte op de grond.

Klaus lachte rauw. 'Jullie gaan allemaal dood! Jullie zullen worden gewurgd wanneer de strop wordt aangehaald.'

Weer hoestte hij. Het bloed gutste uit zijn mond. Na nog een keer spottend te hebben gelachen viel hij op zijn buik op de grond. Gunther liet zijn pistool zakken. Hij hoefde Klaus niet meer in de gaten te houden. Nog een laatste sidderende ademhaling en de man bleef stil liggen.

Hij was dood.

Gunther liet Anna zijn verwonding met een lapje verbinden; een tijdelijke oplossing.

Painter liep om Klaus' lijk heen. Er zat hem iets dwars. De anderen stonden in groepjes te praten, hun stemmen zowel angstig als hoopvol. Ze hadden gehoord dat Klaus iets over de mogelijkheid van genezing had gezegd.

Anna kwam bij Painter staan. 'Onze technici zullen zijn mobieltje eens goed bekijken. Misschien komen we er op die manier achter wie hem tot sabotage heeft aangezet.'

'Daar is niet genoeg tijd voor,' mompelde Painter. Hij moest zich concentreren op wat hem dwarszat. Het was alsof hij iets probeerde te pakken wat net buiten zijn bereik was.

Terwijl hij door de ruimte ijsbeerde, dacht hij aan de aanwijzingen die hij van Klaus had gekregen.

We kunnen weer koningen onder de mensen zijn... Jullie hebben afgedaan...

Zijn hoofdpijn stak de kop weer op terwijl hij de puzzelstukjes op hun plaats probeerde te krijgen.

Klaus moest dubbelagent zijn geworden in een spelletje industriële spionage. Voor iemand die met een gelijksoortig onderzoek bezig was. En nu was het werk in het kasteel overbodig geworden, en werden er stappen ondernomen om de concurrentie uit de weg te ruimen.

'Kan hij de waarheid hebben gesproken?' vroeg Gunther.

Painter herinnerde zich dat Gunther even had geaarzeld toen Klaus het over genezing voor zichzelf en zijn zuster had gehad. Maar Klaus was dood en hij had zijn geheim meegenomen in het graf.

Toch zouden ze het niet opgeven.

Anna was naast Klaus geknield en trok een mobieltje uit zijn zak. 'We moeten opschieten.'

'Kun jij ons helpen?' vroeg Gunther aan Painter. Hij gebaarde naar het mobieltje.

Het was hun enige hoop: erachter zien te komen met wie Klaus had gebeld.

'Als je het gesprek kunt natrekken...' zei Anna terwijl ze opstond.

Painter schudde zijn hoofd, maar niet om die mogelijkheid te ontkennen. Hij duwde met zijn handen tegen zijn ogen. Zijn hoofd bonsde, het werd een echte migraine. Maar daarom had hij niet met zijn hoofd geschud.

Het was zo dichtbij... Hij had het bijna te pakken.

Anna raakte even zijn elleboog aan. 'Het is het beste voor ons allemaal als we...'

'Dat weet ik!' snauwde hij. 'En hou nu je kop, ik moet nadenken.'

Anna trok haar hand terug.

Iedereen was stil geworden na zijn uitbarsting. Painter dacht diep na. Het was net als toen hij de getallen probeerde in te toetsen. Zijn geest stond niet meer op scherp.

'Het mobieltje... Er is iets met het mobieltje...' fluisterde hij voor zich uit. Met pure wilskracht probeerde hij de opkomende migraine terug te dringen. 'Maar wat?'

Zachtjes zei Anna: 'Wat bedoel je?'

En toen ineens drong het tot hem door. Hoe had hij zo blind kunnen zijn?

Hij liet zijn handen zakken en deed zijn ogen open. 'Klaus wist dat het kasteel elektronisch was beveiligd. Waarom heeft hij dan toch gebeld? Waarom nam hij zo'n groot risico gepakt te worden?'

Ineens kreeg hij het ijskoud. Met een ruk draaide hij zich naar Anna om. 'Het gerucht dat er nog Xerum 525 over was... Waren wij de enigen die wisten dat het een vals gerucht was? Dat er in het echt niets van het vloeibare metaal is overgebleven?'

Iedereen staarde hem na deze onthulling aan. Er klonken boze stemmen. Ze hadden hoop aan het gerucht ontleend, ze waren optimistisch geweest dat de Glocke kon worden herbouwd. Nu was die hoop de bodem ingeslagen.

Maar iemand anders moest het gerucht ook hebben geloofd.

'Alleen Gunther wist hoe het in werkelijkheid zat,' zei Anna, en daarmee bevestigde ze waar hij juist zo bang voor was geweest.

Painter keek uit over de heliport. Inwendig stelde hij zich de plattegrond van het kasteel voor. Hij wist nu waarom Klaus had gebeld, en waarom hij dat hier had gedaan. De rotzak dacht dat hij zich daarna kon verschuilen, hij was zo van zichzelf overtuigd geweest dat hij zich niet eens van zijn mobieltje had ontdaan. Hij had met een reden voor deze plek gekozen.

'Anna, toen je het gerucht verspreidde, waar zei je toen dat het Xerum 525 lag? Hoe kwam het dat het tijdens de explosie niet werd vernietigd?'

'Ik zei dat het in een kluis zat.'

'Welke kluis?'

'Ver weg van de plek van de ontploffing. In mijn studeerkamer. Hoezo?'

Helemaal aan de andere kant van het kasteel...

'We zijn erin geluisd,' zei Painter. 'Klaus belde vanaf hier terwijl hij wist dat het kasteel elektronisch werd beveiligd. Het was de bedoeling ons hierheen te lokken, om onze aandacht van jouw studeerkamer af te leiden, van de kluis met daarin het verstopte Xerum 525.'

Niet-begrijpend schudde Anna haar hoofd.

'Het was een valstrik. Het echte doel was die veronderstelde laatste portie Xerum 525 in handen te krijgen.'

Anna zette grote ogen op.

Gunther begreep het nu ook. 'Er is nog een saboteur.'

'Terwijl wij hier zijn, gaat hij op zoek naar het Xerum 525.'

'Mijn studeerkamer!' zei Anna. Ze draaide zich naar Painter om.

Eindelijk drong tot hem door wat hem zo had dwarsgezeten, waarom hij zo misselijk was geworden. Het voelde als een pijn die dwars door hem heen trok. Iemand stond de saboteur in de weg.

Lisa inspecteerde de bovenste verdieping van de bibliotheek. Ze was via de gietijzeren ladder naar de wiebelige loopbrug geklommen en liep daar nu over rond. Ze hield zich met haar ene hand aan de balustrade vast.

Ze was al een uur bezig boeken en artikelen over kwantummechanica bij elkaar te zoeken. Ze had de originele verhandeling gevonden van Max Planck, de grondlegger van de kwantumtheorie, waarin een verwarrende wereld van elementaire deeltjes werd beschreven, een wereld waarin energie kon worden onderverdeeld in pakketjes die kwanta heetten, en waarin elementaire deeltjes zich als deeltjes én golven gedroegen.

Ze kreeg er hoofdpijn van.

Wat had dat met evolutie te maken?

Maar ze wist dat ze een manier om te genezen zou vinden als ze het antwoord op die vraag had gevonden.

Ze ging op haar tenen staan om een boek half van een plank te trekken. Ze keek naar de titel op de verweerde rug.

Was dit het juiste boek?

Haar aandacht werd getrokken door rumoer bij de deur. Ze wist dat de deur werd bewaakt. Wat was er aan de hand? Kwam Anna nu alweer terug? Hadden ze de saboteur al gevonden? Lisa draaide zich terug naar de ladder. Ze hoopte dat Painter bij Anna zou zijn. Ze vond het vervelend om van hem gescheiden te worden. Misschien kon hij haar uitleggen hoe dat allemaal zat met die vreemde theorieën over materie en energie.

Ze kwam bij de ladder en draaide zich om om haar voet op de bovenste tree te zetten.

Maar doordat er een snerpende kreet klonk, bleef ze als verstard staan.

Het kwam van net buiten de deur.

Intuïtief sprong ze terug op de loopbrug en ging plat liggen. Het rooster waarop ze lag bood weinig bescherming. Ze kroop naar de boekenkasten, in de schaduw, weg van de toortsen in de muur.

Terwijl ze daar doodstil lag, gingen de deuren open en weer dicht. Een gestalte was het vertrek in geglipt. Een vrouw in een sneeuwwitte parka. Maar het was niet Anna. De vrouw zette haar capuchon af en trok de sjaal naar beneden. Ze had lang wit haar en een spookachtig bleke huid.

Was ze een vriend of een vijand?

Lisa besloot te blijven waar ze was totdat ze zekerheid had.

De vrouw gedroeg zich erg zelfverzekerd. Ze liet haar blik onderzoekend door het vertrek dwalen. Ze draaide zich om. Op haar jas zat een veeg bloed. In haar hand hield ze een kromme *katana*, een kort Japans zwaard. Er droop bloed van de kling.

De vrouw tripte de kamer in, en draaide zich steeds om.

Ze was op jacht.

Lisa durfde haast geen adem te halen. Ze hoopte maar dat ze hier in de schaduw goed verborgen lag. Beneden brandden maar een paar lampen, en het schijnsel van het knapperende haardvuur gaf ook weinig licht. Boven was het schemerduister.

Donker genoeg om niet te worden gezien?

Lisa zag de indringster zich nog eens omdraaien. Ze stond midden in het vertrek, haar bebloede katana geheven.

Kennelijk gerustgesteld liep de vrouw met ferme passen naar Anna's bureau. Ze sloeg geen acht op de stapel boeken en paperassen op het bureau, maar liep erlangs naar de muur. Ze schoof een wandkleed weg en onthulde zo een grote zwarte muurkluis.

Daarna knielde ze en bekeek aandachtig het cijferslot, het handvat en de randen van de deur.

Omdat de vrouw zo geconcentreerd bezig was, durfde Lisa diep adem te halen. Laat die vrouw maar stelen wat ze wilde, en daarna weggaan. Als ze de bewakers had vermoord, kon Lisa daar haar voordeel misschien nog mee doen. Als ze bij een telefoon kon komen... Misschien was het maar goed dat er iemand was komen inbreken.

Ze schrok van een kletterend geluid.

Een paar meter van haar af was een dik boek van de plank gevallen. Het lag nu open op de gietijzeren loopbrug. De bladzijden sloegen nog als vanzelf om. Lisa herkende het boek: ze had het daarnet half van de plank getrokken. De zwaartekracht had de rest gedaan.

Beneden liep de vrouw terug naar het midden van de ruimte.

Als uit het niets had ze een pistool getrokken en richtte dat naar boven.

Nu kon Lisa zich nergens meer verstoppen.

9:18

BÜREN, DUITSLAND

Gray trok het portier van de BMW open. Hij wilde net instappen toen hij achter zich iemand hoorde roepen. Hij draaide zich om naar de ingang van de jeugdherberg. Onder een paraplu liep Ryan Hirszfeld snel op hem af. Er klonk een donderklap en de regen kletterde neer op de parkeerplaats.

'Instappen,' zei Gray tegen Monk en Fiona.

Zodra Ryan bij hem was gekomen, keek hij hem vragend aan.

'Gaan jullie naar het kasteel? Naar de Wewelsburg?' vroeg Ryan, terwijl hij de paraplu ook boven Gray hield.

'Ja, hoezo?'

'Mag ik met jullie meerijden?'

'Ik denk niet...'

Ryan viel hem in de rede. 'U vroeg naar mijn overgrootvader... Naar Hugo. Ik kan u misschien meer vertellen. U hoeft me alleen maar naar boven te brengen.'

Gray stond in tweestrijd. De jongeman moest hen hebben afgeluisterd toen ze met zijn vader Johann hadden gesproken. Wat kon Ryan weten dat zijn vader niet wist? Maar de jongen keek hem met grote, oprechte ogen aan.

Gray draaide zich om en hield het portier voor hem open.

'Danke.' Ryan deed de paraplu dicht en stapte achterin, bij Fiona.

Gray nam plaats achter het stuur. Even later hobbelden ze het terrein af.

'Moet je niet op de winkel passen?' vroeg Monk, die zich naar Ryan had omgedraaid.

'Alicia neemt het van me over,' zei Ryan. 'Door het onweer blijft iedereen toch bij het haardvuur.'

Gray bekeek de jongeman via de achteruitkijkspiegel. Onder Fiona's en Monks onderzoekende blikken zag hij er plotseling ongemakkelijk uit.

'Wat wilde je ons vertellen?' vroeg Gray.

In de spiegel ontmoette Ryan zijn blik. Hij slikte moeizaam. 'Mijn vader denkt dat ik niks van mijn overgrootvader Hugo weet. Hij vindt dat je het verleden maar moet laten rusten. Maar er doen nog steeds geruchten de ronde. Ook over mijn oudtante Tola.'

Gray snapte het. Familiegeheimen kwamen altijd boven, hoe diep je ze ook wilde begraven. Kennelijk was Ryan nieuwsgierig naar zijn voorouders, en naar hun rol in de oorlog. Je kon het duidelijk aan hem zien.

'Dus je bent zelf op onderzoek gegaan?' vroeg Gray.

Ryan knikte. 'Al drie jaar ben ik daarmee bezig. Maar het spoor gaat erg ver terug. Naar toen de Berlijnse Muur viel. Naar toen de Sovjet-Unie ineenstortte.'

'Dat begrijp ik niet,' reageerde Gray.

'Weet u nog dat Rusland de archieven uit de Sovjettijd openbaar maakte?'

'Jawel. Maar wat heeft dat ermee te maken?'

'Nou, toen de Wewelsburg werd gerenoveerd...'

'Wacht even.' Fiona zat met haar armen over elkaar geslagen, alsof ze het vervelend vond dat er een indringer bij was gekomen. Maar Gray had ook gezien dat ze hem tersluiks had opgenomen. Toen Fiona bewoog, vroeg hij zich af of Ryan zijn portemonnee nog wel had. 'Gerenoveerd? Hebben ze dat monsterlijke kasteel opnieuw gebouwd?'

Ryan knikte. Op dat moment zagen ze het kasteel boven de boomtoppen verschijnen. Gray sloeg de Burgstrasse in, de weg die naar het kasteel leidde. 'Himmler liet het tegen het einde van de oorlog opblazen. Alleen de noordelijke toren bleef gespaard. Na de oorlog hebben ze het herbouwd. Het is gedeeltelijk museum en gedeeltelijk jeugdherberg. Dat vindt mijn vader nog steeds heel vervelend.'

Dat kon Gray zich indenken.

'In 1979 was het klaar,' ging Ryan verder. 'In de loop der jaren hebben de verschillende museumdirecteuren de vroegere geallieerden gevraagd de documenten te overhandigen die betrekking op het kasteel hebben.'

'Dus ook aan de Russen,' zei Monk.

'Natürlich. Zodra de archieven werden opengesteld, stuurde de huidige directeur een paar archivarissen naar Rusland. Drie jaar geleden kwamen ze terug, met vrachtwagens vol documenten die betrekking hebben op de Russische campagne in dit gebied. De archivarissen kwamen ook terug met een lange lijst namen die ze in de Russische dossiers wilden opzoeken. De naam van mijn grootvader kwam ook op die lijst voor: Hugo Hirszfeld.'

'Waarom stond hij erbij?'

'Hij was betrokken bij de rituelen die het Thule-Gesellschaft in het kasteel uitvoerde. Hij stond plaatselijk bekend vanwege zijn kennis van runen, en er komen veel runentekens in het kasteel voor. Hij correspondeerde zelfs met Karl Willigut, de persoonlijke astroloog van Himmler.'

Gray dacht aan het teken in de vorm van een drietand in de bijbel, maar zei er niets over.

'De archivarissen kwamen terug met drie dozen met materiaal over mijn overgrootvader. Mijn vader werd ingelicht, maar hij wilde er niets mee te maken hebben.'

'Maar jij wel?' vroeg Monk.

'Ik wilde graag meer over hem weten,' zei Ryan. 'Ik wilde weten waarom... Wat er is gebeurd...' Hij schudde zijn hoofd.

Soms kon je het verleden domweg niet loslaten.

'En wat heb je allemaal ontdekt?' vroeg Gray.

'Niet zoveel. In een van de dozen zaten documenten uit een onderzoekslaboratorium van de nazi's. Daar werkte mijn overgrootvader. Hij had de rang van Oberarbeitsleiter. Hij stond aan het hoofd van het project.' Dat laatste kwam er beschaamd, maar toch ook uitdagend uit. 'Maar waar ze aan werkten is nog steeds niet openbaar gemaakt. De meeste documenten waren gewoon persoonlijke correspondentie met vrienden en familie.'

'En jij hebt alle brieven gelezen?'

Ryan knikte. 'Genoeg om te beseffen dat mijn overgrootvader zo zijn twijfels had over het project waaraan hij werkte. Maar hij kon niet weg.'

'Omdat ze hem anders zouden afmaken,' zei Fiona.

Ryan schudde gelaten zijn hoofd. 'Ik denk dat het meer het project zelf was... Dat kon hij niet loslaten. Niet helemaal. Het leek wel of hij ervan walgde, maar er ook door werd aangetrokken.'

Gray vermoedde dat dat ook gold voor Ryans onderzoek naar het verleden van zijn overgrootvader.

Monk hield zijn hoofd schuin. 'Wat heeft dat allemaal met de Darwinbijbel te maken?' vroeg hij, en daarmee bracht hij het onderwerp van het gesprek terug bij af.

'Ik heb een briefje aan mijn oudtante Tola gevonden,' antwoordde Ryan. 'Daarin wordt iets gezegd over de kist met boeken die mijn overgrootvader terug naar huis had gestuurd. Dat herinner ik me zo goed omdat hij er een paar vreemde dingen over zegt.'

'Wat zegt hij dan?'

'De brief wordt in het museum bewaard. Ik dacht dat jullie er misschien wel een kopie van zouden willen hebben, voor bij de bijbel.'

'Weet je niet meer wat er in de brief stond?'

Ryan fronste zijn voorhoofd. 'Alleen een paar regels. "Perfectie kun je verstopt in mijn boeken vinden, lieve Tola. De waarheid is te mooi om te laten sterven, en te monsterlijk om los te laten."'

Er viel een diepe stilte in de auto.

'Twee maanden later overleed hij.'

Gray dacht aan wat Ryans overgrootvader had geschreven: verstopt in mijn boeken. In de vijf boeken die Hugo voordat hij stierf naar huis had gestuurd. Had hij dat gedaan om iets geheims veilig te stellen? Om ervoor te zorgen dat wat 'te mooi was om te laten sterven, maar te monsterlijk om los te laten', bewaard bleef?

Gray keek Ryan via de achteruitkijkspiegel recht aan. 'Heb je iemand verteld over wat je hebt aangetroffen?'

'Nee, maar de bejaarde heer en zijn neef en nicht – de mensen die eerder dit jaar met mijn vader over de boeken wilden spreken... Zij hadden de paperassen van mijn grootvader al doorgenomen, in het kasteel. Ik denk dat ze dezelfde brief hadden gelezen, en dat ze naar mijn vader waren gegaan om er meer over te weten te komen.'

'Die mensen... Die neef en die nicht, hoe zagen ze eruit?'

'Ze hadden wit haar en waren lang en sportief. Mijn overgrootvader zou zeggen dat ze van goede komaf waren.'

Gray wisselde een blik met Monk uit.

Fiona schraapte haar keel. Ze wees naar haar hand. 'Hadden ze hier een tatoeage?'

Ryan knikte. 'Ik geloof van wel. Kort nadat ze waren gekomen, stuurde mijn vader me weg. Net als vandaag. Zoiets is niks voor kinderen.' Ryan probeerde te lachen, maar hij voelde de spanning in de auto. Zijn blik vloog van de een naar de ander. 'Kennen jullie hen?'

'Het is de concurrentie,' legde Gray uit. 'Verzamelaars, net als wij.'

Ryan keek een beetje ongelovig, maar hij vroeg niet verder.

Gray moest weer aan die handgetekende rune denken die in de bijbel was verstopt. Stonden er in de andere boeken net zulke cryptische symbolen verborgen? Had het iets te maken met het onderzoek dat Hugo voor de nazi's had verricht? Draaide het daar allemaal om? Het was onwaarschijnlijk dat deze moordenaars hier zomaar waren gekomen om het archief door te spitten... Tenzij ze naar iets speciaals op zoek waren.

Maar naar wat?

Monk zat nog steeds half omgedraaid, maar nu ging hij weer gewoon zitten. Zachtjes zei hij: 'Je weet toch dat we worden gevolgd, hè?'

Gray knikte alleen maar.

Een paar honderd meter achter hen reed een auto door de regen. Dezelfde auto die bij de jeugdherberg had gestaan. Een parelwitte Mercedes sportwagen. Misschien waren het toeristen die ook een kijkje in het kasteel wilden nemen.

Vast.

'Misschien kun je beter meer afstand houden, Isaak.'

'Ze hebben ons allang gezien, Ischke.' Hij knikte in de richting van de BMW die in de regen een paar honderd meter voor hen uit reed. 'Zie je dat hij niet meer zo keurig de bochten neemt? Hij weet het.'

'Willen we dat dan?'

Isaak keek zijn zuster even aan. 'Jagen gaat het beste als de prooi weet dat er op hem wordt gejaagd.'

'Daar zou Hans het niet mee eens zijn geweest.' Ze vertrok haar gezicht van verdriet.

Even streelde hij haar hand, een gebaar van gedeelde droefenis. En ook van verontschuldiging; hij wist dat ze erg gevoelig kon zijn.

'Er is geen andere weg naar het kasteel,' stelde hij haar gerust. 'En daar is alles in gereedheid gebracht. We hoeven er alleen maar voor te zorgen dat ze in de val lopen. Als ze achteromkijken, is er minder kans dat ze zien wat er voor hen ligt.'

Ze knikte.

'Het wordt tijd dat we alle losse eindjes wegwerken. Daarna kunnen we naar huis.'

'Naar huis...' verzuchtte ze verlangend.

'Het is allemaal bijna achter de rug. We moeten het doel voor ogen houden, Ischke. Hans' offer zal niet voor niets zijn gebracht, zijn bloed zal een nieuwe wereld inluiden; een betere wereld.'

'Dat zegt oupa.'

'Je weet dat hij gelijk heeft.'

Hij keek haar aan en glimlachte vermoeid.

'Voorzichtig met het bloed, Ischke.'

Zijn zuster keek naar de lange, stalen kling van haar dolk. Ze had die afwezig met wit zeemleer schoongepoetst. Een rode druppel was bijna op haar witte broek gevallen. Eén los eindje weggewerkt. Er bleven er nog maar een paar over.

'Dank je, Isaak.'

13:22

DE HIMALAYA

Lisa staarde naar het geheven pistool.

'*Wer ist da? Kommen Sie raus!*' riep de blonde vrouw naar boven.

Hoewel Lisa de Duitse taal niet machtig was, begreep ze wel wat er werd bedoeld. Langzaam stond ze op, haar handen omhoog. 'Ik spreek geen Duits,' riep ze naar beneden.

De vrouw keek haar zo fel aan dat het voelde alsof er een laserstraal over haar lichaam gleed.

'Je bent een van de Amerikanen,' zei de vrouw in keurig Engels. 'Kom naar beneden. Langzaam.'

Het pistool bleef op Lisa gericht.

Lisa had geen keus. Ze liep naar de ladder, draaide zich om en klom naar beneden. Ze verwachtte elk moment een schot te horen. Haar schouders stonden gespannen. Maar ze bereikte veilig de grond.

Ze draaide zich om, haar handen een eindje van haar lichaam gehouden.

De vrouw kwam op haar af. Lisa deinsde achteruit. Ze besefte dat de vrouw haar niet ter plekke neerschoot omdat ze bang was voor het lawaai. De bewakers bij de deur had ze afgezien van een korte kreet bijna geluidloos met haar zwaard afgemaakt.

De moordenaar hield de bebloede katana nog steeds in haar andere hand.

Misschien was Lisa op de loopbrug veiliger geweest. De vrouw zou op haar hebben moeten schieten als op een eendje in een schiettent. Mis-

241

schien zou het lawaai van de schoten de anderen op tijd hebben gewaarschuwd. Het was stom van haar om naar beneden te komen, waar de inbreker haar met het zwaard te lijf kon gaan. Maar in haar paniek had ze niet helder kunnen denken. Het was moeilijk niet te doen wat je werd gezegd als er een pistool op je gericht stond.

'Het Xerum 525,' zei de vrouw. 'Ligt het in de kluis?'

Even overwoog Lisa wat ze zou zeggen. De waarheid, of een leugen? Veel keus had ze niet. 'Anna heeft het meegenomen,' antwoordde ze. Ze gebaarde vagelijk naar de deur.

'Waarheen?'

Ze wist nog wat Painter had gezegd toen ze nog maar pas gevangen waren genomen. Zorg dat je hun van nut bent. 'Ik ken het kasteel niet goed genoeg om het uit te leggen. Maar ik weet wel hoe je er moet komen... Ik kan je brengen.' Lisa's stem stierf weg. Ze moest overtuigend klinken. Misschien kon ze gaan onderhandelen, om het allemaal echter te laten lijken. 'Ik breng je er als jij belooft me hier weg te halen.'

De vijand van mijn vijand is mijn vriend...

Zou de vrouw erin trappen? Ze was beeldschoon; slank, met een gave huid en volle lippen, maar haar ijzigblauwe ogen stonden berekenend en kil.

Lisa vond haar doodeng. Ze had iets onaards.

'Laat dan maar zien,' zei de vrouw. Ze stopte het pistool in een holster, maar de katana bleef ze vasthouden.

Lisa had het liever andersom gezien.

De vrouw gebaarde met het zwaard naar de deur.

Lisa moest voorop. Ze liep naar de deur. Misschien kon ze het in de gang op een lopen zetten. Dat zou haar enige kans zijn. Ze moest het juiste moment afwachten, wanneer er de een of andere afleiding was, en dan de benen uit haar lijf rennen.

Een vleugje wind, en de vlammen in de open haard die even hoger oplaaiden. Dat was de enige waarschuwing die Lisa kreeg.

Ze draaide zich om, en daar stond de vrouw al. Ze was onhoorbaar en onmogelijk snel achter haar aan gekomen. Hun blikken ontmoetten elkaar. Voordat het zwaard naar beneden kwam wist Lisa al dat de vrouw haar geen moment had geloofd.

Het was een valstrik geweest om ervoor te zorgen dat ze even niet oplette.

Het zou haar laatste vergissing zijn.

De wereld leek stil te staan toen het zilveren Japanse zwaard op Lisa's hartstreek toe zoefde.

Gray zette de BMW weg naast een blauwe Wolters touringcar. De grote Duitse bus maakte de auto vanaf de straat onzichtbaar. De poort naar de binnenplaats van het kasteel lag voor hen.

'Blijf in de auto,' zei hij tegen de anderen. Hij draaide zich om. 'Ik heb het tegen jou, jongedame.'

Fiona maakte een obsceen gebaar, maar ze bleef zitten.

'Monk, neem plaats achter het stuur. En hou de motor draaiend.'

'Oké.'

Ryan keek met grote ogen naar hem op. '*Was ist los?*'

'Er is niks *los*,' zei Monk. 'Maar wees in elk geval toch maar op je hoede.'

Gray opende het portier. Hij werd getroffen door een regenvlaag. Tegen de bus klonk de regen als een salvo geweervuur. In de verte rommelde de donder.

'Ryan, mag ik je paraplu lenen?'

De jonge man knikte en gaf hem de paraplu.

Gray stapte uit. Hij stak de paraplu op en liep snel naar de achterkant van de bus. Bij het achterste portier bleef hij staan schuilen voor de regen, in de hoop dat hij eruitzag alsof hij bij de bus hoorde. Verscholen onder de paraplu keek hij de weg af.

Er doemden koplampen op.

Even later verscheen de witte sportwagen en reed zonder te stoppen langs de parkeerplaats. Hij zag de achterlichten verdwijnen in de regen terwijl de auto naar Wewelsburg reed, het plaatsje dat vlak bij het kasteel lag. De auto verdween om een bocht.

Gray bleef nog vijf minuten wachten, toen liep hij om de bus heen en gaf Monk het teken dat het veilig was. Monk schakelde de motor uit. Gerustgesteld dat de Mercedes niet zou terugkomen, gebaarde Gray dat de anderen konden uitstappen.

'Heb je wel vaker last van paranoia?' vroeg Fiona terwijl ze langs hem heen naar de poort liep.

'Het is geen paranoia als ze het daadwerkelijk op jou hebben voorzien,' riep Monk haar na. Tegen Gray zei hij: 'Hebben ze het echt op ons voorzien?'

Gray tuurde door de regen. Hij hield niet van toeval, maar ook al zinde het hem allemaal niet, hij moest toch verder. 'Blijf bij Fiona en Ryan in de buurt. We gaan die directeur eens spreken. Ik wil een kopie van die brief van de oude Hugo aan zijn dochter, daarna smeren we hem.'

Monk keek naar de hoog oprijzende torens met kantelen. De regen gutste van het grijze steen en uit de groene regenpijpen. Achter maar een paar ramen waren tekenen van leven, verder was het kasteel donker en dreigend.

'Laten we duidelijk zijn,' zei hij. 'Als ik hier ook maar één zwarte vleermuis zie, ben ik weg.'

13:31

DE HIMALAYA

Lisa zag het zwaard op haar borst afkomen. Het gebeurde allemaal heel snel. De tijd leek stil te staan. Dus op deze manier zou ze aan haar einde komen...

Plotseling werd de stilte verscheurd door het geluid van brekend glas, gevolgd door een schot van onmogelijk ver weg, zo leek het. Bloed spoot uit de hals van de inbreker, en haar hoofd knakte naar achteren.

Maar haar hand met het zwaard maaide nog door de lucht.

Het zwaard trof Lisa in de borst, sneed door haar huid en raakte haar borstbeen. Maar er zat geen kracht achter de slag. De katana glipte uit de hand van de vrouw, en het wapen viel kletterend op de grond zonder grote schade te hebben aangericht.

Lisa wankelde achteruit en keek ongelovig naar de vrouw en het zwaard op de grond.

Nog meer glasgerinkel. Ze hoorde een stem, wazig en veraf, alsof ze onder water was.

'Gaat het? Lisa...'

Ze keek op. Het raam, waar eerst ijsbloemen op hadden gestaan, was ingeslagen met een geweerkolf. Er verscheen een gezicht voor, omlijst door glasscherven.

Painter.

Achter hem wervelde sneeuw. Er kwam iets groots en donkers uit de lucht. Een helikopter. Er hing een touw met een tuig onder.

Bevend zonk Lisa op haar knieën.

'We komen zo,' beloofde Painter.

Vijf minuten later boog Painter zich over het lijk van de inbreker. De tweede saboteur. Anna was de vrouw geknield aan het fouilleren. Lisa zat in een stoel bij de open haard, haar trui uit en haar blouse open, waardoor haar beha te zien was met daaronder een bloederige snee. Geholpen door Gunther had Lisa de wond al schoongemaakt, en nu bracht ze zwaluwstaartjes aan om de randen bij elkaar te houden. Ze had geboft. De beugel in haar beha had ervoor gezorgd dat het zwaard niet dieper was doorgedrongen, en had daarmee haar leven gered. Deze beha zorgde echt voor extra steun.

'Geen papieren, niets om haar mee te kunnen identificeren,' zei Anna terwijl ze zich naar Painter omdraaide. 'We hadden de saboteur levend in handen moeten krijgen.'

Ze had gelijk. 'Ik richtte op haar schouder,' verontschuldigde hij zich.

Geërgerd schudde hij zijn hoofd. Hij was duizelig geweest nadat hij aan het touw uit de helikopter was gezakt. Omdat er geen tijd te verspillen was, waren ze per helikopter naar deze kant van het kasteel gegaan. Te voet hadden ze het nooit op tijd gehaald, maar de helikopter was over de berg gevlogen en had een van hen in het tuig laten zakken.

Anna kon niet goed met vuurwapens overweg, en Gunther bestuurde de helikopter.

Dus moest Painter naar beneden.

Ondanks zijn duizeligheid was Painter naar het kasteel geslopen en had zo goed mogelijk door het raam een schot afgevuurd. Hij moest snel zijn omdat de vrouw Lisa met een zwaard aanviel.

Hoewel hij alles dubbel zag, had hij toch maar geschoten.

Er had veel op het spel gestaan, maar Painter had geen spijt van zijn beslissing, ook al konden ze nu niet te weten komen wie er achter de sabotage zat. Hij had de uitdrukking van doodsangst op Lisa's gezicht gezien. Duizelig of niet, hij had de trekker overgehaald. En nu bonsde zijn hoofd, en rees er angst voor iets anders in hem op.

Stel dat hij Lisa had geraakt? Hoe lang kon hij nog nuttig zijn? Wanneer veranderde hij in een blok aan het been? Die gedachte onderdrukte hij snel.

Niet in je handen wringen, maar de mouwen opstropen...

'Niets bijzonders?' vroeg hij.

'Alleen dit.' Anna draaide de pols van de vrouw om en liet de rug van haar hand zien. 'Herken je dit?'

Op de bleke huid stond een zwarte tatoeage. Vier met elkaar verbonden ringen.

'Ziet er Keltisch uit, maar mij zegt het niets.'

'Mij ook niet.' Anna liet de hand van de vrouw vallen.

Er viel Painter nog iets anders op en hij knielde bij de vrouw neer. Hij draaide de nog warme hand nog eens om. De pinknagel van de vrouw ontbrak.

Anna pakte de hand van hem over en voelde aan het nagelbed. 'Droog...'
Met een diepe frons keek ze hem aan.

'Denk jij wat ik denk?' vroeg hij.

Anna richtte haar blik op het gezicht van de vrouw. 'Ik zou een scan van het netvlies moeten maken... Rond de oogzenuw naar tekenen van petechie zoeken.'

Painter had geen verder bewijs nodig. Hij had gezien hoe snel de vrouw zich kon bewegen, onnatuurlijk lenig. 'Ze is een Sonnenkönig.'

Lisa en Gunther kwamen erbij.

'Ze is niet een van onze Sonnenkönige,' zei Anna. 'Ze is te jong. Te volmaakt. Wie haar ook heeft gecreëerd, heeft van de modernste technieken gebruikgemaakt, de technieken die wij tijdens ons onderzoek in het laboratorium hebben geperfectioneerd. Zij hebben die gebruikt om er menselijke wezens van te maken.'

'Kan iemand misschien achter je rug om...'

Anna schudde haar hoofd. 'Er is enorm veel energie voor nodig om de Glocke te activeren. Dat zou ons onmogelijk zijn ontgaan.'

'Dan kan het maar één ding betekenen.'

'Ze is ergens anders gecreëerd.' Anna stond op. 'Door iemand die over een werkende Glocke beschikt.'

Painter bleef waar hij was en bekeek de nagel en de tatoeage nog eens goed. 'En die iemand wil jullie het werk onmogelijk maken,' mompelde hij.

Er viel een diepe stilte.

In de stilte hoorde Painter iets tikken. Het was nauwelijks hoorbaar. Het kwam van de vrouw. Het drong tot hem door dat het hem al eerder was opgevallen, maar toen heerste er nog zo'n verwarring dat hij er niet verder over had nagedacht.

Hij stroopte haar mouw op.

Om haar pols zat een stevige leren band van vijf centimeter breed, met daarop een horloge. Painter keek op de rode wijzerplaat. Een holografische wijzer zwiepte rond en tikte de seconden weg. Er gloeiden digitale cijfers op.

01:32

Met elke zwiep van de wijzer werd er een seconde afgetrokken.

Nog iets meer dan een minuut.

Painter maakte het horloge los en keek aan de binnenzijde van de band. Er zaten twee zilveren contactpunten op. Een hartslagmonitor. En in het horloge moest zich een microzender bevinden.

'Wat doe je?' vroeg Anna.

'Heb je gekeken of ze geen explosieven bij zich draagt?'

'Ja, en ik vond niets,' antwoordde Anna. 'Hoezo?'

Painter kwam overeind en zei snel: 'Ze heeft een monitor. Toen haar hart stilstond, is er een signaal verzonden.' Hij keek naar het horloge in zijn handen. 'Dit is gewoon maar een timer.'

Hij liet het hun zien.

01:05

'Klaus en deze vrouw konden overal vrij rondlopen. Ze hadden meer dan genoeg tijd explosieven te plaatsen, voor het geval er iets misging.' Hij hield het horloge omhoog. 'Volgens mij willen we hier niet zijn wanneer dit klokje op nul staat.'

De tweede wijzer was helemaal rond geweest, en er klonk een piepend geluidje.

00:59

'We moeten hier weg. Nu meteen!'

10

HET ZWARTE
CAMELOT

'De ss is opgericht als persoonlijke lijfwacht voor Hitler,' vertelde de gids in het Frans. Hij leidde een groep doorweekte toeristen rond door het museum van de Wewelsburg. 'De term ss is afgeleid van het Duitse Schutzstaffel, en dat betekent: beschermingsafdeling. Pas later werd het Himmlers Zwarte Orde.'

Gray ging opzij toen de groep langs hem liep. Terwijl hij op de museumdirecteur wachtte, had hij naar de gids geluisterd en veel over de geschiedenis van het kasteel opgestoken. Himmler had het kasteel voor één Reichsmark per jaar gehuurd, en daarna werd het voor miljoenen verbouwd tot zijn eigen Camelot. Maar de prijs in menselijk bloed en lijden lag nog veel hoger.

Gray stond naast een vitrine waarin een gestreept pak lag dat de gevangenen in het concentratiekamp Niederhagen hadden gedragen.

Buiten rolde de donder, en de ruiten rammelden.

De toeristen liepen verder en de stem van de gids werd overstemd door het geroezemoes van de andere bezoekers die hier allemaal voor de regen waren komen schuilen.

Monk stond bij Fiona. Ryan was de directeur gaan halen. Monk boog zich over een vitrine om te kijken naar een van de beruchte Totenkopfringen, een zilveren ring die officieren in de ss droegen. Er stonden runen in gegraveerd, evenals een schedel en gekruiste beenderen. Een afgrijselijk kunstwerkje, vol machtssymbolen.

In de kleine ruimte stond nog meer uitgestald: schaalmodellen, foto's van het dagelijkse leven, spullen van de ss en zelfs een vreemde theepot die ooit van Himmler was geweest. Er stond een rune op die aan een zon deed denken.

'Daar komt de directeur,' zei Monk. Hij knikte in de richting van een gezette heer die net met Ryan door een deur kwam.

De directeur van het museum was ergens achter in de vijftig. Hij had peper-en-zoutkleurig haar en droeg een verkreukt zwart pak. Terwijl hij op Gray toe liep, zette hij zijn bril af en stak zijn hand uit.

'Doktor Dieter Ulmstrom,' zei hij. 'Ik ben directeur van het Historisches Museum des Hochstifts Paderborn. *Willkommen.*'

Ondanks dit hartelijke welkom zag hij er gekweld uit.

Hij ging verder met: 'Ryan heeft uitgelegd dat u nader onderzoek wilt doen naar runen die u in een oud boek heeft aangetroffen. Hoogst intrigerend.'

Weer zag hij er eerder gepijnigd uit dan geïntrigeerd.

'We zullen u niet lang ophouden,' zei Gray. 'We vroegen ons af of u ons de betekenis van een bepaalde rune kon uitleggen.'

'Natuurlijk. Als er iets is waar de museumdirecteur van de Wewelsburg veel van moeten weten, dan zijn het wel runen.'

Gray gebaarde dat Fiona de Darwinbijbel moest pakken.

Nadat ze het boek aan Gray had gegeven, sloeg hij het open bij het laatste schutblad.

Met getuite lippen zette Ulmstrom zijn bril weer op en boog zich over het boek. Aandachtig bekeek hij de rune die Hugo Hirszfeld met zwarte inkt in het karton had gekerfd.

'Mag ik het boek eens goed bekijken, bitte?'

Na een korte aarzeling gaf Gray het hem.

De directeur bladerde erin en keek naar de tekeningen die er als kippenpoten uitzagen. 'Een bijbel... Hoe vreemd.'

'Maar het symbool achterin...' drong Gray aan.

'Natuurlijk. Dat is de rune met de betekenis: *Mensch.*'

'Mensch,' herhaalde Gray. Dat was Duits voor: mens.

'Ja. Ziet u die vorm? Een onthoofd poppetje.' De directeur bladerde terug. 'Ryans overgrootvader lijkt nogal geobsedeerd te zijn geweest door de symbolen die met de Alvader in verband staan.'

'Wat wilt u daarmee zeggen?' vroeg Gray.

Ulmstrom wees op een van de tekeningetjes in de bijbel.

'Dat is de letter k,' zei hij. 'In Angelsaksische alfabetten ook wel *cen* genoemd. Het is een vroege rune voor mens, slechts twee armen omhoog. En hier, op deze bladzijde, staat dezelfde rune in spiegelbeeld.' Hij sloeg een paar bladzijden om en wees op de rune.

'Deze runen kunt u vergelijken met de twee kanten van een munt. Yin en yang. Mannelijk en vrouwelijk. Licht en donker.'

Gray knikte. Het deed hem denken aan de gesprekken die hij met Ang Gelu had gehad toen hij nog diens leerling was. Elke beschaving leek in deze dualiteit geïnteresseerd te zijn. Door de gedachte aan Ang Gelu moest hij ineens aan Painter Crowe denken. Er was nog steeds geen bericht uit Nepal gekomen, en dat verontrustte hem.

Monk vroeg: 'Wat hebben deze runen met die Alvader te maken?'

'Ze staan alle drie in symbolisch verband met elkaar. De grote rune, de Mensch-rune, stelt de Noorse god Thor voor, de god die leven schenkt. Hij staat voor een hoger wezen, iets wat we allemaal graag zouden willen worden.'

Gray dacht daarover na. 'En die twee eerdere runen, de letter k, die vormen samen de Mensch-rune.'

'Hè?' zei Monk.

'Kijk maar,' zei Fiona. Ze had begrepen wat Gray bedoelde. Met haar vinger tekende ze in het stof op een vitrine. 'Het is een soort puzzel. Als je die twee tekens naar elkaar toe schuift, krijg je de Mensch-rune.'

'*Sehr gut*,' zei de directeur. Hij tikte op de eerste twee runen. 'Deze stellen de gewone mens voor, in al zijn dualiteit, die samen de Alvader vormen, een opperwezen.' Ulmstrom gaf de bijbel hoofdschuddend terug aan Gray. 'Deze runen waren voor Ryans overgrootvader duidelijk een obsessie.'

Gray keek naar de rune op het schutblad. 'Ryan, Hugo was toch bioloog?'

Ryan leek door dit alles ontzet te zijn. 'Ja, net als mijn oudtante Tola.'

Gray knikte langzaam. De nazi's waren altijd in het sprookje van het superieure ras geïnteresseerd geweest, in de Alvader van wie het Arische ras zou afstammen. Waren deze tekeningetjes het bewijs dat Hugo daarin geloofde? Gray dacht van niet. Hij wist nog wat Ryan had verteld over de brieven van zijn overgrootvader, en diens groeiende onvrede. En toen had hij een cryptische boodschap aan zijn dochter gestuurd, waarin werd gezinspeeld op een geheim, te mooi om te laten sterven, maar te monsterlijk om los te laten.

Dat had de ene bioloog aan de andere geschreven.

Hij voelde dat het allemaal met elkaar te maken had: de runen, de Alvader en een onderzoek dat lang geleden was gestaakt. Wat het geheim ook mocht zijn, het was het waard om voor te moorden.

Ulmstrom vertelde verder: 'De nazi's vonden de Mensch-rune bijzonder interessant en gaven die zelfs een andere naam: de *Lebensrune*.'

'De rune van het leven?' vroeg Gray.

'Ja. Die gebruikten ze voor het Lebensbornprogramma.'

'Wat is dat?' vroeg Monk.

Dat wist Gray. 'Een soort fokprogramma van de nazi's. Boerderijen om meer blonde, blauwogige kinderen te fokken.'

De directeur knikte. 'Maar net zoals de k-rune een tegenhanger heeft, heeft de Lebensrune die ook.' Hij gebaarde dat Gray de bijbel ondersteboven moest houden, waardoor de rune ook op zijn kop kwam te staan. 'Ondersteboven krijgt de Lebensrune een tegengestelde betekenis, en noemen we die de Todesrune.'

Monk keek fronsend naar Gray op.

Die vertaalde het voor hem: 'De rune van de dood.'

13:37

DE HIMALAYA

De dood telde af.

00:55

Painter stond met de timer van de vrouw in zijn hand. 'Er is geen tijd meer om te voet weg te komen. We komen nooit buiten bereik van de explosie.'

'Wat moeten we dan...' zei Anna.

'De helikopter.' Painter wees naar het raam. De A-Star helikopter waarmee ze hier waren gekomen, stond nog voor het kasteel, en de motor was nog warm.

'De anderen...' Anna rende naar de telefoon om hen te waarschuwen.

'*Keine Zeit*,' grauwde Gunther, die haar tegenhield.

Gunther haalde zijn geweer van zijn schouder, een Russische A-91 Bullpup. Met zijn andere hand trok hij een granaat van zijn riem en stopte die in de afvuurinrichting van het 40mm geweer.

'*Hier!*' Met grote stappen beende hij op Anna's bureau af. '*Schnell!*'

Hij richtte het wapen op het raam met de tralies ervoor.

Painter greep Lisa's hand en trok haar mee om dekking achter het zware bureau te zoeken. Anna rende achter hen aan. Gunther wachtte totdat het veilig was en haalde de trekker over. Er spoot gas uit de loop van het wapen.

Even later zaten ze allemaal achter het bureau.

Gunther greep zijn zuster beet en ging op haar liggen. Het geluid waarmee de granaat ontplofte, was oorverdovend. Painter voelde zijn oren ploepen. Lisa hield haar handen over haar oren. Door de luchtdruk schoof het bureau wel tien centimeter op. Stukjes steen en glasscherven regenden op het bureau neer. Een wolk van stof en rook hing overal overheen.

Gunther trok Anna overeind. Er werden geen woorden verspild. In de muur van de bibliotheek was een gat naar buiten ontstaan. Op de vloer lagen boeken te smeulen, en er waren ook boeken de binnenplaats op geblazen.

Ze renden naar buiten.

De helikopter stond veertig meter verderop. Ze sprongen over de brokken steen en brandende boeken heen en sprintten naar de helikopter.

Painter hield de timer nog steeds in zijn hand. Hij keek er pas op toen ze bij de helikopter waren gekomen. Gunther had die als eerste bereikt, en hij trok het achterportier open. Painter hielp Anna en Lisa instappen, en dook er vervolgens zelf in.

Gunther zat al klaar op de stoel van de piloot. Iedereen klikte de veiligheidsgordels vast. Painter keek nog eens op de timer. Niet dat ze daar iets aan hadden... Of ze kwamen op tijd weg, of niet.

Met bonzend hoofd keek hij naar het schermpje. Hij had zo'n stekende hoofdpijn dat hij het nauwelijks kon lezen.

00:09

Er was geen tijd te verliezen.

Gunther liet de motor brullen. Painter keek op. De rotorbladen draaiden al... Langzaam, te langzaam. Hij keek uit het raampje. De helikopter stond op een helling met verse sneeuw. In de lucht verschenen al wolken, en overal hingen ijzige mistflarden.

Op de voorste stoel vloekte Gunther zacht. De helikopter kon in deze ijle lucht niet opstijgen als de rotorbladen niet op topsnelheid draaiden.

00:03

Ze zouden het nooit redden.

Painter pakte Lisa's hand.

Hij kneep erin, en op dat moment leek het of de wereld verging. Er klonk een gedempte knal. Allemaal hielden ze hun adem in, in de volste verwachting van de berg geblazen te worden. Maar er gebeurde niets. Misschien zou het achteraf toch nog meevallen.

Toen gleed de sneeuw weg waarop de helikopter stond. Met de neus naar voren dook de helikopter weg. Boven hun hoofden draaien de rotorbladen vruchteloos rond. Het hele sneeuwdek gleed weg, alsof de berg het afschudde, en de helikopter schoof mee.

Ze gleden naar de rand van een afgrond. De sneeuw viel al als een kolkende waterval naar beneden.

Weer een schok, van nog een explosie.

De helikopter bokte, maar wilde niet opstijgen.

Gunther trok aan hendels en duwde op de choke.

Ze naderden de rand van de afgrond. Ze hoorden de sneeuwlawine, het lawaai daarvan overstemde het geluid van de brullende motor.

Lisa kroop tegen Painter aan en omklemde zijn hand. Aan haar andere kant zat Anna stijf rechtop. Uitdrukkingsloos keek ze recht voor zich uit.

Voorin zweeg Gunther plotseling.

Ze gleden over de rand toen de sneeuw onder hen wegviel. Steeds sneller stortten ze naar beneden. De helikopter trilde hevig. Om hen heen zagen ze grauwe rotswand.

Niemand gaf ook maar een kik, maar de motor maakte geluid voor tien.

En toen ineens kregen de rotorbladen houvast. Zoals een lift die stopt, bleef de helikopter plotseling staan. Gunther grauwde tegen het bedieningspaneel, en toen steeg de helikopter langzaam en om zijn as draaiend op.

De laatste sneeuw tuimelde de afgrond in.

De helikopter steeg hoger, en ze konden de schade zien die aan het kasteel was aangericht. Er kolkte rook uit de ramen in de gevel. De voordeuren waren eruit geblazen. Achter de berg steeg dikke zwarte rook op. Die kwam van de heliport aan de andere kant.

Anna liet zich onderuitzakken. 'Er waren daar honderdvijftig mensen.'

'Misschien zijn er een paar ontsnapt,' zei Lisa toonloos.

Ze zagen nergens iets bewegen.

Er was slechts rook.

Anna gebaarde naar het kasteel. *'Wir müssen suchen...'*

Maar er viel niets te zoeken, er viel niemand te redden.

Een verblindend witte flits, als van een bliksemschicht, verscheen achter alle ramen. Achter de berg leek het of de zon opkwam. Er klonk geen enkel geluid, er was uitsluitend hel licht, zo schel dat je verder niets meer kon zien.

Painter voelde dat de helikopter met een ruk omhoogschoot. En toen klonk er geluid, een rommelend geluid. Het kwam niet van een lawine. Het klonk eerder of twee aardplaten met elkaar in botsing waren gekomen.

De helikopter bleef sidderend in de lucht hangen.

Langzaam konden ze weer iets zien.

Painter keek uit het raampje naar beneden.

'Jezus...' bracht hij ontzet uit.

Het stof benam hem grotendeels het zicht, maar dat kon toch niet de verwoesting verhullen. De berg was gedeeltelijk ingestort. Het graniet boven het kasteel was naar beneden gekomen, en alles daaronder, het hele kasteel, was domweg verdwenen.

'Unmöglich,' mompelde Anna voor zich uit.

'Wat?'

'Zulke verwoesting... Het moet een nulpuntenergiebom zijn geweest.' Haar ogen stonden wazig.

Painter wachtte totdat ze het uitlegde.

Sidderend haalde ze adem. 'Uit Einsteins theorie is de eerste atoombom voortgekomen, die gebruikte de energie van een paar uraniumatomen. Maar dat stelt allemaal niets voor vergeleken met de krachten die uit Plancks kwantumtheorie kunnen voortkomen. Zulke bommen gebruiken energie die met de oerknal te vergelijken is.'

Er viel een stilte.

Anna schudde haar hoofd. 'Experimenten met de energiebron van de Glocke – het Xerum 525 – toonden aan dat nulpuntenergie als wapen kan worden gebruikt. Maar daar hebben we geen verder onderzoek naar gedaan.'

'Iemand anders heeft dat wel gedaan,' reageerde Painter. Hij dacht aan de witblonde vrouw die in het kasteel de dood had gevonden.

Anna keek Painter met een van afschuw vertrokken gezicht aan. 'We moeten hun een halt toeroepen.'

'Maar wie zijn het?'

'Ik denk dat we daar wel achter kunnen komen,' zei Lisa plotseling. Ze wees naar stuurboord.

Boven een andere bergtop verschenen drie witte helikopters, bijna onzichtbaar tegen de sneeuw. In formatie vlogen ze op de eenzame A-star af.

Painter kende die formatie.

Het was de aanvalsformatie.

9:53

DE WEWELSBURG, DUITSLAND

'Deze kant op naar de noordelijke toren,' zei meneer Ulmstrom.

De museumdirecteur ging Gray, Monk en Fiona voor het vertrek door. Ryan was even daarvoor weggegaan met een slanke vrouw in een mantelpakje, een van de archivarissen. Ze gingen kopieën maken van de brief van Hugo Hirszfeld, en van nog meer documenten die met het onderzoek van zijn grootvader in verband stonden. Gray had het gevoel dat ze het antwoord op alle vragen bijna te pakken hadden, maar er moest nog meer informatie komen.

Daarom had hij ingestemd met het voorstel van de directeur om hun een rondleiding door het kasteel te geven. Hier had Hugo de nazi's goed leren kennen. Gray vond dat hij zoveel mogelijk over de achtergronden te weten moest zien te komen, en wie kon hem daar meer over vertellen dan de museumdirecteur?

'Om de nazi's goed te begrijpen, moet je niet aan hen denken als aan een politieke partij,' zei Ulmstrom. 'Ze noemden zichzelf de Nationalso-zialistische Deutsche Arbeiterpartei, maar in werkelijkheid waren ze een soort sekte.'

'Een sekte?' vroeg Gray.

'Daar had het alles van weg. Een spiritueel leider die onaantastbaar was, volgelingen die gelijk gekleed gingen, geheime rituelen en eedafleggin-gen, en het voornaamste: een machtige totem om te aanbidden. Het Ha-kenkreuz. Het gebroken kruis of de swastika. Een symbool waarmee het christelijke kruis en de davidster moesten worden verdrongen.'

'Hare krisjna's die steroïden slikken,' mompelde Monk.

'Alstublieft, maak er geen grapjes over. De nazi's wisten hoe machtig een idee kan zijn. Machtiger dan een geweer of raket. Ze gebruikten het om een heel volk te onderwerpen en te hersenspoelen.'

De bliksem kraakte en zette het vertrek in een felle gloed. Even later rommelde de donder, zo hard dat ze het in hun buik voelden. De lampen flikkerden.

Ze bleven allemaal staan.

'Eén klein vleermuisje,' fluisterde Monk. 'Eentje maar...'

De lampen gaven weer normaal licht, en ze liepen verder. Ze kwamen bij een dichte glazen deur, waarachter zich een groter vertrek bevond.

'De Obergruppenführersaal.' Ulmstrom haalde een enorme sleutelbos tevoorschijn en stak een sleutel in het slot. 'Het heilige der heiligen van het kasteel. Hier mogen normaal gesproken geen bezoekers komen, maar ik denk dat jullie het wel interessant zullen vinden.'

Hij hield de deur voor hen open.

Ze liepen naar binnen. De regen kletterde tegen de ramen van de ron-de kamer.

'Himmler heeft deze kamer gebouwd in navolging van het Camelot van koning Arthur. Hij liet zelfs een enorme ronde tafel van eikenhout in het midden plaatsen, en hier riep hij de twaalf hoogste officieren van zijn Zwarte Orde bij elkaar voor vergaderingen en rituele bijeenkomsten.'

'Wat is die Zwarte Orde?' vroeg Monk.

'Het is een andere naam voor Himmlers ss. Maar de Schwarze Auf-trag is ook de naam die werd gegeven aan Himmlers intimi, een gehei-me kliek van occultisten en geleerden met banden met het Thule-Ge-sellschaft.'

Dat trok Grays aandacht. Alweer dat Thule-Gesellschaft. Himmler was daar lid van geweest, evenals Ryans overgrootvader. Hij vroeg zich af wat het verband was. Een geheime kliek van occultisten en geleerden die geloofden dat ooit een superieur ras over de wereld had geheerst – en dat weer zou doen.

De directeur vertelde verder: 'Himmler dacht dat deze kamer en deze toren het spirituele en geografische middelpunt van de nieuwe, Arische wereld vormden.'

'Waarom hier?' vroeg Gray.

Ulmstrom liep schouderophalend naar het midden van de ruimte. 'In deze streek hebben de Germanen de Romeinen verslagen. Het was een veldslag die van cruciaal belang is voor de Duitse geschiedenis.'

Gray had iets dergelijks van Ryans vader gehoord.

'Maar er kunnen nog andere redenen zijn geweest. In deze streek spelen zich veel legenden af. Niet ver van hier staan prehistorische monolieten die niet veel van die van Stonehenge verschillen. Ze worden de Externsteine genoemd. Er wordt gezegd dat de wortels van Yggdrasil, de Wereldboom uit de Noorse mythologie, eronder liggen. En er waren hier natuurlijk veel heksen.'

'De heksen die hier werden omgebracht,' zei Gray.

'Himmler geloofde – en misschien had hij wel gelijk – dat de vrouwen hier werden gedood omdat ze heidenen waren en Germaanse riten en rituelen uitvoerden. In zijn ogen was het feit dat hier hun bloed heeft gevloeid, het zoveelste bewijs dat het kasteel op gewijde grond staat.'

'Het is dus waar wat makelaars zeggen: het gaat vooral om de locatie,' mompelde Monk.

Ulmstrom fronste, maar vertelde toch verder. 'Wat zijn redenen ook waren, hier zien jullie het doel van de Wewelsburg.' Hij wees naar de vloer.

In het halfduister zagen ze een patroon van donkergroene plavuizen tegen een witte achtergrond. Het leek op een zon met twaalf bliksems.

'De Schwarze Sonne – de Zwarte Zon.' Ulmstrom liep eromheen. 'Dit symbool komt in vele legenden voor. Maar voor de nazi's stelt het het land voor waar de Alvader vandaan komt. Een land dat onder vele namen bekendstaat: Thule, Hyperborea, Agartha. Het komt erop neer dat het symbool de zon voorstelt waaronder het Arische ras herboren zal worden.'

'De terugkeer tot de Alvader,' zei Gray, denkend aan de Mensch-rune.

'Dat was het uiteindelijke doel van de nazi's... Of in elk geval van Himmler en zijn Zwarte Orde. Om het Duitse volk terug te laten keren tot zijn goddelijke status. Daarom koos Himmler dit teken uit als symbool voor zijn Zwarte Orde.'

Gray begon te begrijpen met wat voor soort onderzoek Hugo bezig kon zijn geweest. Een bioloog met banden met de Wewelsburg. Kon hij betrokken zijn geweest bij een project als het Lebensbornprogramma, had het te maken met rasveredeling? Maar waarom zou iemand tegenwoordig nog bereid zijn om voor zoiets te doden? Wat had Hugo ontdekt dat zo geheim was dat hij het in code in de boeken van zijn familie had opgeschreven?

Gray herinnerde zich wat Ryan had verteld over de brief die zijn overgrootvader aan zijn dochter had geschreven, vlak voordat hij stierf. Hij had iets gezegd over een geheim dat te mooi was om te laten sterven en te monsterlijk om los te laten. Wat had hij ontdekt? Wat had hij voor zijn nazimeerderen geheim willen houden?

Weer kraakte de bliksem, en achter alle ramen verscheen hel licht. Het symbool van de Zwarte Zon lichtte schitterend op. Terwijl de donder rolde, flakkerden de lichten. Een kasteel op een bergtop was niet de beste plek om tijdens een onweer te zijn.

Als om dat te bevestigen, gingen de lampen helderder schijnen om meteen daarna uit te floepen.

Een stroomstoring.

Maar door de ramen kwam voldoende licht om nog iets te kunnen zien.

In de verte klonk geschreeuw.

Een knal dichterbij. Iedereen draaide zich om.

De deur was dichtgeslagen. Gray legde zijn hand op de kolf van het pistool dat in de holster onder zijn trui zat.

'Dat is wegens de beveiliging,' stelde Ulmstrom hen gerust. 'Er is niets aan de hand. De generator zal zo meteen wel...'

De lichten flikkerden en brandden vervolgens weer volop.

Ulmstrom knikte. 'Ziet u wel? *Es tut mir leid,*' verontschuldigde hij zich. 'Deze kant op graag.'

Hij ging hen voor door een nooddeur, maar in plaats van terug te gaan naar het eerste vertrek, liep hij naar een trap. Kennelijk was de rondleiding nog niet afgelopen.

'Ik denk dat u de volgende kamer hoogst interessant zult vinden omdat u daar de Mensch-rune uit de bijbel kunt zien.'

Ze hoorden snelle voetstappen in de gang. Er kwam iemand op hen af.

Gray draaide zich om, en ineens drong het tot hem door dat hij zijn hand nog op de kolf van zijn pistool had liggen. Hij hoefde het niet uit de holster te halen. Ryan kwam met een bruine envelop in zijn handen naar hen toe.

Lichtelijk buiten adem voegde hij zich bij hen. Hij keek een beetje angstig, waarschijnlijk was hij geschrokken toen de stroom uitviel. *Ich glaube...*' Hij schraapte zijn keel. 'Ik heb alle documenten, ook de brief aan mijn oudtante Tola.'

Monk nam de envelop van hem over. 'Dan kunnen we hier nu weg.'

Misschien konden ze dat inderdaad maar beter doen. Gray keek tersluiks naar Ulmstrom, die bij de trap naar beneden stond.

De directeur liep op hen toe. 'Als jullie haast hebben...'

'Nee, bitte. Wat zei u daarnet over de Mensch-rune?' Het zou stom zijn om weg te gaan zonder alles gezien te hebben.

Ulmstrom maakte een gebaar naar de trap. 'Beneden is het enige vertrek waar de Mensch-rune wordt aangetroffen. Natuurlijk is het logisch dat die rune daar is, als je bedenkt dat...'

'Als je wat bedenkt?'

Met een zucht keek Ulmstrom op zijn horloge. 'Kom. Ik heb nog maar weinig tijd.' Hij ging terug naar de trap en liep naar beneden.

Gray gebaarde dat Fiona en Ryan hem moesten volgen. Monk keek Gray geërgerd aan. 'Een spookkasteel... We kunnen beter gaan.'

Gray begreep waarom Monk zo graag weg wilde. Hij voelde zich ook niet op zijn gemak. Eerst was er dat valse alarm met de Mercedes geweest, en vervolgens de stroomstoring. Maar eigenlijk was er niets gebeurd. En Gray wilde dolgraag meer over de runen in de bijbel weten.

Gray hoorde Ulmstroms stem van beneden komen. De anderen waren ook al beneden. 'Dit vertrek bevindt zich precies onder de Obergruppenführersaal.'

Gray voegde zich bij hen op het moment dat de directeur een deur opende die er net zo uitzag als de deur boven, met stevig glas en tralies ervoor. Hij hield de deur voor hen open en volgde hen toen naar binnen.

Ze bevonden zich in alweer een ronde kamer, maar deze had geen ramen. Het schemerduistere vertrek werd door slechts een paar muurlampen verlicht. Er stonden twaalf granieten zuilen die het plafond steunden. In het midden van het plafond was een swastika uitgehouwen.

'Dit is de crypte van het kasteel,' vertelde Ulmstrom. 'Zien jullie die holte in het midden? Het was de bedoeling dat daar het heraldisch wapen van gesneuvelde officieren van de ss ceremonieel zou worden verbrand.'

Gray had de kuil in de stenen vloer al opgemerkt, precies onder de swastika in het plafond.

'Als u bij de kuil gaat staan en naar de muren kijkt, kunt u de Mensch-runen daarop zien.'

Gray deed wat de directeur had gezegd. Inderdaad zag hij de Mensch-runen op de plek van de windstreken in de muur gegrift staan. Nu begreep Gray Ulmstroms opmerking dat het logisch was dat die rune daar was als je bedacht dat...

De Mensch-runen stonden allemaal ondersteboven.

Todesrunen. De runen van de dood.

Er klonk een knal, net als eerder boven was gebeurd. Alleen was er deze keer geen stroomstoring aan voorafgegaan. Met een ruk draaide Gray zich om. Hij besefte dat hij een fout had gemaakt, hij had zich door nieuwsgierigheid laten leiden. Ulmstrom was de hele tijd bij de deur blijven staan.

En nu stond hij buiten en draaide de deur op slot.

Door het stevige glas, dat ongetwijfeld kogelbestendig was, riep hij: 'Nu zullen jullie pas begrijpen wat de Todesrune betekent!'

Er klonk nog een knal. Het licht ging uit. Omdat er geen ramen waren, werd het pikkedonker.

In de geschokte stilte werd een nieuw geluid hoorbaar: een gesis.

Maar het was geen slang die siste. Gray proefde het in zijn mond. Het was gas.

13:49

DE HIMALAYA

De drie helikopters waaierden uit om de aanval in te zetten.

Painter keek naar ze door een verrekijker. Hij had zijn veiligheidsgordel losgemaakt en was op de stoel van de copiloot gaan zitten. Hij herkende de vijandige helikopters, het waren Eurocopter Tigers, uitgerust met raketten.

'Is deze helikopter met wapens uitgerust?' vroeg hij aan Gunther.

Gunther schudde zijn hoofd. 'Nein.'

Gunther stuurde de helikopter weg van hun tegenstanders. Daarna vloog hij zo snel mogelijk weg. Snelheid was hun enige wapen.

De onbewapende A-Star was lichter, sneller en wendbaarder. Maar zelfs dat voordeel was beperkt.

Painter wist waar Gunther, achtervolgd door de andere helikopters, naartoe vloog. Hij had de landkaarten van de omgeving bestudeerd. De Chinese grens was slechts vijftig kilometer hiervandaan.

Als de helikopters hen niet uit de lucht schoten, zouden de Chinezen dat wel doen. Vanwege de spanningen tussen het Nepalese gezag en de maoïstische rebellen werd de grens goed in de gaten gehouden. Ze bevonden zich tussen twee vuren.

Anna riep vanaf de stoel achterin, waarin ze half omgedraaid zat om de achtervolgers in de gaten te kunnen houden: 'Ze hebben een raket afgeschoten!'

Nog voordat ze was uitgesproken, gierde er vuur en rook aan stuurboord langs hen. De raket had op een haartje na gemist. Even later sloeg de raket in een met ijs bedekte bergwand. Stukken steen vlogen in een vuurbal de lucht in. Een heel stuk van de rotswand brak af en gleed naar beneden.

Gunther stuurde de helikoper langs de regen van brokstukken.

Daarna daalde hij en vloog tussen twee toppen door. Heel even waren ze buiten de vuurlinie.

'Als we snel landen, kunnen we te voet wegvluchten,' opperde Anna.

Painter schudde zijn hoofd. Hij moest schreeuwen om boven het lawaai van de motor uit te komen. 'Ik ken die Tigers, ze beschikken over infrarood. Onze lichaamswarmte zou ons verraden. Aan hun raketten en kogels zouden we niet kunnen ontkomen.'

'Wat moeten we dan?'

Pijnscheuten schoten door Painters hoofd, en hij had last van tunnelvisie.

Lisa leunde naar voren, haar blik op het kompas gevestigd. 'De Everest.'

'Wat?'

Ze gebaarde naar het kompas. 'We vliegen recht op de Everest af. Daar kunnen we landen om vervolgens op te gaan in de menigte bergbeklimmers.'

Daar moest Painter even over nadenken. Het klonk goed.

'Door de storm lopen ze op de berg erg achter,' ging ze verder. 'Toen ik wegging, wachtten er al tweehonderd mensen op een kans om naar boven te gaan. Er waren ook Nepalese soldaten. Nu het klooster is afgebrand, zijn het er misschien wel meer geworden.'

Lisa wierp een tersluikse blik op Anna. Painter kon aan haar gezicht zien wat ze dacht. Ze vochten voor hun leven, samen met de vijand die het klooster in de as had gelegd. Maar er was een sterkere vijand die hen allemaal bedreigde. Anna had een niet goed te praten keuze gemaakt, maar de vijand was er de oorzaak van geweest dat ze die keuze had moeten maken. De vijand had de gebeurtenissen in gang gezet waardoor ze hier nu vlogen.

Painter wist dat het nog lang niet afgelopen zou zijn. Dit was nog maar het begin, iets om hen op het verkeerde been te zetten. Er was iets gruwelijks aan de gang. Wat Anna had gezegd, galmde nog door zijn hoofd: we moeten hun een halt toeroepen.

Lisa zei: 'Er zijn in het basiskamp zoveel mobieltjes met satellietverbinding en de mogelijkheid om videobeelden te versturen, dat ze ons daar niet zullen durven aanvallen.'

'Dat moeten we dan maar hopen,' zei Painter. 'Als ze ons niet met rust laten, kan het voor velen nog erg gevaarlijk worden.'

Lisa leunde achterover om te overdenken wat hij had gezegd. Painter wist dat haar broer zich in het basiskamp bevond. Ze ontmoette zijn blik.

'Er staat te veel op het spel,' zei ze. Ze was tot dezelfde conclusie gekomen als hij. 'We moeten het er maar op wagen. Dit moet worden bekendgemaakt!'

Painter keek Anna aan.

Anna zei: 'Het is korter om over de hogere hellingen van de Everest heen te vliegen dan eromheen.' Ze wees naar de enorme berg voor hen uit.

'Dus we gaan naar het basiskamp?' vroeg Painter.

Ze waren het allemaal met elkaar eens.

Maar anderen niet.

Een helikopter vloog over een bergtop en miste hun rotorbladen maar net. De indringer leek verbaasd hen hier aan te treffen. De Tiger zwenkte af en klom hoger.

Maar ze waren gevonden.

Painter hoopte dat de andere helikopters ver weg waren gevlogen om hen te zoeken. Aan de andere kant, één Tiger was genoeg om hen uit de lucht te knallen.

De onbewapende A-Star vloog door een kloof vol sneeuw en ijs. Nergens konden ze dekking vinden. De piloot van de Tiger had zich hersteld en zette de achtervolging in.

Gunther verhoogde de snelheid en liet de rotorbladen op topsnelheid draaien. Misschien konden ze de Tiger voorblijven, maar de raketten natuurlijk niet.

Als om dat te bewijzen, begonnen de mitrailleurs van de Tiger te schieten. Sneeuw wolkte op.

'We kunnen die rotzak niet ontlopen!' riep Painter. Hij stak een vinger op. 'Ga hoger vliegen!'

Met een diepe frons keek Gunther hem aan.

'Hij is zwaarder dan wij,' legde Painter uit. 'Wij kunnen hoger. Daar kan hij ons niet volgen.'

Gunther knikte, en even later schoot de helikopter als een lift omhoog.

De Tiger was daar niet op bedacht en het duurde even voordat hij die manoeuvre ook kon maken.

Painter keek op de hoogtemeter. Ooit had een uitgeklede A-Star het hoogterecord voor helikopters neergezet. Het toestel was op de top van de Everest geland. Zo hoog hoefden zij niet. De met al die bewapening zwaar geworden Tiger hield hen al niet meer bij nu ze boven de vijfenzestighonderd meter waren. De rotorbladen draaiden vruchteloos in de ijle lucht en dat maakte het moeilijk het toestel te besturen. Het zou lastig voor hen worden om de helikopter zo te situeren dat ze een raket op de A-star konden afvuren.

Voorlopig waren ze veilig.

Maar ze konden niet eeuwig op deze hoogte blijven. Uiteindelijk komt alles weer naar beneden...

Als een roofdier wachtte de Tiger beneden. Ze hoefden de A-Star alleen maar in de gaten te houden. Painter zag de twee andere Tigers naderen. Ze waren gewaarschuwd en deden nu mee aan de jacht, ze omsingelden hun prooi.

'Ga boven de Tiger vliegen,' zei Painter tegen Gunther. Hij hield zijn handen boven elkaar om te verduidelijken wat hij bedoelde.

Gunther fronste nog steeds zijn zware wenkbrauwen, maar deed wel wat hem werd opgedragen.

Painter draaide zich om naar Lisa en Anna. 'Kijken jullie naar buiten. Zeg het zodra we precies boven een Tiger hangen.'

Ze knikten allebei.

Painter richtte zijn aandacht op de hendel vlak voor hem.

'Bijna!' riep Lisa.

'Nu!' riep Anna even later.

Painter haalde de hendel over. Daarmee werd de windas bediend waarmee hij eerder in een tuig aan een touw was neergelaten. Maar deze keer liet hij geen tuig neer. Hij had een hendel beet die in geval van nood kon worden overgehaald om de hele windas af te werpen wanneer die bijvoorbeeld vast kwam te zitten. Hij rukte de hendel naar zich toe en voelde de extra ballast verdwijnen.

Hij tuurde naar beneden.

Gunther zwenkte af zodat ze het beter konden zien.

De windas tuimelde door de lucht. Het touw werd afgewonden en raakte in de knoop met het tuig.

Het geheel raakte de rotorbladen van de Tiger onder hen. Het was alsof er een bom ontplofte. De rotorbladen vlogen alle kanten op. De helikopter begon om zijn as te draaien, ging scheef hangen en stortte naar beneden.

Ze hadden geen tijd te verliezen. Painter wees naar de witte top van de Everest, die gedeeltelijk in een wolkendek schuilging.

Ze moesten het lagergelegen basiskamp zien te bereiken. Maar beneden was het luchtruim niet veilig.

Twee helikopters vlogen als razende horzels op hen af.

En Painter had geen windassen meer.

Lisa zag de helikopters op hen af komen. Ze veranderden van horzels in haviken. Het was een race geworden.

Gunther dook uit de ijle lucht. Hij stuurde naar de opening tussen de Mount Everest en de Mount Lhotse. De Lhotse was via de beroemde zuidwand met de Everest verbonden, en daar moesten ze overheen. Aan de andere kant lag aan de voet van de helling het basiskamp.

Als ze dat konden bereiken...

Ze stelde zich haar broer voor, met zijn guitige lach en zijn kruin die hij altijd glad probeerde te strijken. Waarom moest deze strijd naar het basiskamp worden gebracht, naar haar broer?

Voor haar zat Painter naast Gunther. Door de herrie van de motor kon ze niet verstaan wat ze zeiden. Ze zou Painter moeten vertrouwen. Hij zou nooit iemands leven zomaar in de waagschaal stellen.

De berg kwam steeds dichterbij. Ineens doken ze door de pas en opende zich een nieuw panorama. De Everest was aan stuurboord, een pluim van sneeuw rond de top. De Lhotse, de op drie na hoogste berg ter wereld, was een soort muur links van hen.

Gunther daalde nog verder. Lisa hield zich vast aan de gordel. Ze had het gevoel dat ze elk moment uit de helikopter kon tuimelen. Om haar heen zag ze slechts ijs en sneeuw.

Er klonk een doordringend, fluitend geluid.

'Een raket!' riep Anna.

Gunther trok de helikopter op en stuurde naar rechts. De raket schoot onder hen door en suisde op de oostkant van de berg af. Er steeg een grote vuurbal op. Gunther stuurde hen weg van de ontploffing en zette de daling weer in.

Met haar wang tegen het raampje gedrukt keek Lisa achterom. De twee helikopters waren dichterbij gekomen. Toen werd haar het zicht door een muur van sneeuw ontnomen.

'We zijn door de pas!' riep Painter. 'Hou je vast!'

Lisa draaide zich terug. De helikopter dook op de steile zuidwand af. Sneeuw en ijs raasden onder hen door. Voor hen uit verscheen een zwarte stip: het basiskamp.

Ze vlogen er recht op af, alsof ze midden in het tentendorp wilden landen.

Onder hen was het kamp nu goed zichtbaar. De gebedsvlaggen wapperden.

'Het wordt een harde landing!' waarschuwde Painter.

Gunther minderde geen vaart.

Lisa herhaalde als een mantra: 'O god... O god... O god...'

Op het laatste moment trok Gunther op. Hij worstelde met de wind. De helikopter leek uit de lucht te vallen, de rotorbladen gierden.

Onder hen leek een sneeuwstorm te woeden.

Lisa werd door elkaar geschud en klampte zich aan de gordel vast.

Toen kwamen ze op de grond terecht. Lisa werd naar voren geworpen, maar bleef in de gordel hangen. Sneeuw kolkte om hen heen, opgeworpen door de rotorbladen, maar de helikopter stond stevig op de grond.

'Uitstappen allemaal!' riep Painter terwijl Gunther de motor uitschakelde.

De portieren zwaaiden open en ze tuimelden de helikopter uit.

Painter rende naar Lisa en sloeg zijn armen om haar heen. Er kwamen mensen op hen af. Lisa keek naar boven. Achter de helling rees rook op van waar de raket was ingeslagen. Iedereen in het kamp moest dat hebben gehoord.

In verscheidene talen werd er geroepen.

Lisa, nog half doof van het lawaai van de helikopter, hoorde het nauwelijks.

Maar één stem hoorde ze wel: 'Lisa!'

Ze draaide zich om. Ze zag een bekende gestalte zich door de menigte wringen.

'Josh!'

Painter liet haar los. Even later werd ze door haar broer omhelsd. Hij rook een beetje naar jak. Het was een heerlijke geur.

Achter zich hoorde ze Gunther grauwen: '*Pass auf!*'

Een waarschuwing...

Om haar heen klonken kreten op. Er werd gewezen.

Lisa maakte zich los uit de armen van haar broer.

In de lucht hingen twee gevechtshelikopters. Hun rotorbladen verjoegen de rookpluim van de ontploffing. Ze bleven daar doodstil en dodelijk hangen.

Ga weg, fluisterde Lisa in zichzelf. Ga toch weg...

'Wie zijn dat?' vroeg iemand.

Lisa herkende meteen de stem van Boston Bob, de vergissing uit haar verleden. Zijn accent en de klaaglijke toon verraadden hem meteen. Nieuwsgierig als hij was, was hij zeker achter Josh aan gelopen. Ze sloeg geen acht op hem.

Maar Josh moet hebben gevoeld dat ze was verstijfd toen de beide helikopters verschenen. 'Lisa?'

Ze schudde haar hoofd, haar blik op de helikopters gericht. Kon ze die maar met louter wilskracht wegsturen...

Maar dat kon nu eenmaal niet.

Eensgezind doken de twee helikopters op hen af. Uit de neus kwam vuur. Sneeuw en ijs spatten in parallelle rijen op, in een rechte lijn naar het basiskamp.

'Nee...' bracht Lisa jammerend uit.

Boston Bob deinsde achteruit. 'Wat heb je verdomme gedaan?'

De menigte, eerst als verstard, zette het plotseling op een gillen. Iedereen vluchtte weg, ze stoven alle kanten op.

Painter greep Lisa bij haar arm. Hij trok haar en Josh weg, maar ze konden zich nergens verstoppen.

'Een zender!' riep Painter tegen Josh. 'Waar is hier een radio?'

Josh keek als verstomd naar de lucht.

Lisa schudde hem door elkaar, en toen keek hij haar aan. 'Josh, we moeten een radio hebben.' Ze begreep wat Painter wilde. Wat er ook gebeurde, de buitenwereld moest hiervan in kennis worden gesteld.

Josh kuchte, kwam toen tot zichzelf en wees. 'Daar... Daar is een communicatiecentrum ingericht. Dat hebben ze opgezet nadat de rebellen het klooster hadden overvallen.' Met grote stappen liep hij naar een rode tent.

Het viel Lisa op dat Boston Bob achter hen aan kwam. Hij keek steeds achterom. Hij voelde zeker aan dat Painter en Gunther autoriteit uitstraalden. Of misschien lag het aan Gunthers geweer. Gunther had het wapen met een granaat geladen. Hij was klaar om zich tot het uiterste te verzetten, om de anderen te beschermen terwijl ze probeerden contact met de buitenwereld te maken.

Voordat ze de rode tent konden bereiken, riep Painter: 'Laat je vallen!'

Hij trok haar tegen de grond. Iedereen volgde zijn voorbeeld, behalve Boston Bob. Josh moest diens benen onder hem uit trekken.

Een vreemd gierend geluid weergalmde over de hellingen.

Painter keek zoekend omhoog.

'Wat...' zei Lisa.

'Wacht,' viel Painter haar fronsend in de rede.

Van achter Mount Lhotse verschenen twee legerstraaljagers. Ze lieten witte condensstrepen achter. Onder de vleugels flitste vuur.

Ze schoten raketten af.

Maar hun doel was niet het kamp. De straaljagers gierden eroverheen en stegen omhoog.

De twee gevechtshelikopters ontploften toen de warmtezoekende raketten zich naar binnen boorden. Brandende brokstukken vielen op de hellingen en deden de sneeuw opwervelen. Geen van de brokstukken kwam in het kamp neer.

Painter krabbelde overeind en hielp Lisa opstaan. De anderen kwamen ook overeind.

Boston Bob liep kwaad naar Lisa toe. 'Wat was dat verdomme? Wat heb je gedaan dat ze achter ons aan zaten?'

Lisa wendde zich af. Wat had haar indertijd in Seattle bezield om met hem het bed in te duiken? Het was alsof ze toen heel iemand anders was geweest.

'Draai me niet de rug toe, jij klein kreng!'

Met gebalde vuisten draaide Lisa zich terug, maar dat was al niet meer nodig. Painter stond al klaar. Zijn vuist belandde in Boston Bobs gezicht. Lisa had wel eens gehoord dat mensen bewusteloos werden geslagen, maar ze had zoiets nog nooit gezien. Boston Bob viel ruggelings op de grond en bleef daar bewusteloos liggen. Zo te zien was zijn neus gebroken.

Painter vertrok zijn gezicht en wapperde met zijn hand.

Josh slaakte een gesmoorde kreet, daarna verscheen er een brede grijns op zijn gezicht. 'Jezus, dat heb ik al de hele week willen doen.'

Voordat er nog meer kon worden gezegd, stapte er een man met rossig haar uit de rode tent. Hij droeg een legeruniform. Het uniform van het Amerikaanse leger. Hij liep op het groepje af en richtte zijn blik op Painter.

'Directeur Crowe?' vroeg hij met het zangerige accent van een van de zuidelijke staten. Daarna stak hij zijn hand uit.

Painter nam de uitgestoken hand aan, en vertrok toen zijn gezicht omdat zijn hand nog flink pijn deed.

'De groeten van Logan Gregory.' De man knikte in de richting van de smeulende brokstukken op de hellingen.

'Beter laat dan nooit,' reageerde Painter.

'We hebben hem aan de lijn. Als u mij wilt volgen?'

Painter liep achter majoor Brooks van de luchtmacht aan de tent in. Lisa probeerde met Anna en Gunther mee naar binnen te gaan, maar majoor Brooks hield hen met zijn arm tegen.

'Ik kom zo terug,' stelde Painter haar gerust. 'Hou je taai.'

Hij bukte en liep de tent in. Binnen stond het vol apparatuur. Een officier liep weg bij een telecommunicatiestation met satellietverbinding. Painter nam zijn plaats in en pakte de hoorn op.

'Logan?'

Hij hoorde duidelijk Logans stem. 'Directeur Crowe, fijn om te horen dat alles in orde is.'

'Ik geloof dat ik dat aan jou heb te danken.'

'We hebben je sos ontvangen.'

Painter knikte. Dus de boodschap was aangekomen. Die had hij in het kasteel verstuurd met het mobieltje met satellietverbinding waarmee hij had geknoeid. Gelukkig dat het gps-signaal was verzonden voordat het mobieltje was ontploft. Blijkbaar was het korte signaal voldoende geweest om hem te traceren.

'We moesten als een haas dit communicatiecentrum inrichten, en we moesten eerst met het Nepalese leger overleggen,' legde Logan uit. 'Het was allemaal op het nippertje.'

Logan moest alles via satelliet in de gaten hebben gehouden, misschien wel vanaf het moment dat ze uit het kasteel waren gevlucht. Maar de nadere details konden wachten, Painter had wel iets belangrijkers aan zijn hoofd.

'Logan, voordat ik verslag uitbreng, wil ik graag dat je een onderzoek in gang zet. Ik ga je iets faxen: een tatoeage.' Painter maakte een schrijvend gebaar naar majoor Brooks, en even later kreeg hij pen en papier. Snel tekende hij het symbool dat hij op de hand van de vrouw had gezien. Meer aanwijzingen hadden ze niet.

'Begin er meteen aan,' zei Painter. 'Kijk of je een terroristische organisatie, een politieke partij, een drugskartel of padvinders kunt vinden met wie dit symbool in verband kan worden gebracht.'

'Ik zet er meteen iemand op.'

Nadat Painter het symbool had getekend dat op een klaverblad leek, gaf hij het papier aan een officier die het meteen in de fax stopte.

Terwijl de fax werd verzonden, vertelde Painter in het kort wat er allemaal was gebeurd. Hij was blij dat Logan niet te veel vragen stelde.

'Is de fax al aangekomen?' vroeg Painter na een paar minuten.

'Ik heb hem in mijn handen.'

'Mooi zo. Geef het onderzoek de hoogste prioriteit.'

Er volgde een lange stilte. Painter dacht al dat de verbinding was verbroken, maar toen hoorde hij Logan aarzelend zeggen: 'Sir...'

'Wat is er?'

'Dit symbool ken ik. Grayson Pierce heeft het me acht uur geleden ook gestuurd.'

'Hè?'

Logan legde in het kort uit wat er in Kopenhagen was gebeurd. Painter probeerde het allemaal te begrijpen. Nu er minder adrenaline door zijn aderen vloeide, kwam de hoofdpijn weer opzetten en daardoor kon hij zich moeilijk concentreren. Hij verzette zich ertegen en probeerde de puzzelstukjes in elkaar te passen. Dezelfde moordenaars zaten achter Gray aan, Sonnenkönige die onder een andere Glocke waren geboren. Maar wat deden die in Europa? Wat was er zo belangrijk aan een stelletje oude boeken? Gray was op het ogenblik in Duitsland om het spoor te volgen en hopelijk meer te ontdekken.

Painter sloot zijn ogen. Daar kreeg hij alleen maar nog meer hoofdpijn van. De aanvallen in Europa bevestigden slechts zijn angstige vermoeden dat dit iets wereldomvattends was. Er speelde iets groots dat weldra tot uitbarsting zou komen.

Maar wat?

Hij had maar één aanwijzing om mee te beginnen. 'Het symbool moet van groot belang zijn. We moeten erachter zien te komen wie daar gebruik van maakt.'

Logans stem klonk weer. 'Dat weten we al.'

'Wat? Nu al?'

'Ik heb acht uur de tijd gehad.'

Natuurlijk... Painter schudde zijn hoofd. Hij keek naar de pen in zijn hand, en toen viel hem iets vreemds op. Hij draaide zijn hand om. De nagel van zijn ringvinger was eraf, waarschijnlijk afgescheurd toen hij die klojo daarnet had neergeslagen. Er was geen bloed, alleen maar bleek, droog vel, wittig en koud.

Painter wist wat dat betekende: er was nog maar weinig tijd.

Logan was nog aan het uitleggen, maar Painter viel hem in de rede: 'Heb je deze informatie al aan Gray doorgespeeld?'

'Nog niet. We kunnen hem momenteel niet bereiken.'

Painter fronste diep en zette de gedachten aan zijn gezondheid opzij. 'Zorg dat hij dit te horen krijgt,' zei hij. 'Gray heeft geen flauw idee waarmee hij te maken heeft.'

10:11

DE WEWELSBURG, DUITSLAND

Monk knipte een zaklantaarn aan.

Gray pakte zijn eigen zaklantaarn, zette die aan en bescheen het plafond. Er zaten kleine openingetjes in. Daaruit kwam een groen gas, zwaarder dan lucht. Als een waterval stroomde het uit de gaten.

De gaten zaten te hoog, en het waren er te veel om dicht te kunnen stoppen.

Fiona kwam dichter bij Gray staan. Ryan stond aan de overkant van de kuil, zijn armen om zich heen geslagen en met een ongelovige blik in zijn ogen.

Door een plotselinge beweging werd Grays aandacht op Monk gevestigd. Monk had zijn pistool getrokken en richtte het op de glazen deur.

'Nee!' riep Gray uit.

Het was al te laat; Monk had de trekker overgehaald.

Het geluid van het schot weerkaatste door de ruimte, toen klonk er een tinkelend geluid. De kogel ketste af op het glas en kwam tegen een van de openingen in het plafond aan. Er ontstond een vonk, maar het gas vloog niet in brand. Gelukkig was het dus geen brandbaar gas, anders waren ze nu allemaal dood.

Dat was kennelijk ook net tot Monk doorgedrongen. 'Kogelbestendig,' merkte hij zuur op.

De directeur bevestigde dat. 'We hebben de boel extra moeten beveiligen. Er waren te veel nazi's die probeerden hier in te breken.' Door het licht dat terugkaatste tegen het glas konden ze hem niet aan de andere kant van de deur zien staan.

'Klootzak,' mompelde Monk.

Het gas hing laag boven de grond. Het rook schimmelig en smaakte zuur. In elk geval was het geen cyanide, dat rook naar amandelen.

'Blijf staan,' zei Gray. 'Jullie hoofd omhoog. Ga naar het midden, weg van de openingen.'

Ze gingen rond de ceremoniële kuil staan. Fiona zocht zijn hand en hield die stevig vast. 'Ik heb zijn portemonnee gerold. Ik weet niet of we daar nog iets aan hebben...'

Monk zag de portemonnee in haar andere hand. 'Geweldig! Waarom heb je zijn sleutels niet ook gejat?'

Ryan riep in het Duits: 'Mijn... mijn vader weet dat we hier zijn! Hij zal de Polizei bellen!'

Gray moest het de jongeman nageven: hij deed zijn best.

Ze hoorden een andere stem, van iemand die ze achter het glas niet konden zien. 'Ik ben bang dat je vader niemand zal bellen... Nooit meer.' Het klonk niet als een dreigement, maar eerder als een vaststelling.

Ryan deinsde achteruit, alsof hij een klap in zijn gezicht had gekregen. Zijn blik dwaalde naar Gray, en toen terug naar de deur.

Gray herkende die stem. Fiona ook. Ze omklemde zijn hand. Het was de jonge man die op de veiling was geweest, de jonge man met de tatoeage.

'Deze keer kunnen jullie geen trucjes uithalen,' zei de jonge man. 'Ontsnappen is onmogelijk.'

Gray begon zich duizelig te voelen. Het leek of zijn lichaam heel licht werd. Hij schudde zijn hoofd. De man had gelijk, ontsnappen was onmogelijk. Maar dat wilde niet zeggen dat ze hulpeloos waren.

Kennis is macht...

Gray wendde zich tot Monk: 'Haal je aansteker uit je rugzak.'

Terwijl Monk dat deed, liet Gray zijn rugzak op de grond vallen en haalde er zijn notitieboekje uit. Dat gooide hij in de kuil.

'Monk, gooi de kopieën erbij die Ryan heeft gemaakt.' Hij stak zijn hand uit. 'Fiona, mag ik de bijbel?'

Allebei deden ze wat hij had gevraagd.

'Steek maar aan,' zei Gray.

Monk hield het vlammetje van zijn aansteker bij Ryans kopieën. Daarna liet hij het papier in de kuil vallen. Even later stegen er rook en vlammen op die de kopieën verteerden. Het leek even of de rook het gas op afstand hield. Dat hoopte Gray in elk geval. Hij voelde zich steeds duizeliger.

Achter de deur klonken stemmen, te zacht om te kunnen verstaan.

Gray hield de Darwinbijbel omhoog. 'Alleen wij kennen het geheim dat deze bijbel bevat!' riep hij.

De witblonde moordenaar, onzichtbaar achter het glas, antwoordde lichtelijk geamuseerd: 'Doktor Ulmstrom heeft alles gezien wat we wilden weten. De Mensch-rune. De bijbel heeft voor ons geen waarde meer.'

'Nee?' Gray hield het boek omhoog en bescheen het met zijn zaklantaarn. 'We hebben meneer Ulmstrom alleen laten zien wat Hugo Hirszfeld op het laatste schutblad heeft geschreven, maar niet wat er op het voorste staat.'

Een korte stilte, toen verwoed gefluister. Gray dacht dat hij ook een vrouwenstem hoorde, misschien van de tweelingzuster van de blonde man.

Ze hoorden Ulmstroms stem luid en duidelijk: 'Nein.'

Naast Gray wankelde Fiona. Haar knieën begaven het. Monk greep haar beet en zorgde dat haar hoofd boven de wolk van gifgas bleef. Maar ook hij stond onvast op zijn benen.

Gray kon niet langer meer wachten.

Voor het effect knipte hij zijn zaklantaarn uit, daarna wierp hij de bijbel in de kuil. Omdat hij katholiek was, kreeg hij er een raar gevoel bij dat hij een bijbel ging verbranden. Het oude boek vatte direct vlam. Even later kwamen de vlammen tot hun knieën, en een nieuwe rookpluim rees op.

Gray haalde diep adem en zei zo overtuigend mogelijk: 'Als wij sterven, sterft het geheim van de Darwinbijbel met ons mee!'

Hij wachtte in de hoop dat zijn list zou werken.

Een... twee...

Het gas kwam steeds hoger te staan. Ademen werd moeilijk.

Plotseling zakte Ryan ineen, alsof iemand de draadjes van een marionet had doorgeknipt. Monk probeerde hem op te vangen, maar omdat hij Fiona al opgetild hield, zakte hij door zijn knieën en kwam niet meer overeind. Fiona hield hij nog in zijn armen.

Gray keek naar de zwarte deur. Monks zaklantaarn rolde over de grond. Stond er nog wel iemand achter de deur? Hadden ze hem geloofd?

Hij zou het nooit weten.

De wereld om hem heen vervaagde en alles werd zwart.

17:30

HLUHLUWE-UMFOLOZI WILDPARK

Duizenden kilometers daarvandaan kwam iemand langzaam bij.

De wereld was een chaos van kleuren en pijn. Hij sloeg zijn ogen open omdat hij iets over zijn gezicht voelde strijken, net de vleugels van een vogel. Hij hoorde zangerige geluiden.

'Hij komt bij,' zei iemand in het Zoeloe.

'Khamisi...' Dat was de stem van een vrouw.

Het duurde even voordat de man besefte dat die naam op hem betrekking had. Hij hoorde kreunen. Dat was hijzelf.

'Help hem te gaan zitten,' zei de vrouw. Ze sprak Zoeloe, maar met een Engels accent.

Khamisi voelde dat hij half overeind werd gezet, tegen een stapel kussens aan. Hij kon weer iets zien. Hij bevond zich in een donker vertrek, een hut. Maar door de luiken scheen fel licht, evenals langs de lap die voor de ingang hing. Het plafond was versierd met kleurige kalebassen, huiden en aan elkaar gebonden veren. Het rook hier vreemd. Er werd iets onder zijn neus gehouden. Het rook naar ammoniak, en hij draaide zijn hoofd af.

Hij zag dat er een infuus naar zijn arm liep, bevestigd aan een zak met een gelige vloeistof. Iemand hield zijn armen vast toen hij te veel bewoog.

Aan zijn ene kant had een sjamaan met een naakt torso en met veren op zijn hoofd zijn hand op zijn schouder gelegd. Dat was degene die het zangerige geluid had gemaakt en met de uitgedroogde vleugel van een gier boven zijn gezicht had gewapperd, om de kwade geesten te verdrijven.

Aan zijn andere kant hield Paula Kane zijn arm vast en legde die terug op de deken. Hij was naakt en door het zweten plakte de deken aan zijn lijf.

'Waar... Wat...' bracht hij hees uit.

'Water,' zei Paula.

Een derde persoon gaf haar een gebutste veldfles. Het was een oude Zoeloe met een gebogen rug.

'Kun je die vasthouden?' vroeg Paula.

Khamisi knikte. Langzaam kwamen zijn krachten terug. Hij nam de veldfles aan en nam kleine slokjes van het lauwe water. Herinneringen kwamen terug. De oude man die de veldfles had aangegeven... Dat was de man die zich in Khamisi's huis had bevonden.

Plotseling sloeg zijn hart over. Met de hand waaraan het infuus was verbonden, voelde hij aan zijn hals. Hij voelde verband. Hij herinnerde zich het pijltje en de zwarte mamba. Het had erop moeten lijken dat hij door een slang was gebeten.

'Wat is er gebeurd?' vroeg hij.

De oude man vertelde het hem. Khamisi herkende hem; het was de oude man die vijf maanden geleden als eerste een ukufa in het park had gezien. Maar toen had iedereen hem uitgelachen, en Khamisi had meegedaan.

'Ik hoorde wat er met de mevrouw is gebeurd.' Hij keek Paula even meelevend aan. 'En ik hoorde wat je zei dat je had gezien. De mensen praten nu eenmaal... Ik ging naar je huis omdat ik je wilde spreken. Maar je was er niet. Dus wachtte ik. Er kwamen anderen, daarom verstopte ik me. Ze hakten een slang in tweeën. Een mamba. Slechte magie, dus ik liet me niet zien.'

Khamisi sloot zijn ogen. Hij herinnerde het zich allemaal. Hij was thuisgekomen, iemand had een pijltje in zijn nek geschoten, en hij was voor dood achtergelaten. Maar zijn aanvallers hadden niet geweten dat er zich iemand in zijn huis had verstopt.

'Ik ging kijken,' ging de oude man verder. 'Ik riep de anderen. Stiekem namen we je mee.'

Paula Kane maakte het verhaal af. 'We hebben je hiernaartoe gebracht,' zei ze. 'Je was bijna aan het gif gestorven, maar met moderne en oeroude geneeskunde wisten we je te redden. Maar veel scheelde het niet.'

Khamisi keek van het infuus naar de sjamaan.

'Bedankt.'

'Kun je al lopen?' vroeg Paula. 'Je moet in beweging blijven. Dat gif is de pest voor de bloedsomloop.'

Geholpen door de sjamaan stond Khamisi op. Zedig hield hij de deken om zijn middel geslagen. Hij liep naar de deur. Tijdens zijn eerste stappen voelde hij zich erg slapjes, maar algauw kwamen zijn krachten terug.

De lap voor de deur werd weggetrokken.

Licht en warmte stroomden naar binnen. Khamisi werd erdoor verblind.

Hij vermoedde dat het halverwege de middag was. De zon ging in het westen al onder.

Hij herkende het Zoeloedorp. Het stond aan de rand van het Hluhluwe-Umfolozi wildpark, niet ver van de plek waar ze de neushoorn hadden aangetroffen en waar Marcia Fairfield was aangevallen.

Khamisi wierp een blik op Paula Kane. Ze stond met haar armen over elkaar geslagen en zag er vermoeid uit.

'Het was de hoofdjachtopziener,' zei Khamisi. Daar twijfelde hij geen moment aan. 'Hij wilde me het zwijgen opleggen.'

'Hij wilde niet dat bekend werd hoe Marcia is gestorven. Of wat jij hebt gezien.'

Hij knikte.

'Wat heb je...'

Haar stem werd overstemd door het lawaai van een tweemotorige helikopter die laag en snel over het dorp vloog. Door de luchtverplaatsing van de rotorbladen wuifden de takken van struiken en bomen. De lappen voor de hutten fladderden op, alsof ze de indringer wilden verjagen.

De helikopter vloog verder, over de savanne.

Khamisi keek hem na. Het was geen toeristische vlucht.

Naast hem volgde Paula de helikopter door een Bushnell verrekijker. De helikopter vloog naar het oosten, bleef toen hangen en zette de landing in. Khamisi zette een stap naar voren om het beter te kunnen zien.

Paula gaf hem de verrekijker. 'Ze vliegen hier de hele dag al af en aan.'

Khamisi keek door de verrekijker. Alles werd geweldig groot en dichtbij. Hij zag de helikopter dalen achter een drie meter hoog zwart hek. Dat was de grens met het terrein van de Waalenbergs. De helikopter verdween achter het hek.

'Ze zijn erg bezig vandaag,' zei Paula.

De haartjes in Khamisi's nek gingen overeind staan.

Hij keek door de verrekijker naar het hek. De poort, die maar zelden werd gebruikt, was dicht. Hij zag het zilverkleurige familiewapen op de poort: de kroon en het kruis van de familie Waalenberg.

DERDE
DEEL

11

EEN SPOOKWERELD

'Kapitein Bryant en ik doen ons best hier in Washington alles over de Waalenbergs uit te pluizen,' zei Logan Gregory door de telefoon.

Painter had een koptelefoon op omdat hij zijn handen vrij moest hebben om alle documenten door te nemen die Logan naar Kathmandu had gemaild, vanwaar ze waren vertrokken. Alles over de Waalenbergs stond erin: hun familiegeschiedenis, hun financiële situatie, hun internationale betrekkingen en zelfs roddels en geruchten.

Boven op de stapel lag een wazige foto van een man en een vrouw die uit een limousine stapten. Gray Pierce had die foto vanuit een hotelkamer genomen, vlak voordat er een veiling was begonnen. De foto met de digitale beveiligingscamera had Logans vermoeden bevestigd: de tatoeage stond in verband met de Waalenbergs. De twee op de foto waren Isaak en Ischke Waalenberg, de jongste kinderen en erfgenamen van een familiefortuin dat groter was dan het bruto nationaal product van de meeste landen.

Belangrijker nog was dat Painter de bleke huidskleur en het witblonde haar herkende. Dit waren niet zomaar erfgenamen, het waren Sonnenkönige, net als Gunther, net als de vrouw in het kasteel in de bergen.

Painter keek om zich heen in de cabine van de Gulfstream.

Gunther lag op een bank te slapen. Zijn zuster Anna zat in een stoel vlakbij met net zo'n stapel papier voor zich als Painter. De twee werden bewaakt door majoor Brooks en een tweetal U.S. Rangers. De rollen waren omgedraaid. Maar ondanks deze machtswisseling was er niets echt veranderd. Anna had Painters connecties en logistieke steun nodig; Painter kon niet zonder Anna's kennis van de Glocke. Zoals Anna eerder die dag had gezegd: 'Zodra dit is afgelopen, hebben we het wel over de verantwoordelijkheid en de wettelijke verwikkelingen.'

Logan onderbrak zijn dagdromerijen. 'Kat en ik hebben morgen een afspraak op de Zuid-Afrikaanse ambassade. Misschien kunnen zij ons meer vertellen over deze als kluizenaars levende familie.'

Kluizenaar was nog zacht uitgedrukt. De Waalenbergs waren zo'n beetje de Kennedy's van Zuid-Afrika: rijk en meedogenloos, met een waanzinnig groot landgoed buiten Johannesburg. De familie bezat elders nog veel meer grond, maar ze gingen maar zelden van hun landgoed af.

Painter pakte de wazige foto weer op.

Een familie van Sonnenkönige...

Er kon maar één plek zijn waar een tweede Glocke verstopt kon zijn: op dat landgoed.

'Een Britse agent staat jullie in Johannesburg op te wachten. MI5 houdt de Waalenbergs al jaren in de gaten – ongebruikelijke transacties en zo – maar het is hun niet gelukt de ondoordringbare muur van geheimzinnigheid te slechten.'

Geen wonder, dacht Painter. De Waalenbergs hadden zowat het hele land in hun bezit...

'Ze zullen jullie met alle middelen bijstaan,' besloot Logan. 'Wanneer jullie over drie uur zijn geland, kan ik jullie meer vertellen.'

'Prima.' Painter keek aandachtig naar de foto. 'En hoe is het met Gray en Monk?'

'Ze zijn compleet verdwenen. We hebben hun auto op het vliegveld van Frankfurt aangetroffen.'

Frankfurt? Dat was vreemd. Frankfurt beschikte over een internationale luchthaven, maar Gray had een regeringsvliegtuig tot zijn beschikking dat veel sneller was dan een lijnvlucht. 'En je hebt niets van hen vernomen?'

'Nee. We luisteren op alle kanalen.'

Dat was verontrustend nieuws.

Painter wreef over zijn slapen. Hij had verschrikkelijke hoofdpijn en zelfs codeïne hielp daar niet tegen. Hij luisterde naar het gedreun van de motoren terwijl ze door de nacht vlogen. Wat was er met Gray gebeurd? Er waren maar weinig dingen om uit te kiezen: hij was ondergronds gegaan, hij was gevangengenomen of hij was gedood. Waar was hij?

'Haal alles uit de kast, Logan.'

'Daar zijn we al mee bezig. Tegen de tijd dat jullie in Johannesburg aankomen, hebben we hopelijk meer nieuws.'

'Ga je dan nooit slapen, Logan?'

'Er is een Starbuck's om de hoek. Ik ben daar een goede klant.' Het klonk lichtelijk geamuseerd. 'En jullie?'

Painter had in Kathmandu even kunnen slapen terwijl er voorbereidingen werden getroffen en alles met de Nepalese regering werd geregeld. Dat had veel te lang geduurd.

'Ik red het wel, Logan. Maak je maar niet druk.'

Toen Painter de verbinding verbrak, kwam hij met zijn duim tegen het droge nagelbed van zijn ringvinger. Zijn andere vingers jeukten, en zijn tenen begonnen ook al. Logan had geprobeerd hem te overreden naar Washington te komen om zich in het Johns Hopkins te laten onderzoeken, maar Painter had erop vertrouwd dat Anna's mensen al het mogelijke al hadden gedaan. Schade op kwantumniveau... Daar bestonden geen geneesmiddelen voor. Om de ziekte een halt toe te roepen, hadden ze nog een Glocke nodig. Volgens Anna kon de straling van de Glocke hun leven met jaren verlengen. En misschien kon de Glocke ook genezing brengen, had Anna er hoopvol aan toegevoegd.

Maar eerst moesten ze een Glocke zien te vinden.

En ze moesten meer informatie hebben.

Hij schrok van een stem achter zich. 'Ik vind dat we met Anna moeten gaan praten,' zei Lisa. Het was alsof ze zijn gedachten kon lezen.

Painter draaide zich om. Hij had gedacht dat Lisa sliep. Ze had gedoucht en leunde nu in haar stoel, gekleed in een kaki broek en een roomkleurige blouse.

Ze keek hem onderzoekend aan. 'Je ziet er belabberd uit,' zei ze.

'Dat klink echt opbeurend,' zei hij, en hij stond op en rekte zich uit.

Het vliegtuig ging schuin hangen en alles werd donker. Lisa greep hem bij zijn elleboog. Het werd weer licht en het vliegtuig vloog gewoon rechtdoor. Het had niet aan het vliegtuig gelegen, maar aan hem.

'Beloof me dat je nog even gaat slapen voordat we landen,' zei ze terwijl ze in zijn arm kneep.

'Als daar tijd voor is... Au!'

Ze kon hard knijpen.

'Oké, ik beloof het,' zei hij.

Ze liet hem los en knikte in Anna's richting. Anna zat over een stapel rekeningen gebogen, vrachtbrieven van de Waalenbergs. Ze zocht naar aanwijzingen dat de Waalenbergs voorraden hadden aangeschaft die in verband met de Glocke konden worden gebracht.

'Ik wil weten hoe die Glocke werkt,' zei Lisa. 'Ik wil de theorie erachter kennen. Als de ziekte voor schade op kwantumniveau zorgt, moeten we het hoe en waarom ervan kunnen begrijpen. Gunther en zij zijn de enige overlevenden uit het Granitschloß. En ik denk niet dat Gunther veel van de details kent.'

Painter knikte. 'Hij is eerder een waakhond dan een wetenschapper...'

Als om dat te bevestigen snurkte Gunther stevig.

'Alles wat er over de Glocke te weten is, zit in Anna's hoofd. En als haar denkvermogen het begeeft...'

Dan hadden ze niets meer.

'Voordat het zover komt, moeten we er alles over te weten zien te komen,' was Painter het met Lisa eens.

Lisa ontmoette zijn blik. Ze deed geen moeite haar gedachten te verbergen, die waren op haar gezicht te lezen. Hij wist nog dat ze uitgeput aan boord van het vliegtuig was gegaan. Ze had per se mee gewild. Ze wist hoe de situatie ervoor stond.

Want het was niet alleen Anna's leven dat op het spel stond, en daarmee de kennis over de Glocke. Ook Painter liep gevaar.

Er was maar één persoon die er bijna vanaf het begin bij was geweest, één persoon die medisch en wetenschappelijk voldoende onderlegd was om alles te begrijpen, en die niet werd bedreigd door naderende dementie. In het kasteel hadden Lisa en Anna lange gesprekken gevoerd. Lisa had in haar eentje in Anna's bibliotheek kunnen neuzen. Wie weet welk klein detail van groot belang zou blijken te zijn, het verschil tussen een geslaagde missie en een mislukking?

Lisa had dat begrepen. Er was in Kathmandu niet eens over gesproken. Ze was gewoon aan boord gegaan.

Ze pakte zijn hand, kneep erin en knikte in Anna's richting. 'Laten we haar eens flink aan de tand voelen.'

'Om te kunnen begrijpen hoe de Glocke werkt, moet je eerst iets over de kwantumtheorie weten,' zei Anna.

Lisa keek de Duitse vrouw onderzoekend aan. Door de codeïne had ze vergrote pupillen. Ze slikte er te veel van. Anna's handen trilden. Ze hield haar leesbril met beide handen vast, alsof het een reddingsboei was.

Ze waren achter in het vliegtuig gaan zitten. Gunther sliep nog zwaar bewaakt voorin.

'Ik denk niet dat we de tijd hebben om een volledig studieprogramma af te werken,' zei Painter.

'Natürlich nicht. Er zijn drie principes waar jullie vanaf moeten weten.'

Anna liet haar bril los en stak een vinger op. 'Allereerst moeten jullie begrijpen dat wanneer materie tot subatomair niveau wordt afgebroken – elektronen, protonen en neutronen – de klassieke natuurwetten niet meer volledig van toepassing zijn. Max Planck ontdekte dat elektronen, protonen en neutronen zich als deeltjes én als golven gedragen. Dat klinkt vreemd en tegenstrijdig. Deeltjes kennen vaste banen en paden, terwijl golven meer verstrooid zijn, minder duidelijk. Ze beschikken niet over specifieke coördinaten.'

'En deze subatomaire deeltjes gedragen zich als beide?' vroeg Lisa.

'Ze hebben het potentieel om golf of deeltje te zijn,' zei Anna. 'En dat brengt ons op het volgende: het onzekerheidsbeginsel van Heisenberg.'

Lisa kende het onzekerheidsbeginsel, en in Anna's bibliotheek had ze er meer over gelezen. 'Heisenberg zegt dat niets zeker is totdat het wordt waargenomen,' zei ze. 'Maar ik begrijp niet wat dat met elektronen, protonen en neutronen te maken heeft.'

'Het beste voorbeeld van het onzekerheidsbeginsel is Schrödingers kat,' reageerde Anna. 'Stop een kat in een afgesloten kist waaraan een apparaat is verbonden dat de kat wel of niet vergiftigt. Het is puur toeval. De kat blijft leven of de kat gaat dood. Heisenberg leert ons dat zolang de kist dicht is, de kat zowel levend als dood kan zijn. Alleen wanneer iemand de kist opent en erin kijkt, kan worden nagegaan of de kat dood dan wel levend is.'

'Dat klinkt eerder als filosofie dan als wetenschap,' zei Lisa.

'Misschien wanneer je het over een kat hebt. Maar op subatomair niveau is het bewezen.'

'Bewezen? Hoe dan?' vroeg Painter. Tot nu toe had hij Lisa de vragen laten stellen. Zij was in dit onderwerp thuis, maar hij begreep dat ze echt alles uit Anna wilde trekken.

'Dan komen we op het klassieke dubbelspleet-experiment,' zei Anna. 'En dat is het derde punt.' Ze pakte twee papiertjes en tekende op een ervan twee spleten. Daarna hield ze het ene papier een eindje achter het andere.

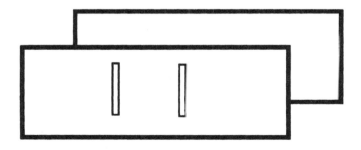

'Wat ik nu ga vertellen, klinkt jullie misschien heel wonderlijk in de oren... Stel je voor dat deze twee papieren betonnen muren zijn, en dat de spleten twee ramen zijn. Als je met een hagelgeweer op de spleten zou schieten, zou je op de muur daarachter een bepaald patroon krijgen. Zoiets.'

Ze zette stippen op het andere vel papier.

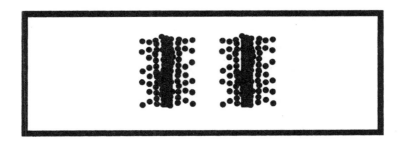

'Dit noemen we even patroon A. De manier waarop hagel of deeltjes door deze spleten zouden gaan.'

Lisa knikte. 'Oké.'

'Nu nemen we geen hagel, maar schijnen we licht op de muur. Het licht komt door beide spleten. Omdat licht een golfbeweging is, zou je een ander patroon op de blinde muur moeten krijgen.'

Ze tekende een patroon van donkere en lichte banen op een ander vel papier.

'Dit patroon wordt veroorzaakt doordat de lichtgolven die door het linker- en rechterraam komen, elkaar beïnvloeden. Laten we dit dan maar patroon B noemen. Dat wordt door golven veroorzaakt.'

'Begrepen,' zei Lisa, onzeker over waar dit heen ging.

Anna hield de beide patronen naast elkaar. 'Nu neem je een elektronenkanon en schiet je elektronen door de spleten. Wat voor patroon krijg je dan?'

'Omdat je elektronen als hagel afschiet, denk ik dat je patroon A zou krijgen.' Lisa wees naar het eerste plaatje.

'Maar in een laboratoriumopstelling krijg je patroon B.'

Daar moest Lisa even over nadenken. 'Het patroon van de golven. Dus de elektronen komen niet als hagel uit het kanon, maar als licht uit een zaklantaarn. Ze maken een golfbeweging en veroorzaken patroon B.'

'Precies.'

'Dus elektronen zijn eigenlijk golven.'

'Ja. Maar alleen wanneer niemand de elektronen door de spleten ziet gaan.'

'Dat begrijp ik niet.'

'Bij een ander experiment plaatsten de wetenschappers een pieper bij een van de spleten. Elke keer dat er een elektron door de spleet kwam, piepte die. Hij observeerde het elektron dat langs de detector kwam. Welk patroon werd er op de blinde muur zichtbaar toen het apparaatje werd ingeschakeld?'

'Dat zou niet veranderd mogen zijn, toch?'

'In de grote wereld zou je gelijk moeten hebben. Maar niet in de wereld van subatomaire deeltjes. Zodra het apparaat werd ingeschakeld, veranderde het patroon in patroon A.'

'Dus alleen door observeren veranderde het patroon?'

'Precies zoals Heisenberg dat had voorspeld. Het klinkt misschien onmogelijk, maar toch is het zo. Het is keer op keer bewezen. Elektronen zijn voortdurend in een staat van zowel golf als deeltje, totdat iets het elektron observeert. Daardoor wordt het elektron gedwongen het een of het ander te worden.'

Lisa probeerde zich een subatomaire wereld voor te stellen waarin alles in een voortdurende potentiële staat verkeerde. Dat lukte haar niet.

'Als atomen uit subatomaire deeltjes bestaan,' zei Lisa, 'en als de wereld die wij kennen uit atomen bestaat, de wereld die we kunnen aanraken en voelen, waar is dan de grens tussen de spookwereld van de kwantummechanica en onze wereld met echte voorwerpen?'

'De enige manier om het potentieel te veranderen is om het met iets te meten. Zulke meetapparatuur is overal aanwezig. Het kan het ene deeltje zijn dat tegen het andere botst, of een foton van licht dat ergens op valt. De omgeving is voortdurend bezig met het meten van de subatomaire wereld, waardoor het potentieel in harde werkelijkheid verandert. Kijk bijvoorbeeld eens naar je handen. Op kwantumniveau gedragen de subatomaire deeltjes van de atomen zich volgens diffuse kwantumwetten, maar naar buiten toe zijn het de miljoenen atomen waaruit je nagel bestaat. Deze atomen botsen voortdurend met elkaar, er bestaat interactie, ze meten elkaar op. Daardoor wordt het potentieel tot een vaste werkelijkheid gedwongen.'

'Oké...'

Anna moest hebben gehoord hoe weifelend dat klonk.

'Ik weet dat het bizar klinkt, maar ik heb nauwelijks getipt aan de vreemde wereld van de kwantummechanica. Ik heb concepten als niet-lokaliteit, tijdtunnels en diverse universums overgeslagen.'

Painter knikte. 'Raar gedoe, allemaal.'

'Maar deze drie punten moeten jullie goed begrijpen,' zei Anna, terwijl ze ze op haar vingers aftelde. 'Subatomaire deeltjes verkeren in een potentiële kwantumstaat. Dat potentieel verandert door metingen. En de omgeving meet voortdurend om onze werkelijkheid vast te stellen.'

Lisa hief haar hand op. 'Maar wat heeft dat allemaal met de Glocke te maken? In de bibliotheek had je het over de kwantumevolutie.'

'Precies,' zei Anna. 'Wat is DNA? Niets anders dan een proteïnefabriek. Daar worden de bouwstenen van de cellen vervaardigd, de bouwstenen van lichamen.'

'Dat is wel heel simpel gezegd.'

'Het kan nog eenvoudiger. Is DNA niet gewoon een genetische code die in chemische verbindingen ligt opgeslagen? En waardoor worden deze verbindingen verbroken? Wat zet de genen aan en uit?'

Lisa dacht aan de basisprincipes van de scheikunde. 'De bewegingen van elektronen en protonen.'

'En aan welke regels gehoorzamen deze subatomaire deeltjes? Aan de klassieke of aan die van de kwantummechanica?'

'Aan die van de kwantummechanica.'

'Dus als een proton op twee plaatsen kan zijn – A of B – om een gen aan of uit te zetten... Waar zou je die dan kunnen vinden?'

Lisa fronste haar voorhoofd. 'Als het het potentieel heeft op twee plaatsen tegelijk te zijn, ís het op twee plaatsen. Het gen is uit én aan. Totdat het door iets wordt opgemeten.'

'En wat meet het op?'

'De omgeving.'

'En de omgeving van een gen is...'

Langzaam sperde Lisa haar ogen open. 'De DNA-molecule zelf!'

Anne knikte glimlachend. 'Op het meest fundamentele niveau gedraagt de levende cel zich als een eigen kwantumopmetend apparaat. En dat voortdurend opmeten van de cellen is de werkelijke motor van de evolutie. Dat verklaart waarom mutaties niet toevallig zijn. Waarom de evolutie sneller plaatsvindt dan alleen aan het toeval kan worden toegeschreven.'

'Wacht even,' zei Lisa. 'Dat laatste moet je me even uitleggen.'

'Ik geef je een voorbeeld. Weet je nog die bacteriën die geen lactose konden verteren? Toen ze uitgehongerd waren omdat ze uitsluitend lactose kregen, muteerden ze verrassend snel om een enzym te ontwikkelen waardoor ze wel lactose konden verteren. Tegen alle waarschijnlijkheid in.' Anna trok haar wenkbrauwen vragend op. 'Kun jij dat verklaren? Met de drie kwantumprincipes? Ik vertel je er nog bij dat er voor deze mutatie maar één proton van de ene plaats naar de andere hoefde.'

Lisa wilde het wel proberen. 'Nou, als dat proton op twee plaatsen tegelijk kon zijn, dan wás dat proton volgens de kwantumtheorie op twee plaatsen tegelijk. Dus het gen was zowel gemuteerd als niet gemuteerd. Het zat in het potentieel ertussenin.'

Anna knikte. 'Ga door.'

'De cel werkte als een meetapparaat. Het DNA werd gedwongen die kant op te gaan of de andere. Muteren of niet muteren. En omdat de cel leeft en door de omgeving wordt beïnvloed, sloeg de weegschaal door naar één kant. Tegen alle waarschijnlijkheid in vond er toch mutatie plaats.'

'Tegenwoordig noemen wetenschappers dat adaptieve mutatie. De omgeving beïnvloedt de cel, de cel beïnvloedt het DNA, en de mutatie treedt op die voordelig voor de cel is. Allemaal aangestuurd door de mechanica van de kwantumwereld.'

Lisa begon te begrijpen waar dit naartoe ging. In een eerder gesprek had Anna de term intelligent design laten vallen. Ze had zelfs antwoord gegeven op de vraag wie ze dacht dat over die intelligentie beschikte: wij.

Nu begreep Lisa dat. Het zijn onze eigen cellen die de evolutie aansturen, die op de omgeving reageren en het DNA aansturen om beter bij die omgeving te passen. En dan kwam je bij Darwins natuurlijke selectie, die ervoor zorgde dat deze aanpassingen werden doorgegeven.

Anna ging verder, en haar stem begon hees te klinken. 'Belangrijker nog is dat de kwantummechanica verklaart hoe het eerste leven ontstond. Weet je nog hoe onwaarschijnlijk het was dat er in de oersoep een proteïne werd gevormd die zich kon voortplanten? In de wereld van de kwantummechanica bestaat het toeval niet meer. De eerste zich voortplantende proteïne werd gevormd omdat het orde in de chaos bracht. Het feit dat die proteïne in staat was te meten en op kwantumniveau te veranderen, kwam in de plaats van het botsen en krioelen van de oersoep. Het leven begon omdat het een beter instrument was om te meten.'

'En God had daar niet de hand in?' vroeg Lisa. Een dergelijke vraag had Anna haar ooit ook eens gesteld. Wat leek dat al lang geleden...

Anna drukte haar hand tegen haar voorhoofd. Haar vingers trilden. Met een gepijnigde uitdrukking op haar gezicht keek ze uit het raampje, en toen ze sprak, was haar stem bijna onhoorbaar. 'Dat zei ik niet... Je bekijkt het verkeerd.'

Lisa ging daar niet op in. Ze besefte dat Anna te moe was om verder te gaan. Ze hadden allemaal dringend slaap nodig. Toch was er nog één vraag die ze wilde stellen.

'Wat dóét de Glocke toch?' vroeg ze.

Anna liet haar hand zakken en keek eerst Painter aan en toen Lisa. 'De Glocke is het ultieme meetinstrument.'

Lisa hield haar adem in terwijl ze daarover nadacht.

Door Anna's uitputting heen straalde iets wat moeilijk te benoemen was: trots, rechtvaardiging, geloof... maar ook een flinke portie angst.

'De straling van de Glocke – als die beheerst zou kunnen worden – is niet alleen in staat om het DNA tot een meer volmaakte vorm te ontwikkelen, maar ook om de mens daarin mee te nemen.'

'En wij dan?' vroeg Painter ineens. Aan de uitdrukking op zijn gezicht te zien, was hij niet overtuigd. 'Jij en ik? Wat er met ons gebeurt, lijkt niet erg op volmaaktheid.'

Anna liet haar schouders hangen. Ze zag er uitgeblust uit. 'De Glocke kan doen evolueren, maar het tegenovergestelde kan ook gebeuren.'

'Het tegenovergestelde?'

'De ziekte die onze cellen aantast.' Anna keek weg. 'Het is niet zomaar degeneratie... Het is devolutie.'

Met stomheid geslagen staarde Painter haar aan.

Hees fluisterend ging ze verder: 'Onze lichamen keren terug tot de staat van oersoep waaruit ze voortkwamen.'

5:05

ZUID-AFRIKA

Hij werd wakker van de apen.

Apen?

Het was zo vreemd dat hij meteen klaarwakker was. Gray ging rechtop zitten. Terwijl hij probeerde te begrijpen waar hij was, kwamen er herinneringen boven.

Hij leefde. En hij bevond zich in een cel.

Hij herinnerde zich het gas in het museum in de Wewelsburg, de leugen. Hij had de Darwinbijbel verbrand, en gezegd dat die een geheim bevatte waar alleen zij van op de hoogte waren. Hij had gehoopt dat ze nieuwsgierig zouden worden. Kennelijk was dat ook het geval geweest. Hij leefde nog. Maar waar waren de anderen? Waar waren Monk, Fiona en Ryan?

Gray keek om zich heen. In de cel bevond zich alleen het hoognodige: een bed, een wc en een douche. Er waren geen ramen. In de deur zaten dikke tralies. De deur gaf toegang tot een gang die door neonbuizen in het plafond werd verlicht. Daarna controleerde Gray zijn lichaam. Hij was naakt, maar op een stoel die aan het bed was vastgeklonken, lagen keurig opgevouwen kleren.

Hij wierp de deken van zich af en stond op. Alles draaide om hem heen, maar na een paar keer diep ademhalen was dat voorbij. Hij bleef zich echter wel misselijk voelen. Zijn longen deden pijn. Zeker een nawee van het gifgas.

Gray had ook pijn aan zijn dij. Hij voelde aan een grote blauwe plek. Daar had iemand hem injecties toegediend. Er zat ook een pleister op zijn linkerhand. Had daar een infuus gezeten? Blijkbaar was hij verzorgd, en was zijn leven gered.

Ver weg hoorde hij nog meer opgewonden geschreeuw.

Wilde apen. Het klonk tenminste niet alsof ze in een kooi zaten. Meer alsof de natuur ontwaakte.

Waar was hij? Het was hier warm en droog, en het rook muf. Het leek of hij zich in een warmer klimaat bevond. Misschien ergens in Afrika. Hoe lang was hij buiten westen geweest? Hij had geen horloge om te kijken hoe laat het was. Hij wist niet eens welke dag het was... Maar hij had het gevoel dat er meer dan een dag voorbij was gegaan. De stoppels op zijn kin bevestigden dat.

Hij liep naar de deur.

Aan de andere kant van de gang stond Monk achter net zo'n deur met tralies. Gray voelde zich geweldig opgelucht toen hij zijn partner levend aantrof. 'Gelukkig...' fluisterde hij.

'Gaat het?'

'Beetje duizelig, maar dat wordt al minder.'

Monk had zich al aangekleed. Hij droeg een witte overal, net zo een-tje als er voor Gray klaarlag. Gray trok het geval aan.

Monk hief zijn linkerarm op. Gray zag de stomp, en de bio-contact-implantaten van titanium waar normaal gesproken Monks prothese aan zijn arm was bevestigd. 'Die rotzakken hebben mijn hand verdomme af gedaan.'

Dat Monk zijn prothese miste, was wel het minste waar ze zich druk om moesten maken. Misschien hadden ze er nog wel voordeel van. Maar eerst...

'Fiona en Ryan?'

'Geen idee. Misschien zitten ze hier ook ergens in de cel. Of misschien zijn ze heel ergens anders.'

Of misschien zijn ze dood, dacht Gray.

'Wat doen we nu?' vroeg Monk.

'We hebben weinig keus. We wachten totdat onze bewakers komen. Ze zullen erachter willen komen wat we allemaal weten. Misschien kunnen we iets regelen.'

Monk knikte. Hij wist dat Gray in het kasteel had gebluft, maar ze moesten zich nu aan zijn verhaal houden. Waarschijnlijk werden ze afgeluisterd.

Als bewijs daarvoor ging de deur aan het eind van de gang met een hol geluid open.

Ze hoorden voetstappen. Er kwamen mensen aan.

Even later zagen ze een groep mannen in groenzwarte camouflagepakken, aangevoerd door de lange, bleke man die op de veiling was geweest. Hij droeg dezelfde kleding als altijd: een zwarte broek, een keurig gestreken linnen overhemd, witte instappers en een wit vest van kasjmier. Hij zag eruit alsof hij op weg was naar een chic tuinfeest.

Er waren tien bewakers, die zich opsplitsen in twee groepen. Ze gingen bij de cellen staan. Gray en Monk werden uit hun cel gehaald en hun armen werden op de rug vastgebonden. Ze stonden op blote voeten.

De leider ging voor hen staan en richtte zijn ijzig blauwe ogen op Gray.

'Goedemorgen,' zei hij stijfjes. Het klonk alsof hij een toneelstukje opvoerde, zich bewust van de camera's die in de gang hingen. 'Mijn grootvader wil u graag spreken.'

Hoewel hij beleefd deed, klonk er woede in zijn stem door, en de belofte van veel pijn. Hij had zijn prooi niet mogen doden en wachtte nu op een volgende gelegenheid. Maar waarom was hij zo kwaad? Omdat zijn broer was omgekomen, of omdat Gray hem in het kasteel te slim af was geweest? Hoe dan ook, onder de keurige kleding ging een roofdier schuil.

'Deze kant op,' zei hij terwijl hij zich afwendde.

Hij ging de groep voor door de gang. Onderweg keek Gray in de andere cellen. Die waren leeg. Nergens een spoor van Fiona of Ryan. Waren ze nog in leven?

De gang eindigde bij drie treden naar een dikke stalen deur. Die stond onbewaakt open.

Gray stapte naar buiten, in een donker en groen wonderland. Boven hem bevond zich een dicht bladerdak waaruit lianen en bloeiende orchideeën naar beneden hingen. Door het gebladerte kon Gray de lucht niet zien, maar hij wist dat het heel vroeg moest zijn, nog voor zonsopgang. Voor hem uit zag hij negentiende-eeuwse lantaarnpalen langs een pad dat het oerwoud in leidde. Er tjilpten en krijsten vogels en er zoemden insecten. Verderop in het bladerdak kondigde een aap hun komst aan met korte, hese kreten. Daardoor ontwaakte een vogel met een vurig verenkleed, en die vloog op.

'Afrika,' mompelde Monk. 'Beneden de Sahara. Misschien Centraal-Afrika?'

Gray dacht ook al zoiets. Hij schatte dat er een dag voorbij was gegaan. In een uur of achttien, twintig, konden ze gemakkelijk naar Afrika zijn overgevlogen.

Maar waar precies?

De bewakers liepen met hen over een grindpad. Een paar meter daarnaast hoorde Gray iets groots door de dichte begroeiing sluipen. Zelfs van zo dichtbij kon hij niet zien wat het was. Het woud bood voldoende bescherming, mocht hij ervandoor gaan.

Maar die kans kreeg hij niet. Na vijftig meter liep het pad dood. Nog een paar treden, en toen hield het oerwoud abrupt op.

Boven hen fonkelden sterren aan de hemel, maar in het oosten kondigde een roze gloed de nieuwe dag aan die over ongeveer een uur zou aanbreken.

Dichterbij zag Gray iets wat zijn aandacht volledig vasthield.

Achter een gazon rees een landhuis op, opgetrokken uit steen en tropische houtsoorten. Het deed hem denken aan de Awahnee Lodge in Yosemite Park, maar dit huis was veel groter, haast wagneriaans van opzet. Een Versailles in een bos. Het moest een oppervlakte van vier hectare beslaan, en er waren puntgevels en torentjes, balkons en balustraden. Links stak een serre uit die vanbinnen werd verlicht. Het licht leek in de ochtendschemering op een opgaande zon.

De eigenaars moesten stinkend rijk zijn.

Ze liepen naar het landhuis, over een stenen pad dwars door een tuin vol vijvers en bruggetjes. Een slang van wel twee meter lang gleed over een van de stenen bruggen. Gray kon pas zien wat voor slang het was toen het beest zijn kop oprichtte en zijn hals breed maakte. Het was een koningscobra.

De slang bewaakte de brug totdat de hoogblonde man een rietstengel uit de vijver afbrak en die naar de slang wierp alsof hij met een lastige kat te maken had. De slang siste, maar toch liet hij zich in het water glijden.

Ze liepen verder. Gray keek omhoog toen ze het landhuis naderden.

Hij zag nog iets vreemds aan de constructie. Langs de bovenste verdiepingen liepen houten loopbruggen die gasten in staat stelden om uit het huis te stappen en het bladerdak in te lopen. Ook deze loopbruggen waren verlicht, net sterren in het donkere oerwoud zelf. Gray keek om zich heen. Overal zag hij lichtjes schitteren.

'Kijk,' mompelde Monk, en hij knikte naar rechts.

Over de loopbrug liep een bewaker, zwak beschenen door een licht. Hij had een geweer over de schouder. Gray keek Monk eens aan. Er waren er vast meer. Misschien zat er wel een heel leger tussen het gebladerte verscholen. Een ontsnapping zat er niet in.

Eindelijk kwamen ze bij treden naar een brede veranda van gewreven zebrahout. Er stond een vrouw te wachten, de tweelingzuster van hun begeleider, en identiek gekleed. De man liep naar voren, en ze gaven elkaar een kus op de wang.

Hij sprak in het Afrikaans met haar. Hoewel Gray die taal niet vloeiend sprak, begreep hij wel wat er werd gezegd.

'Zijn de anderen gereed, Ischke?' vroeg hij.

'We wachten op een seintje van oupa.' Ze knikte in de richting van de verlichte serre aan het einde van de veranda. 'Dan kan de jacht beginnen.'

Gray begreep er niets van.

Met een zucht draaide de blonde man zich naar hen terug en streek een ontsnapte lok goed. 'Mijn grootvader zal jullie in het solarium te woord staan,' zei hij afgemeten. Hij liep er over de veranda naartoe. 'Jullie moeten beleefd en respectvol zijn, anders zal ik er persoonlijk op toezien dat jullie ervoor boeten.'

'Isaak...' riep de vrouw hem na.

Hij bleef staan en draaide zich om. 'Ja, Ischke?'

'*Die seun en die meisie...* Moeten ze er niet uit?'

Hij knikte en zei iets in het Afrikaans.

Terwijl Gray dat inwendig vertaalde, kreeg hij een por om door te lopen. Hij keek achterom naar de vrouw. Ze verdween net in het huis.

De jongen en het meisje... Dat moesten Ryan en Fiona zijn.

Ze leefden dus nog, en daar putte Gray moed uit – al was wat Isaak had gezegd nog zo beangstigend: zorg dat ze onder het bloed zitten.

Painter zat met een pen in de hand. Het enige geluid in het vliegtuig was het snurken van Gunther. Gunther leek zich totaal niet bewust van de gevaren die hun wachtten. Maar Gunther had dan ook niet zo'n haast als Anna en Painter. Hoewel ze allemaal naar devolutie op weg waren, ging het bij Anna en Painter razendsnel.

Omdat Painter de slaap niet kon vatten, had hij zijn tijd nuttig besteed aan het doornemen van de familiegeschiedenis van de Waalenbergs. Hij wilde zoveel mogelijk over hen weten.

Het was belangrijk om de vijand goed te kennen.

De Waalenbergs waren in 1617 via Algiers naar Afrika getrokken. Ze stamden af van de beruchte Barbarijse zeerovers die langs de kust van Noord-Afrika hadden huisgehouden. De eerste Waalenberg was schieman geweest bij de beroemde zeerover Süleyman Reis 'De Veenboer', die een hele vloot van Nederlandse kaperschepen en galeien onder zich had.

Toen de Waalenbergs rijk waren geworden met slavenhandel, was de familie naar het zuiden getrokken, en had zich gevestigd in de Nederlandse kolonie op Kaap de Goede Hoop. Maar hun roofpraktijken gaven ze niet op, ze gingen gewoon aan land verder. Ze hielden de Nederlandse immigranten in een wurggreep, en toen er goud werd gevonden, profiteerden de Waalenbergs daar het meest van. En er werd niet weinig goud gevonden. Uit het gebied Witwatersrand, een laaggebergte in de buurt van Johannesburg, kwam veertig procent van al het goud ter wereld. Witwatersrand was niet zo opzichtig als de beroemde diamantmijnen van de De Beers, maar toch een van de meest waardevolle goudvoorraden ter wereld.

De familie werd steenrijk en vormde een dynastie die de Eerste en Tweede Boerenoorlog overleefde, alsmede alle politieke verwikkelingen die Zuid-Afrika maakten tot wat het heden ten dage was geworden. De Waalenbergs hoorden bij de rijkste families op aarde. Maar ze waren de laatste paar generaties steeds teruggetrokkener gaan leven, vooral onder het bewind van de huidige patriarch, Sir Baldric Waalenberg. Toen de familie zich uit het openbare leven terugtrok, deden er onmiddellijk geruchten de ronde over gruweldaden, drugsverslaving en inteelt. En toch werden de Waalenbergs steeds rijker. Ze bezaten aandelen in de diamant-, olie-, petrochemische en farmaceutische industrie. Ze waren het 'multi' in multinational.

Zat deze familie echt achter de gebeurtenissen in het Granitschloß?

Painter sloeg de bladzij om en tikte met zijn pen op het familiewapen van de Waalenbergs.

Er was iets met dat symbool...

Logan had niet alleen informatie over de Waalenbergs gestuurd, maar ook over het symbool. Het was een Keltisch symbool. Dit zonnesymbool werd vaak op Keltische schilden aangetroffen, en werd ook wel schild-knoop genoemd.

Painter hield de pen stil.

Schildknoop.

Hij herinnerde zich iets wat Klaus op het laatst had gezegd, dat ze allemaal zouden sterven wanneer de knoop werd aangetrokken.

Painter had gedacht dat Klaus het over een strop had. Maar had hij misschien op dit symbool gedoeld?

Wanneer de knoop wordt aangetrokken...

Painter sloeg een gefaxt bericht om. Terwijl hij naar het wapen van de Waalenbergs keek, tekende hij het symbool alsof de knoop inderdaad was aangetrokken, alsof de lussen een schoenveter waren.

'Wat doe je?' Lisa was achter hem komen staan.

Verrast schoot zijn potlood uit en daardoor scheurde het papier bijna.

'Jezus, mens, wil je me alsjeblieft niet zo besluipen?'

Ze geeuwde en ging op de armleuning van zijn stoel zitten. Ze wreef even over zijn schouder. 'Wat heb je toch een zachtaardig karakter...' Met haar hand nog op zijn schouder boog ze zich naar voren. 'Wat ben je aan het tekenen?'

Plotseling werd Painter zich ervan bewust dat haar borst tegen zijn wang lag.

Hij schraapte zijn keel en ging verder met tekenen. 'Ik speel een beetje met het symbool dat we bij de vrouw aantroffen. Een collega heeft datzelfde symbool bij een paar Sonnenkönige in Europa gezien. Een tweeling, de kleinkinderen van Sir Baldric Waalenberg. Het is vast van belang, misschien een aanwijzing die we over het hoofd hebben gezien.'

'Of misschien brandmerkt die ouwe zijn nageslacht graag, alsof het vee is. Ze worden wel als vee gefokt.'

Painter knikte. 'Er was ook iets wat Klaus zei. Over een knoop die werd aangetrokken. Net een onuitgesproken geheim.'

Hij maakte de tekening af en legde het ene symbool naast het andere; de originele knoop en de aangetrokken knoop.

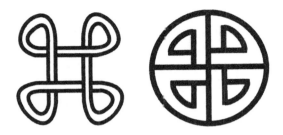

Painter bekeek de twee tekeningen aandachtig, en toen ineens drong de betekenis ervan tot hem door.

Lisa moest hebben gemerkt dat hij zijn adem inhield. 'Wat is er?' vroeg ze, en ze boog zich nog verder voorover.

Met de pen wees hij naar de tweede tekening. 'Geen wonder dat Klaus naar hen overliep. En waarom de Waalenbergs de laatste paar generaties zo teruggetrokken leven.'

'Ik snap het niet.'

'We hebben hier niet met een nieuwe vijand te maken. Het is een oude tegenstander.' Painter maakte een paar lijnen midden in de schildknoop dikker en onthulde toen de kern van het symbool.

Lisa slaakte een gesmoorde kreet. 'Een swastika!'

Painter keek naar de sluimerende reus en zijn zuster.

Hij zuchtte. 'Nog meer nazi's...'

6:04

ZUID-AFRIKA

De glazen serre moest net zo oud zijn als het originele huis. De ramen waren voorzien van glas in lood, met de mond geblazen en ongelijk. Het was alsof het glas in de Afrikaanse zon was gesmolten en daarna in een zwart metalen lijst was gezet die Gray aan een spinnenweb deed denken. Door condensatie aan de binnenkant was het oerwoud buiten niet goed te zien.

Zodra Gray binnen was, viel het hem op hoe vochtig het hier was. De vochtigheidsgraad moest tegen de honderd procent liggen. Zijn dunne katoenen overall plakte aan zijn lijf.

Maar het solarium was niet voor hem gebouwd. Het huisvestte een chaos van planten in potten. Ze stonden op planken en hingen in mandjes aan zwarte kettingen. Honderden bloemen deden de serre geuren. Het water uit een fontein van bamboe en steen klaterde zachtjes in het midden van de ruimte. Het was een prachtig geheel, maar Gray vroeg zich af waarom iemand in Afrika een kas zou willen hebben.

Het antwoord stond voor hem.

Op een loopbrug stond een man met wit haar. In zijn ene hand had hij een tuinschaar, in de andere een pincet. Als een chirurg boog hij zich over een bonsaiboompje – een in bloei staande pruimenboom – en knipte een twijgje af. Daarna ging hij met een tevreden zucht rechtop staan.

De boom leek oud te zijn. Hij was grillig van vorm, met koperdraad omwonden. Er hing bloesem aan, allemaal volmaakt symmetrische bloemen in perfecte harmonie.

'Deze is tweehonderdtwintig jaar oud,' zei de bejaarde man terwijl hij zijn werk bewonderde. Hij had een zwaar accent en leek wel op Heidi's Opa-Berg in zijn goeie goed. 'De boom was al oud toen keizer Hirohito hem mij in 1941 gaf.'

Hij legde zijn gereedschap neer en draaide zich om. Hij droeg een witte voorschoot over een marineblauw pak en een rode stropdas. Hij stak zijn hand naar zijn kleinzoon uit. 'Isaak, *is alles reg...*'

De jonge man kwam naar voren en hielp de oude man van de verhoging af. Daarvoor werd hij beloond met een schouderklopje. De oude man legde zijn voorschoot af, pakte een zwarte wandelstok op en leunde daar zwaar op. Het viel Gray op dat er een familiewapen op de zilveren knop van de wandelstok stond: een grote w omringd door het bekende klaverbladachtige symbool. Hetzelfde symbool dat de tweeling Isaak en Ischke op hun handen hadden getatoeëerd.

'Ik ben Baldric Waalenberg,' zei de patriarch zacht. Hij keek van Gray naar Monk. 'Als u zich in de salon bij me wilt voegen? We hebben veel om over te praten.'

Hij wendde zich af en liep tikkend met zijn wandelstok naar de verre kant van het solarium.

De bejaarde man moest ergens achter in de tachtig zijn, maar afgezien van de noodzaak voor een wandelstok leek hij nog erg fit. Hij had een dikke bos schouderlang zilverwit haar met een scheiding in het midden. Aan een zilveren ketting om zijn hals hing een leesbril, waarvan aan een van de glazen iets was bevestigd wat eruitzag als een loep zoals juweliers die gebruiken.

Terwijl ze over de leistenen vloer liepen, merkte Gray dat de planten in de serre onderverdeeld waren in een sectie bonsaiboompjes en struiken, een afdeling met varens, en ten slotte een deel vol orchideeën.

De patriarch had gezien dat hij er geïnteresseerd naar keek. 'Ik kweek al zestig jaar *Phalaenopsis*.' Hij bleef staan bij een stengel waaraan paarse bloemen hingen, de kleur van een blauwe plek.

'Mooi,' zei Monk spottend.

Isaak keek Monk kwaad aan.

Het scheen de oude man niet te zijn opgevallen. 'Maar een zwarte orchidee wil me maar niet lukken. Het hoogste wat een orchideeënkweker kan bereiken. Ik was er zo dichtbij... Maar wanneer je met een vergrootglas kijkt, zitten er toch banen in, of meer purper dan echt ebbenhout.'

Afwezig voelde hij aan de loep, toen liep hij verder.

Gray begreep nu wat het verschil was tussen het oerwoud buiten en de kas. Hier werd niet van de natuur genoten, maar werd de natuur beheerst. Onder het glas van de serre werd de natuur geknipt, gesmoord, getemd en geleid. De groei werd met koperdraad geknot, de bevruchting werd handmatig geregeld.

Aan de andere kant van het solarium liepen ze door een deur van gebrandschilderd glas en kwamen bij een zitje met stoelen van rotan en mahoniehout. Dit was een kleine salon aan de zijkant van het huis. Aan een kant waren dubbele deuren met rubberstrips die toegang gaven tot het huis zelf.

Baldric Waalenberg nam plaats in een fauteuil met een hoge rugleuning.

Isaak liep naar een bureau waar een HP computer op stond en een lcd-scherm. Naast het bureau stond een schoolbord.

Op het schoolbord stonden met krijt symbolen getekend. Gray zag dat het runen waren, en de laatste was de Mensch-rune uit de Darwinbijbel.

Gray telde ze en prentte ze in zijn geheugen. Vijf symbolen. Vijf boeken.

Dit waren alle symbolen van Hugo Hirszfeld. Maar wat betekenden ze? Welk geheim was te mooi om te laten sterven en te monsterlijk om los te laten?

De bejaarde man legde zijn handen gevouwen in zijn schoot en knikte naar Isaak.

Isaak drukte een toets in en er verscheen een beeld op de monitor.

Een hoge kooi hing boven de grond in het oerwoud. De kooi was in twee helften verdeeld en in elke helft zat een ineengedoken gestalte.

Gray zette een stap naar voren, maar werd door een bewaker met een geweer achteruit gedwongen. Op het scherm keek een van de gestalten op. Het gezicht werd door een spotlight verlicht.

Het was Fiona.

In de andere helft van de kooi zat Ryan.

Fiona had een verband om haar linkerhand. Er zaten donkere vlekken op. Ryan hield zijn rechterhand onder zijn oksel. Zorg dat ze onder het bloed zitten... Dat rotmens moest hun een snee in de hand hebben toegebracht. Gray hoopte dat dat alles was. Er laaide woede in hem op, en zijn hart klopte sneller.

'Nu kunnen we praten, nietwaar?' zei de bejaarde man met een warme grijns. 'Als heren onder elkaar.'

Gray draaide zich naar hem toe, maar hield zijn blik op het scherm gevestigd. Heren onder elkaar? 'Wat wilt u weten?' vroeg hij ijzig.

'De bijbel. Wat heeft u daar nog meer in aangetroffen?'

'Laat u hen dan vrij?'

'En ik wil verdomme mijn hand terug!' riep Monk ineens uit.

Gray keek van Monk naar de bejaarde man.

Baldric knikte naar Isaak. Die op zijn beurt gebaarde naar een van de bewakers en blafte in het Afrikaans een bevel. De bewaker draaide zich op zijn hielen om en liep de dubbele deuren door, het huis in.

'Verdere onaangenaamheden zijn onnodig. Als u meewerkt, heeft u mijn woord. Er zal niemand een haar worden gekrenkt.'

Gray had alleen maar leugens om te vertellen. Het had geen zin om verder te onderhandelen. Hij liet zijn gebonden polsen zien. 'Ik moet u laten zien wat we hebben aangetroffen. Beschrijven is lastig. Het is een symbool, net als de andere.'

Weer een knikje, en even later waren Grays polsen los. Hij wreef ze en liep naar het schoolbord toe. Een paar geweren stonden op hem gericht.

Hij moest iets tekenen wat er overtuigend uitzag, maar hij kende maar weinig runen. Hij herinnerde zich de theepot van Himmler die hij in het museum had gezien. Daar had een rune op gestaan. Dat was iets cryptisch en zou overtuigend genoeg moeten zijn. Bovendien zou het voor de mensen hier lastig worden het raadsel op te lossen met een extra symbool erbij.

Hij pakte een stukje krijt en tekende het symbool dat hij op de theepot had gezien.

Baldric boog zich naar voren en kneep zijn ogen tot spleetjes. 'Een zonnerad. Interessant.'

Gray stond met het krijtje in de hand bij het schoolbord, als een leerling die wacht op de reactie van de leraar na het oplossen van een wiskundig probleem.

'En dit is alles wat u in de Darwinbijbel hebt aangetroffen?' vroeg Baldric.

Vanuit zijn ooghoeken zag Gray dat Isaak smalend glimlachte.

Er was iets mis.

Baldric wachtte op Grays antwoord.

'Eerst moet u hen laten gaan,' zei Gray, en hij knikte in de richting van de monitor.

De bejaarde man en Gray keken elkaar aan. Hoewel Baldric zich uiterst voorkomend gedroeg, herkende Gray de meedogenloosheid in hem. De bejaarde man genoot hiervan.

Uiteindelijk keek Baldric weg en knikte naar zijn kleinzoon.

'*Wie is eerste?*' vroeg Isaak.

Nu wist Gray helemaal zeker dat er iets mis was.

Baldric gaf in het Engels antwoord. Hij hield zijn blik strak op Gray gevestigd, hij vond dit duidelijk amusant. 'De jongen. Het meisje bewaren we voor later.'

Isaak tikte iets op het toetsenbord van de computer.

Op het scherm zagen ze de bodem uit de ene helft van de kooi vallen. Ryan stortte gillend en maaiend met zijn armen naar beneden. Hij kwam hard neer in het hoge gras. Snel stond hij op en keek doodsbang om zich heen. De jongen was zich duidelijk bewust van een gevaar dat Gray nog niet kende. Waarschijnlijk had het met het bloed te maken.

Gray wist nog wat Ischke had gezegd: we wachten op een seintje van oupa... Dan kan de jacht beginnen.

Welke jacht?

Baldric maakte een gebaar naar Isaak alsof hij een knop omdraaide.

Isaak toetste weer iets in, en nu klonk er geluid uit de speakers: gegil en geschreeuw.

Gray hoorde duidelijk Fiona's stem: 'Rennen, Ryan! Klim in een boom!'

De jongen rende eerst een rondje, daarna verdween hij hinkend uit beeld. Het ergste was nog dat Gray gelach hoorde. Dat waren de bewakers in het oerwoud.

Toen klonk er een andere kreet. Een bloeddorstige kreet.

Gray kreeg er kippenvel van.

Baldric maakte een snijdend gebaar en het geluid werd zacht gezet.

'We kweken hier niet alleen orchideeën, commandant Pierce,' zei Baldric, nu ineens niet meer zo beleefd.

'U hebt ons uw woord gegeven,' zei Gray.

'Dan had u moeten meewerken!' Baldric stond op en gebaarde wegwuivend naar het schoolbord. 'Denkt u soms dat we achterlijk zijn? We wisten heel goed dat er verder niets in de Darwinbijbel stond. We hebben al wat we nodig hebben. Dit was een test, een demonstratie. We hebben jullie om heel andere redenen hier gebracht. Er zijn andere vragen waarop we antwoorden willen hebben.'

Het duizelde Gray toen tot hem doordrong wat dit betekende. 'Het gas...'

'Een verdovend gas, niet dodelijk. Maar u heeft ons heel wat pret bezorgd met uw list. Nu is het echter tijd om zaken te doen.'

Baldric liep naar het lcd-scherm toe. 'U koestert beschermende gevoelens voor dit kleintje, nietwaar? Een meisje met pit... *Baaie goed.* Ik zal u laten zien wat haar in het oerwoud te wachten staat.'

Een knikje, een toets die werd ingedrukt, en er verscheen een split screen.

Ontzet sperde Gray zijn ogen open.

Baldric zei: 'We willen meer weten over een handlanger van u. Maar eerst wilde ik even duidelijk maken dat de tijd van spelletjes spelen voorbij is. Of heeft u behoefte aan nog een demonstratie?'

Gray staarde verslagen naar het scherm. 'Wie? Over wie wilt u iets weten?'

Baldric liep op hem toe. 'Over uw baas, Painter Crowe.'

12

UKUFA

6:19

RICHARDS BAY, ZUID-AFRIKA

Lisa zag dat Painters benen trilden toen ze de treden voor het plaatselijke kantoor van British Telecom International op liepen. Ze waren hier om een Britse agent te spreken die hen op logistiek gebied zou bijstaan wanneer werd besloten de aanval op het landgoed van de Waalenbergs in te zetten. Ze waren per taxi vanaf de luchthaven naar Richards Bay gegaan, een belangrijke havenstad aan de zuidkust van Zuid-Afrika. Vandaar af was het slechts een uurtje rijden naar het landgoed.

Painter hield zich aan de leuning vast en liet een vochtige afdruk achter. Ze pakte zijn elleboog en hielp hem de laatste tree op.

'Het lukt me best,' snauwde hij.

Ze reageerde niet. Ze wist dat hij zo kortaf deed omdat hij zich zorgen maakte. Hij had ook veel pijn. Hij had codeïne geslikt of het M&M's waren. Hinkend liep hij naar de deur.

Lisa had gehoopt dat hij tijdens de vlucht een beetje op krachten zou komen, maar hij was juist nog meer achteruitgegaan. Devolutie, als je Anna moest geloven.

De Duitse vrouw was samen met Gunther onder bewaking op het vliegveld achtergebleven. Niet dat het nodig was hen te bewaken. Anna had het laatste uur van de vlucht in de wc doorgebracht omdat ze heftig moest overgeven. Toen ze vertrokken, had Gunther naast Anna op de bank gezeten en was hij haar voorhoofd met een vochtig washandje aan het deppen. Haar linkeroog was bloeddoorlopen. Lisa had haar iets tegen de misselijkheid gegeven, en ook morfine tegen de pijn.

Hoewel Lisa er maar niets hardop over zei, vermoedde ze dat Anna en Painter op zijn best over een dag te ver heen zouden zijn om nog op genezing te durven hopen.

Majoor Brooks deed de deur voor hen open. Hij keek speurend om zich heen, maar zo vroeg in de ochtend waren er nog maar weinig mensen op straat.

Stijfjes liep Painter door de deur. Hij deed zijn best niet mank te lopen.

Lisa kwam achter hem aan. Binnen een paar minuten waren ze langs de balie gekomen, vervolgens door een doolhof van glazen hokjes en daarna in een vergaderzaal.

De zaal was verlaten. Een rij ramen bood uitzicht over de baai. Meer naar het noorden zagen ze hijskranen en containerschepen. In het zuiden lag achter een kade de oorspronkelijke lagune, die nu een natuurgebied was geworden waar krokodillen, haaien, nijlpaarden, pelikanen, aalscholvers en vooral flamingo's woonden.

De opgaande zon maakte van het water een vurige spiegel.

Terwijl ze wachtten, werden er thee en broodjes op tafel gezet. Painter was al gaan zitten. Lisa kwam naast hem zitten, maar majoor Brooks bleef bij de deur staan.

Hoewel ze niets had gevraagd, zag Painter aan haar gezicht waaraan ze dacht. 'Met mij is alles in orde.'

'Niet waar,' reageerde ze zacht. Om de een of andere reden voelde ze zich in deze lege zaal een beetje geïntimideerd.

Hij glimlachte naar haar, met een warme blik in zijn ogen. Hoewel hij steeds verder aftakelde, bleef hij scherp. Ze had wel gemerkt dat hij een beetje met dikke tong sprak, maar dat kon ook aan de pillen liggen. Zou zijn geest pas het laatst aftakelen?

Onder de tafel zocht ze intuïtief zijn hand.

Hij kneep in de hare.

Ze wilde niet dat hij aftakelde. Het was zo'n overweldigende emotie dat ze zelf verbaasd stond. Ze kende hem nauwelijks, maar ze wilde hem beter leren kennen. Ze wilde weten wat hij het liefste at, waar hij om moest lachen, hoe hij danste en wat hij bij een afscheid in haar oor zou fluisteren. Ze wilde niet dat dat allemaal verloren ging.

Ze kneep in zijn hand alsof ze hem daardoor bij zich kon houden.

Op dat moment ging de deur open. De Britse agent was eindelijk gearriveerd.

Verrast keek Lisa naar de persoon die was binnengekomen. Ze had zich iemand voorgesteld die op James Bond leek, een goed verzorgd type in een pak van Armani. In plaats daarvan kwam een vrouw van middelbare leeftijd in een gekreukt safaripak het vertrek binnen. In haar hand hield ze een verfomfaaide hoed. Op haar gezicht zat een laagje rossig stof, behalve om haar ogen. Ze had zeker een zonnebril op gehad. Het maakte dat ze er verwonderd uitzag, ook al stonden haar schouders vermoeid en had ze een bedroefde blik in haar ogen.

'Ik ben Paula Kane,' zei ze met een knikje naar majoor Brooks. 'We hebben maar weinig tijd om alles te regelen.'

Painter stond over de tafel gebogen waarop een aantal satellietfoto's lag uitgespreid. 'Hoe oud zijn deze?' vroeg hij.

'Ze zijn gisteravond tegen de schemering genomen,' antwoordde Paula Kane.

Ze had al uitgelegd wat haar rol hier was. Nadat ze als bioloog was afgestudeerd, had ze dienstgenomen bij de Britse geheime dienst en een standplaats in Zuid-Afrika gekregen. Haar partner en zij hadden veldonderzoek gedaan, en ondertussen hadden ze stiekem het landgoed van de Waalenbergs in de gaten gehouden. Ze bespioneerden de familie al bijna tien jaar, maar pasgeleden was er iets tragisch voorgevallen. Haar partner had onder vreemde omstandigheden de dood gevonden. De officiële verklaring luidde dat ze door een leeuw was aangevallen. Maar deze vrouw leek daar niet erg van overtuigd te zijn.

'Na middernacht hebben we infraroodopnames gemaakt,' vertelde ze. 'Helaas gebeurde er iets waardoor we geen beeld meer kregen.'

Painter keek naar het enorme terrein van meer dan veertigduizend hectare. Hij zag een landingsbaan in de jungle, gebouwen in een bebost hoogland, uitgestrekte savannes en dicht oerwoud. Midden in het dichte oerwoud stond een kasteel van steen en hout: het landhuis van de Waalenbergs.

'Kunnen we het gebied om het landhuis niet beter bekijken?'

Paula Kane schudde haar hoofd. 'Het ligt in een gebied met Afromontane wouden, oerbos. Er zijn er daar in Zuid-Afrika nog maar een paar van. De Waalenbergs hebben juist op deze plek een huis laten bouwen omdat het zo afgelegen is, en om het oerwoud voor zichzelf te hebben. Er zijn hier bomen van wel veertig meter hoog, met verschillende lagen en bladerdekken. De biodiversiteit is hier groter dan in de regenwouden van Kongo.'

'En het biedt dekking,' voegde Painter eraan toe.

'Wat er zich onder dat gebladerte afspeelt, weten alleen de Waalenbergs. We weten wel dat het huis slechts het topje van de ijsberg is; er-onder bevindt zich een uitgebreid ondergronds complex.'

'Hoe diep?' vroeg Painter met een blik op Lisa. Als ze daar met de Glocke experimenteerden, zou het vervelend zijn als die moeilijk bereik-baar was.

'Dat weten we niet. Niet precies. Maar de Waalenbergs hebben met goudmijnen fortuin gemaakt.'

'Bij Witwatersrand.'

Paula keek op. 'Inderdaad. Ik zie dat jullie je huiswerk hebben gedaan.' Ze richtte haar aandacht weer op de satellietfoto's. 'Hun kennis van mijn-bouw werd aangewend om een ondergronds complex onder hun huis aan te leggen. We weten dat ze hun mijningenieur, Bertrand Culbert, hebben geconsulteerd bij de bouw van de fundering van hun huis, maar niet lang daarna is hij overleden.'

'Laat me raden... Onder geheimzinnige omstandigheden?'

'Vertrapt door een waterbuffel. Maar zijn dood is niet de enige die met de Waalenbergs in verband kan worden gebracht.' In haar ogen stond ver-driet toen ze aan haar partner dacht. 'Er gaan geruchten dat er in die streek mensen verdwijnen.'

'Maar er is nooit een huiszoekingsbevel uitgevaardigd.'

'De Zuid-Afrikaanse politiek is een kruitvat. Regeringen wisselen el-kaar af, maar de ware macht berust bij het goud. De Waalenbergs zijn on-aantastbaar. Het goud biedt hun een betere bescherming dan een slot-gracht of een privéleger.'

'En jullie?' vroeg Painter. 'Waarom is MI5 in hen geïnteresseerd?'

'We zijn al heel lang in hen geïnteresseerd. De Britse geheime dienst houdt de Waalenbergs al vanaf het einde van de Tweede Wereldoorlog in de gaten.'

Painter werd moe en leunde achterover. Hij had last van zijn ene oog, en hij wreef erin. Omdat hij zich ervan bewust was dat Lisa naar hem keek, richtte hij zijn aandacht op Paula. Hij had niet verteld dat hij een nazisymbool in het familiewapen van de Waalenbergs had ontdekt, maar kennelijk wist MI5 al dat er een band tussen de familie en het nazisme be-stond.

'We weten dat de Waalenbergs veel geld hebben gestoken in de Ah-nenerbe Forschungs- und Lehrgemeinschaft, bedoeld om het cultureel erfgoed van de nazi's te beschermen, en om dat uit te dragen. Hebben jul-lie daarvan gehoord?'

'De Ahnenerbe is door Himmler opgericht, met als doelstelling het doen van onderzoek. Ze zochten naar de oorsprong van het Arische ras.

Ze waren ook verantwoordelijk voor de gruwelijkste misdaden die in de kampen en op een paar andere plekken werden gepleegd. Eigenlijk waren het waanzinnige geleerden, maar dan met geweren.'

Painter vertrok zijn gezicht. Deze keer niet omdat hij lichamelijk pijn had, maar omdat hij Sigma ook zo had horen omschrijven: geleerden met geweren. Was dat de vijand waar ze tegenover stonden – een naziversie van Sigma?

Lisa ging rechtop zitten. 'Waarom waren de Waalenbergs in een dergelijk onderzoek geïnteresseerd?'

'Dat weten we niet precies. We weten wel dat er in Zuid-Afrika tijdens de oorlog veel aanhangers van de nazi's waren. We weten ook dat de huidige pater familias, Baldric Waalenberg, sterk in rasveredeling is geïnteresseerd, en dat hij voordat de vijandigheden losbarstten, in Duitsland en Oostenrijk symposia bijwoonde. Na de oorlog heeft hij zich teruggetrokken uit het openbare leven, evenals zijn familie.'

'Om zijn wonden te likken?' opperde Painter.

'Volgens ons niet. Na de oorlog hebben de geallieerden overal gezocht naar geheime nazitechnologieën.' Paula haalde haar schouders op. 'De Britse troepen waren daar ook bij betrokken.'

Painter knikte. Anna had hem al verteld dat er flink was geroofd.

'Maar de nazi's hadden veel van hun technologie weten te verbergen. Daarvoor hanteerden ze een soort verschroeide-aardetactiek. Ze executeerden wetenschappers en bliezen hun laboratoria op. Onze troepen kwamen net iets te laat in zo'n laboratorium in Beieren aan. In een greppel werd een wetenschapper aangetroffen die door het hoofd was geschoten, maar nog in leven was. Voordat hij stierf, wist hij nog een paar aanwijzingen te geven. Er werd onderzoek gedaan naar een nieuwe energiebron die ze door experimenten met kwantummechanica hadden ontdekt. Het was een doorbraak; een bijzonder krachtige energiebron.'

Painter keek Lisa eens aan terwijl hij dacht aan wat Anna over nulpuntenergie had verteld.

'Wat er ook was ontdekt, het geheim is door de nazi's het land uit gesmokkeld. We weten alleen de naam van de substantie, en waar het spoor eindigde.'

'Op het landgoed van de Waalenbergs?' raadde Lisa.

Paula knikte.

'En hoe heet dat spul?' vroeg Painter, hoewel hij het antwoord al wist. 'Xerum 525?'

Met een frons keek Paula hem aan. 'Hoe weten jullie dat?'

'De brandstof van de Glocke,' mompelde Lisa.

Painter vond dat het tijd werd open kaart met Paula Kane te spelen. Hij stond op. 'Ik wil je graag met iemand kennis laten maken.'

Anna reageerde ook al zo geïntrigeerd. 'Dus het geheime fabricageproces van Xerum 525 is niet vernietigd? *Unglaublich.*'

Ze zaten allemaal op een kluitje in een hangar van het vliegveld van Richards Bay. In een paar stoffige Isuzu Trooper trucks werden wapens en andere uitrustingsstukken geladen.

Lisa controleerde een kist met medische apparatuur terwijl ze luisterde naar het gesprek van Painter, Anna en Paula. Gunther stond naast Lisa. Met een bezorgde frons keek hij naar zijn zuster. Anna leek zich beter te voelen door het medicijn dat Lisa haar had gegeven.

Maar hoe lang zou het effect duren?

'Terwijl de Glocke door je grootvader naar het noorden werd gebracht, moet de formule van Xerum 525 naar het zuiden zijn verscheept,' legde Painter aan Anna uit. 'Zo werden de twee onderdelen van het experiment van elkaar gescheiden. Op de een of andere manier moet het de Waalenbergs ter ore zijn gekomen dat de Glocke de naweeën van de oorlog had overleefd. Baldric Waalenberg moet als financier van de Ahnenerbe op de hoogte zijn geweest van het bestaan van het Granitschloß.'

Dat was Paula met hem eens. 'De Ahnenerbe financierde Himmlers expedities naar de Himalaya.'

'Toen Baldric eenmaal van het bestaan van het Granitschloß op de hoogte was, moet het niet moeilijk zijn geweest het te infiltreren.'

Anna verbleekte, maar dat lag niet aan de ziekte. 'Die rotzak heeft ons gebruikt. Al die tijd heeft hij ons gebruikt!'

Painter knikte. Het meeste had hij onderweg naar de hangar aan Lisa en Paula uitgelegd. Baldric Waalenberg was de man achter de schermen, van verre had hij alles geregeld. Omdat hij niet iemand was die het wiel opnieuw wilde laten uitvinden, en hij niet graag talent verspilde, had hij de geleerden in het Granitschloß laten doorgaan met het experiment. Deze wetenschappers wisten immers al alles van de Glocke. En ondertussen hadden zijn spionnen informatie naar Afrika doorgesluisd.

'Later moet Baldric zelf een Glocke hebben gebouwd,' zei Painter. 'Hij heeft in het geheim experimenten uitgevoerd en zijn eigen Sonnenkönige geproduceerd, dankzij de gevorderde technieken die jouw wetenschappers hebben ontdekt. Zonder nieuwe bronnen van Xerum 525 was het Granitschloß kwetsbaar. Niemand wist dat Baldric Waalenberg er eigenlijk de scepter zwaaide. Elk moment kon hij jullie ten val brengen.'

'En dat heeft hij dan ook gedaan,' reageerde Anna verbitterd.

'Maar waarom?' vroeg Paula. 'Voor hem liep alles toch op rolletjes?'

Painter haalde zijn schouders op. 'Misschien omdat de mensen rond Anna steeds verder afdwaalden van het nazi-ideaal van Arische overheersing.'

Anna drukte haar hand tegen haar voorhoofd, alsof dat bescherming kon bieden tegen wat ze allemaal moest aanhoren. 'Er gingen geruchten... Sommige wetenschappers wilden naar buiten treden. Ze wilden ons onderzoek openbaar maken, en hun plaats in de wetenschappelijke gemeenschap innemen.'

'Dat was het niet alleen, denk ik,' zei Painter. 'Er is meer aan de hand, iets veel groters. Iets wat ervoor zorgde dat het Granitschloß niet meer nodig was.'

'Daar kun je wel eens gelijk in hebben,' zei Paula. 'De afgelopen vier maanden was er op het landgoed een verhoogde activiteit. Er moet iets zijn gebeurd.'

'Waarschijnlijk hebben ze iets ontdekt wat voor een doorbraak heeft gezorgd,' opperde Anna bezorgd.

Kortaf deed Gunther een duit in het zakje. '*Genug!*' Hij had er genoeg van, en door zijn ergernis had hij moeite met Engels spreken. 'Die klootzak heeft Glocke... Heeft Xerum... Wij zoeken. Wij gebruiken.' Hij maakte een handgebaar naar zijn zuster. 'Genoeg gepraat!'

Lisa was het van harte eens met de reus. 'We moeten een manier verzinnen om daar binnen te komen.' En snel ook, dacht ze erbij.

'Om het landgoed te bestormen, hebben we een heel leger nodig.' Painter keek Paula aan. 'Kunnen we op hulp van de Zuid-Afrikaanse regering rekenen?'

Ze schudde haar hoofd. 'Nee. De Waalenbergs hebben te veel mensen omgekocht. We zullen stiekem moeten infiltreren.'

'Aan de satellietfoto's hebben we niet veel,' zei Painter.

'Dan doen we het maar zonder technische hoogstandjes,' zei Paula. Ze ging hen voor naar de wachtende Isuzu Troopers. 'Ik heb daar al een mannetje zitten.'

6:28

Khamisi lag plat op zijn buik. Hoewel het was gaan schemeren, werden er door de eerste zonnestralen alleen maar diepere schaduwen in het oerwoud geworpen. Hij droeg een camouflagepak, en had een groot tweeloopsgeweer, zijn .465 Nitro Holland & Holland Royal, op zijn rug. In zijn hand hield hij de traditionele korte speer van de Zoeloes: de assegaai.

Achter hem lagen twee andere Zoeloeverkenners: Tau, de kleinzoon van de stamoudste die Khamisi had gered toen hij werd overvallen; en diens beste vriend Njongo. Zij waren ook bewapend met geweren en korte en lange speren. Ze waren in traditionele kleding van dierenhuiden gehuld. Op hun huid hadden ze markeringen aangebracht, en om hun hoofd droegen ze repen otterhuid.

Het drietal had de nacht besteed met het in kaart brengen van het woud rond het landhuis. Er was een manier om de loopbruggen te vermijden, en daarmee ook de gewapende wachters. Ze waren via dierenpaadjes gekomen, door de dichte begroeiing. Ze waren met een kleine kudde impala's meegegaan, en ze hadden ervoor gezorgd steeds in de schaduw te blijven. Af en toe had Khamisi ergens touwen aan de loopbrug bevestigd. Die touwen zagen eruit als lianen, en er waren nog meer verrassingen.

Zodra dat klusje was geklaard, was hij met de verkenners naar een beek gegaan die onder het hek dat rond het landgoed stond, door stroomde.

Maar toen hadden ze een woeste kreet gehoord.

Hoe-ie-oe!

De kreet was geëindigd in een schril gehuil.

Khamisi verstarde. Die kreet herkende hij.

Ukufa.

Paula Kane had gelijk gehad. Ze had vermoed dat de wezens van het landgoed van de Waalenbergs afkomstig waren. Of ze waren ontsnapt, of dat ze expres op het spoor van Khamisi en Marcia waren gezet, dat wist ze niet. Hoe dan ook, ze waren nu ook weer los. Ze waren op jacht.

Maar op wie jaagden ze?

De kreet was van links gekomen.

De wezens jaagden niet op hen. Het waren uitmuntende jagers, ze zouden hun aanwezigheid niet zo snel al verraden. Er moest iets anders zijn waarvan ze opgewonden waren geworden.

Toen hoorde hij iemand in het Duits om hulp roepen.

Het kwam van dichterbij.

Het liefst was Khamisi opgesprongen en weggerend. Vluchten was een oerinstinct.

Achter hem mompelde Tau iets in het Zoeloe. Hij wilde er ook vandoor.

Maar Khamisi kroop in de richting waar de wanhopige kreet om hulp vandaan was gekomen. De wezens hadden Marcia al te pakken gekregen. Hij herinnerde zich nog hoe bang hij was geweest toen hij tot aan zijn nek in het water op het opkomen van de zon had gewacht. Er mocht niet nog iemand slachtoffer van de wezens worden.

Hij draaide zich om naar Tau en gaf hem de kaarten die hij had getekend. 'Ga terug naar het kamp. Geef deze kaarten aan mevrouw Kane.'

'Khamisi, broeder, nee... We moeten hier weg.' Tau had grote ogen van angst. Zijn grootvader had hem natuurlijk ook over de ukufa verteld, en nu kwamen die verhalen tot leven. Khamisi moest het Tau en zijn vriend nageven: ze waren dapper om zich op het landgoed te durven begeven. Iedereen was hier nog erg bijgelovig.

Maar nu Tau met de werkelijkheid werd geconfronteerd, dacht hij er niet over om hier te blijven.

Dat kon Khamisi hem niet kwalijk nemen. Hij wist nog goed hoe doodsbang hij was geweest, toen hij hier met Marcia was. Hij was gevlucht, en Marcia was gedood.

'Ga,' beval Khamisi. Hij knikte in de richting van het hek in de verte. De kaarten moesten het landgoed af.

Even aarzelden Tau en Njongo. Toen knikte Tau, en de twee mannen kropen verder en verdwenen in het oerwoud. Khamisi kon hen niet eens meer horen.

Het werd doodstil in het oerwoud. Het was een zware stilte, drukkend als het oerwoud zelf. Khamisi zette koers naar waar de kreten vandaan waren gekomen, zowel de menselijke als de dierlijke.

Na ongeveer een minuut klonk er weer gehuil dat eindigde als het geluid van een zwerm vogels die opvliegt. Het had iets kakelends. Khamisi bleef staan. Dat kakelen klonk bekend.

Voordat hij er verder over kon nadenken, trok zacht gesnik zijn aandacht. Het kwam van recht vooruit.

Met de loop van zijn dubbelloopsgeweer schoof hij de bladeren uit elkaar. Hij zag een kleine open plek. Daar was onlangs een boom omgevallen. Door een opening in het bladerdak viel een straal zonlicht op de grond. De omringende jungle leek nog donkerder.

Op de open plek zag hij iets bewegen. Een jonge man, nauwelijks meer dan een jongen, stond op een lage boomtak en probeerde hoger te komen. Hij kon niet op de hogere tak komen omdat hij zijn rechterhand niet kon gebruiken. Zelfs van deze afstand zag Khamisi de bebloede mouw van de jongen.

Opeens zakte de jongen door zijn knieën. Hij omarmde de boomstam en probeerde zich te verstoppen.

En toen stapte de reden van de doodsangst van de jongen tevoorschijn.

Khamisi verstijfde toen hij het wezen zag dat de open plek op liep. Het was enorm, en liep toch geluidloos. Het was groter dan een volwassen leeuw, maar het was geen leeuw. De ruige vacht was spierwit en de ogen waren rood. Het had stevige schouders die overgingen in een gespierde, smalle rug. Op de krachtige nek stond een grote kop met een spitse snuit, en het dier had brede oren als van een vleermuis. De oren draaiden en bleven toen op de boom gericht staan.

Het dier hief zijn kop op en rook, aangetrokken door de geur van bloed. Het trok de lippen op en ontblootte een rij scherpe tanden. Vervolgens huilde het weer, een gehuil dat overging in kakelen. Daarna begon het wezen te klimmen.

Khamisi wist wat hij tegenover zich had. Ukufa, de Dood. Maar hoe monsterlijk het er ook uitzag, Khamisi wist wat de werkelijke naam ervan was.

6:30

'Van het soort *Crocuta crocuta*,' zei Baldric Waalenberg terwijl hij naar de enorme lcd-monitor liep. Hij had gemerkt dat Gray aandachtig naar het wezen op het scherm keek, naast het beeld van Fiona in de kooi.

Gray bekeek het enorme wezen dat naar de camera toe stond. Het leek op een beer, en grauwde met de bek wijd open, waardoor zijn witte tandvlees en vergeelde tanden te zien waren. Het beest moest iets van driehonderd pond zwaar zijn. Het bewaakte het verscheurde karkas van een antilope.

'De gevlekte hyena,' ging Baldric verder. 'De op een na grootste vleeseter van Afrika, in staat een wildebeeststier in zijn eentje te overweldigen.'

Gray fronste zijn voorhoofd. Het wezen op de monitor was geen gewone hyena. Het was drie tot vier keer zo groot als normaal. De vacht was bleek. Het moest een combinatie zijn van gigantisme en albinisme. Een gemuteerd monster.

'Wat hebt u ermee gedaan?' vroeg hij. Het lukte hem niet zijn afkeer te verbergen. Bovendien wilde hij de man graag aan de praat houden om tijd te winnen. Hij wisselde een blik uit met Monk, en richtte zijn aandacht vervolgens weer op de bejaarde man.

'We hebben het dier groter en sterker gemaakt.' Even keek Baldric naar zijn kleinzoon, maar Isaak bleef met uitdrukkingsloos gezicht naar het scherm kijken. 'Toch, Isaak?'

'Ja, oupa.'

'In Europese grotten zijn prehistorische afbeeldingen van de grotere voorouders van de hedendaagse hyena aangetroffen: de reuzenhyena. Wij hebben een manier gevonden om de *Crocuta* in zijn oude glorie te herstellen.' Baldric vertelde het op een droge, wetenschappelijke manier, net zoals hij het over het kweken van zwarte orchideeën had gehad. 'We hebben zelfs de intelligentie kunnen verhogen door menselijke stamcellen in de hersenstam te verwerken. Met fascinerend resultaat.'

Gray had over dergelijke experimenten met muizen gelezen. Op Stanford hadden wetenschappers muizen gekweekt die hersens hadden die voor één procent menselijk waren. Wat was hier verdomme allemaal aan de hand?

Baldric liep naar het schoolbord waar de vijf runen op stonden. Met zijn wandelstok tikte hij erop. 'Een batterij van Cray XT3 supercomputers werkt aan de code van Hugo. Zodra dat allemaal is opgelost, kunnen we hetzelfde met mensen doen. We zullen de volgende evolutie van de mens in gang zetten. De mens zal in Afrika opnieuw opstaan, en een einde maken aan rasvermenging. Het menselijk ras zal weer zuiver zijn. We wachten alleen nog op de niet-corrupte genetische code om het zuivere ras te kunnen ontsluiten.'

Hierin klonk het gedachtegoed door van de nazi's, het sprookje van het superieure mensenras. Baldric moest waanzinnig zijn, dat kon niet anders. Maar het viel Gray op dat Baldric geen waanzinnige blik in zijn ogen had. En op het scherm was duidelijk te zien dat er successen werden geboekt.

Gray richtte zijn aandacht op Isaak toen die op een toets drukte. De gemuteerde hyena verdween van het scherm. Ineens drong het tot Gray door... Het albinisme van de hyena... Isaak en zijn zuster, en de andere witblonde moordenaars. Allemaal nazaten van Baldric. De pater familias had niet uitsluitend experimenten op orchideeën en hyena's uitgevoerd.

'Laten we het nog even over Painter Crowe hebben,' zei de bejaarde man. Hij gebaarde naar het scherm. 'Jullie weten nu wat er met het jonge meisje in de kooi gebeurt als jullie de vragen niet naar waarheid beantwoorden. Geen spelletjes meer.'

Gray keek naar het meisje op het scherm. Fiona mocht niets gebeuren. Hij moest tijd winnen. Het meisje was hier alleen maar bij betrokken geraakt omdat hij in Kopenhagen zo onhandig op onderzoek was uitgegaan. Hij voelde zich verantwoordelijk voor haar. Bovendien mocht hij haar graag. Hij had respect voor haar, ook al kon ze nog zo lastig zijn. Gray wist wat hem te doen stond.

Hij keek Baldric recht in de ogen.

'Wat wilt u weten?'

'In tegenstelling tot jullie is Painter Crowe een moeilijker tegenstander gebleken dan we hadden gedacht. We hebben hem in de val gelokt, maar daarna is hij verdwenen. Jullie gaan ons helpen erachter te komen waar hij is.'

'Hoe dan?'

'Door contact op te nemen met Sigma. We hebben een lijn waarop het geluid vervormd wordt, en die niet naar ons te herleiden valt. Jullie verbreken de radiostilte en vragen informatie over het Schwarze Sonneproject. Zo komen wij te weten wat Sigma allemaal weet. Jullie vragen ook waar Painter is. Als ik ook maar merk dat jullie iets proberen uit te halen, dan...' Baldric knikte in de richting van de monitor.

Het drong tot Gray door wat hem hier duidelijk werd gemaakt. Ze wilden dat Gray precies begreep wat er van hem werd verlangd, en elke hoop op misleiding werd de grond ingeboord. Wat moest hij doen? Fiona redden of Sigma verraden?

De beslissing werd even uitgesteld doordat een bewaker terugkwam met een van de dingen waar Gray om had gevraagd.

'Mijn hand!' riep Monk uit toen hij zag dat de bewaker zijn prothese bij zich had. Hij probeerde zijn armen los te rukken, maar die zaten te stevig op zijn rug gebonden.

Baldric gebaarde dat de bewaker verder het vertrek in moest komen. 'Geef de prothese maar aan Isaak.'

Isaak zei in het Afrikaans: 'Heeft het lab gekeken of er geen wapens in verborgen zitten?'

De man knikte. 'Ja, meneer. Ze hebben niets aangetroffen.'

Isaak bestudeerde de prothese. Het was een waar kunstukje van DARPA, met op de pols contactpunten van titanium waardoor Monk de hand met het perifere zenuwstelsel kon besturen. Het was mechanisch zo geavanceerd dat hij er heel precieze bewegingen mee kon maken.

Monk keek naar Gray.

Gray zag dat Monk klaar was met het intikken van de code op de contactpunten op de stomp van zijn rechterpols.

Gray knikte en ging dichter bij Monk staan.

Er was nog een foefje in DARPA's elektronische prothese verwerkt. De prothese kon draadloos worden bestuurd. Monk zond een radiosignaal naar de prothese. Die balde zich in Isaaks hand tot een vuist, met alleen de middelvinger opgestoken.

'Val dood,' mompelde Monk.

Gray pakte Monk bij zijn elleboog en sleurde hem mee naar de dubbele deuren die toegang gaven tot het woongedeelte.

Het was geen erg heftige explosie, niet lawaaiiger of feller dan de ontploffing van een lichtgranaat. De explosieven waren verwerkt in de kunststof huid en waren onmogelijk te ontdekken. Het was niet erg indrukwekkend, maar het zorgde wel voor afleiding. De bewakers slaakten
verraste kreten. Gray stormde met Monk door de dubbele deuren, rende
de gang door en sloeg een hoek om. Uit het zicht van de anderen klos-
ten ze met veel lawaai over de glimmend gewreven hardhouten vloeren.

Onmiddellijk ging er een alarm af. Ze moesten zo gauw mogelijk uit
het landhuis ontsnappen.

Gray zag een brede trap die naar boven voerde. Hij rende er voor Monk
uit naartoe.

'Waar gaan we heen?' vroeg Monk.

'Naar boven,' antwoordde Gray terwijl hij met twee treden tegelijk de
trap op stormde. De bewaking zou ervan uitgaan dat ze door het eerste
het beste raam zouden proberen weg te komen, maar Gray kende een andere uitweg. Hij had het landhuis goed bestudeerd toen ze ernaartoe werden gebracht. Gray vertrouwde op zijn richtingsgevoel.

'Deze kant op.' Hij trok Monk mee over een overloop en een andere
gang in. Ze bevonden zich op de zesde verdieping. Het alarm bleef maar
loeien.

'Waar...' zei Monk weer.

'Heel hoog,' viel Gray hem in de rede. Hij wees naar de deur aan het
einde van de gang. 'We nemen de loopbrug hoog in de bomen.'

Maar zo gemakkelijk zou het niet gaan.

Alsof ze waren afgeluisterd, schoof een metalen rolluik langzaam voor
de deur naar beneden. Het landhuis werd automatisch afgesloten.

'Snel!' riep Gray.

Het rolluik was al voor driekwart omlaag gekomen.

Gray spurtte ernaartoe, voor Monk uit. Hij pakte onderweg een stoel
en gooide die naar de deur. De stoel gleed over de geboende vloer, met
Gray erachteraan. Even later kwam de stoel tegen de deur tot stilstand,
en het rolluik kwam erop neer. Er klonk gekraak. Boven de deur lichtte
een waarschuwingslampje op omdat het rolluik niet volledig dicht kon.
Gray was er zeker van dat er in het beveiligingscentrum ook zo'n lampje knipperde.

Toen hij de deur had bereikt, bogen de stoelpoten door. Ze begaven
het onder de druk van het rolluik.

Hijgend kwam Monk aangerend, zijn handen nog steeds op de rug gebonden.

Gray dook onder de stoel en strekte zijn hand naar de deurknop uit.

Dat ging erg lastig omdat het rolluik in de weg zat.

Hij kreeg de deurknop te pakken en draaide eraan. De deur zat op slot. 'Verdomme,' vloekte hij.

De stoel kraakte angstaanjagend. Achter hen hoorden ze rennende voetstappen. De achtervolgers kwamen de trap op en blaften bevelen.

Met een ruk draaide Gray zich om. 'Hou me vast!' zei hij tegen Monk. Hij zou de deur snel moeten opentrappen.

Met zijn rug tegen Monk aan geleund lag Gray op de vloer. Hij trok zijn benen op om kracht te zetten.

Opeens zwaaide de deur open en verschenen er in camouflagepak gestoken benen. Een van de bewakers op de loopbrug moest hebben gezien dat het lampje brandde, en was komen kijken wat er aan de hand was.

Gray haalde uit naar zijn schenen.

De man was daar niet op voorbereid en viel. Zijn hoofd kwam eerst met een metalig geluid tegen het rolluik aan en klapte vervolgens hard tegen het plankier. Gray dook naar buiten en gaf de man nog een trap na. Het lichaam werd slap.

Monk kroop achter Gray aan en schopte de stoel onder het rolluik vandaan. Het rolluik kwam met een klap neer.

Snel beroofde Gray de bewaker van zijn wapens. Met een mes sneed hij Monks boeien los en gaf hem vervolgens het HK Mark 23 halfautomatische pistool van de bewaker. Zelf hield Gray het geweer.

Met de wapens in hun handen renden ze over de loopbrug naar de eerste kruising, vlak voordat de loopbrug het oerwoud bereikte. Ze keken naar beide kanten. Zo te zien waren ze allebei veilig.

'We moeten ons opsplitsen,' zei Gray. 'Op die manier maken we meer kans. Jij moet hulp gaan halen. Zoek naar een telefoon en neem contact op met Logan.'

'En jij?'

Gray gaf geen antwoord. Dat hoefde ook niet.

'Gray, ze kan al wel dood zijn.'

'Dat weten we niet.'

Monk keek hem onderzoekend aan. Hij had het monster op het computerscherm gezien en besefte dat Gray geen andere keus had. Hij knikte.

Zonder nog iets te zeggen renden ze ieder een andere kant op.

Khamisi had de loopbrug bereikt door in een boom aan de andere kant van de open plek te klimmen. Hij bewoog zich stilletjes en snel.

Onder hem liep de ukufa nog steeds om de boom heen. Hij bewaakte zijn prooi, die niet uit de boom kon. De harde knal van daarnet had de ukufa doen schrikken. Op zijn hoede was hij uit de boom gesprongen. Maar nu liep hij met gespitste oren om de stam heen. Vanuit het landhuis klonk een loeiend alarm.

Het lawaai verontrustte Khamisi ook.

Hadden ze Tau en Njongo soms ontdekt?

Of misschien was hun goed verstopte kamp buiten het landgoed ontdekt? Ze hadden het laten lijken op een jachtkamp van de Zoeloes, een van de vele. Was iemand erachter gekomen dat het toch iets anders was?

Wat er ook aan de hand was, het geloei had ervoor gezorgd dat de monsterlijke hyena – de ukufa – erg op zijn hoede was. Khamisi maakte gebruik van het feit dat het beest was afgeleid, en klom op de loopbrug. Liggend op het plankier pakte hij zijn geweer. De angst maakte zijn zintuigen scherper. Maar echt doodsbang was hij niet meer. Hij had gezien dat het dier een telganger was, hij had het rochelende grommen gehoord, en het kakelende huilen.

Allemaal heel gewoon voor een hyena. Dit beest was dan wel monsterlijk groot, maar het had niets bovennatuurlijks. En dat gaf Khamisi nieuwe moed. Hij rende over het plankier naar de boom waar de jongen in zat en haalde een rol touw uit zijn rugzak.

Hij boog zich over de staaldraad die als leuning dienstdeed, en zag de jongen. Hij floot als een vogel. De jongen had zijn blik strak naar beneden gericht, en door het fluiten boven zich kromp hij ineen. Toen keek hij op en zag Khamisi.

'Ik haal je hier weg,' zei Khamisi zacht in het Engels. Hij hoopte dat de jongen het zou begrijpen.

Beneden had de hyena Khamisi ook gehoord. De ukufa keek op en richtte zijn rode oogjes op Khamisi. Terwijl het beest de man op de loopbrug peilde, trok het zijn lippen op.

Khamisi vroeg zich af of dit het monster was dat Marcia had gedood. Het liefst zou hij beide lopen op die grinnikende kop hebben afgevuurd, maar het lawaai zou zeker de aandacht trekken. Er was al alarm gegeven. Daarom legde hij het geweer maar neer. Hij zou zijn beide handen nodig hebben.

'Jongen!' zei hij. 'Ik ga je een touw toegooien. Bind het uiteinde om je middel.' Hij gebaarde wat de bedoeling was. 'Dan trek ik je op.'

De jongen knikte. Hij had grote angstogen die waren opgezwollen van het huilen.

Khamisi boog zich over de rand en gooide het uiteinde van het touw naar de jongen. Het touw rolde zich af en viel door het bladerdak. Helaas bereikte het de jongen niet; het bleef vastzitten in de takken boven diens hoofd.

'Klim ernaartoe!'

Meer aanmoediging had de jongen niet nodig. Nu er een mogelijkheid tot ontsnappen werd geboden, lukte het hem wel om een tak hoger te komen. Hij klauwde zich omhoog en bond het touw om zijn middel. Hij leek goed met een touw te kunnen omgaan. Mooi zo.

Khamisi zette zich schrap tegen de palen waaraan de staalkabels waren vastgemaakt. 'Ik ga je nu omhoogtrekken. Je zult uitzwaaien.'

'Schiet op!' riep de jongen veel te hard.

Khamisi spande zijn spieren. Hij zag dat de hyena werd aangetrokken door de wilde bewegingen van de jongen. Het beest klom met behulp van zijn scherpe klauwen in de boom.

Er was geen tijd te verliezen. Khamisi haalde het touw overhands op. Hij voelde het gewicht zwaarder worden toen de voeten van de jongen loskwamen van de tak waarop hij had gestaan. Hij keek even en zag de jongen heen en weer zwaaien als de slinger van een uurwerk.

De ukufa zag het ook, hij volgde de beweging met zijn blik terwijl hij bleef klimmen. Khamisi wist wat het beest van plan was: het wilde de jongen bespringen.

Khamisi begon de jongen sneller op te halen. De jongen bleef maar heen en weer zwaaien aan het touw.

'Wie bent u?' hoorde hij plotseling achter zich zeggen.

Hij werd er zo door verrast dat hij het touw bijna uit zijn handen liet glippen. Met een ruk keek hij achter zich.

Een lange, slanke vrouw stond op de loopbrug. Ze was in het zwart gekleed en had een woeste blik in haar ogen. Ze had heel kort blond haar. Een van de kinderen Waalenberg. Ze moest deze kant op zijn gelopen en hem hebben ontdekt. Ze had al een mes getrokken. Khamisi durfde het touw niet los te laten. Het zag er niet goed voor hem uit...

Onder zich slaakte de jongen een kreet.

Khamisi en de vrouw keken naar beneden.

De ukufa zat op de tak waar de jongen op had gestaan, en maakte zich klaar voor de sprong. Achter Khamisi lachte de vrouw. Het klonk net zo kakelend als het huilen van de hyena. De planken kraakten toen ze met het mes in haar hand op hem af liep.

Zowel de jongen als Khamisi zat in de val.

6:38

Gray knielde op het plankier. Bij deze kruising kon hij uit drie richtingen kiezen. Het linkerpad liep terug naar het landhuis, het middelste liep langs de rand van het oerwoud en had uitzicht over de tuinen. Het rechterpad liep recht het oerwoud in.

Welke kant moest hij kiezen?

Geknield bestudeerde Gray de schaduwen en vergeleek ze met wat hij op het lcd-scherm had gezien. Door de positie van de zon te bepalen, zou hij de plek kunnen vinden waar Fiona gevangen werd gehouden. Maar het landgoed was enorm uitgestrekt...

Hij hoorde voetstappen, en het plankier trilde.

Er kwamen nog meer bewakers aan, en hij was al twee groepjes tegengekomen.

Met het geweer op zijn rug liet Gray zich naar de rand van het plankier rollen en liet zich eraf vallen. Met zijn armen bleef hij aan de staalkabel hangen. Hand over hand werkte hij zich naar een tak toe waar hij zich in het gebladerte kon verbergen. Even later stormden een paar bewakers luidruchtig over de loopbrug. Gray hield zich stevig vast aan de zwiepende staalkabel.

Zodra ze voorbij waren, zette hij zich af tegen de tak en hees zich weer op de loopbrug. Terwijl hij dat deed, viel het hem op dat de staalkabel vibreerde. Kwamen er nog meer bewakers aan?

Plat op zijn buik liggend drukte hij zijn oor tegen de staalkabel, en luisterde zoals een indiaan aan de grond. Het was een ritmisch vibreren, bijna alsof iemand een gitaarsnaar beroerde. Drie snelle pukjes, drie langzame en vervolgens drie snelle. En dat werd voortdurend herhaald.

Het was morse, een sos.

Iemand seinde via de kabel in het morsealfabet.

Gray kroop terug naar de kruising. Daar voelde hij aan de andere staalkabels. Er was er slechts een die vibreerde, en dat was de kabel die het pad naar rechts ondersteunde, het pad dat recht het oerwoud in voerde.

Was het mogelijk dat...

Met slechts deze aanwijzing om op af te gaan nam Gray het rechterpad. Hij liep langs de rand van de loopbrug, zo stilletjes mogelijk om te voorkomen dat het plankier bewoog. Er kwamen meer afsplitsingen. Bij elke kruising voelde Gray aan de kabel om het vibreren te voelen. Hij volgde het spoor.

Hij was zo gespitst op het pad dat toen hij zijn hoofd voor een enorm palmblad bukte, hij plotseling tegenover een bewaker stond, nog geen vier meter bij hem vandaan. Het was een jonge man van halverwege de twintig met bruin haar. Een typisch lid van de Hitlerjugend. De bewaker stond tegen de leuning aan, zijn gezicht naar Gray gekeerd. Door het ritselen van het palmblad was hij gewaarschuwd, hij was al bezig zijn pistool te trekken.

Gray had geen tijd om zijn geweer te pakken. Daarom liet hij zich met zijn volle gewicht tegen de kabel vallen die als leuning diende. Niet om een kogel te ontwijken; van zo dichtbij kon de bewaker niet missen.

Door de klap bewoog de kabel.

De bewaker, die ertegen geleund stond, kreeg er een duw van. De loop van zijn pistool schoot omhoog. In twee stappen stond Gray naast hem, met zijn dolk al in de hand.

Gray legde zijn ene hand voor de mond van de bewaker om elk geluid te smoren, en drukte de dolk door zijn strot. Zijn luchtpijp werd doorgesneden. Een draai van de dolk en het bloed spoot uit de keel van de jonge man. In een paar tellen was hij dood. Gray duwde zijn lijk over de leuning. Hij voelde geen enkel berouw. Hij wist nog dat de bewakers hadden gelachen toen Ryan werd losgelaten om door dat monster te worden verscheurd. Hoeveel anderen zouden op die manier aan hun einde zijn gekomen? Het lichaam viel met veel geritsel van bladeren naar beneden, en kwam met een plof in de struiken terecht.

Gray spitste zijn oren. Zou iemand de bewaker hebben horen vallen?

Verrassend dichtbij hoorde hij links van hem een vrouwenstem. 'Schop niet zo tegen de tralies! Hou daarmee op of we laten je nu meteen ook los!'

Die stem herkende Gray. Het was Ischke, de tweelingzuster van Isaak.

Toen hoorde hij een nog veel bekender stem: 'Rot op, gratenkut!'

Fiona... Ze leefde dus nog.

Ondanks het gevaar waarin hij verkeerde, grijnsde Gray breed, zowel opgelucht als uit respect voor het meisje.

Diep gebogen sloop hij naar het einde van de loopbrug. Daar begon een rotonde boven de open plek die hij op de monitor had gezien. De kooi hing aan de loopbrug.

Fiona schopte tegen de tralies van de kooi. Drie keer lang, driemaal kort. Op haar gezicht stond een vastberaden uitdrukking. Gray voelde het plankier trillen.

Brave meid.

Ze moest het alarm in het landhuis hebben horen loeien. Misschien had ze vermoed dat het iets met Gray te maken had, en probeerde ze hem iets duidelijk te maken. Of misschien was ze gewoon razend van woede, en was het toeval dat ze een sos had geseind.

Gray zag drie bewakers verspreid over de rotonde staan. Ischke stond het verst van hem vandaan in haar zwart-witte outfit met haar handen op de leuning naar Fiona te kijken.

'Van een kogel door je knieschijf bedaar je misschien,' riep ze naar het meisje. Ze legde haar hand op het pistool in haar holster.

Fiona hield op met schoppen en mompelde iets.

Gray overwoog zijn kansen. Hij had een geweer, en hij stond tegenover drie bewakers en Ischke. Het zag er niet best voor hem uit.

Er klonk statisch geruis, gevolgd door een krakerige stem.

Ischke pakte haar zender en hield die voor haar mond. 'Ja?'

Ze luisterde even, stelde een vraag die Gray niet kon verstaan, en schakelde toen de radio uit. Tegen de bewakers zei ze: 'Er zijn nieuwe bevelen gekomen. Het meisje moet nu meteen worden gedood.'

6:40

De ukufa kefte een paar keer achter elkaar terwijl hij zich klaarmaakte om de jongen te bespringen. Khamisi was zich bewust van de vrouw die hem van achteren naderde. Omdat hij zich met zijn handen aan de kabel vasthield, kon hij zijn wapens niet gebruiken.

'Wie ben je?' vroeg de vrouw weer. Ze dreigde met haar mes.

Khamisi deed het enige wat hij kon doen. Hij wierp zichzelf over de leuning. Terwijl hij viel, hield hij zich aan het touw vast. Het touw gleed met een fluitend geluid langs de paal waar het aan vastzat. Tijdens de val zag Khamisi de jongen langskomen, die omhoog werd getrokken. De jongen schreeuwde het uit.

De ukufa sprong omhoog, naar de prooi die buiten zijn bereik vloog. Door Khamisi's gewicht werd de jongen helemaal tegen de loopbrug geworpen, en kwam daar met zijn hoofd hard tegenaan.

Door de plotselinge ruk verloor Khamisi zijn greep op het touw.

Op zijn rug kwam hij in het gras terecht. Boven hem hield de jongen zich aan de rand van de loopbrug vast. De vrouw keek met grote ogen naar beneden, naar Khamisi die op de grond lag.

Iets groots kwam een paar meter van hem af op de grond neer. Khamisi ging zitten.

De ukufa sprong op en grauwde woedend. Het speeksel vloog in het rond. Zijn blik viel op de enige prooi die er nog was: Khamisi.

Khamisi had geen wapen; het geweer lag nog op het plankier.

Het beest huilde van bloeddorst en woede. Het sprong op hem af, met de bedoeling zijn strot door te bijten.

Khamisi liet zich op zijn rug vallen en hief zijn enige wapen: de assegaai. De korte speer zat nog tegen zijn dij gebonden. Toen de hyena zich op hem stortte, duwde Khamisi de punt naar boven. Van zijn vader had hij, voordat ze naar Australië waren vertrokken, geleerd het wapen te gebruiken. Dat leerden alle Zoeloejongens van hun vader. Intuïtief liet Khamisi de speerpunt diep tussen de ribben verzinken. Het was geen mythologisch wezen, maar een wezen van vlees en bloed.

De ukufa bracht een rauwe kreet voort. Door de vaart schoot hij over Khamisi heen, en de speer werd uit diens hand gerukt. Ongewapend liet Khamisi zich wegrollen. De ukufa lag kronkelend in het gras met zijn poten te maaien. De speerpunt drong steeds dieper in zijn lijf. Uiteindelijk jankte hij nog een laatste keer, kronkelde nog een beetje en werd toen slap.

Het beest was dood.

Boven zich hoorde Khamisi een woedende schreeuw. Hij keek op.

De vrouw op de loopbrug had Khamisi's geweer gevonden en richtte dat op hem. De knal klonk als een ontploffing. Bij zijn voeten vloog de aarde op. Khamisi schoof weg. Boven hem richtte de vrouw het wapen weer.

De tweede knal klonk heel anders.

Khamisi kroop weg, en merkte dat hij ongedeerd was.

Hij keek op en zag de vrouw over de leuning tuimelen. Haar borst was een bloederig gat.

Er verscheen een nieuwe gestalte op de loopbrug, een gespierde man met een kaalgeschoren hoofd. Hij had een pistool in zijn ene hand, dat hij met de stomp van zijn pols ondersteunde. Toen hij zich over de leuning boog, zag hij de jongen bungelen.

'Ryan!'

De jongen snikte het uit van opluchting. 'Haal me hier weg!'

'Dat was ik ook van plan.' Hij keek naar Khamisi. 'Als die kerel daar tenminste de weg weet. Ik ben verdomme verdwaald.'

Het geluid van schoten galmde door het oerwoud.

Een zwerm groene papegaaien vloog op uit het gebladerte. Verontwaardigd krijsend klapwiekten ze over de open plek.

Gray dook in elkaar. Hadden ze Monk gevonden?

Ischke moest dat ook hebben gedacht, want ze draaide haar hoofd in de richting waar de schoten vandaan kwamen. Ze gebaarde naar de bewakers. 'Ga kijken wat er aan de hand is.'

Ze pakte haar zendertje weer.

Met de geweren in hun handen stampten de bewakers over de rotonde. Ze kwamen allemaal Grays kant op. Gray was daar niet op voorbereid geweest, en hij liet zich snel vallen en drukte het geweer tegen zijn borst. Zo wierp hij zichzelf van het plankier. De bewaker die het meest dichtbij had gestaan, zou al snel in het zicht komen. Net zoals Gray eerder had gedaan, greep hij zich aan de staalkabel vast, maar in zijn haast miste hij met één hand. Zijn lichaam slingerde heen en weer, en het geweer gleed van zijn schouder en viel naar beneden.

Met een kronkelende beweging wist hij nog net een vinger door de riem te haken. Opgelucht slaakte hij een diepe zucht.

Plotseling kwamen er stampend bewakers voorbij, en daardoor begon de loopbrug te wiebelen.

De leren riem van het geweer glipte van Grays vinger af. Hij werd door de zwaartekracht ontwapend. Het geweer boorde zich door de struiken heen. Gray bungelde nu met beide handen aan het plankier. Gelukkig was het geweer niet afgegaan toen het op de grond neerkwam.

De voetstappen van de bewakers stierven weg. Gray hoorde Ischke iets in de zender zeggen. Wat moest hij doen?

Hij had een mes en zij had een pistool. Hij twijfelde er niet aan of ze zou haar wapen gebruiken, en waarschijnlijk kon ze er heel goed mee overweg.

Maar hij had het voordeel van de verrassing, al werd dat vaak erg overschat.

Hand over hand ging Gray onder het plankier verder naar de rotonde. Hij zorgde ervoor dat hij aan de rand bleef en dat de vrouw hem niet kon zien. Het ging langzaam, want als hij te veel zwaaide, zou Ischke hem opmerken door het wiebelen van het plankier. Hij stemde zijn voortgang af op de windvlagen die af en toe door de boomtoppen joegen.

Toch bleef hij niet onopgemerkt.

Fiona zat in elkaar gedoken in haar kooi, zo ver mogelijk van Ischke af. Kennelijk had ze begrepen wat Ischke in het Afrikaans had gezegd: het meisje moet nu meteen worden gedood. En hoewel Ischke door de schoten was afgeleid, zou ze binnenkort haar aandacht natuurlijk weer op Fiona richten.

Fiona zag Gray als een gorilla in een wit trainingspak langs het plankier komen, gedeeltelijk verborgen in het gebladerte. Verrast wilde ze overeind komen, maar besloot toen toch maar te blijven zitten. Hun blikken ontmoetten elkaar.

Ondanks haar stoere gedrag zag Gray toch de angst in haar ogen. In die kooi zag ze er ineens veel kleiner uit. Ze had haar armen koesterend om zich heen geslagen. Ze was dan wel gehard door het leven op straat, maar hij wist dat ze alleen maar niet in paniek raakte door zich stoerder voor te doen dan ze was. Het werkte.

Nauwelijks merkbaar gaf ze hem een teken. Ze wees naar beneden en schudde met grote angstogen haar hoofd.

Beneden was het dus niet veilig.

Hij keek naar het hoge gras en de struiken beneden zich. Er vielen diepe schaduwen over de grond. Hoewel hij niets zag, vertrouwde hij toch op Fiona.

Hij moest niet vallen.

Gray schatte hoe ver hij al was gekomen. Hij was halverwege de rotonde. Ischke stond verderop. Hij moest nog een heel eind, en zijn armen en handen werden moe. Hij moest sneller opschieten. Steeds stilhouden en dan weer op gang komen was moordend. Maar als hij sneller ging, zou hij Ischkes aandacht trekken.

Fiona moest dat ook hebben beseft. Ze stond op en schopte weer tegen de tralies, waardoor de kooi heen en weer begon te slingeren. Daardoor kon Gray sneller opschieten.

Helaas trok ze er wel Ischkes aandacht mee.

De vrouw liet de zender zakken en riep naar Fiona: 'Hou daarmee op, stomme griet!'

Fiona schopte nog harder.

Gray kwam steeds dichter bij Ischke.

Ischke liep naar de binnenste leuning toe. Gelukkig concentreerde ze zich op Fiona. Ze haalde iets uit een zak van haar trui en trok met haar tanden een antenne uit. Daarna richtte ze het ding op Fiona. 'Het wordt tijd dat je Skuld eens leert kennen. Ze is vernoemd naar de Noorse schikgodin.'

Ze drukte op een knopje.

Bijna onmiddellijk klonk er vlak onder Grays voeten een gebrul van pijn en angst. Iets kwam uit de struiken gestoven, de open plek op. Het was een van de gemuteerde hyena's. Het monster woog waarschijnlijk meer dan driehonderd pond en bestond voornamelijk uit spieren en tanden. Het gromde en zette zijn vacht op. Met opgetrokken lippen hapte hij grauwend om zich heen. Toen liep hij snuffelend op de kooi af.

Het drong tot Gray door dat het monster hem op de grond moest hebben gevolgd. Het wist dat hij in aantocht was.

Snel bewoog hij zich verder onder het plankier.

Ischke riep iets naar Fiona. Ze vond het leuk om Fiona zo bang te zien. 'Er zit een chip in Skulds hersens waardoor we haar extra bloeddorstig kunnen maken.' Ze drukte weer op het knopje. De hyena sprong huilend op de kooi af. Er vlogen druppels kwijl in de rondte. Het was inderdaad een zeer bloeddorstig dier.

Dus op deze manier konden de Waalenbergs hun monsters onder controle houden, met een chip en zendertjes. Ze onderwierpen de natuur aan hun wil.

'Het wordt tijd dat Skulds honger eens wordt gestild,' zei Ischke.

Gray zou nooit op tijd bij haar kunnen komen. Toch deed hij zijn best. Nog een klein eindje. Hij was zo dichtbij...

Maar het was al te laat.

Ischke drukte weer een knop in. Gray hoorde een rammelend geluid, en het luik in Fiona's kooi sprong open.

Nee... Gray bleef doodstil hangen. Hij zag het luik onder Fiona wegvallen. Fiona gleed uit de kooi, naar het kwijlende beest onder haar.

Gray maakte zich klaar om zich te laten vallen. Hij moest haar beschermen.

Maar Fiona had geleerd van wat er met Ryan was gebeurd. Ze had zich erop voorbereid. Ze greep zich vast aan de onderste tralies en bleef daar hangen. Skuld sprong op, happend naar haar benen. Ze trok haar benen op en hees zich een eindje omhoog.

Het beest hapte mis. Met een geërgerd gehuil plofte hij terug op de grond.

Fiona klom naar boven en hield zich stevig vast aan de tralies, net een slingeraap.

Ischke lachte opgetogen. 'Heel goed, meisje. Slim, hoor! Oupa zou je genen misschien wel geschikt vinden voor ons fokprogramma. Maar helaas, jij staat op Skulds menu.'

Van onder het plankier zag Gray dat Ischke haar pistool hief. Hij slingerde zich naar onder waar ze stond en keek tussen de planken door omhoog.

'En nu maak ik er een eind aan,' mompelde Ischke.

Er moest inderdaad een einde aan worden gemaakt. Gray trok zich op aan zijn armen en maakte een schoppende beweging met zijn benen. Hij slingerde zich als een gymnast over de rand van het plankier heen. Met zijn voeten raakte hij Ischke in haar maagstreek toen ze over de leuning gebogen haar pistool op Fiona richtte.

Net op dat moment haalde ze de trekker over. Gray hoorde het geluid van metaal op metaal. Ze had gemist.

Ischke viel achterover. Gray schoof het plankier over en trok zijn mes. Ischke krabbelde op. Het pistool lag precies tussen hen in.

Tegelijkertijd probeerden ze het te pakken.

Ischke bleek ongelooflijk snel te zijn, net een slang die uithaalt. Zij was de eerste die het pistool te pakken kreeg.

Gray had een mes. Hij haalde uit en ramde het door haar pols en het plankier. Ze brulde van pijn en liet het pistool los. Gray probeerde het te pakken, maar het schoof over het plankier en viel over de rand.

Het was een afleiding waar Ischke gebruik van maakte door haar pols los te trekken. Ze balde haar andere hand en verkocht Gray een rake klap.

Hij sloeg terug, maar toen schopte ze hem tegen zijn schouder. Het was alsof hij door een auto werd geraakt. Verdomme, die meid was sterk.

Voordat hij overeind kon komen, sprong ze al op hem af en haalde naar zijn gezicht uit. Ze probeerde zijn ogen uit te steken met de punt van het mes dat door haar pols stak. Het lukte hem net op tijd om haar bij de elleboog te grijpen. Hij draaide haar arm om, en ze vielen allebei op de rand van het plankier.

Daar liet hij zich niet door weerhouden. In elkaars armen vielen ze van de rotonde af.

Maar Gray wist zijn knie om een van de palen te buigen. Met een ruk bleef hij hangen. Ischke liet los en stortte de diepte in.

Ondersteboven hangend zag hij haar door de takken vallen. Ze kwam hard in het gras neer.

Gray trok zichzelf het plankier op en bleef daar plat liggen.

Tot zijn ongeloof zag hij Ischke overeind krabbelen. Ze hinkte. Kennelijk had ze haar enkel verstuikt.

Gray schrok van lawaai. Het was Fiona, die naast hem neerkwam. Ze had zich daarnaartoe geslingerd aan een van de kabels waaraan de kooi hing.

Tijdens het gevecht moest het meisje boven op de kooi zijn geklommen, en toen de kabels hebben gebruikt om de loopbrug te bereiken. Snel liep ze op hem toe, waarbij ze met een van pijn vertrokken gezicht haar linkerhand bewoog. Uit de wond die Ischke haar had toegebracht, stroomde weer bloed.

Gray keek naar beneden.

Ischke staarde met een moordzuchtige blik in haar ogen naar hem op. Maar ze was niet alleen op de open plek. Achter haar stormde Skuld op haar af. Hij hield zijn kop laag, als een haai schoot hij door de zee van gras. Hij rook bloed...

Wat gepast, dacht Gray.

De vrouw stak echter haar ongedeerde arm naar het beest uit. Meteen kwam de hyena tot stilstand. Hij hief zijn kwijlende kop op en schurkte zich tegen haar aan als een woeste pitbull die zijn wrede baas begroet. Zacht jankend liet hij zich door zijn poten zakken.

En al die tijd bleef Ischke Gray strak aankijken.

Ze hinkte naar voren.

Gray zag haar pistool een eindje verderop op de grond liggen. Meteen sprong hij op, greep Fiona bij de schouder en gaf haar een duw. 'Rennen!'

Meer aanmoediging had ze niet nodig. Ze renden over de rotonde, het meisje gestuwd door angst en adrenaline. Ze kwamen bij de uitgang.

Fiona slingerde zich aan de paal de bocht om. Gray volgde haar voorbeeld. Toen hij op het rechte stuk kwam, klonk er een schot en vloog er een splinter van de paal.

Ischke had haar pistool te pakken gekregen.

Nog sneller stormden ze over het rechte stuk. Ze kwamen sneller vooruit dan hun hinkende achtervolger op de grond. Even later, toen ze bij een kruising kwamen, meende Gray dat ze veilig waren. Voorzichtigheid was beter dan paniek.

Het was dezelfde kruising waar hij al eerder was geweest. De loopbrug splitste zich in alle richtingen. Welke kant moesten ze op? Er bestond een gerede kans dat Ischke alarm had geslagen – tenzij haar zendertje de val niet had overleefd, maar daar kon hij maar beter niet op rekenen. Het was aannemelijk dat het wemelde van de bewakers tussen waar ze zich bevonden en de vrijheid.

En Monk? Er hadden schoten geklonken, en daarom waren de bewakers van de rotonde op onderzoek uitgegaan. Leefde Monk nog, of was hij dood? Of misschien gevangengenomen? Er waren te veel mogelijkheden. Gray moest zich ergens verstoppen en het spoor koud laten worden.

Maar waar?

Hij keek naar het pad dat naar het landhuis leidde.

Niemand zou verwachten dat ze zich daar verborgen hielden. Boven-

dien waren er binnen telefoons. Als hij naar buiten zou kunnen bellen...
Misschien kwam hij er dan achter wat hier verdomme aan de hand was.

Maar dat was een onbereikbare droom. Het landhuis was een fort.

Fiona merkte dat hij aandachtig naar het landhuis keek. Ze trok aan
zijn arm en haalde iets uit haar zak. Het zag eruit als een kaartspel aan
een sleutelring. Ze hield ze voor hem omhoog.

Het waren geen speelkaarten, het waren sleutelkaarten.

'Die heb ik van die ijskoningin gepikt,' zei Fiona neerbuigend. 'Dat zal
haar leren me aan rafels te snijden.'

Gray nam de kaarten van haar aan en bekeek ze aandachtig. Hij wist
nog dat toen ze in Himmlers crypte zaten opgesloten, Monk Fiona op
haar kop had gegeven omdat ze de sleutels van de museumdirecteur niet
had gestolen. Kennelijk had het meisje zich dat aangetrokken.

Met tot spleetjes geknepen ogen keek Gray naar het huis. Dankzij zijn
kleine zakkenrolster had hij de sleutels in zijn bezit.

Wat nu?

13

XERUM 525

Painter zat in kleermakerszit in de lemen hut met voor zich een stapel landkaarten en plattegronden. Het rook er naar mest en stof. Maar het Zoeloekamp was een uitstekende plek om zich schuil te houden. En het lag slechts tien minuten van het landgoed van de Waalenbergs af.

Af en toe vlogen er ronkend helikopters over het kamp heen. Die waren opgestegen vanaf het landgoed en hielden de omgeving in de gaten. Maar Paula had alles uitstekend geregeld. Vanuit de lucht kon niemand zien dat het zanderige kamp iets anders was dan een pleisterplaats voor de nomadische Zoeloestammen die hier een armzalig bestaan probeerden op te bouwen. Niemand kon vermoeden dat er in een van de bouwvallige hutten topoverleg werd gehouden.

Ze waren hier samengekomen om hun strategie te bespreken.

Tegenover Painter zaten Anna en Gunther naast elkaar. Lisa zat naast Painter. Al sinds ze in Afrika waren aangekomen, bleef ze bij hem in de buurt, haar gezicht strak, maar met een bezorgde blik in haar ogen. Achteraan stond majoor Brooks. Hij hield de wacht met zijn hand op de kolf van het pistool in zijn holster.

Ze luisterden allemaal aandachtig naar Khamisi, die hier jachtopziener was geweest. Naast hem zat iemand die ze niet hadden verwacht hier te zien: Monk Kokkalis.

Tot Painters verrassing was Monk achter Khamisi aan het kamp in gelopen, samen met een uitgeputte en geschokte jongeman. Monk had een lang verhaal verteld. Hij had veel vragen kunnen beantwoorden.

Anna staarde naar de runentekens die Monk had getekend. Haar ogen waren bloeddoorlopen. Ze stak een trillende hand uit naar het papier. 'Dit zijn alle runen die in het boek van Hugo Hirszfeld zijn aangetroffen?'

Monk knikte. 'Die ouwe slijmbal was ervan overtuigd dat ze uiterst belangrijk waren voor het volgende stadium van hun plannetjes.'

Anna keek Painter aan. 'Hugo Hirszfeld hield toezicht op het originele Schwarze Sonneproject. Weet je nog dat ik jullie heb verteld dat hij er zeker van was dat hij het geheim van de Glocke had ontsluierd? Hij deed nog één laatste experiment, helemaal alleen en in het grootste geheim. Uit dat experiment ontstond een volmaakt kind, helemaal zuiver en zonder een spoor van devolutie. De perfecte Sonnenkönig. Maar welke methode hij daarvoor gebruikte... Dat weet niemand.'

'In de brief die hij aan zijn zuster schreef, stond dat wat hij had ontdekt, hem beangstigde. Een waarheid die te mooi is om te laten sterven en te monsterlijk om los te laten. Daarom stelde hij zijn geheim veilig met de code van de runen.'

Anna slaakte een vermoeide zucht. 'Baldric Waalenberg was ervan overtuigd dat hij de code wel eventjes kon oplossen. Hij meende dat hij zich de verloren kennis had eigen gemaakt. Daarom besloot hij het Granitschloß te verwoesten.'

'Ik denk dat het er niet alleen om ging dat hij jullie niet meer nodig had,' reageerde Painter. 'Jullie groep vormde een steeds grotere bedreiging omdat er werd gepraat over in de openbaarheid komen. Zijn droom van het perfecte Arische ras stond op het punt van uitkomen. Hij kon zich niet veroorloven dat jullie een spaak in het wiel zouden steken.'

Anna trok het papier met Monks runentekens naar zich toe. 'Als Hugo op het goede spoor zat, zou het ontcijferen van de code ons kunnen helpen bij het vinden van een geneesmiddel voor de ziekte. De Glocke was al in staat de verschijnselen te vertragen. Als we dit raadsel kunnen oplossen, is er misschien hoop op echte genezing.'

Lisa bracht iedereen terug tot de werkelijkheid. 'Maar eerst moeten we ons toegang verschaffen tot de Glocke van de Waalenbergs. Daarna kunnen we over remedies gaan denken.'

'En Gray?' vroeg Monk. 'En het meisje?'

Painter keek hem uitdrukkingsloos aan. 'We weten niet waar Gray is. Hij kan zich ergens hebben verstopt, hij kan gevangen zijn genomen of dood zijn. Voorlopig moet commandant Pierce het maar zelf zien te redden.'

Er verscheen een diepe frons op Monks gezicht. 'Ik kan teruggaan met de plattegrond die Khamisi heeft gemaakt.'

'Nee. We kunnen beter bij elkaar blijven.' Painter wreef achter zijn rechteroor. Hij had hoofdpijn en voelde zich misselijk. Geluiden galmden door zijn hoofd.

Monk staarde hem aan.

Painter maakte een afwerend gebaar. Maar iets in Monks blik deed hem beseffen dat Monk zich niet alleen ongerust maakte om de lichamelijke verschijnselen van de ziekte. Kon Painter nog wel de juiste keuzes maken? Hoe was hij er geestelijk aan toe? Zelf begon hij ook te twijfelen. Kon hij nog wel helder denken?

Lisa legde troostend haar hand op zijn knie.

'Met mij is er niets aan de hand,' mompelde hij, zowel om haar gerust te stellen als zichzelf.

Ze werden gestoord doordat de deken voor de opening opzij werd geschoven. Het zonlicht en de hitte stroomden naar binnen. Met gebogen hoofd kwam Paula Kane binnen. Een stamoudste kwam achter haar aan. Hij was in vol ornaat: met pluimen en veren, en een luipaardenhuid die met kleurige kralen was bestikt. Hoewel hij halverwege de zestig was, had hij geen rimpels in zijn gezicht, dat uit steen leek gehouwen. Zijn hoofd was kaalgeschoren. Hij had een houten staf met veren in zijn hand, maar hij had ook een antiek vuurwapen bij zich dat er eerder ceremonieel dan functioneel uitzag.

Painter herkende het wapen toen hij opstond. Het was een Engels vuursteengeweer uit de tijd van Napoleon.

Paula Kane stelde de bezoeker aan hen voor. 'Dit is Mosi D'Gana. Het stamhoofd.'

In keurig Engels zei Mosi: 'Alles staat klaar.'

'Dank u voor uw hulp,' zei Painter beleefd.

Mosi nam de dankbetuiging met een knikje in ontvangst. 'Maar we stellen u onze speren niet ter beschikking omwille van u. We zijn het de Voortrekkers schuldig vanwege Bloedrivier.'

Toen Painter niet-begrijpend keek, legde Paula Kane het hem uit. 'Toen de Engelsen de Boeren uit Kaapstad verdreven, trokken de Boeren tijdens de Grote Trek naar het binnenland. Er ontstonden spanningen tussen de kolonisten en de inboorlingen: de Xhosa, de Pondo, de Swazi en de Zoeloes. In 1838 werden de Zoeloes bij een zijrivier van de Buffelrivier in de val gelokt. Er vielen duizenden doden, en hun thuisland ging verloren.

Het was een ware slachting. Daarna stond de rivier bekend als de Bloed-rivier. Degene die deze moorddadige actie had voorbereid, heette Piet Waalenberg.'

Mosi hief zijn antieke wapen en stak het Painter toe. 'Wij vergeten niet.'

Painter twijfelde er niet aan of dit geweer had bij die slag een rol ge-speeld. Hij nam het aan, in de wetenschap dat door het geven van het vuursteengeweer een verbond was gesloten.

Mosi ging lenig in de kleermakershouding op de grond zitten. 'We moeten plannen maken.'

Paula knikte naar Khamisi en hield de deken voor de ingang open. 'Khamisi, de vrachtwagen staat klaar. Tau en Njongo wachten al op je.'

De jachtopziener stond op. Ieder had voordat de nacht inviel zijn of haar eigen taak te doen.

Painter keek Monk eens aan. Weer zag hij die bezorgde blik in Monks ogen. Maar Monk maakte zich geen zorgen om Painter, maar om Gray. Het zou nog acht uur duren voordat de zon onderging. Tot die tijd kon-den ze niets voor Gray doen.

Gray was op zichzelf aangewezen.

12:05

'Naar de grond kijken,' fluisterde Gray tegen Fiona.

Ze liepen naar de bewaker die aan het einde van de gang stond. Gray droeg een camouflagepak, compleet van de zware laarzen tot aan de zwar-te pet, waarvan hij de klep diep over zijn ogen had geschoven. De bewa-ker van wie het uniform was, lag bewusteloos en vastgebonden in een kast van een van de slaapkamers op de bovenste verdieping.

Gray had ook de zender van de bewaker 'geleend'. Die had hij aan zijn riem, met het oortje in zijn oor. Er werd in het Afrikaans gesproken en dat was voor Gray moeilijk verstaanbaar, maar zo bleef hij toch min of meer op de hoogte.

Achter Gray aan liep Fiona in de kleding van een dienstmeisje. Dat uniform hadden ze in de bewuste kast gevonden. Het was ietsje te groot, maar daardoor kreeg ze iets leeftijdloos. De bedienden hadden allerlei huidskleuren, maar allemaal waren ze donker. Door Fiona's Pakistaanse achtergrond viel ze in dat opzicht niet op. Haar steile haar had ze onder het mutsje verborgen. Als je niet al te goed keek, kon ze best voor een Afrikaanse doorgaan. Zoals dat bij haar rol hoorde, liep ze met kleine pas-jes en keek ze onderdanig naar de grond.

Tot nog toe had niemand argwaan gekoesterd.

Iedereen wist dat Gray en Fiona in het oerwoud waren gezien. Omdat alle rolluiken naar beneden zaten, werd het huis binnen slechts door een handjevol bewakers bewaakt. De meeste bewakers waren in het woud aan het zoeken, en in de bijgebouwen.

Helaas was er voldoende beveiliging om ervoor te zorgen dat er geen buitenlijn beschikbaar was. Kort nadat ze zich met Ischkes sleutelkaarten toegang tot het huis hadden verschaft, had Gray een paar telefoons geprobeerd. Om naar buiten te bellen was een wachtwoord vereist. Pogingen om naar buiten te bellen zouden zeer verdacht zijn.

Ze hadden dus niet veel keus.

Ze zouden zich kunnen verstoppen, maar wat hadden ze daaraan? Ze konden niet weten of het Monk was gelukt weg te komen. Het was beter om actief te blijven. Om te beginnen wilden ze weten hoe het huis precies in elkaar zat, en dat hield in dat ze in het beveiligingscentrum op de begane grond moesten zien te komen. Hun enige wapens waren het pistool van Gray en een handtaser in Fiona's zak.

Aan het eind van de gang stond een bewaker op een balkon met uitzicht over de hoofdingang. Hij was bewapend met een automatisch geweer. Gray liep op hem toe. De man was lang en stevig, en hij had geniepige varkensoogjes. Met een knikje liep Gray langs hem heen naar de trap. Fiona trippelde braaf achter hem aan.

Dat ging goed.

En toen zei de man iets in het Afrikaans. Gray snapte er niets van, maar het klonk als een schunnige opmerking, zeker omdat de man daarna vet lachte.

Gray draaide zich half om en zag dat de man in Fiona's billen kneep. Zijn andere hand stak hij naar haar arm uit.

Dat had hij niet moeten doen...

Fel beet Fiona hem toe: 'Sodemieter op, vuile rukker.'

Haar rok raakte de knie van de man. Er kwam een blauwe vonk uit de rokzak die tegen zijn dij aan kwam. Hij maakte een gesmoord geluid en sloeg dubbel.

Gray wist hem nog net op te vangen. Terwijl de man nog schokkerige bewegingen maakte, sleepte Gray hem over de overloop en een kamer in. Daar legde hij hem op de grond en sloeg hem met de kolf van zijn pistool bewusteloos. Vervolgens stopte hij een prop in zijn mond en bond hem vast.

'Waarom deed je dat nou?' vroeg Gray aan Fiona.

Fiona kneep hard in Grays kont.

'Au!' Hij kwam overeind en draaide zich met een ruk om.

'Nou? Vond je dat leuk?' vroeg Fiona.

Gray kon haar reactie begrijpen, maar toch waarschuwde hij haar. 'Ik kan niet al die rotzakken hier gaan vastbinden.'

Fiona sloeg haar armen over elkaar. Ze keek nog kwaad, maar ook bang. Hij kon het haar niet kwalijk nemen dat ze een beetje overdreven had gereageerd. Hij wiste het zweet van zijn voorhoofd. Misschien konden ze zich toch maar beter ergens verstoppen en op het beste hopen.

Er klonk gekraak uit zijn zendertje. Hij luisterde. Had iemand het voorval op de trap gezien? Hij probeerde te begrijpen wat er werd gezegd. Het ging over een gevangene, en over de hoofdingang.

Meer kon hij niet opvangen.

Een gevangene... Dat kon maar één ding betekenen.

'Ze hebben Monk te pakken gekregen...' fluisterde hij. Ineens kreeg hij het koud.

Fiona keek hem bezorgd aan.

'Kom mee,' zei hij, en hij zette koers naar de deur. Hij had de taser van de man gepikt, en diens geweer over zijn schouder gehangen.

Gray liep voor Fiona uit de trap af. Fluisterend vertelde hij haar wat hij van plan was. Op de begane grond was niemand, en de gang was ook al verlaten.

Ze liepen over de geboende vloer waar kleden met Afrikaanse motieven op lagen. Hun voetstappen galmden. Aan weerskanten hingen jachttrofeeën aan de muur: de kop van de beschermde zwarte neushoorn, een leeuwenkop met mottige manen, en een heel stel antilopen met verschillende geweien.

Fiona haalde een plumeau uit de zak van haar schort. Die hoorde bij haar vermomming. Ze liep de deur naar de hal door. Met het geweer in de hand wachtte Gray aan de andere kant van de deur.

Ze hoefden niet lang te wachten. Ze kregen maar net de tijd om hun positie in te nemen.

Hoeveel bewakers zouden er bij Monk zijn? In elk geval leefde hij nog.

Het rolluik voor de hoofdingang kwam ratelend omhoog. Gray bukte om de benen te tellen. Hij stak twee vingers naar Fiona op; de gevangene in het witte trainingspak werd door twee bewakers begeleid.

Toen het rolluik helemaal open was, stapte Gray in het zicht.

De bewakers zagen gewoon een collega die bewapend met een geweer de voordeur in de gaten hield. Met de gevangene liepen ze naar binnen. Geen van beiden zag dat Gray een taser in zijn hand had, of dat Fiona hen besloop.

Het was een echte verrassingsaanval.

De twee bewakers lagen kronkelend op de grond en beukten met hun hielen op het tapijtje. Gray gaf hun een trap tegen hun hoofd, harder dan nodig was. Dat kwam door zijn opgekropte woede.

De gevangene was niet Monk.

'Wie ben je?' vroeg hij aan de geschrokken gevangene terwijl hij de eerste bewaker naar een voorraadkast sleepte.

De vrouw met grijs haar gebruikte haar vrije arm om Fiona met de andere bewaker te helpen. Ze was sterker dan ze eruitzag. Haar verbonden linkerarm zat in een mitella. Op haar linkerwang had ze hechtingen die er nieuw uitzagen. Ze was door iets aangevallen, iets met scherpe klauwen. Hoewel dat nog niet lang geleden gebeurd kon zijn, keek ze Gray onverschrokken aan.

'Ik ben Marcia Fairfield.'

12:25

De jeep reed hotsend en botsend over het verlaten pad.

Achter het stuur wiste jachtopziener Gerald Kellogg het zweet van zijn voorhoofd. Tussen zijn knieën hield hij een fles Birkenhead Premium Lager.

Hoewel hij een drukke ochtend achter de rug had, wilde hij toch geen veranderingen in zijn dagelijkse programma aanbrengen. Bovendien had hij toch niets anders te doen. De beveiliging van de Waalenbergs had hem op de hoogte gebracht van het feit dat er iemand was ontsnapt. Kellogg had de parkwacht erover geïnformeerd en bij elke poort stond nu een mannetje. Hij had de mannen de foto's laten zien die hij per fax had gekregen. De parkwachten was verteld dat het om stropers ging, gewapende en gevaarlijke stropers.

Voordat het bericht hem had bereikt, had niets hem in de weg gestaan zoals gebruikelijk een lunchpauze van twee uur te nemen. Op dinsdag stond er thuis gebraden kip met zoete aardappelen op het menu. Hij reed over het wildrooster de oprijlaan op, die door lage heggen werd omzoomd. Voor zich uit zag hij het in koloniale stijl gebouwde huis van twee verdiepingen met een hele hectare grond erbij. Dat hoorde bij zijn baan. Er waren tien personeelsleden om het huis binnen en buiten keurig aan kant te houden, en dat terwijl hij de enige bewoner was. Hij had nog lang geen zin in een huwelijk.

Waarom zou hij trouwen als hij al alles had wat zijn hartje begeerde?

Bovendien ging zijn voorkeur uit naar jonge meisjes. Er was een nieuw meisje in huis, een pikzwarte Nigeriaanse van elf jaar oud. Die donkere huidskleur was precies wat hij wilde, want dan kon je de blauwe plekken minder goed zien. Niet dat er iemand was die daar aanmerkingen over zou maken. Het huishouden werd geleid door Mxali, een bruut van een Swazi die in de gevangenis had gezeten. Hij voerde een waar schrikbewind. Problemen werden snel de wereld uit geholpen, zowel in het huis als elders. De Waalenbergs waren erg behulpzaam bij het laten verdwijnen van lastpakken. Gerald dacht liever niet aan wat er met hen gebeurde wanneer ze eenmaal per helikopter naar het landgoed waren gebracht, maar de geruchten waren hem niet ontgaan.

Ondanks de hitte huiverde hij. Het was maar het beste om geen lastige vragen te stellen.

Hij parkeerde de auto in de schaduw van een acacia, stapte uit en liep over een grindpad naar de keukendeur. Een paar tuinlieden schoffelden een bloemperk. Ze keken niet op toen Gerald langskwam, precies zoals hun dat was geleerd.

Het water liep hem in de mond toen hij de gebraden kip en de gebakken aardappelen rook. Hij volgde zijn neus en liep de drie houten treden naar de hordeur op. Met knorrende maag stapte hij de keuken in.

Links van hem stond de ovendeur open. De kokkin zat er geknield voor, met haar hoofd in de oven. Kellogg fronste zijn wenkbrauwen. Het duurde even totdat het tot hem doordrong dat het de kokkin niet was.

'Mxali?'

En toen rook Kellogg de geur van verbrand vlees, sterker dan de lucht van knoflook. Er stak iets uit Mxali's arm. Een dartpijltje. Dat was Mxali's lievelingswapen, en meestal zat er gif op de punt.

Er klopte iets niet.

Kellogg deinsde achteruit naar de deur.

De twee tuinlieden hadden hun schoffels laten vallen en richtten geweren op zijn dikke buik. Het was niet ongewoon dat bandieten de afgelegen boerderijen en huizen overvielen. Bandieten waren uitschot uit de zwarte woonsteden. Kellogg stak zijn armen omhoog, en het koude zweet brak hem uit.

Toen hij achter zich een plank hoorde kraken, draaide hij zich met een ruk om.

Een duistere gestalte kwam uit het donker van de kamer ernaast tevoorschijn.

De adem stokte Kellogg in zijn keel toen hij de indringer herkende, die hem vol haat aankeek.

334

Het waren geen bandieten. Het was iets veel ergers: een spook.
'Khamisi...'

12:30

'Wat scheelt hem eigenlijk precies?' vroeg Monk met een handgebaar in
de richting van de hut waarin Painter met Paula Kanes mobieltje met satellietverbinding was verdwenen. Painter was aan het overleggen met Logan Gregory.

Onder de luifel van een andere hut zat Monk met Lisa Cummings op
een houtblok. Deze arts zag er goed uit, ook als ze onder een laagje stof
zat en donkere kringen onder haar ogen had.

Ze richtte haar aandacht op Monk. 'Zijn lichaamscellen sterven van
binnenuit af. Tenminste, volgens Anna Sporrenberg. Zij heeft in het verleden de schadelijke uitwerking van de straling van de Glocke uitgebreid
bestudeerd. Die straling veroorzaakt het uitvallen van organen. Haar broer
Gunther lijdt aan een chronische vorm ervan. Maar het proces verloopt
trager doordat hij er in zekere zin immuun voor is, en de genezingspro-
cessen bij hem sneller werken. Maar omdat Anna en Painter als volwassenen aan een overdosis straling zijn blootgesteld, beschikken zij niet over
aangeboren bescherming.'

Ze vertelde Monk nog meer details omdat ze wist dat hij een medische achtergrond had. Ze vertelde hem over een laag gehalte aan bloed-
lichaampjes, een verhoogd bilirubineniveau, oedeem, spierpijn met af en
toe stijfheid van de nek en schouders, botweefseldegeneratie, hepatosple-
nomegalie, hartruis, vreemde verkalkingen van de extremiteiten en ver-
glazing van de oogbol.

Maar uiteindelijk kwam het allemaal neer op één vraag.

'Hoe lang hebben ze nog?' vroeg Monk.

Met een zucht draaide Lisa haar hoofd naar de hut waarin Painter was
verdwenen. 'Niet meer dan een dag. Zelfs als er vandaag nog een remedie zou worden gevonden, vrees ik dat er blijvende schade kan zijn aangericht.'

'Heb je gemerkt dat hij met dikke tong spreekt? En woorden inslikt?
Ligt dat aan de medicijnen of...'

Met een gepijnigde uitdrukking op haar gezicht keek ze hem aan. 'Het
ligt niet alleen aan de medicatie.'

Monk had het idee dat ze dat voor het eerst toegaf, ook voor zichzelf.
Er klonk angst en hopeloosheid in haar stem door. Hij zag aan haar dat

het haar moeite had gekost het hardop te zeggen. Haar reactie maakte duidelijk dat ze meer was dan een bezorgde arts of een ongeruste kennis. Ze gaf om Painter, en ze deed haar best om haar emoties in bedwang te houden.

Painter verscheen in de deuropening. Hij gebaarde dat Monk bij hem moest komen. 'Ik heb Kat aan de lijn.'

Meteen stond Monk op. Hij keek of er geen helikopters aankwamen en liep vervolgens snel naar Painter. Hij nam het mobieltje van hem over, hield zijn hand voor het microfoontje en knikte in de richting van Lisa. 'Baas, volgens mij kan ze wel een beetje gezelschap gebruiken.'

Painter sloeg zijn ogen ten hemel. Ze waren bloeddoorlopen. Hij hield zijn hand boven zijn pijnlijke ogen en liep naar Lisa toe.

Monk keek hem na en drukte toen het mobieltje tegen zijn oor. 'Hoi, schatje.'

'Ik ben je "schatje" niet. Zeg, wat doe je helemaal in Afrika?'

Monk glimlachte. Het was heerlijk om van Kat de wind van voren te krijgen. Haar vraag was trouwens retorisch; ze wist precies waarom hij hier was.

'Ik dacht dat je eigenlijk moest babysitten,' voegde ze eraan toe.

Monk wachtte totdat ze klaar was met stoom afblazen.

'Wanneer je thuis bent, sluit ik je op in...' Zo ging ze nog wel een minuut door op de beveiligde lijn.

Uiteindelijk lukte het Monk om er iets tussen te krijgen. 'Ik mis jou ook.'

Er klonk een diepe zucht. 'Ik hoor dat Gray nog niet is gevonden.'

'Er is vast niets met hem aan de hand,' stelde hij haar hoopvol gerust.

'Zorg dat je hem vindt, Monk. Haal alles uit de kast.'

Monk vond het prettig dat ze zoveel begrip toonde. Hij was van plan om alles op alles te zetten om Gray te vinden. Kat had niet gezegd dat hij voorzichtig moest doen, daar kende ze hem te goed voor. Toch hoorde hij het verdriet in haar stem toen ze zei: 'Ik hou van je.'

Goed, hij zou voorzichtig zijn.

'Ik hou ook van jou.' Zachtjes voegde hij eraan toe terwijl hij zich afwendde: 'Van jullie allebei.'

'Kom veilig thuis.'

'Probeer me maar eens tegen te houden.'

Weer slaakte Kat een diepe zucht. 'Logan piept me op, ik moet ophangen. Om zeven uur hebben we een gesprek met iemand van de Zuid-Afrikaanse ambassade. We gaan hem onder druk zetten.'

'Haal alles uit de kast, lieverd.'

'Doen we. Dag, Monk.'

'Kat, ik...' Maar de verbinding was al verbroken. Verdomme.

Monk liet het mobieltje zakken en keek naar Lisa en Painter. Ze zaten dicht bij elkaar te praten. Monk had het idee dat het meer om elkaars nabijheid ging dan om het gesprek. Hij keek naar het mobieltje in zijn hand. Gelukkig was Kat ergens waar het veilig was.

12:37

'Ze wilden me naar een kerker onder het huis brengen,' zei Marcia Fairfield. 'Om me te ondervragen. Er zit hun zeker iets erg dwars.'

Met zijn drieën stonden ze op de overloop van de eerste verdieping. De bewaker die Fiona onzedelijk had betast, lag nog bewusteloos op de grond. Er sijpelde bloed uit zijn neus.

Marcia had in het kort verteld dat ze in het veld was aangevallen door de huisdiertjes van de Waalenbergs, en dat ze was meegenomen. Kennelijk waren de Waalenbergs erachter gekomen dat ze banden met de Engelse geheime dienst had. Daarom deden ze het voorkomen alsof ze door een leeuw was verscheurd. Zo zag ze er ook wel uit, met haar verwondingen. 'Ik wist hen ervan te overtuigen dat de jachtopziener die bij me was, was omgekomen. Meer kon ik niet doen. Ik hoop dat hij veilig heeft kunnen wegkomen.'

'Maar wat verbergen de Waalenbergs?' vroeg Gray. 'Waar zijn ze zo stiekem mee bezig?'

Marcia schudde haar hoofd. 'Het is een soort macaber genetisch Manhattanproject. Meer kan ik er niet over zeggen. Ik denk echter dat ze met nog iets anders bezig zijn, een ander project. Misschien willen ze iets aanvallen. Ik hoorde wat een van de bewakers zei, iets over een serum of zoiets. Serum 525, daar hadden ze het over. Ik hoorde ook dat ze het over Washington, D.C., hadden.'

Gray fronste zijn voorhoofd. 'Weet je ook een datum, een tijd?'

'Nee. Maar ze lachten er hard om, daarom kreeg ik de indruk dat er al gauw iets zou gebeuren. Heel gauw.'

Gray ijsbeerde door de gang. Het serum zou een soort biologisch wapen kunnen zijn... Of een pathogeen, een virus. Hij schudde zijn hoofd. Hij moest er meer over te weten zien te komen, en snel ook.

'We moeten naar de laboratoria in de kelder,' mompelde hij. 'We moeten uitzoeken wat er aan de hand is.'

'Ze wilden me daarnaartoe brengen' zei Marcia.

Hij knikte. 'Als ik doe alsof ik je bewaak, zouden we ons toegang tot de kelders kunnen verschaffen.'

'We moeten opschieten,' zei Marcia. 'Waarschijnlijk vragen ze zich al af waar ik blijf.'

Gray draaide zich om naar Fiona, voorbereid op een knallende ruzie. Ze kon beter hier blijven, in deze kamer waar niemand haar kon zien. Het zou moeilijk worden een verklaring te geven voor haar aanwezigheid bij een bewaker die een gevangene wegbracht. Het zou er verdacht uitzien.

'Je hoeft me heus niet te zeggen dat er daar geen dienstmeisje hoort rond te lopen,' zei Fiona tot zijn verrassing. Ze porde de bewaker op de grond met haar voet. 'Ik houd Casanova wel gezelschap totdat jullie terugkomen.'

Ondanks haar dappere taal stond er angst in haar ogen te lezen.

'We blijven niet lang weg,' beloofde hij haar.

'Dat is jullie geraden.'

Nu dat allemaal was geregeld, pakte Gray zijn geweer op en gebaarde Marcia om de deur uit te lopen. 'Kom op, we gaan.'

Even later liep Gray met zijn geweer op Marcia gericht naar de lift. Niemand vroeg hem iets. Er was een kaart nodig om naar de ondergrondse verdieping te mogen gaan. Hij stak een van Ischkes sleutelkaarten in de gleuf. De knoppen voor de ondergrondse verdiepingen veranderden van rood in groen.

'Weet jij waar we moeten beginnen?' vroeg Gray.

Marcia stak haar hand uit. 'Kostbare schatten liggen meestal diep begraven.' Ze drukte op het onderste knopje: ondergrondse verdieping 7. De lift zakte naar beneden.

Terwijl Gray de nummers van de verdiepingen zag verspringen, dacht hij aan wat Marcia had gezegd: een aanval, misschien op de stad Washington.

Maar wat voor soort aanval?

6:41, EST
WASHINGTON, D.C.

Embassy Row was ongeveer drie kilometer van de National Mall verwijderd. De chauffeur draaide Massachusetts Avenue in en reed verder naar de Zuid-Afrikaanse ambassade. Kat zat met Logan op de achterbank. Ze overlegden voor de laatste keer. De zon was net opgekomen toen ze de ambassade zagen.

De vier verdiepingen van kalksteen uit Indiana schitterden in het zonlicht, en deden de aandacht vallen op de gevels in de typische stijl van de Kaap. De auto stopte voor het woongedeelte. De ambassadeur had erin toegestemd hen op dit vroege uur in zijn werkkamer te woord te staan. Het leek wel of alles wat met de Waalenbergs te maken had, uit de openbaarheid moest worden gehouden.

Kat vond dat prima. In haar enkelholster zat een pistool.

Ze stapte uit en wachtte op Logan. Vier pilaren met cannelures ondersteunden een fronton met het Zuid-Afrikaanse wapen erin uitgehakt. Een portier had gezien dat ze waren gekomen en hield de glazen deur voor hen open.

Als ondercommandant liep Logan voorop. Kat liep een paar passen achter hem, en keek op haar hoede om zich heen. De Waalenbergs hadden zoveel geld dat ze niemand vertrouwde die in hun dienst was, en dat betekende ook dat ze de ambassadeur, John Hourigan, niet vertrouwde.

Ze stapten een royale hal in. Een secretaris in een keurig marineblauw pak kwam op hen toe. 'De ambassadeur komt dadelijk naar beneden. Ik zal u naar zijn werkkamer brengen. Wilt u misschien thee of koffie?'

Logan en Kat bedankten beleefd.

Algauw werden ze een vertrek met een mooie lambrisering in geleid. Het meubilair, bestaande uit bureaus, boekenkasten en tafeltjes, was van hetzelfde hout gemaakt: stinkhout uit Zuid-Afrika, een houtsoort zo zeldzaam dat het niet meer geëxporteerd mag worden.

Logan nam plaats op een stoel bij het bureau. Kat bleef staan.

Lang hoefden ze niet te wachten.

De deur werd geopend en een lange, magere man met rossigblond haar kwam binnen. Ook hij droeg een marineblauw pak, maar het jasje hing over zijn arm. Kat vermoedde dat hij er zo nonchalant uitzag om vriendelijker over te komen, meer bereid om mee te werken. Daarom had hij hen waarschijnlijk ook in het woongedeelte uitgenodigd.

Ze geloofde er niets van.

Terwijl Logan bezig was met voorstellen, keek Kat om zich heen. Omdat ze ervaring met geheime diensten had, vermoedde ze dat het gesprek werd opgenomen. Met haar blik zocht ze naar de afluisterapparatuur.

Ambassadeur Hourigan ging eindelijk zitten. 'U wilt meer weten over het landgoed van de Waalenbergs, hoor ik. Hoe kan ik u van dienst zijn?'

'We vermoeden dat er in hun opdracht iemand in Duitsland is ontvoerd.'

De ambassadeur zette grote ogen op. 'Dat is schokkend nieuws. De

Duitse BKA, Interpol of Europol hebben me daar niets over verteld.'

'Onze bron is uiterst betrouwbaar,' reageerde Logan. 'We willen u verzoeken om de Scorpions in te zetten.'

Kat keek naar Hourigan, die een peinzend gezicht trok. De Scorpions waren het Zuid-Afrikaanse equivalent van de FBI. Samenwerking was niet erg waarschijnlijk. Wat Logan probeerde, was dit soort organisaties bij Sigma weg te houden. Door vragen om samenwerking tegen een enorme politieke macht als de Waalenbergs, konden ze misschien voldoende druk uitoefenen op de politie om die ervan te weerhouden in te grijpen. Een kleine concessie, maar wel een belangrijke.

Kat bleef staan en keek naar de twee mannen die er ieder het beste uit wilden slepen.

'Ik kan u verzekeren dat de Waalenbergs groot respect hebben voor de internationale gemeenschap en regeringen. De familie steunt hulporganisaties, internationale liefdadigheidsprojecten en non-profitorganisaties in de gehele wereld. Recentelijk hebben ze zelfs alle Zuid-Afrikaanse ambassades en consulaten een gouden klok geschonken ter herdenking van het feit dat het honderd jaar geleden is dat de eerste gouden munt in Zuid-Afrika is geslagen.'

'Dat kan allemaal wel, maar dat wil nog niet zeggen dat...'

Plotseling viel Kat Logan in de rede. 'Zei u: een gouden klok?'

Hourigan ontmoette haar blik. 'Ja. Een cadeau van Baldric Waalenberg zelf. Honderd vergulde klokken met het wapen van Zuid-Afrika erop. De onze wordt in het woongedeelte geïnstalleerd, op de vierde verdieping.'

Logan keek Kat eens aan.

'Mogen we die klok eens zien?' vroeg Kat.

De vreemde wending die het gesprek nam, bracht de ambassadeur in verwarring, maar hij kon geen goede reden bedenken om hun verzoek niet in te willigen. Kat vermoedde dat hij hoopte deze diplomatieke strijd hierdoor naar zijn hand te zetten.

'Met alle plezier.' Hij stond op en keek op zijn horloge. 'Ik ben bang dat we moeten opschieten. Ik heb een ontbijtafspraak en mag niet te laat komen.'

Zoals Kat al had vermoed, gebruikte Hourigan dit als een excuus om voortijdig een einde aan het gesprek te maken. Op die manier hoefde hij zich niet vast te leggen. Logan keek haar doordringend aan. Ze hoopte maar dat ze het bij het rechte eind had.

Ze werden naar een lift gebracht waarmee ze naar de bovenste verdieping gingen. Ze liepen door gangen vol Zuid-Afrikaanse kunstwerken.

Aan het einde van de gang kwamen ze bij een ruime hal die er meer als een museum uitzag dan als een woonhuis. Overal stonden vitrines, tafels, en kasten met koperbeslag. Grote ramen boden uitzicht op de achtertuin. In een hoek hing een enorme vergulde klok. Die zag eruit alsof hij nog maar pas was uitgepakt, want op de grond lagen plukken stro. De klok was een meter hoog, en had aan de onderkant een doorsnede van twee meter. Hij was versierd met het Zuid-Afrikaanse wapen.

Kat liep ernaartoe. Vanaf de top kronkelde zich een dik elektrisch snoer naar de grond.

'De klok is geprogrammeerd om op bepaalde tijden te luiden,' zei de ambassadeur. 'Het is op technisch gebied een hoogstandje. Als u erin zou willen kijken, kunt u het mechaniek zien. Dat doet niet onder voor dat van een Rolex.'

Kat draaide zich naar Logan om, en zag dat hij was verbleekt. Net als Kat had hij de schetsen bestudeerd die Anna Sporrenberg van de originele Glocke had gemaakt. Dit was een exacte kopie in goud. Allebei hadden ze ook gelezen over de gruwelijke effecten van het apparaat: krankzinnigheid en dood. Kat keek uit het raam. Ze kon net het topje van de koepel van het Capitool zien.

Ineens was wat de ambassadeur had gezegd, angstaanjagend geworden: honderd gouden klokken. Verspreid over de hele wereld in ambassades en consulaten...

'Er is een technicus meegekomen om de klok te installeren,' ging de ambassadeur verder. Hij klonk een beetje verveeld. 'Volgens mij is hij hier nog ergens.'

Achter hen sloeg de deur met een klap dicht.

Ze draaiden zich alle drie om.

'Ach, daar is hij...' zei Hourigan. Zijn stem stief weg toen hij het halfautomatische geweer in de handen van de nieuw binnengekomene zag. Het was een man met witblond haar. Zelfs van deze afstand kon Kat de donkere tatoeage zien op de hand waarmee hij het geweer vasthield.

Kat bukte snel om het pistool in haar enkelholster te pakken.

Zonder een woord te zeggen opende de man het vuur. Kogels vlogen door de lucht. Er klonk het geluid van brekend glas en versplinterend hout.

Achter haar werd de gouden klok door afketsende kogels getroffen. De klok galmde en galmde.

De liftdeur schoof open op de zevende ondergrondse laag. Met het geweer in de hand stapte Gray uit. Hij keek in de gang. In tegenstelling tot de dure houtsoorten en de schitterende inrichting van het landhuis, was het onder de grond steriel, met neonverlichting, linoleum op de vloer, grijze muren en een laag plafond. Aan de ene kant van de gang waren glanzende stalen deuren met elektronische sloten. Aan de andere kant waren de deuren normaal.

Gray legde zijn hand tegen een van de deuren. Het hout trilde, en hij hoorde zacht gezoem. Een krachtcentrale? Die moest dan gigantisch zijn.

Marcia kwam bij hem staan. 'Ik denk dat we te diep zitten,' fluisterde ze. 'Dit lijkt me meer een berging of zoiets.'

Gray was het met haar eens. Maar toch...

Hij liep naar een van de gesloten stalen deuren. 'De vraag blijft: wat verbergen ze hier?'

Op een bord op de deur stond: EMBRYONAAL.

'Een laboratorium voor embryonaal onderzoek,' fluisterde Marcia.

Ze kwam bij hem staan en vertrok haar gezicht omdat haar gebroken arm pijn deed bij het lopen.

Gray stak een sleutelkaart van Ischke in de gleuf. Een groen lampje lichtte op, en het magnetische slot sprong open. Gray duwde tegen de deur. Hij had zijn geweer om zijn schouder gehangen en hield een pistool in zijn hand.

De neonlampen flikkerden aan.

Het was een ruim vertrek van zo'n veertig meter lang. Het viel Gray op dat het hier koud was, en dat de lucht heel zuiver rook. Aan de ene kant van het vertrek stonden vrieskasten van roestvrij staal, helemaal tot aan het plafond. Er zoemden perspompen. Aan de andere kant stonden stalen wagentjes, bassins vol vloeibare stikstof, en een snijtafel met een grote microscoop.

Het leek op een laboratorium waar lijken werden ingevroren.

Op een bureau in het midden stond een Hewlett-Packardcomputer. De monitor vertoonde een screensaver: een zilverkleurig symbool dat tegen een zwarte achtergrond ronddraaide. Het was een bekend symbool. Gray had het op de vloer van de Wewelsburg gezien.

'De Schwarze Sonne,' fluisterde Gray.

Marcia keek naar hem op.

Gray wees naar de ronddraaiende zon. 'Het is het symbool van Himmlers Schwarze Auftrag, een groepering bestaande uit leden van het occulte Thule-Gesellschaft en geleerden die waren geobsedeerd door de filosofie van het superieure ras. Baldric moet daar lid van zijn geweest.'

Gray had het idee dat het kringetje rond was. Van Ryans overgrootvader naar hier. Hij knikte in de richting van de computer. 'Kijk eens wat je op die computer kunt vinden.'

Terwijl Marcia achter de computer plaatsnam, liep Gray naar een van de vrieskasten. Hij trok de deur open. Er kwam ijskoude lucht uit. De kast bevatte laden waarop keurig nummertjes stonden. Achter zich hoorde hij Marcia iets intikken. Gray trok een lade open. Erin lagen bundeltjes glazen rietjes, gevuld met een gelige vloeistof.

'Ingevroren embryo's,' zei Marcia.

Hij duwde de lade dicht en keek naar de enorme rij vrieskasten. Als Marcia gelijk had, werden hier duizenden embryo's bewaard.

'Er staat een database op de computer,' zei ze, en hij liep naar haar toe. 'Ze houden het genoom en de genealogie bij.' Ze keek naar hem op. 'Zowel menselijke als dierlijke. Zoogdieren. Kijk maar.'

Op het scherm verscheen een lijst.

NUCLEOTIDE VERANDERING (DNA)

[*CROCUTA CROCUTA*]

Thu Nov 6 14:56:25 GMT

Schema V.1.16

VERANDERING	CODE RANGSCHIKKEN
Loci A.0. Transversie	
A.0.2. Dipyrimidine to Dithymidine (c[CT]>TT)	ATGGTTACGCGCTCATG
	GAATTCTCGCTCATGGA
	ATTCTCGCTCGTCAACT
Loci A.3. Gedeeltelijk	
A.3.3.4. Dinucleotide (transcriptie)	CTAGAAATTACGCTCTTA
	CGCTTCTCGCTTGTTAC
	GCGCTCA
Loci B.5.	
B.5.1.3. Cryptische plaatsactivering	GTTACGCGCTCGCGCTC/
	TGGAATTCTCGC TCATG
Loci B.7.	
B.7.5.1. Pentanucleotide (g[TACAGATTC]	ATGGTTACGCGCTCCGC
verminderde stabiliteit)	TGGAATTCTCGCTC ATG
	GAATTCTCGCTC

'Dit lijken wel mutaties,' zei Marcia. 'Uitgeplozen tot op het niveau van polynucleotiden.'

Gray tikte tegen het scherm. '*Crocuta crocuta*,' las hij voor. 'De gevlekte hyena. Ik heb het eindresultaat van dit onderzoek gezien. Baldric Waalenberg had het erover dat hij bezig was deze soort te vervolmaken. Hij heeft zelfs menselijke stamcellen in hun hersenen geïmplanteerd.'

Marcia keerde terug naar het register. 'Dat verklaart de naam van de database: Hersenschim. In de biologie wordt daar de term "chimaera" voor gebruikt. Een organisme met genetisch materiaal afkomstig van meer dan één soort. Het kunnen geënte planten zijn, maar ook vreemde cellen in een embryo.' Geconcentreerd tikte ze iets in. 'Maar wat willen ze ermee bereiken?'

Gray kwam overeind en keek naar de vrieskasten met embryo's. Verschilde dit van de manier waarop Baldric orchideeën en bonsaiboompjes manipuleerde? Het was niets anders dan de natuur naar je hand zetten, en die volgens je eigen maatstaven van volmaaktheid manipuleren.

'Hm...' mompelde Marcia. 'Dit is vreemd...'

'Hè?' vroeg Gray.

'Zoals ik al zei, zijn hier de gegevens van menselijke embryo's opgeslagen.' Ze keek achterom naar Gray. 'Volgens de gegevens zijn al deze embryo's genealogisch verwant aan de Waalenbergs.'

Dat kwam niet als een verrassing. Het was Gray al opgevallen dat de kinderen Waalenberg op elkaar leken. De pater familias was al generaties lang bezig de stamboom te manipuleren.

Maar dat was niet was Marcia was opgevallen.

'Bij de Waalenberg-embryo's staan ook referenties aan de stamcellen van *Crocuta crocuta*.'

'De hyena?'

Marcia knikte.

Ineens drong het in alle afschuwelijkheid tot hem door. 'Bedoel je dat hij bij zijn eigen kinderen stamcellen van die monsters heeft geïmplanteerd?' Gray kon niet verbergen dat hij diep geschokt was. Waar was deze ijdele man niet allemaal toe in staat?

'En dat is nog niet alles,' zei Marcia.

Grays maag kromp samen. Hij wist al wat ze zou gaan zeggen.

Marcia wees naar een ingewikkelde grafiek op het scherm. 'De stamcellen van de gemuteerde hyena's komen terug in de volgende generatie menselijke embryo's.'

'Allemachtig...'

Gray herinnerde zich dat Ischke haar hand had uitgestoken om de aanstormende hyena tot rust te manen. Dit was meer dan een baas en zijn hond: het was familie. Baldric had cellen van de gemuteerde hyena's teruggeplaatst in zijn kinderen. Kruisbestuiving, net als bij zijn orchideeën.

'Maar dat is nog niet eens het ergste...' ging Marcia verder. Ze zag lijkbleek. 'De Waalenbergs hebben...'

Gray kapte het af. Hij had genoeg gehoord. Er was nog veel meer waar ze naar moesten kijken. 'We moeten verder.'

Met tegenzin liet Marcia de computer alleen. Ze liepen het lab met de monsters uit en trokken verder door de gang. Op de volgende deur stond: FOETUSSEN. Zonder halt te houden liep Gray verder. Hij wilde niet zien wat zich daarbinnen voor afgrijselijks bevond.

'Hoe krijgen ze het voor elkaar?' vroeg Marcia. 'De mutaties, de succesvolle chimaera's... Ze moeten een manier hebben om gecontroleerd genetisch te kunnen manipuleren.'

'Waarschijnlijk,' mompelde hij. 'Maar het is nog niet volmaakt. Nog niet.'

Gray dacht aan het werk van Hugo Hirszfeld, en de code in runen. Nu begreep hij waarom Baldric die koste wat kost in handen had willen krijgen. De belofte van volmaaktheid. Te mooi om te laten sterven en te monsterlijk om los te laten...

Maar Baldric liet zich door dat monsterlijke niet afschrikken. Hij had het monsterlijke zelfs in zijn eigen familie gefokt. Wat zou Baldrics volgende stap zijn, nu hij Hugo's code tot zijn beschikking had? En nu Sigma hem op de hielen zat? Geen wonder dat Baldric alles over Painter Crowe wilde weten.

Ze kwamen bij weer een deur. De ruimte erachter moest gigantisch zijn, want de deur was een heel eind van het lab met de foetussen vandaan. Gray keek naar wat er op de deur stond: XERUM 525.

Hij ontmoette Marcia's blik.

'Xerum? Moet dat niet "serum" zijn?' vroeg Gray.

'Ja, Xerum.' Niet-begrijpend schudde Marcia haar hoofd.

Gray gebruikte de gestolen sleutelkaart. Het groene lampje floepte aan, het slot sprong open en ze konden naar binnen. De lichten flikkerden aan. Het rook een beetje naar roest en ozon. De vloer en de muren waren donker van kleur.

'Lood,' zei Marcia nadat ze aan een muur had gevoeld.

Dat beviel Gray niet erg, maar toch bleef hij nieuwsgierig. De spelonkachtige ruimte leek sterk op een opslag voor gevaarlijke stoffen. Overal waren planken met grote gele vaten erop waar het getal 525 op was gestencild.

Gray wist nog dat hij bang was geweest voor een biologisch wapen. Of zat er kernafval in de vaten? Was de ruimte daarom met lood bekleed?

Marcia maakte zich er niet druk om. Ze liep naar de planken en keek naar de etiketten op de plank onder de vaten. 'Albanië,' las ze hardop voor. Daarna liep ze naar het volgende vat. 'Argentinië.'

In alfabetische volgorde las ze nog meer namen van landen op.

Met grote ogen keek Gray naar de planken. Er waren hier op zijn minst honderd vaten.

Marcia keek hem eens aan, en hij begreep waarom ze bezorgd keek. O nee...

Gray liep snel langs de vaten en bleef af en toe staan om te lezen wat er op het etiket op de plank stond: BELGIË... FINLAND... GRIEKENLAND...

Snel liep hij verder.

Eindelijk vond hij wat hij zocht: een etiket waar VERENIGDE STATEN op stond.

Hij herinnerde zich dat Marcia had verteld dat ze iets over Washington, D.C., had horen zeggen. Mogelijk had het met een aanval te maken. Gray staarde naar de rijen vaten. Niet alleen Washington werd bedreigd.

Maar Baldric maakte zich druk om Painter en Sigma. De Verenigde Staten vormden een bedreiging voor hem.

Misschien had Baldric daarom haast achter zijn project gezet. Boven het etiket met VERENIGDE STATEN erop, was de plank leeg.

Het vat met Xerum 525 was verdwenen.

7:45 EST

GEORGETOWN UNIVERSITY HOSPITAL

WASHINGTON, D.C.

'Verwachte aankomsttijd van de MedSTAR?' vroeg de man achter de computer van het ziekenhuis in het zendertje. Hij had een koptelefoon op.

Krakend klonk het vanuit de helikopter: 'We zijn onderweg en landen over twee minuten.'

'De eerstehulpafdeling vraagt om meer gegevens.' Iedereen wist dat er zich op Embassy Row een schietpartij had voorgedaan. Er waren veiligheidsmaatregelen getroffen, en voor de hele stad gold een verhoogde alarmfase. Op het moment heerste er chaos.

'De medische staf van de ambassade heeft twee dodelijke slachtoffers gemeld. Zuid-Afrikanen, onder wie de ambassadeur. Maar er zijn ook twee Amerikanen bij betrokken.'

'Hoe zijn ze eraan toe?'

'De ene is dood, de ander is in kritieke toestand.'

14

IN DE DIERENTUIN

Met de taser in de hand luisterde Fiona aan de deur. Op de overloop van de eerste verdieping klonken stemmen. De angst was verlammend. Na de afgelopen uren van doodsangst had ze nauwelijks adrenaline meer over. Haar handen trilden en ze haalde oppervlakkig adem.

De vastgebonden bewaker, de man die haar had belaagd, lag nog steeds op de grond met een prop in zijn mond. Toen hij was gaan kreunen, had ze hem weer een elektrische schok toegediend.

Het geluid van stemmen kwam dichterbij. Fiona verstarde. Waar bleef Gray toch? Hij was al bijna een uur weg.

Op de gang liepen twee personen. Fiona herkende een van de stemmen. Het was dat blonde kreng die in haar hand had gesneden, Ischke Waalenberg. Zij en haar metgezel spraken in het Afrikaans, maar Fiona kon toch opmaken waarover ze het hadden.

'Sleutelkaarten,' zei Ischke kwaad. 'Ik moet de mijne tijdens de val hebben verloren.'

'Nou ja, lieve zuster, je bent nu veilig thuis.'

Zuster... Dus ze was met haar broer.

'Uit voorzorg zullen we de code veranderen,' zei hij.

'Zijn de Amerikaan of het meisje nog steeds niet gevonden?'

'De grenzen van het landgoed worden extra goed bewaakt. We weten zeker dat ze zich nog op het terrein bevinden. We vinden hen heus wel.

Trouwens, oupa heeft een verrassing voor je.'

'O?'

'Niemand komt levend van het landgoed af. Vergeet niet dat hij van ieder van hen DNA heeft afgenomen.'

Ischke lachte zo kil dat Fiona het er koud van kreeg.

'Kom,' hoorde ze de broer nog zeggen terwijl ze de trap afliepen. 'Oupa wil dat we beneden allemaal bij elkaar komen.'

Fiona hoorden hen de trap af stommelen. Met haar oor tegen de deur gedrukt kon ze niet meer horen wat er werd gezegd, maar het leek erop dat ze onenigheid hadden. Maar wat had dat DNA ermee te maken?

Fiona wist dat er maar één manier was om daarachter te komen. Ze schoof de grendel weg en deed de deur van het slot. Ze zou gebruik moeten maken van alles wat ze tijdens haar leven op straat had geleerd. Ze deed de deur open en glipte de gang op. Met haar rug tegen de deur trok ze hem heel zachtjes dicht. Ze had zich nog nooit zo alleen en zo bang gevoeld. Even legde ze haar hand op de deurknop, op het punt om toch maar weer naar binnen te gaan. Ze sloot haar ogen en zei een schietgebedje, niet aan God, maar aan degene die haar had geleerd dat ware moed zich in vele vormen kan manifesteren, waaronder opoffering.

'Mor...' fluisterde ze voor zich uit.

Ze miste haar pleegmoeder Grette Neal verschrikkelijk. Geheimen uit het verleden waren er de oorzaak van dat Grette dood was, en nu werden Fiona en de anderen door dezelfde geheimen bedreigd. Om hoop op overleven te kunnen hebben, zou ze net zo dapper en onzelfzuchtig als mor moeten zijn.

De stemmen beneden verwijderden zich.

Met de plumeau in haar hand sloop Fiona naar de trap. Ze keek over de leuning en zag nog net twee blonde hoofden. Ze kon de tweeling nu ook weer horen.

'We moeten oupa niet laten wachten,' zei de mannelijke helft.

'Ik kom zo. Ik wil eerst even naar Skuld kijken. Of ze weer in haar kennel is. Ze was nogal van streek, ik ben bang dat ze zichzelf uit ergernis heeft bezeerd.'

'Pas jij ook maar op, lief zusje van me.'

Fiona sloop stilletjes dichterbij, en zag hem griezelig intiem de wang van zijn zuster strelen.

Ischke sloot even haar ogen. 'Ik kom zo.'

Haar broer knikte en zette toen een stap in de richting van de lift. 'Ik vertel het oupa wel.' Hij drukte op de knop en de liftdeuren schoven open.

Ischke liep de andere kant op, dieper het huis in.

Fiona sloop snel achter haar aan. Ze omklemde de taser in haar zak. Als ze dat kreng te pakken kon krijgen, zou ze haar misschien kunnen laten praten.

Ze ging haastig de trap af en bleef aan de voet ervan staan. Langzaam liep ze verder. Ischke was halverwege de gang die recht naar het middelpunt van het huis leek te voeren.

Op een afstandje volgde Fiona haar. Ze hield haar blik op de grond gericht en omklemde de plumeau zoals een non een bijbel vasthoudt. Ze maakte kleine pasjes, ze leefde zich in in haar rol van onbetekenend dienstmeisje. Ischke liep vijf treden af, langs een paar bewakers, en sloeg toen een gang naar links in.

Fiona liep op de bewakers af. Ze was sneller gaan lopen, alsof ze doelbewust op een taak af ging. Maar ze bleef naar de grond kijken.

Ze kwam bij het trapje.

De bewakers sloegen geen acht op haar. Ze gedroegen zich netjes omdat de vrouw des huizes net was langsgekomen. Fiona trippelde de treetjes af. Eenmaal beneden zag ze een verlaten gang.

Ze bleef staan. Ischke was verdwenen.

Fiona voelde zich zowel opgelucht als bang. Moest ze terug naar die kamer, en op het beste hopen?

Ze herinnerde zich Ischkes kille lach, en toen hoorde ze haar op scherpe toon iets zeggen. Het geluid kwam van achter een dubbele deur rechts waar fraai glas in lood in zat.

Ischke was kwaad.

Fiona liep naar de deur en drukte haar oor ertegen.

'Het moet bloederig vlees zijn! Vers vlees!' tierde Ischke. 'Anders sluit ik jullie bij haar op!'

Er klonken gemompelde spijtbetuigingen, en voetstappen die zich verwijderden.

Fiona bleef met haar oor tegen het glas in lood gedrukt staan. Dat had ze niet moeten doen.

De deur werd opengeduwd en kwam met een klap tegen haar hoofd aan. Ischke botste in volle vaart tegen Fiona op.

Vloekend duwde Ischke haar uit de weg.

Fiona reageerde intuïtief. Ze ging in elkaar gedoken op haar knieën zitten. De angst hoefde ze niet te spelen.

'Kijk een beetje uit waar je loopt!' foeterde Ischke.

'Ja, mevrouw,' zei Fiona onderdanig.

'Rot op!'

In paniek vroeg Fiona zich af welke kant ze op moest. Ischke zou zich afvragen wat ze hier deed. Ze hield nog steeds de deur open. Fiona stond op en liep met gebogen hoofd de deur door.

Snel stopte Fiona wat ze van Ischke had gestolen in haar zak, en voelde toen naar de taser. Ze had niets willen jatten, ze had het uit gewoonte gedaan. Stom. Het kostte haar alleen maar tijd omdat ze de taser niet meteen kon vinden. Voordat ze het ding te pakken had, liep Ischke al met een gemompelde vloek weg. Helaas kende Fiona het huis niet goed genoeg om via een andere route naar de hal bij de ingang te gaan en haar daar op te wachten.

De tranen van angst en ergernis sprongen haar in de ogen. Ze had het verprutst.

Met iets van wanhoop keek ze in het vertrek. Het was helder verlicht, het zonlicht viel stralend door de geodetische glazen koepel. Het leek een soort ronde binnenplaats te zijn. In het midden stonden enorme palmen, hun kruinen kwamen bijna tot aan het glazen dak. Stevige zuilen stutten het plafond, en erachter liep een ronde galerij. Drie hoge gangen, gewelfd en zo hoog als de binnenplaats, vertakten zich als kapellen in een kerk. Het geheel vormde een kruis.

Maar dit was geen kerk.

Het eerste wat haar opviel, was de geur. Het rook er naar rotting en bederf, de stank van een knekelhuis. Er klonk geschreeuw en gekreun, het galmde in de spelonkachtige ruimte. Door nieuwsgierigheid gedreven liep ze verder. Er waren drie treden naar een verhoging in het midden, die verlaten was. De man die Ischke er verbaal van langs had gegeven, viel nergens te bekennen.

Vanaf de verhoging keek ze om zich heen.

In de galerijen zag ze enorme kooien, elk afgesloten met een hek van metaal en glas. Achter de tralies waren gestalten zichtbaar, sommige opgekruld en in diepe slaap verzonken, andere ijsbeerden, en eentje knauwde op een groot bot. Het waren monsterlijke hyena's.

Maar er was nog meer: in andere kooien zag ze nog meer monsters. Bij het hek van een van de kooien zat een gorilla somber naar Fiona te kijken. Zijn ogen straalden intelligentie uit. Maar door de een of andere mutatie was het beest volledig kaal. De naakte huid hing in plooien om zijn lijf.

In een andere kooi liep een leeuw heen en weer. De leeuw had wel een vacht, maar die was erg bleek en mottig, en er zaten plakkaten vuil en bloed op. De leeuw met de rode randen om de ogen hijgde. Fiona zag gekromde slagtanden.

Overal om haar heen zag ze vervormingen: een gestreepte antilope met kurkentrekkerhoorns; een paar waanzinnig uitgerekte jakhalzen; een albino wrattenzwijn met een pantser als van een gordeldier. Het was afschrikwekkend en treurig tegelijkertijd. De jakhalzen zaten bij elkaar te janken en te keffen, en ze bewogen zich vreemd houterig.

Maar voor de reuzenhyena's voelde ze eerder angst dan medelijden. Ze keek strak naar de hyena die op het dijbeen knauwde van het een of andere enorme dier, misschien een waterbuffel of een wildebeest. Aan het bot zat nog vlees en een stuk zwarte huid. Het had net zo goed een bot van haarzelf kunnen zijn. Als Gray haar niet had gered...

Ze huiverde.

De hyena brak met zijn machtige kaken het bot doormidden. Het klonk als een geweerschot.

Door de schrik kwam Fiona weer tot zichzelf.

Ze liep achteruit naar de deur. Ze was hier lang genoeg geweest. Omdat haar missie was mislukt, kon ze beter met de staart tussen de benen teruggaan naar de kamer en daar blijven wachten.

Ze pakte de deurknop en trok eraan. De deur zat op slot.

14:30

Met bonzend hart keek Gray naar de rij zware, stalen hendels. Het had lang geduurd voordat hij het controlepaneel voor de elektriciteitsvoorziening had gevonden. Hij was zich bewust van de energie die door de kabels stroomde, het voelde alsof hij zich in een elektromagnetisch veld bevond.

Hij had al veel te veel tijd verspild.

Nadat hij erachter was gekomen dat een van de vaten met Xerum 525 ontbrak – en nog wel het vat dat voor de Verenigde Staten was bestemd – begon de verantwoordelijkheid zwaar op hem te drukken. Hij had geen pogingen meer ondernomen om de rest van de ondergrondse verdieping te verkennen. Het was belangrijker om Washington te waarschuwen.

Marcia had hem verteld dat ze een kortegolfzender had gezien, in het gedeelte voor de beveiliging, dicht bij haar kerker. Ze wist met wie ze contact kon opnemen: Paula Kane, haar collega. Paula Kane zou de waarschuwing kunnen doorgeven. Maar ze wisten allebei dat het zelfmoord zou betekenen om de zender te bemachtigen. Ze hadden echter geen andere keus.

In elk geval was Fiona veilig.

'Waar wacht je nog op?' vroeg Marcia. Ze had de mitella af gedaan en een witte jas van een van de laboratoriummedewerkers aangetrokken. In het donker kon ze best voor een van hen doorgaan.

Ze stond achter hem met een zaklantaarn in de aanslag.

Gray stak zijn hand naar de eerste hendel uit.

Ze hadden al gekeken waar de nooduitgang was. Via de brandtrap zouden ze weer in het huis kunnen komen. Maar om naar buiten te gaan en naar het beveiligingscentrum, moesten ze eerst voor afleiding zorgen.

Even tevoren hadden ze bij toeval de oplossing voor hun probleem ontdekt. Gray had tegen een van de deuren in de gang geleund. Hij was zich bewust geweest van het trillen, en hij hoorde het gezoem van de krachtcentrale. Als ze het controlepaneel konden vinden en voor chaos zorgen, zouden ze meer kans maken de zender te kunnen gebruiken.

'Klaar?' vroeg Gray.

Marcia knipte de zaklantaarn aan. Ze keek hem aan, haalde diep adem en knikte. 'Vooruit met de geit.'

'Licht uit,' zei Gray, en hij trok aan de hendel.

En aan de volgende en aan die daarnaast.

14:35

Fiona zag de lampen op de binnenplaats knipperen. Toen gingen ze uit.

Och, jezus...

Ze stond in het midden van de binnenplaats, vlak bij een fonteintje. Even geleden was ze langs de gesloten deur geslopen en weer terug de binnenplaats op, op zoek naar een andere uitgang. Er moest meer dan één deur zijn.

Ze verstarde.

Ineens werd het doodstil. De dieren waren zich bewust van de verandering. Misschien voelden ze aan dat zij nu de macht in handen kregen.

Achter haar ging piepend een deur open.

Langzaam draaide Fiona zich om.

Een van de hekken van metaal en glas zwaaide open. Een monsterlijke hyena duwde er met zijn kop tegen. Door de stroomstoring waren de magnetische sloten opengesprongen. Het beest stapte de kooi uit. Er droop bloed uit zijn bek. Het was de hyena die op het bot had geknauwd. Hij gromde zacht.

Achter zich hoorde Fiona kakelend keffen. De roofdieren in deze dierentuin communiceerden met elkaar. De scharnieren van andere hekken piepten.

Doodstil bleef Fiona bij het fonteintje staan. De pomp werkte niet meer, en er spoot geen water meer op. Het leek alsof zelfs het water geen aandacht wilde trekken.

In een van de gewelfde kapellen klonk een rauwe, doordringende gil. Een menselijke kreet. Fiona vermoedde dat het de oppasser was die Ischke op zijn kop had gegeven. De dieren die aan zijn zorg waren toevertrouwd, zouden alsnog een maal met bloederig vlees krijgen. Ze hoorde rennende voetstappen die haar kant uit kwamen. Toen klonk er weer een snerpende gil, die werd overstemd door gekef en gegrom.

Fiona huiverde toen de kreet verstomde en ze happende geluiden hoorde.

Ze bleef haar blik gericht houden op de hyena die het eerst was ontsnapt.

Het beest met de bloederige muil kwam op haar toe. Ze herkende het aan de vlekken op zijn flank, nauwelijks zichtbaar omdat het wit op wit was. Het was het monster uit het oerwoud.

Ischkes huisdier: Skuld. Het lekkere hapje in de kooi was aan zijn neus voorbijgegaan.

Maar nu stond het voor hem.

14:40

'Help ons... Bitte!' Gunther stormde de hut in, gevolgd door majoor Brooks.

Lisa liet de stethoscoop zakken waarmee ze Painter had beluisterd. De systolische ruis was verergerd, en dat duidde op een snel vorderende stenose van de aorta. Een milde angina was veranderd in perioden van flauwte. Painter moest zich rustig houden. Nog nooit eerder had ze een patiënt zo snel achteruit zien gaan. Ze was bang dat er verkalkingen van de hartklep waren. Zulke verkalkingen kwamen in Painters hele lichaam voor, zelfs in de vloeistof in de ogen.

Painter vertrok zijn gezicht toen hij zich half oprichtte. 'Wat is er?' vroeg hij aan Gunther.

Majoor Brooks gaf antwoord: 'Het gaat om zijn zuster. Ze heeft een soort aanval gekregen.'

Lisa pakte haar spullen. Painter probeerde op te staan, maar dat lukte hem niet zonder Lisa's hulp. 'Blijf jij maar hier,' zei ze.

'Het lukt me wel,' reageerde hij geërgerd.

Lisa had geen tijd voor ruzie. Ze liet zijn arm los, en hij wankelde. Snel liep ze naar Gunther toe. 'Kom op, we gaan.'

Brooks bleef wachten. Hij wist niet goed of hij met hen mee moest, of dat hij Painter moest ondersteunen.

Painter gebaarde dat Brooks met Lisa mee moest gaan, en strompelde zelf de hut uit.

Lisa rende naar de andere hut. Het was buiten verstikkend warm, en het zonlicht was verblindend. Even later dook Lisa de hut in, waar het koel en schemerig was.

Anna lag half op haar zij op een matje. Ze had haar rug gewelfd, al haar spieren stonden gespannen. Snel liep Lisa naar haar toe. Er zat al een sonde voor een infuus in Anna's arm. Painter had dat ook. Op die manier kon Lisa hun makkelijker iets toedienen.

Lisa knielde bij Anna neer en pakte de injectiespuit met diazepam. Ze diende de hele dosis in één keer toe. Even later ontspande Anna en bleef ze slap liggen. Ze opende haar ogen. Ze was weer bij bewustzijn.

Painter kwam binnen, gevolgd door Monk.

'Hoe is het met haar?' vroeg Painter.

'Hoe denk je dat het met haar is?' snauwde Lisa hem geërgerd toe.

Gunther hielp zijn zuster te gaan zitten. Ze zag bleek, en haar gezicht was met een laagje zweet bedekt. Dit zou Painter binnenkort ook gebeuren. Ze hadden allebei dezelfde dosis straling ontvangen, maar Painter was groter en daarom duurde het bij hem iets langer voordat de effecten zich openbaarden. Ze hadden nog maar een paar uur te leven.

Lisa keek naar het straaltje zonlicht dat door een spleet naar binnen viel. Het zou algauw gaan schemeren.

Monk verbrak de bedrukte stilte. 'Ik heb Khamisi daarnet gesproken. Hij zegt dat het licht in het huis is uitgevallen.' Hij grijnsde aarzelend, er niet helemaal zeker van of goed nieuws wel welkom was. 'Volgens mij zit Gray daarachter.'

Painter fronste. De laatste tijd deed hij niet anders. 'Daar kunnen we niet zeker van zijn.'

'Maar we weten ook niet zeker dat Gray het niet is.' Monk wreef over zijn kaalgeschoren hoofd. 'Ik vind dat we misschien wat eerder moeten beginnen. Khamisi zegt...'

'Khamisi heeft hier niet de leiding,' zei Painter. Hij hoestte.

Monk keek Lisa eens aan. Een kwartier geleden hadden ze een onderonsje gehad. Daarom had Monk Khamisi gebeld. Er moesten een paar dingen worden bevestigd. Monk knikte naar Lisa.

Ze haalde nog een injectiespuit uit haar zak en ging bij Painter staan. 'Ik moet even je sonde doorspoelen,' zei ze. 'Er zit bloed in.'

Painter stak zijn arm uit. Die trilde.

Lisa pakte zijn pols en injecteerde de dosis. Monk ging achter Painter staan en ving hem op toen zijn benen hem niet meer konden dragen.

'Wat...' bracht Painter uit. Zijn hoofd rolde naar opzij.

Monk ondersteunde hem. 'Het is voor je eigen bestwil.'

Fronsend keek Painter Lisa aan. Hij stak zijn andere arm naar haar uit, maar het was niet duidelijk of hij dat deed om haar een mep te verkopen, of omdat hij geschokt was omdat ze hem erin had geluisd. Lisa vroeg zich af of hij het zelf wel wist. Door het verdovende middel raakte hij bewusteloos.

De mond van majoor Brooks viel open.

Monk haalde zijn schouders op. 'Nog nooit eerder muiterij meegemaakt?'

Brooks herstelde zich snel. 'Ik kan alleen maar zeggen dat het verdomme tijd werd.'

Monk knikte. 'Khamisi is onderweg met het pakje. Hij moet er over drie minuten zijn. Paula Kane en hij zijn onze grondsteun.'

Lisa draaide zich naar Gunther om. 'Kun je je zuster dragen?'

Als om te bewijzen dat hij dat kon, tilde hij Anna op.

'Wat doen jullie?' vroeg Anna zwakjes.

'Jullie halen op deze manier de nacht niet,' antwoordde Lisa. 'We gaan naar de Glocke.'

'Maar hoe...'

'Maak je daar nou maar niet druk om,' zei Monk. Hij liep met Painter naar buiten, geholpen door majoor Brooks. 'We hebben het goed voorbereid.'

Monk keek Lisa weer aan. Ze zag in zijn blik dat hij bang was dat het toch te laat zou zijn.

14:41

Met het pistool in de hand liep Gray voor Marcia uit de trap op. Ze bewogen zich zo geluidloos mogelijk. Marcia hield haar hand voor de zaklantaarn; zo konden ze net zien waar ze liepen. Omdat de liften buiten werking waren, waren ze bang op de trap bewakers tegen te komen.

Hoewel Gray zelf was vermomd als bewaker die een geleerde uit de kelder haalde, liep hij toch liever niemand tegen het lijf.

Ze kwamen bij ondergrondse verdieping 6. Het was daar al even donker als beneden.

Gray ging sneller lopen, bang dat er misschien noodgeneratoren waren. Die konden elk moment in werking treden. Bij de volgende verdieping zag hij schemerig licht.

Hij hief zijn hand op om Marcia te waarschuwen.

Het licht bewoog niet; het stond stil.

Het was dus geen bewaker. Misschien was het de noodverlichting.

Maar toch...

'Blijf hier,' fluisterde hij.

Marcia knikte.

Gray liep verder, klaar om indien nodig te schieten. Hij klom de trap op. Op de volgende overloop scheen licht door een halfgeopende deur. Toen Gray dichterbij kwam, hoorde hij stemmen. Hoger op de trap was het donker. Waarom was hier wel licht? Misschien zat deze verdieping op een andere centrale aangesloten.

Op de gang hoorde hij stemmen, vertrouwde stemmen. Die van Isaak en Baldric.

Hij kon hen niet zien omdat ze zich in het vertrek bevonden. Gray keek naar beneden en zag Marcia bij het schemerige licht op de trap. Hij gebaarde dat ze naar boven kon komen.

Zij had de stemmen ook gehoord.

Kennelijk maakten Isaak en Baldric zich niet druk om de stroomstoring. Misschien wisten ze niet eens dat in de rest van het huis de stroom was uitgevallen. Gray besloot hen niet te gaan afluisteren; hij moest Washington zien te waarschuwen.

Hij hoorde Baldric zeggen: 'De Glocke moordt hen allemaal uit.'

Gray bleef staan. Hadden ze het over Washington? Wat waren ze daar toch van plan? Als hij er meer over te weten kon komen...

Hij stak twee vingers op. Een teken voor Marcia: als hij over twee minuten niet terug was, moest ze zelf naar boven gaan. Hij had het andere pistool aan haar gegeven. Als hij de Glocke met eigen ogen kon zien, zouden er misschien levens kunnen worden gered.

Weer stak hij twee vingers op.

Marcia knikte. Als Gray werd betrapt, moest ze het zelf zien te redden.

Hij glipte de deur door, waarbij hij ervoor zorgde dat hij er niet tegenaan kwam, want als de deur piepte, zouden de twee mannen binnen gewaarschuwd zijn. Hij stond in een lange gang, grijs en met neonverlichting. Een eindje verder bevonden zich stalen deuren, tegenover de lift.

Een van de deuren stond open.

Gray sloop ernaartoe. Bij de deur gekomen drukte hij zich tegen de muur. Toen knielde hij en keek door de kier.

Hij zag een spelonkachtig vertrek met een laag plafond. De ruimte nam de hele verdieping in beslag. Dit was het hart van de ondergrondse laboratoria. Langs een van de wanden stonden rijen computers, en op de schermen scrolden getallen en codes voorbij. Waarschijnlijk hadden de computers hun eigen energiebron en waren ze niet aangesloten op de krachtcentrale.

De aanwezigen waren zo geconcentreerd aan het werk dat ze niet hadden gemerkt dat elders de stroom was uitgevallen. Maar ongetwijfeld zouden ze zeer binnenkort op de hoogte worden gesteld.

Grootvader en kleinzoon stonden over een controlepaneel gebogen. Aan de muur hing een flatscreenmonitor waarop het ene runenteken na het andere verscheen. Het waren de vijf runen uit Hugo's boek.

'De code is niet gekraakt,' zei Isaak. 'Is het wel verstandig om wereldwijd met de Glocke te gaan werken zolang het raadsel niet is opgelost?'

'Het raadsel zal worden opgelost.' Baldric sloeg met zijn vuist op tafel. 'Het is alleen maar een kwestie van tijd. Bovendien hebben we bijna de volmaaktheid bereikt. Zoals met je zuster en jou. Jullie hebben een lang leven voor de boeg: vijftig jaar. De laatste tien daarvan zullen jullie pas verzwakken. Het wordt tijd om verder te gaan.'

Isaak keek niet erg overtuigd.

Baldric ging rechtop staan en hief zijn hand naar het plafond op. 'Je weet wat dat treuzelen voor gevolgen heeft gehad. Onze poging de internationale aandacht van de Himalaya af te wenden, is mislukt.'

'Dat komt omdat we Anna Sporrenberg hebben onderschat.'

'We hebben Sigma ook onderschat,' reageerde Baldric. 'Maar dat doet er nu niet toe. We worden op de hielen gezeten, en met geld kunnen we niet alles afkopen. We moeten snel tot actie overgaan. We beginnen met Washington, de rest van de wereld zal volgen. In de chaos die zal ontstaan, hebben we tijd genoeg om de code te kraken. We zullen volmaaktheid bereiken.'

'Vanuit Afrika zal een nieuwe wereldorde ontstaan,' dreunde Isaak op, alsof het een rijmpje was dat hem met de paplepel was ingegoten en dat in zijn genetische code zat verankerd.

'Zuiver, en van vreemde smetten vrij,' voegde Baldric eraan toe. Bij hem klonk het ook alsof hij iets opdreunde. Voor hem was dit niets meer dan een volgende stap in het programma, een wetenschappelijk experiment.

Baldric leunde zwaar op zijn wandelstok. Nu er verder niemand was dan zijn kleinzoon, werd pas goed duidelijk hoe verzwakt de bejaarde man eigenlijk was. Gray vroeg zich af of Baldrics naderende dood niet de ware reden was waarom er vervroegd tot actie werd overgegaan. Was iedereen hier een pion in het spel dat Baldric speelde? Had Baldric alles bewust of onbewust zo gepland, om tijdens zijn leven nog resultaat van zijn werk te kunnen zien?

Isaak liep naar een volgend controlepaneel. 'Overal groen licht. De Glocke is klaar om geactiveerd te worden. We kunnen de ontsnapte gevangenen nu van het landgoed verwijderen.'

Gray verstarde. Waar hadden ze het over?

Baldric draaide het scherm met de runen de rug toe en keek naar het midden van de ruimte. 'Begin maar.'

Gray kroop iets verder naar binnen om alles goed te kunnen zien.

In het midden stond een enorm klokvormig ding, bestaande uit metaal en iets keramisch. De klok stond op zijn kop en was zo groot als een volwassen man.

Er klonk geratel en gezoem, en uit het plafond kwam langzaam een metalen huls naar beneden. De huls kwam neer in de klok. Tegelijkertijd vloeide er via een slang een paarse, metalige vloeistof vanuit een geel bassin in de Glocke.

Wat was het? Een smeermiddel of brandstof?

Gray wist het niet, maar hij zag wel dat er een nummer op het bassin was gestencild: 525. Het moest het geheimzinnige Xerum zijn.

'Haal het scherm omhoog,' beval Baldric. Hij moest hard praten om boven het geratel en gezoem uit te komen. Met zijn wandelstok wees hij naar de vloer, die grijs betegeld was. Alleen rond de Glocke was de vloer zwart, in een brede kring eromheen. De kring werd omrand door een verhoging zoals om een circuspiste. In het plafond zat een ronde gleuf, boven de rand rond de 'piste'.

Lood. Het drong tot Gray door dat deze rand omhoog kon worden geschoven en precies in de gleuf paste, zodat de Glocke in een cilinder zat opgesloten.

'Wat is er?' vroeg Baldric. Hij draaide zich om naar Isaak, die over het controlepaneel stond gebogen.

Isaak haalde een hendeltje over. 'Er is geen stroom voor het schild.'

Gray keek naar beneden. De motoren moesten zich een verdieping lager bevinden, op de verdieping waar de stroom was uitgevallen. Een telefoon rinkelde, nauwelijks hoorbaar boven het geratel uit. Gray wist wel wie er belde. Eindelijk was de beveiliging erachter gekomen waar de heer des huizes zich bevond.

Het werd tijd om hier weg te gaan.

Gray draaide zich om.

Op dat moment werd het pistool met een staaf uit zijn hand geslagen. Zijn aanvaller haalde uit naar zijn hoofd. Gray kon maar net op tijd weg-duiken.

Ischke beende op hem toe. Achter haar stond de deur van de lift open. Ze had zeker in de lift gestaan toen de stroom uitviel, en ze was naar be-neden geklommen en had de liftdeuren opengeschoven. Door het lawaai van de Glocke had Gray dat niet gehoord.

Ischke hief de staaf. Het was overduidelijk dat ze had geleerd met stok-ken te vechten.

Met zijn ogen strak op haar gericht liep Gray achteruit, dieper het ver-trek met de Glocke in. Hij durfde niet naar de brandtrap te kijken. Hij hoopte dat Marcia al weg was, dat ze onderweg was naar de kortegolf-zender om contact met Washington op te nemen.

In kleren vol olievlekken en met vuile vegen op haar gezicht kwam Ischke achter hem aan.

Achter Gray zei Baldric: 'Wat hebben we hier? Kennelijk heeft onze kleine Ischke het muisje betrapt dat de snoeren heeft doorgeknaagd.'

Met een ruk draaide Gray zich om. Hij had geen wapen. Het zag er hopeloos voor hem uit.

'De generatoren slaan aan,' zei Isaak verveeld. Op hem maakte Gray weinig indruk.

Onder Grays voeten klonk gezoem. Het schild kwam uit de vloer om-hoog.

'Nu moeten alleen de andere ratten nog worden uitgeroeid,' zei Bal-dric.

14:45

Monk moest schreeuwen om boven het geluid van de helikopterrotor uit te komen. Zand en stof wervelden op. 'Kun je dit ding besturen?'

Gunther knikte en legde zijn hand op de stuurknuppel.

Monk gaf hem een schouderklopje. Hij moest de nazi maar vertrou-wen. Zelf kon Monk de helikopter niet besturen, niet met slechts één hand. Maar omdat de reusachtige man zich vooral bezorgd maakte om zijn zuster, dacht Monk dat het wel oké zou zijn.

Anna zat met Lisa achterin. Painter hing tussen hen in. Hij had slechts een lichte verdoving toegediend gekregen, en af en toe mompelde hij iets onsamenhangends over zandstormen. Hij zat gevangen in het verleden.

Met zijn hoofd gebogen liep Monk om de helikopter heen. Aan de andere kant stond Khamisi met Mosi D'Gana, het stamhoofd. Ze hielden elkaars onderarmen vast.

Mosi had zijn ceremoniële kledij verwisseld voor een legeruniform. Hij had een pet op en om zijn schouder hing een automatisch geweer. Aan een zwarte riem om zijn middel hing een holster met een pistool erin. Maar hij was zijn achtergrond niet helemaal vergeten, want op zijn rug had hij ook nog een korte speer met een scherpe punt.

'Jij hebt het bevel,' zei Mosi formeel tegen Khamisi.

'Dank u.'

Mosi knikte en liet Khamisi's armen los. 'Ik heb veel goeds over je gehoord, Dikke Jongen.'

Monk kwam erbij staan. Dikke Jongen?

Er verscheen een blik van schaamte en trots in Khamisi's ogen. Ook hij knikte, en stapte vervolgens bij Mosi weg. Mosi klom in de helikopter. Hij maakte deel uit van de eerste aanvalsgolf. Monk had geen keuze gehad; dit was hij het stamhoofd verschuldigd.

Khamisi ging bij Paula Kane staan. Samen zouden ze alles vanaf de grond coördineren.

Monk tuurde door het opkolkende zand en stof heen. Er waren snel versterkingen gekomen, te voet, te paard, op roestige motorfietsen en in gebutste vrachtwagens. Mosi had iedereen ingelicht. Net zoals zijn voorouder Tsjaka Zoeloe had hij een leger op de been gebracht: mannen en vrouwen, in traditionele huiden gehuld of in versleten uniformen of spijkerbroek. En er kwamen er steeds meer.

Zij zouden het legertje van de Waalenbergs bezighouden, en indien mogelijk het landgoed veroveren. Hoe zouden de Zoeloes het redden tegenover een beter bewapend leger van bewakers? Zou het weer uitdraaien op een Bloedrivier?

Er was maar één manier om daarachter te komen.

Monk hees zich de volle cabine in. Mosi was naast majoor Brooks gaan zitten, tegenover Anna, Lisa en Painter. Tau, een halfnaakte krijger, zat ook achterin, een beetje omgedraaid om zijn speer op de keel van de copiloot gedrukt te kunnen houden.

Hoofdjachtopziener Gerald Kellogg zat naast Gunther, goed vastgebonden en met een prop in zijn mond. Zijn ene oog zat dicht.

Monk tikte Gunther op zijn schouder en gebaarde dat ze konden opstijgen. Gunther knikte, en de helikopter steeg met brullende motoren op.

Ze vlogen snel hoger. Voor hen strekte het landgoed zich uit. Monk wist dat er daar grond-luchtraketten gestationeerd waren. De langzaam vliegende helikopter zou een gemakkelijk doelwit vormen. Niet zo best...

Monk boog zich naar voren. 'Tijd om eens iets voor de kost te doen, hoofdjachtopziener.' Hij grijnsde er vals bij.

Kellogg trok wit weg.

Tevreden hield Monk de microfoon van de zender voor Kelloggs mond. 'Maak contact op de beveiligde golflengte.'

Khamisi wist al wat de code was. Daar had Kellogg zijn blauwe oog aan overgehouden.

'Houd je aan de tekst,' waarschuwde Monk hem, met nog steeds die valse grijns op zijn gezicht.

Kellogg schoof een eindje bij hem weg.

Was Monks grijns echt zo afschrikwekkend?

Om het dreigement nog een beetje zwaarder te maken, drukte Tau de speerpunt in Kelloggs vlezige nek.

Uit de radio klonk gekraak, en Kellogg zei braaf wat hem was opgedragen: 'We hebben een van de ontsnapte gevangenen te pakken gekregen. Monk Kokkalis. We komen naar de heliport op het dak.'

Gunther luisterde naar de reactie van de beveiliging, die hij door zijn koptelefoon kon horen.

'Begrepen. Over en uit,' zei Kellogg.

'We hebben toestemming om te landen,' jubelde Gunther. 'Oké, daar gaan we!'

De helikopter vloog op het landgoed af. Ze zagen het huis al. Vanuit de lucht zag het er nog indrukwekkender uit.

Monk ging goed zitten en keek naar Lisa. Met gesloten ogen zat Anna tegen het raampje aan, haar gezicht vertrokken van pijn. Painter hing kreunend in de gordels. De verdoving raakte uitgewerkt.

Lisa zette de twee goed.

Het viel Monk op dat ze Painters hand vasthield. Ze keek Monk aan. In haar ogen stond angst te lezen, maar niet voor zichzelf.

14:56

'Is de antenne al omhoog?' vroeg Baldric.

Achter het controlepaneel knikte Isaak.

'Breng de Glocke in gereedheid.'

Baldric draaide zich naar Gray om. 'We hebben de DNA-code van je metgezellen ingevoerd. De Glocke is zo ingesteld dat alle overeenkomende DNA wordt verwoest, terwijl alle andere DNA ongedeerd blijft. Dat is ónze versie van de Endlösung.'

Gray stelde zich Fiona voor die zich in die kamer verborgen hield. En Monk werd op dit moment ingevloger....

'Het is niet nodig hen te doden,' zei Gray. 'Jullie hebben mijn partner al te pakken. Laat de jongen en het meisje met rust.'

'Als ik de afgelopen dagen iets heb geleerd, dan is het wel om niets aan het toeval over te laten.' Baldric knikte naar Isaak. 'Activeer de Glocke.'

'Wacht!' riep Gray uit, en hij zette een pas in hun richting.

Ischke had zijn pistool opgeraapt en richtte het dreigend op hem.

Verveeld keek Baldric achterom.

Gray had nog maar één troef in handen. 'Ik weet hoe jullie Hugo's code kunnen kraken.'

Verrast keek Baldric op. Hij stak zijn hand naar Isaak uit om hem van verdere actie te weerhouden. 'O ja? Ben je soms slimmer dan een hele batterij Cray-computers?' Het klonk weifelend.

Gray wist dat hij met iets goeds op de proppen moest komen waardoor Baldric de Glocke niet zou activeren en zijn vrienden met straling bombarderen. Hij wees naar het computerscherm, waarop de runentekens elkaar afwisselden. De computer zocht naar een combinatie die een cijfercode kon zijn.

'In jullie eentje komen jullie er nooit achter,' zei Gray.

'O? Hoezo niet?'

Gray bevochtigde zijn lippen. Hij was bang, maar hij moest zich goed concentreren. Hij wist zeker dat de computer niet met een oplossing zou komen, want hij kende het raadsel van de runen al. Het antwoord begreep hij niet, maar hij wist dat hij goed zat, vooral als je Hugo Hirszfelds Joodse achtergrond in aanmerking nam.

Maar wat kon hij allemaal verklappen? Hij moest zijn best doen om niet te veel los te laten.

'Jullie hebben de verkeerde rune uit de Darwinbijbel,' zei hij geheel naar waarheid. 'Er zijn niet vijf runentekens, maar zes.'

Baldric slaakte een zucht. Ongelovig vertrok hij zijn gezicht. 'Dit is zeker net zoiets als het zonnerad dat je hebt getekend?' Hij draaide zich weer om naar Isaak.

'Nee,' zei Gray met nadruk. 'Ik zal het u laten zien.'

Zoekend keek hij om zich heen totdat hij een viltstift naast een van de computers zag liggen. Hij wees ernaar. 'Geef me die eens.'

Fronsend gebaarde Baldric naar Isaak dat hij aan Grays verzoek moest voldoen.

Isaak gooide de stift naar Gray.

Gray ving hem op en knielde op de grond. Met de zwarte stift tekende hij iets op de grijze tegels. 'De rune uit de Darwinbijbel.'

'De Mensch-rune,' zei Baldric.

Gray tikte op de grond. 'Dit teken staat voor de hoogste staat van de mens, het goddelijke in hem, het volmaakte wezen.'

'Nou en?'

'Dat was Hugo's doel. Dat was waarnaar werd gezocht, toch?'

Baldric knikte langzaam.

'Hugo zou het resultaat nooit in de code verwerken.' Hij tikte nogmaals op de rune. 'Deze rune hoort dus niet bij de code.'

Langzaam begon Baldric het te begrijpen. 'De andere runentekens in de Darwinbijbel...'

Gray tekende nog iets op de vloer om zijn argument kracht bij te zetten.

'De derde rune bestaat uit deze twee.' Hij tekende een cirkel om de twee gevorkte runentekens. 'Deze stellen de mens in zijn grondvorm voor. Samen stellen ze de hogere staat voor. Het zijn dus deze twee runen die in de code zijn verwerkt.'

Gray tekende de originele serie runentekens. 'Hierbij is de volgorde verkeerd.'

Hij streepte ze door en tekende de juiste serie, waarbij de laatste rune uit twee tekens bestond.

ᚠᛁᚷᛗᛇᚠ

Baldric kwam erbij staan. 'Dit is correct? Dit moet worden ontcijferd?'

Geheel naar waarheid antwoordde Gray: 'Ja.'

Met tot spleetjes geknepen ogen dacht Baldric hierover na. 'Ik geloof dat je gelijk hebt, commandant Pierce.'

Gray kwam overeind.

'Bedankt,' zei Baldric. Vervolgens richtte hij zich tot Isaak. 'Activeer de Glocke. Dood zijn maten.'

15:07

Terwijl de rotor uitdraaide, hielp Lisa Painter de helikopter uit. Tau ondersteunde hem aan de andere kant. Het verdovingsmiddel dat ze Painter had toegediend, was niet lang werkzaam. Over een paar minuten zou het zijn uitgewerkt.

Gunther ondersteunde Anna, die een glazige blik in haar ogen had. Tegen de pijn had ze zichzelf een injectie met morfine gegeven, maar ze begon al bloed op te hoesten.

Monk en Mosi D'Gana stonden bij de lijken van de drie bewakers van de heliport. Ze waren niet op een aanval voorbereid geweest omdat ze de overdracht van een gevangene hadden verwacht. Na een paar schoten uit de pistolen met geluiddempers had het groepje de heliport op het dak veroverd.

Monk wisselde met Tau van plaats. 'Blijf hier om de helikopter te bewaken. En houd een oogje op de gevangene.'

Hoofdjachtopziener Kellogg was uit de helikopter gehaald en lag nu aan handen en voeten gebonden en met een prop in de mond op de grond. Hij zou er niet snel vandoor gaan.

Monk gebaarde dat majoor Brooks en Mosi D'Gana vooruit moesten gaan. Ze hadden allemaal de plattegrond bestudeerd die Paula Kane van het huis had gemaakt, en ze wisten wat de beste route naar de ondergrondse verdiepingen was. Het was nog een heel eind, want de heliport was aan de achterkant van het huis gelegen.

Brooks en Mosi gingen de anderen voor over het dak naar het huis zelf. Ze hielden hun geweren klaar. Ze zagen eruit alsof ze dit al veel vaker samen hadden gedaan, zo efficiënt gingen ze te werk. Ook Gunther was gewapend. Hij had een pistool in zijn hand, en over zijn schouder hing een geweer met een stompe loop. Zwaar bewapend bereikten ze de deur.

Brooks had de sleutelkaarten van de neergeschoten bewakers gepakt, en de deur sprong open. Brooks en Mosi verdwenen naar binnen. De anderen wachtten nog even.

Monk keek op zijn horloge. De timing was van het grootste belang.

Van beneden klonk een kort fluitje.

'Kom op,' zei Monk.

Ze stapten door de deur en kwamen bij een korte trap naar de zesde verdieping. Brooks stond op de overloop. Op de trap lag een bewaker met doorgesneden keel. Het bloed spoot er pompend uit. Mosi zat op de volgende overloop geknield met een bebloed mes in zijn hand.

Ze gingen verder naar beneden, trap na trap. Ze kwamen niet nog meer bewakers tegen. Zoals ze al hadden gehoopt, waren de meeste bewakers naar buiten gestuurd. Hun aandacht ging natuurlijk uit naar het legertje Zoeloes dat zich had verzameld.

Weer keek Monk op zijn horloge.

Op de tweede verdieping namen ze een lange gang met een glanzend gewreven vloer. Het was er donker. De lampen aan de wand knipperden, alsof de elektriciteit na de stroomstoring nog niet helemaal goed werkte. Of misschien was er iets wat veel stroom verbruikte.

Het viel Lisa op dat het er ranzig rook.

De gang kwam uit op een andere gang. Brooks verkende de gang naar rechts, want die moesten ze nemen. Ineens kwam hij terug gerend en drukte zich plat tegen de muur.

'Terug! Terug!'

Er klonk dreigend gegrom, toen kakelend gekef. Vervolgens een snerpende kreet.

'Ukufa...' zei Mosi, en hij gebaarde iedereen achteruit.

'Rennen!' zei Brooks. 'We proberen ze te verjagen, en dan komen we jullie halen.'

Monk trok Lisa en Painter weg.

'Wat...' bracht Lisa gesmoord uit.

'Iemand heeft de honden op ons afgestuurd,' legde Monk uit.

Gunther kwam met Anna achter hen aan. Hij droeg zijn zuster, haar voeten sleepten over de grond.

Achter hen klonken schoten, en vervolgens gekef en gejank.

Het groepje ging harder rennen.

Er klonken nog meer paniekerige schoten.

'Verdomme!' vloekte Brooks geërgerd.

Lisa keek achterom. Brooks en Mosi stormden de gang door en schoten wild om zich heen. 'Weg hier! Weg!' riep hij. 'Het zijn er te veel!'

Drie enorme wezens met witte vachten schoten de gang in. Ze hielden hun koppen laag. Ze kwijlden en hadden hun vacht opgezet. De klauwen tikten op de vloer terwijl ze achter elkaar aan door de gang stormden. Het was alsof ze de schoten verwachtten, want ze zigzagden. Alle drie de beesten hadden bloedende wonden, maar daarvan leken ze nog bloeddorstiger te worden.

Net op tijd draaide Lisa zich om om te kunnen zien dat er uit kamers aan weerskanten nog meer van deze monsters kwamen gestormd. Hun ontsnappingsroute was afgesneden.

Ze zaten in de val.

Met een oorverdovend lawaai vuurde Gunther zijn pistool af. Hij miste het voorste dier maar net omdat het opzij was gesprongen.

Monk bleef staan en richtte zijn geweer.

Lisa liet zich op een knie vallen en trok Painter met zich mee naar de grond. Door de schok kwam hij een beetje bij.

'Waar...' vroeg hij verdwaasd.

Omdat er weer werd geschoten, drukte Lisa hem tegen de grond.

Achter zich hoorde ze een gil. Met een ruk draaide ze zich om. Uit een van de deuren kwam een gespierd beest dat zich op majoor Brooks stortte.

Met een kreet van angst krabbelde Lisa weg.

Mosi kwam majoor Brooks te hulp. Hij uitte een strijdkreet en hief de speer.

Lisa klemde zich aan Painter vast. Die monsters waren overal.

Ze zag iets bewegen. Achter de deur links zat nog zo'n beest. De scharnieren piepten. Een bebloede snuit werd om de deur gestoken. De rode oogjes lichtten in het donker op. Ze moest denken aan de krankzinnige boeddhistische monnik, die, hoewel volkomen waanzinnig, toch nog sluw had kunnen handelen.

Dit was net zoiets.

Het monster sloop op haar af en ontblootte triomfantelijk grauwend zijn tanden.

15

DE HOORNS VAN
DE STIER

15:10

ZUID-AFRIKA

Onder een zeildoek in camouflagekleuren lag Khamisi in een greppel.

'Drie minuten,' zei Paula Kane, die naast hem op haar buik lag.

Door hun verrekijkers hielden ze het zwarte hek in de gaten.

Het legertje van Khamisi had zich langs de grens met het landgoed verspreid opgesteld. Sommige Zoeloes dreven koeien over oude paden. Een groepje stamoudsten stond gehuld in dekens te praten, hun kralen en pluimen een kleurig accent. In het dorp klonken tromgeroffel en gezang. Er werd gedaan alsof er een bruiloft aan de gang was.

Overal stonden motorfietsen, crossfietsen en vrachtwagens. Jonge krijgers – en een paar vrouwen – stonden rond de voertuigen. Sommigen hielden elkaar in een liefdevolle omhelzing, anderen hieven een houten nap en deden alsof ze aangeschoten waren. Een paar mannen hadden hun borst beschilderd en voerden een traditionele dans met knotsen uit.

Behalve de strijdknotsen was er geen wapen te zien.

Khamisi kwam een beetje overeind en keek door het hek, waar een rol prikkeldraad boven zat gespannen. In het oerwoud aan de andere kant van het hek zag hij iets bewegen. De bewakers van de Waalenbergs liepen over de loopbruggen en hielden alles goed in de gaten.

'Nog één minuut,' zei Paula Kane. In de schaduw van een stinkhoutboom lag ze met een geweer verborgen onder het zeildoek. Tot Khamisi's verbazing had ze vroeger met scherp schieten een olympische medaille gewonnen.

Khamisi liet de verrekijker zakken. De traditionele aanvalsmethode van de Zoeloes werd de Buffel genoemd. Het grootste gedeelte van het leger, de 'borst', zou frontaal in de aanval gaan, terwijl aan weerszijden de 'hoorns van de stier' de flanken zouden vormen waarmee de vijand werd omcirkeld, zodat er geen ontsnappen mogelijk was. Maar Khamisi had het systeem een beetje aangepast omdat er met moderne wapens zou worden gestreden. Daarom was hij die nacht op verkenning uitgegaan en had hij overal voor verrassingen gezorgd.

'Tien seconden,' waarschuwde Paula hem. Zachtjes telde ze af. Ze drukte haar wang tegen de kolf van het geweer.

Khamisi zette zijn zendertje aan en hield zijn vinger bij de rij knoppen.

'Nu,' zei Paula.

Khamisi drukte op de eerste knop.

Achter het hek kwamen de explosieven die hij daar in de nacht had geplaatst tot ontploffing. Vuurbollen stegen op door het bladerdak achter het hek, en er ontstond een ware chaos. Hele stukken plankier vlogen door de lucht, takken braken af en zwermen vogels vlogen als confetti op.

Khamisi had pakketjes c4 geïnstalleerd dat hij via Britse kanalen in handen had gekregen. Ze lagen bij kruisingen en steunpalen van de loopbrug, en waren met elkaar verbonden. De ene ontploffing volgde op de andere, rondom het huis. De loopbrug stortte in, en de Waalenbergs hadden geen bewakers meer in de hoogte. Er brak paniek uit achter het hek.

De Zoeloekrijgers lieten de dekens van hun schouders glijden. Van onder dekzeilen kwamen geweren tevoorschijn. Deze krijgers zouden de 'borst' van de Buffel vormen. Overal werden motoren gestart. De krijgers stapten op hun motorfietsen of crossfietsen of in de vrachtwagens. Zij waren de 'hoorns van de stier'.

'Nu,' zei Paula weer.

Khamisi drukte op de volgende knoppen.

In een serie ontploffingen werd het hek verwoest. Hele stukken vielen plat op de grond. De weg naar het huis van de vijand lag open.

Khamisi kroop onder het dekzeil uit en stond op. Met veel lawaai kwam een motorfiets in een enorme stofwolk naast hem tot stilstand. Njongo gebaarde dat hij moest opstappen. Maar Khamisi had nog iets te doen. Hij hield een sirene hoog en drukte op de knop. Er klonk een snerpende toon; de Zoeloes waren op het oorlogspad.

Overal klonken explosies. In de ruimte waar de Glocke zich bevond, knipperden lichten. Iedereen verstarde. Baldric stond met Isaak bij het controlepaneel, Ischke hield haar pistool op Gray gericht. Allemaal keken ze verwonderd naar boven.

Maar Gray niet.

Hij bleef kijken naar het metertje op het controlepaneel. Het zwaaide steeds verder uit. Baldric had geen acht geslagen op Grays smekende woorden. In de loden cilinder klonk steeds harder gezoem. Op een monitor was te zien dat de Glocke blauwig begon te gloeien.

Zodra de meter aangaf dat het juiste niveau was bereikt, zou er straling uit de Glocke komen die een gebied van tien kilometer zou bestrijken. Monk, Fiona en Ryan zouden worden gedood. Alleen Gray was in deze beschermde ruimte veilig voor de straling.

'Zoek uit wat er aan de hand is,' zei Baldric uiteindelijk tegen zijn kleinzoon. Het lawaai van de ontploffingen stierf weg.

Isaak stak zijn hand uit naar de rode telefoon.

Het schot kwam voor iedereen als een verrassing. Na de gesmoord klinkende explosies was het een harde knal.

Met een ruk draaide Gray zich om. Op de tegelvloer druppelde bloed.

Een rode vlek op Ischkes schouder werd snel groter. Ze was van achteren beschoten. Jammer genoeg had ze haar pistool niet laten vallen, en ze richtte het op de schutter die bij de deur stond.

Marcia Fairfield knielde als een geoefend scherpschutter neer, maar omdat ze haar rechterarm niet kon gebruiken, had ze met links moeten schieten. Dat schot was niet zuiver genoeg geweest om te doden.

Ook al was Ischke geschrokken, toch kon ze nog heel goed richten.

Maar Gray dook al op haar af. Er klonken tegelijkertijd twee schoten. Het lawaai was oorverdovend.

Zowel Ischke als Marcia mistte.

Gray had Ischke van achter in een houdgreep genomen. Hij draaide haar weg van Marcia, maar Ischke was sterk en verzette zich hevig. Het lukte Gray om Ischkes hand met het pistool te grijpen.

Haar broer stormde met een lang Duits mes op hen af.

Marcia vuurde weer een schot af, maar ze kon niet goed op Isaak richten omdat ze bang was de worstelende Gray te raken.

Gray ramde zijn kin tegen Ischkes gewonde schouder. Ze slaakte een gesmoorde kreet. Gray greep haar hand en kneep in haar vingers. Er klonk een schot, hij voelde de terugslag door zijn hele arm trekken. De kogel ketste af en trof Isaak in zijn kuit. Strompelend liep hij verder.

Toen Ischke zag dat haar broer gewond was, rukte ze haar arm los en zette haar elleboog in Grays ribben. Hij zag sterretjes. Ischke rukte zich los.

Achter haar kwam Isaak met een moordlustige blik in zijn ogen op Gray af.

Gray wachtte niet op hem. Hij schoot naar voren en ramde Ischke met zijn schouder. Ze vloog wankelend op haar broer af, recht in zijn dolk.

Het lemmet drong diep in haar borst door.

Ze slaakte een verraste kreet. Ook haar broer schreeuwde het uit. Ischke liet het pistool vallen en klampte zich ongelovig aan haar broer vast.

Gray dook en ving het pistool op. Hij liet zich op zijn rug vallen en richtte het op Isaak.

Isaak had kunnen weglopen, maar hij bleef met een van verdriet vertrokken gezicht staan met zijn zuster in zijn armen.

Gray vuurde het pistool af en met één schot verloste hij Isaak uit zijn lijden.

In een grote plas bloed lag de tweeling in elkaars armen op de grond. Gray stond op.

Marcia rende de ruimte in, haar pistool op Baldric gericht. De bejaarde man hield zijn blik strak op zijn kleinkinderen gericht, maar in zijn ogen stond geen verdriet te lezen. Op zijn wandelstok leunend keek hij naar hen alsof ze een teleurstellend onderzoeksresultaat waren, afstandelijk en klinisch.

Het hele gevecht had nog geen minuut geduurd.

Gray zag het metertje van de Glocke in het rode gedeelte belanden. Over misschien maar twee minuten zou er straling vrijkomen. Gray drukte de nog warme loop van het pistool tegen Baldrics wang. 'Zet dat ding uit.'

Baldric keek hem recht in de ogen. 'Nee.'

15:13

Toen het lawaai van de explosies wegstierf, kwam alles op de overloop in het huis weer tot leven. De monsterlijke hyena's hadden zich platgedrukt tegen de vloer zodra de herrie begon. Sommige waren haastig gevlucht, maar de rest bleef bij de prooi. Overal stonden ze langzaam weer op.

'Niet schieten,' fluisterde Monk nadrukkelijk. 'Iedereen die kamer in!'

Hij gebaarde naar een deur. In een kamer konden ze zich beter verdedigen. Gunther sjouwde Anna naar binnen. Mosi D'Gana stapte weg van het beest dat hij met zijn speer had doodgestoken. Hij hielp majoor Brooks overeind. Uit een wond aan zijn dij stroomde bloed.

Voordat ze nog een stap konden verzetten, klonk er waarschuwend gegrom.

Iemand fluisterde zijn naam. 'Monk...'

Lisa zat geknield naast Painter op de grond, vlak bij weer een andere deur. Achter hen stond een enorm monster in de deuropening.

Met zijn poten wijd bewaakte het zijn prooi. Het beest had de scherpe tanden ontbloot, en er droop bloed en kwijl uit zijn bek. De ogen gloeiden rood op; een waarschuwing om bij hem uit de buurt te blijven.

Monk besefte dat als iemand een wapen op het beest zou richten, het meteen het paar op de grond zou aanvallen. Toch moest hij het erop wagen. Maar voordat hij iets kon doen, klonk er een luid bevel.

'Skuld! Af!'

Met een ruk draaide Monk zich om.

Fiona stapte de gang in. Ze liep langs twee van de monsters, die zich meteen jankend op hun zij lieten vallen. In haar hand hield ze een taser waar blauwe vonken uit sprongen. Met haar andere hand hield ze een apparaatje vast. De antenne had ze gericht op het beest dat bij Lisa en Painter stond.

'Stoute hond!' zei Fiona.

Tot Monks verbazing deinsde het monster achteruit. Het gromde niet meer, en de vacht stond niet meer overeind. Als betoverd bleef het beest in de deuropening staan. De rode gloed verdween uit zijn ogen en hij ging op de vloer liggen. Hij maakte een zacht kreunend geluid en kefte blij.

Fiona kwam bij hen staan.

Monk keek in de gang. De andere hyena's leken onder dezelfde betovering te zijn gevallen.

'De Waalenbergs hebben ze van een chip voorzien,' legde Fiona uit. Ze liet het apparaatje in haar hand zien. 'Je kunt ze hiermee zowel pijn als plezier doen.'

Het monster in de deuropening kefte opgetogen.

Met een frons keek Monk naar het zendertje. 'Hoe kom je daaraan?'

Fiona keek uitdrukkingsloos naar hem op en gebaarde vervolgens dat ze haar moesten volgen.

'Je hebt het gejat,' zei Monk.

Ze haalde haar schouders op en liep verder door de gang. 'Och, ik kwam toevallig een oude bekende tegen, en voordat ik het wist zat het ding in mijn zak. Ze gebruikte het toch niet.'

Dat moest Ischke zijn geweest, dacht Monk. Samen met de anderen liep hij achter Fiona aan.

Monk hielp Lisa met Painter. Gunther droeg Anna. Mosi en Brooks steunden op elkaar. Als aanvalsteam stelden ze niet veel meer voor.

Maar er waren hulptroepen.

Achter hen aan kwam een roedel bloeddorstige hyena's. Er kwamen er steeds meer bij, allemaal aangetrokken door het meisje dat als een rattenvanger van Hameln voor ze uit liep.

'Ik raak ze maar niet kwijt,' klaagde Fiona. Monk zag dat haar handen trilden. Ze moest doodsbang zijn.

'Toen ik het goede knopje had gevonden, kwamen ze uit hun hokken,' vertelde ze. 'Ik had me eerst verstopt in de kamer waarin ik op Gray moest wachten. Ik denk dat ze toen maar in de gang zijn gebleven.'

Geweldig, dacht Monk. En wij lopen ze nietsvermoedend tegen het lijf. Voor die monsters waren we vast een lekker hapje.

'Maar toen hoorde ik jullie gillen, en er klonken ontploffingen. Toen...'

'Het is al goed,' viel Monk haar in de rede. 'Maar weet je misschien waar Gray is?'

'Hij is met de lift naar beneden gegaan. Maar dat is al meer dan een uur geleden...' Ze wees naar waar de gang eindigde in een balkon met uitzicht over een hal. 'Ik laat het jullie wel zien.'

Snel liep ze verder. Ze moesten hun best doen om haar bij te houden, en af en toe keken ze om of de roedel nog wel volgde. Fiona nam een trap naar de hal bij de voordeur. Tegenover de enorme dubbele deuren zagen ze een lift.

Majoor Brooks strompelde ernaartoe en probeerde de sleutelkaarten. Uiteindelijk had hij er een in de gleuf gestopt die ervoor zorgde dat de rode lichtjes groen oplichtten. Er klonk gezoem. De lift was onderweg van ergens beneden.

Terwijl ze op de lift wachtten, ging de roedel de trap af, genietend van de aangename prikkels die Fiona's apparaatje uitstraalde. Een paar liepen door de hal, waaronder het beest dat Fiona Skuld had genoemd.

Iedereen keek zwijgend naar de monsters.

Heel zwak hoorden ze geschreeuw, en vervolgens schoten. Khamisi was in een hevige strijd verwikkeld. Hoe lang zou het duren voordat ze hier waren?

Plotseling vlogen de dubbele deuren open. Het geweervuur klonk nu luid en duidelijk. Er werd gegild en geschreeuwd. Mannen stormden naar binnen, mannen gekleed in het uniform van de Waalenbergs. De bewakers trokken zich terug. Tussen de mannen zag Monk een tiental leden van de elite, witblonde jongens in zwart uniform. Zij zagen er niet verdwaasd uit, maar eerder alsof ze gewoon terugkwamen van een partijtje tennis.

Terwijl buiten de strijd in alle hevigheid woedde, keken de twee legertjes in de hal elkaar verschrikt aan.

Voor Monks groepje zag het er niet best uit.

Ze deinsden naar achteren, met hun ruggen tegen de muur. Ze waren zwaar in de minderheid.

15:15

Gray liep weg bij Baldric Waalenberg.

'Houd hem goed in de gaten,' zei hij tegen Marcia.

Hij liep naar het controlepaneel waar Isaak over gebogen had gestaan en keek naar het energiemetertje van de Glocke. Hij stak zijn hand uit naar de schakelaar die hij Isaak had zien omzetten. Daarmee werd het schild om de Glocke bediend.

'Wat doe je?' vroeg Baldric ongerust.

Dus de bejaarde man was toch ergens bang voor, dacht Gray. Mooi zo. Hij zette de schakelaar om. Onder de vloer klonk motorgeronk, en het schild kwam naar beneden. Over de rand scheen een fel blauw licht.

'Niet doen! Je jaagt ons allemaal de dood in!'

Gray draaide zich naar Baldric om. 'Zet dat kreng dan uit, verdomme!'

Baldric keek van het zakkende schild naar het controlepaneel. 'Ik kan het niet uitzetten, ezel! De Glocke is geactiveerd. De straling móét vrijkomen.'

Gray haalde zijn schouders op. 'Dan gaan we daar maar gezellig naar kijken.'

Er scheen steeds meer blauw licht over de rand van het zakkende schild.

Met een vloek draaide Baldric zich om naar het controlepaneel. 'Ik kan de opdracht om te doden wel neutraliseren. Dan kan je maten niets overkomen.'

'Doe dat dan maar snel.'

Met zijn knokige vingers tikte Baldric razendsnel iets in. 'Laat het schild weer omhoogkomen!'

'Zodra u klaar bent.' Gray keek op het scherm. Hij zag hun namen verschijnen, gevolgd door een numerieke code waar GENETISCH PROFIEL bij stond. Baldric tikte vier keer op 'delete', en de genetische codes waren gewist.

'Klaar,' zei Baldric terwijl hij zich naar Gray omdraaide. 'En sluit nu het schild!'

Gray haalde met een klik de schakelaar over.

Onder hen klonk gekreun. Toen trilde de vloer. Het loden schild bleef waar het was, gedeeltelijk open.

Over de rand scheen een blauwe zon. Rondom de Glocke zinderde de lucht. De buitenste rand begon de ene kant op te draaien en de binnenste de andere.

'Doe iets!' riep Baldric uit.

'Het hydraulische systeem is vastgelopen,' mompelde Gray.

Met grote angstogen deinsde Baldric naar achteren. 'Je hebt ons allemaal verdoemd! Wanneer de Glocke eenmaal op volle sterkte is, wordt iedereen binnen een straal van tien kilometer gedood... of erger.'

Gray durfde niet te vragen wat Baldric met 'erger' bedoelde.

15:16

Monk keek recht in de lopen van de geweren.

Tegen zo'n overmacht konden ze niet op.

De liftcabine was nog niet gekomen, en ook al zou dat wel het geval zijn geweest, dan nog zou het te lang duren om in te stappen en de deuren te sluiten. Een vuurgevecht was onvermijdelijk geworden. Tenzij...

Monk boog zich naar Fiona over. 'Een beetje pijn is misschien geen slecht idee.' Hij knikte in de richting van de trap, waar de hyena's zich hadden teruggetrokken.

Fiona begreep het. Ze drukte op een knopje van het apparaatje, dat nu in plaats van genot pijnlijke ervaringen uitzond.

Het had onmiddellijk effect. Het leek alsof iemand de staarten van de hyena's in brand had gestoken. Ze jankten en gromden. Een paar vielen van de trap naar beneden. Andere stortten zich op de mannen. In blinde woede klauwden en beten ze om zich heen. Er klonk gegil, en geweren werden afgevuurd.

Achter Monk schoven eindelijk de liftdeuren open.

Monk trok Fiona mee de lift in, en vervolgens Lisa en Painter.

Er werd flink geschoten, maar voornamelijk naar de hyena's. Mosi en majoor Brooks schoten terug terwijl ze in de lift stapten.

Ze waren nog niet veilig. De bewakers wisten waar ze waren en zouden gewoon de achtervolging inzetten.

Zonder echt te kijken drukte Monk op de knopjes voor de benedenverdiepingen.

Er was nog tijd genoeg om zich daar zorgen over te maken.

Maar één lid van hun team wilde zich nog niet gewonnen geven. Gunther duwde Anna in Monks armen. 'Houd haar vast! Ik houd hen wel op afstand.'

Anna stak haar armen naar hem uit, maar de deuren schoven al dicht. Gunther duwde haar hand liefdevol naar binnen en liep weg bij de lift. Hij draaide zich om met in zijn ene hand een pistool en in de andere een geweer. Maar eerst keek hij Monk nog vragend aan: zorg dat Anna niets overkomt.

Toen vielen de deuren dicht.

15:16

Gebogen over het stuur van de motorfiets reed Khamisi met hoge snelheid door het oerwoud. Paula Kane zat achter hem met een geweer over haar schouder. Een Zoeloekrijger en een Engelse geheim agent; een vreemde combinatie. Een van de bloedigste episodes in de geschiedenis van dit land was de oorlog tussen de Zoeloes en de Engelsen geweest.

Maar dat was nu even vergeten. Ze vormden een team.

'Naar links!' riep Paula.

Khamisi draaide het stuur naar links. Paula hief het geweer en schoot. Met een rauwe kreet stortte een bewaker neer.

Aan weerskanten klonken schoten en explosies. De bewakers verzetten zich hevig.

Zonder waarschuwing schoot de motorfiets het oerwoud uit en kwam in een keurig aangelegde tuin. Khamisi remde en hield halt onder de beschutting biedende takken van een wilg.

Voor hen uit lag het landhuis.

Khamisi keek door zijn verrekijker naar het dak. Hij zag de helikopter op de heliport staan. Ineens trok een beweging zijn aandacht. Het was Tau. Tau stond aan de rand van het dak neer te kijken op de gevechten beneden.

Vanaf links kwam iemand op Tau afgelopen met een staaf boven zijn hoofd geheven. Het was de hoofdjachtopziener, Gerald Kellogg.

'Stil,' zei Paula.

Ze legde de loop van het geweer op Khamisi's schouder en richtte door het vizier.

'Ik heb hem,' zei ze.

Khamisi vertrok zijn gezicht, maar bleef doodstil zitten.

Paula haalde de trekker over. Het schot klonk oorverdovend, zo dicht bij zijn oor.

Kellogg viel naar achteren. Van schrik stortte Tau bijna van het dak, maar op het laatste moment liet hij zich vallen. Hij wist nog niet dat Paula daarnet zijn leven had gered.

Khamisi kon zich voorstellen hoe bang Tau moest zijn. Hoe zou het de anderen daarbinnen vergaan?

15:17

'Je hebt ons allemaal verdoemd!' herhaalde Baldric.

Gray weigerde het op te geven. 'Kunt u de Glocke niet vertragen? Gun me een beetje tijd om naar beneden te gaan en het schild weer in werking te zetten.'

De bejaarde man keek naar het schild waar blauw licht overheen scheen. De angst stond op zijn gezicht te lezen. 'Misschien, maar...'

'Maar wat?'

'Er moet iemand in.' Trillend gebaarde hij met zijn wandelstok naar de Glocke. Toen schudde hij zijn hoofd. Het was wel duidelijk dat hij zich niet als vrijwilliger wilde aanbieden.

De deur zwaaide open, en er klonk een stem: 'Dat wil ik wel doen.'

Snel draaiden Gray en Marcia zich om en richten hun pistolen op de deur.

Wat ze te zien kregen, was verwonderlijk. Monk was de eerste die naar binnen liep. Hij ondersteunde de vrouw met het donkere haar die had gesproken. De meeste anderen waren volslagen onbekenden voor hen. Een oudere Zoeloe strompelde binnen, samen met een gladgeschoren jongeman in militair uniform. Ze werden gevolgd door Fiona en een blonde vrouw met een sportief uiterlijk die zo te zien net de marathon had gelopen. Samen ondersteunden ze een oudere man die nog maar net kon lopen. Het was een wonder dat hij nog op de been was. Toen de vrouwen bleven staan, bleef de man slap tussen hen in hangen. Hij hief zijn hoofd op, en Gray keek in een paar blauwe ogen die hij goed kende.

'Gray...' mompelde Painter.

Geschrokken vroeg Gray: 'Directeur Crowe?' Snel liep hij naar hem toe.

'Er is geen tijd,' zei de vrouw met het donkere haar die ondersteund werd door Monk. Ze was er niet veel beter aan toe dan Painter. Ze keek naar het schild en de Glocke alsof ze het allemaal herkende. 'Ik heb hulp nodig om erin te kunnen komen. En híj gaat met me mee.'

Ze richtte een trillende vinger op Baldric Waalenberg.

De bejaarde man jammerde: 'Nee...'

Kwaad keek de vrouw hem aan. 'We moeten met zijn tweeën aan de polarisator werken. U weet hoe alles in elkaar zit.'

Monk gebaarde Baldric naar hem toe te komen. 'Mosi, help Anna in dat ding te komen. We hebben een ladder nodig.' Daarna wendde hij zich tot Gray, schudde diens hand en gaf hem een schouderklopje.

'We hebben nog maar weinig tijd,' zei Gray zacht. Het verbaasde hem zelf dat hij zo blij was om Monk te zien. Er kwam weer hoop in hem op.

'Weet ik.' Monk maakte zijn zender los en gaf die aan Gray. 'Vooruit, zet dat ding aan. Ik regel alles hier wel.'

Gray pakte de zender aan. De honderden vragen die hij had willen stellen, moesten nog maar even wachten. Hij hield het kanaal open en hoorde geluiden, stemmen en schoten. Toen hij wegliep, hoorde hij achter zich rennende voetstappen. Hij keek achterom. Het was Fiona.

'Ik ga met je mee,' zei ze toen ze hem inhaalde bij de brandtrap.

Hij ging de trap af.

Ze liet hem een apparaatje met een antenne zien. 'Voor het geval je van die monsters tegenkomt.'

'Probeer me wel bij te houden,' zei hij.

'Ach man, schiet toch op.'

Ze renden de trap af, naar de gang beneden en de machinekamer.

Ineens hoorden ze Monk op de radio. 'Anna en de oude baas zitten in de Glocke. Hij vindt het trouwens niet leuk. Jammer, hoor. We stonden nog wel op het punt om vriendjes te worden.'

'Monk...' reageerde Gray waarschuwend. Monk moest zich wel blijven concentreren.

'Ik geef de zender aan Anna. Ze gaat met jou overleggen. Trouwens, jullie hebben iets minder dan een minuut de tijd. Ciao.'

Hoofdschuddend wilde Gray de deur van de machinekamer opentrekken. Die zat op slot.

Fiona zag hem aan de deurknop rukken en slaakte en zucht. 'Heb je geen sleutelkaart?'

Met een frons trok Gray het pistool uit zijn broekriem en richtte op het slot. Hij haalde de trekker over, en er weerklonk een luide knal. Waar het slot had gezeten, was nu een gapend gat. Hij duwde de deur open.

Fiona liep achter hem aan naar binnen. 'Zo kan het ook.'

In de ruimte zag hij de motoren en de zuigers waarmee het schild naar boven en naar beneden kon worden gehaald.

Uit de radio klonk vreemd ritmisch geruis, net golven op een strand. Gray vermoedde dat de Glocke de ontvangst stoorde. Waarschijnlijk had Monk de zender aan Anna gegeven.

Als om dat te bevestigen, hoorde hij door het geruis heen een vrouwenstem. Het was allemaal heel technisch, en er werd Duits en Afrikaans door elkaar heen gesproken. Gray luisterde er niet echt naar, maar toen hoorde hij de vrouw opeens zeggen: 'Commandant Pierce?'

Hij schraapte zijn keel. 'Ja?'

Haar stem klonk hees van vermoeidheid. 'We doen ons best, maar veel langer kunnen we het proces niet vertragen.'

'Nog even.'

Eindelijk zag Gray wat het probleem was. Een van de zuigers had een kapotte zekering waar rook vanaf kwam. Met een stuk van zijn overhemd trok hij hem eruit. Tegen Fiona zei hij: 'We moeten een andere zekering hebben. Er ligt er hier vast wel ergens eentje.'

'Snel, commandant Pierce!'

Het geruis klonk harder, maar niet hard genoeg om Baldric niet te kunnen verstaan die tegen Anna fluisterde: 'Doe met ons mee. We kunnen voor de Glocke nog wel een expert gebruiken.'

Zelfs nu probeerde Baldric nog trucjes uit te halen.

Gray spitste zijn oren. Zou ze hen verraden? Hij gebaarde Fiona dat ze hem de zender moest geven.

Ze gooide het zendertje onderhands naar hem toe, en hij ving het op en brak de antenne eraf. Hij had geen tijd om naar een andere zekering te zoeken. Hij moest maar een andere verbinding maken. Hij ramde de antenne tussen de contactpunten, en liep vervolgens naar een controlepaneel waarmee de machine handmatig kon worden bediend door een enorme hendel over te halen. Er stond een bordje bij waarop stond hoe het moest: op en NEER.

Dat was niet moeilijk.

In de zender zei hij: 'Anna, Baldric en jij kunnen daar nu wel weg.'

'Dat is onmogelijk, commandant Pierce. Als we allebei weggaan, treedt de Glocke onmiddellijk in werking.'

Gray sloot zijn ogen. Hij kon Baldric absoluut niet vertrouwen.

De ruis werd een soort geraas.

'U weet wat u te doen staat, commandant Pierce.'

Dat wist hij inderdaad. Hij trok aan de hendel.

Heel vaag hoorde hij haar nog zeggen: 'Zeg tegen mijn broer dat ik van hem hou.'

Maar terwijl ze de zender liet zakken, zei ze nog iets. Misschien tegen Baldric, die nog een laatste poging deed haar over te halen, of misschien als laatste rechtvaardiging. 'Ik ben geen nazi.'

15:19

Knielend op de vloer hield Lisa Painter vast. Ineens voelde ze het trillen vanuit de machinekamer. Het schild kwam omhoog en het blauwe licht verdween.

Ze richtte zich gedeeltelijk op. Anna zat nog achter het schild... Zelfs Monk zette er een stap naartoe.

Achter het schild klonk een doodsbange gil.

Het was de bejaarde man. Lisa zag nog even zijn vingers om de top van het schild krullen, hij probeerde zich op te trekken. Maar het was al te laat. Het schild gleed hoger, zijn vingers verdwenen. Zacht kwam het schild in de o-vormige gleuf in het plafond terecht.

Het panische gegil klonk nu gedempt.

En toen voelde Lisa het. Het ging dwars door haar heen, een enorme vlaag energie. Ze kon het niet beschrijven. Het leek een aardbeving, maar dan zonder beweging. Toen ineens niets. Doodse stilte, alsof de wereld zijn adem inhield.

Painter kreunde. Het leek erop dat het effect voor hem pijnlijk was.

Zijn hoofd lag in haar schoot. Ze keek onderzoekend naar hem. Zijn ogen waren naar boven gerold, en zijn ademhaling ging moeizaam. Ze schudde hem door elkaar. Geen reactie. Hij was bezig weg te glijden in een soort coma. Was het dan toch te laat voor hem?

'Monk!'

15:23

'Gray, schiet een beetje op!' hoorde Gray Monk door het zendertje zeggen.

Gevolgd door Fiona stormde Gray de trap op. Hij was net lang genoeg beneden gebleven om de zekering te vervangen en het schild in werking te zetten. Hij had niet alles begrepen wat Monk hem vertelde, maar hij had zijn gezonde verstand gebruikt. Painter leed aan een soort stralingsziekte, en kon alleen worden genezen door de Glocke.

Toen hij bij de overloop van de vijfde verdieping kwam, hoorde hij zware voetstappen die zijn richting uitkwamen. Hij trok zijn pistool. Wat nu weer?

Een enorme gestalte met zware wenkbrauwen en wit haar viel zo'n beetje van de trap. Zijn overhemd zat onder het bloed, en langs zijn gezicht liep een enorme jaap. Hij drukte een gebroken arm tegen zich aan.

Gray hief zijn pistool.

Fiona drong zich langs hem heen. 'Niet doen, hij hoort bij ons.' Zachter voegde ze eraan toe: 'Het is Anna's broer.'

De reus liep wankelend op hen af. Hij had Fiona herkend, maar Gray nam hij argwanend op. Met zijn geweer gebaarde hij naar boven. '*Blockiert*,' grauwde hij.

De reus had dus tijd voor hen gewonnen...

Ze renden door de gang naar de ruimte met de Glocke. Gray wist al dat hij Gunther op het ergste moest voorbereiden. Dat was hij Anna wel verschuldigd na haar offer. Hij tikte de man op zijn schouder.

'Over Anna gesproken...' begon hij.

Met een ruk draaide Gunther zich naar hem om, met een gepijnigde uitdrukking op zijn gezicht. Hij verwachtte dit kennelijk al.

Gray legde het in het kort en naar waarheid uit, helder en duidelijk, en hij besloot met: 'Ze heeft alle anderen gered.'

De reus was langzamer gaan lopen. Zijn verwondingen hadden hem niet klein kunnen krijgen, maar dit grote verdriet wel. Hij liet zich op zijn knieën zakken.

'Haar laatste woorden waren voor jou bestemd,' zei Gray. 'Ze zei dat ze van je hield.'

De man sloeg zijn handen voor zijn gezicht en krulde zich op de grond op.

'Het spijt me,' was alles wat Gray wist te zeggen.

Monk verscheen in de deuropening. 'Gray, wat ben je verdomme...' Hij zweeg toen hij Gunther in een houding van intens verdriet op de grond zag liggen.

Gray liep op Monk toe. Het was allemaal nog lang niet voorbij.

15:22

'Laat het schild neer!'

Lisa keek op en zag commandant Pierce de ruimte in lopen, gevolgd door Monk. Ze hadden hun hoofden dicht bij elkaar. Ze stond bij het controlepaneel van de Glocke, dat ze de afgelopen paar minuten goed had bestudeerd. Onderweg hiernaartoe had Anna haar tot in detail uitgelegd hoe de Glocke werkte. Anna was bang geweest dat ze zelf niet meer achter de knoppen zou kunnen zitten omdat ze zo erg snel achteruitging. Iemand anders moest ook op de hoogte van de bediening zijn, en dat was dus Lisa.

'Het schild!' riep Gray weer.

Ze knikte en verzette een schakelaar.

Beneden klonk geratel. Ze draaide zich om en zag het schild naar beneden komen. Nu de Glocke zich had ontladen, scheen er geen blauw licht meer. Even verderop lag Painter op de grond. Mevrouw Fairfield zorgde voor hem. Rechts trokken Mosi en majoor Brooks een dekzeil over de lijken van de tweeling.

Hoe zou het met hun grootvader zijn?

Het schild zakte gestaag, het was nu ter hoogte van hun middel gekomen. De Glocke stond in het midden rustig te wachten totdat hij weer geactiveerd zou worden. Lisa wist nog wat Anna over het klokvormige bouwsel had gezegd, dat het het ultieme kwantum opmetende apparaat was. Het was een angstaanjagende gedachte.

Links herhaalde Monk luidkeels om boven het lawaai van de motor uit te komen de boodschap die hij daarnet van Khamisi had gekregen. De Zoeloes hadden het terrein in handen gekregen, en de overgebleven bewakers van de Waalenbergs hadden zich in het belegerde huis verschanst. Boven hoorden ze schoten.

'Gunther heeft de brandtrap geblokkeerd,' zei Gray. 'En de liftdeuren staan open. We zijn hier dus nog een tijdje veilig.' Hij gebaarde naar Mosi en majoor Brooks. 'Houd de gang in de gaten.'

Met hun wapens in de hand liepen ze de gang op.

Op dat moment strompelde Gunther naar binnen. Aan de uitdrukking op zijn gezicht kon Lisa zien dat hij het al wist van Anna. Hij was ongewapend en liep met lood in de schoenen naar het zakkende schild toe. Hij moest zien hoe het was afgelopen, als een soort absolutie voor het bloed dat aan zijn handen kleefde.

Het schild kwam tot stilstand, en het gezoem van de motoren stierf weg.

Lisa durfde zelf eigenlijk niet te kijken, maar ze vond ook dat ze daartoe verplicht was. Ze liep op de Glocke af.

Anna lag op haar zij, in de foetushouding. Haar huid was spierwit, evenals haar haar. Ze leek wel een marmeren beeld. Gunther stapte over de rand van het schild heen en knielde bij zijn zuster neer. Uitdrukkingsloos en zonder iets te zeggen nam hij haar in zijn armen. Ze was helemaal slap, en haar hoofd rolde tegen zijn schouder aan.

Met haar in zijn armen stond Gunther op en liep weg van de Glocke. Niemand probeerde hem tegen te houden, en hij verdween door de deur.

Op de grond lag Baldric nog. Net als bij Anna was zijn huid onnatuurlijk wit geworden, bijna doorschijnend. Maar bij hem was zijn haar door de straling weggebrand, zodat hij volkomen kaal was geworden. Zelfs zijn wenkbrauwen en wimpers waren verdwenen. Hij leek ook uitgedroogd te zijn, zijn gezicht had veel weg van dat van een mummie. En er was ook iets met de botstructuur, iets heel vreemds...

Als verstijfd bleef Lisa staan.

Zonder beharing en met het uitgedroogde vlees werd duidelijk dat zijn schedel misvormd was. Het leek wel alsof die was gesmolten en toen weer was verhard. Zijn handen waren verwrongen, met vreemd lange vingers, net een apenhand. Ineens kwam het woord 'devolutie' in haar op.

'Haal hem hier weg,' zei Gray vol walging. Toen zei hij tegen Lisa: 'Ik help je wel Painter hier te krijgen.'

Hoofdschuddend deinsde ze achteruit. 'Nee...' Ze kon haar blik niet afhouden van het afschuwelijk vervormde lichaam van de man die ooit de pater familias van de Waalenbergs was geweest. Dit mocht niet ook met Painter gebeuren.

Gray kwam bij haar staan. 'Waarom niet?'

Ze slikte moeizaam en keek naar Monk, die het afschrikwekkende lijk bij de mouw wegtrok. Blijkbaar was hij bang het echt aan te raken. 'Painter is al te ver heen. Met de Glocke konden we alleen het aftakelingsproces vertragen. Het was niet omkeerbaar. Wil je dat hij blijft zoals hij is?'

'Zolang er leven is, is er hoop.'

Hij zei het zacht en vriendelijk. In elk geval hadden ze haar afgeleid van het afschuwelijke schouwspel van de bejaarde man, wiens gedevolueerde lichaam Monk bij de Glocke vandaan sleepte, met een bonk over de opstaande rand eromheen.

Lisa wilde net zeggen dat ze geen valse hoop moesten koesteren, toen Baldric Waalenbergs ogen openvlogen. Ze waren melkachtig wit en leken meer op de blinde ogen van een standbeeld dan op die van een mens van vlees en bloed. Zijn mond stond open in een eeuwigdurende, geluidloze schreeuw. Hij had geen stembanden of tong meer. Er was niets dan afgrijzen en pijn.

Lisa gilde het voor hem uit. Ze deinsde achteruit totdat ze tegen het controlepaneel botste. Monk besefte ook wat hier het angstaanjagende aan was. Hij liet Baldric los net buiten de ring.

Slap bleef de gemuteerde gestalte liggen. Zonder spieren kon hij zijn ledematen niet bewegen. Maar de mond ging open en dicht als de bek van een vis op het droge. Zonder iets te zien staarden de ogen omhoog.

Gray ging tussen Lisa en de afzichtelijke man staan. Hij pakte haar bij haar schouders. 'Lisa...'

Paniekerig keek ze naar hem op.

'Painter heeft je nodig.'

'Maar... Ik kan niets voor hem doen.'

'Jawel. Je kunt wel iets voor hem doen. We kunnen de Glocke gebruiken.'

'Dat kan ik Painter niet aandoen...' Haar stem klonk schril. 'Dat kan ik hem onmogelijk aandoen!'

'Er gebeurt niet met hem wat er met Baldric is gebeurd. Monk heeft me verteld dat Anna je instructies heeft gegeven. Jij weet hoe je de Glocke een minimale dosis straling kunt laten toedienen, een palliatieve dosis. Met Baldric is iets heel anders gebeurd, hij had de Glocke op een maximale dosis ingesteld, om te doden. Hij heeft geoogst wat hij zelf heeft gezaaid.'

Lisa bedekte haar gezicht met haar handen. Ze wilde niets meer zien, niets meer horen. 'Wat zullen wij dan oogsten?' jammerde ze. 'Painter is al bijna dood... Waarom moet hij nog meer lijden?'

Gray trok haar handen weg en keek haar indringend aan. 'Ik ken hem. En volgens mij ken jij hem ook. Hij zou tot het einde willen vechten.'

Als arts had ze zulke argumenten vaker gehoord. Maar ze was ook realistisch. Wanneer er geen hoop meer was, kon je niets anders doen dan voor een waardig einde zorgen.

'Als er kans op genezing bestond, al was die kans nog zo klein, zou ik het er meteen op wagen,' zei ze hoofdschuddend. 'Wisten we maar wat Hugo Hirszfeld zijn zuster duidelijk wilde maken. Wisten we maar wat de code voor vervolmaking was...' Weer schudde ze gelaten haar hoofd.

Gray tilde haar gezicht bij de kin op. Geërgerd trok ze zich terug, maar hij liet haar niet los.

'Ik weet wat Hugo in zijn boeken heeft verborgen,' zei hij.

Fronsend keek ze hem aan, en zag toen dat hij de waarheid sprak.

'Ik ken het antwoord,' zei hij.

16

HET RAADSEL VAN
DE RUNEN

15:25
ZUID-AFRIKA

'Het is geen code,' zei Gray. 'Dat is het ook nooit geweest.'

Hij knielde met de viltstift in zijn hand op de grond neer, en trok een cirkel om de runentekens die hij voor Baldric Waalenberg op de vloer had gemaakt.

De anderen stonden om hem heen, maar hij hield zijn blik op Lisa Cummings gevestigd. Het antwoord waarop hij was gekomen, was onbegrijpelijk, maar hij had het gevoel dat deze vrouw, die meer over de Glocke wist dan alle anderen hier, zou weten wat ermee werd bedoeld. Ze zouden moeten samenwerken.

'Nog meer runen,' zei Lisa.

Gray keek haar vragend aan.

Ze gebaarde naar de grond. 'Ik heb al eens eerder runen gezien, heel andere, in bloed getekend. Die betekenden: Schwarze Sonne.'

'De Schwarze Sonne...' herhaalde Gray peinzend.

'Zo heette Anna's project in Nepal.'

Gray vroeg zich af wat het verband kon zijn. Hij herinnerde zich het symbool voor de Schwarze Sonne dat hij beneden had gezien. Het groepje rond Himmler moest zich na de oorlog hebben opgesplitst. Anna's groep was naar het noorden getrokken en dat van Baldric naar het zuiden. Eenmaal uit elkaar was er een steeds grotere verwijdering tussen de twee groepen ontstaan, totdat de voormalige bondgenoten elkaars tegenstanders waren geworden.

Lisa tikte op de runentekens. 'De runen die ik heb ontcijferd, waren gewoon een code waarbij letters de plaats van de tekens innamen. Is dat hier ook het geval?'

Gray schudde zijn hoofd. 'Dat dacht Baldric ook. Daarom lukte het hem niet de code te ontcijferen. Maar Hugo zou zijn geheim nooit zo doorzichtig doorgeven.'

'Als het geen code is, wat is het dan wel?' vroeg Monk.

'Het is een legpuzzel,' zei Gray.

'Hè?'

'Weet je nog dat we met Ryans vader hebben gesproken?'

Monk knikte.

Gray dacht terug aan het gesprek met Johann Hirszfeld, de man die zo'n last van longemfyseem had en die in het verleden leefde. Zijn familiegeschiedenis werd overschaduwd door de Wewelsburg en akelige nazigeheimpjes.

'Hij vertelde dat zijn grootvader Hugo een onderzoekende geest had. Hij was altijd bezig vreemde zaken te onderzoeken en geheimen uit het verleden uit te pluizen.'

'Daarom werd hij zo tot de nazi's aangetrokken,' zei Fiona.

'En in zijn vrije tijd was Hugo bezig zijn geest te scherpen.'

Gray dacht aan wat Johann had gezegd, dat Hugo geheugenspelletjes speelde en legpuzzels maakte. Hij was altijd aan het puzzelen.

Gray tikte op de runentekens. 'Dit is niets anders dan een breinbreker. Maar het is geen code, het is een legpuzzel. De runen zijn vormen die aan elkaar moeten worden gepast om orde in de chaos te brengen.'

Gray had er de afgelopen dag veel over nagedacht. Inwendig had hij de runen gedraaid en omgekeerd totdat er een vorm ontstond. Hij wist dat het het antwoord op het raadsel was. Vooral omdat hij wist hoe bang Hugo op het laatst was geweest, en dat hij spijt had gehad dat hij met de nazi's had meegewerkt. Maar verder snapte Gray het niet goed. Hij keek Lisa aan.

Een voor een tekende hij de runen op de vloer nog een keer, maar nu in de juiste volgorde. Toen hij de laatste rune had getekend, lagen alle puzzelstukjes op hun plaats.

Orde in de chaos. Absolutie na collaboratie. Het heilige uit het verdoemde. Met heidense runen had Hugo duidelijk gemaakt wat zijn achtergrond was.

'Het is een ster,' zei Monk.

Lisa keek hem aan. 'Maar niet zomaar een ster... Het is de davidster.'

Gray knikte.

Fiona stelde de vraag die er echt toe deed. 'Maar wat betekent het?'

Met een zucht antwoordde Gray: 'Ik weet het niet. Ik heb geen flauw idee wat het met de Glocke te maken heeft, met de vervolmaking ervan. Misschien wilde hij op het laatste moment nog even duidelijk maken wie hij was. Misschien was het een geheime boodschap aan zijn familie.'

Gray dacht aan Anna's laatste woorden: ik ben geen nazi...

Was de code van Hugo een manier geweest om ook zoiets te zeggen?

'Nee,' zei Lisa ineens fel. 'Als we dit raadsel willen oplossen, moeten we net doen alsof dit het antwoord is.'

Gray zag iets in haar ogen wat er even tevoren nog niet was geweest: hoop.

'Volgens Anna is Hugo alleen met de baby in de Glocke gestapt,' ging ze verder. 'Hij had verder geen apparatuur bij zich. Alleen de jongen en hij. En zodra het experiment was afgelopen, bleek uit onderzoeksresultaten dat het volledig was geslaagd. Hugo had de eerste echte Sonnenkönig geschapen.'

'Wat heeft hij dan in de Glocke gedaan?' vroeg Fiona.

Lisa tikte op de davidster. 'Dit heeft er op de een of andere manier mee te maken. Maar ik weet niet precies wat het symbool betekent.'

Dat wist Gray wel. Hij had allerlei godsdiensten bestudeerd, toen hij zich in zijn jeugd in spiritualiteit had verdiept, en later tijdens zijn opleiding bij Sigma had hij er ook mee te maken gehad. 'De ster heeft vele betekenissen. Het is een symbool van gebed en geloof. En misschien nog wel meer. Zie je dat de ster met zes punten uit twee driehoeken bestaat? De ene over de andere heen. De ene met de punt naar boven, de andere met de punt naar beneden. In de joodse kabbala betekenen de twee driehoeken hetzelfde als yin en yang, het licht en het donker, het lichaam en de ziel. De ene driehoek staat voor materie en het lichaam. De andere staat voor de ziel, het spirituele wezen, het bewustzijn.'

'En samen vormen ze het geheel,' zei Lisa. 'Niet alleen een golf of een deeltje, maar allebei.'

Er begon Gray iets te dagen. 'Wat?'

Lisa keek naar de Glocke. 'Anna zei dat de Glocke in principe een apparaat was waarmee kwantumdeeltjes werden gemeten, en dat het de evolutie manipuleerde. Kwantumevolutie. Het draait allemaal om menselijke kwantummechanica. Dat moet de sleutel zijn.'

Gray fronste zijn voorhoofd. 'Hoe bedoel je dat?'

Lisa vertelde wat ze van Anna te weten was gekomen. Gray, die bij Sigma een studie biologie en natuurkunde had afgerond, behoefde geen nadere uitleg.

Hij sloot zijn ogen en probeerde de davidster en kwantummechanica met elkaar in verband te brengen. Was dat het antwoord?

'Zei je dat Hugo alleen was?' vroeg Gray.

'Ja,' zei Lisa zacht, alsof ze met hem mee dacht.

Gray concentreerde zich. Hugo had hun een raadsel in handen gegeven. Dat moest worden opgelost. Zonder aan de weinige tijd te denken die hun nog restte, nam hij alle aanwijzingen nog eens door. Als een legpuzzel probeerde hij de stukjes aan elkaar te passen.

Net als met de davidster was gebeurd, kreeg hij ineens overzicht. Het was zo zuiver, zo volmaakt. Waarom was dat niet eerder in hem opgekomen?

Hij deed zijn ogen weer open.

Lisa moest iets aan de uitdrukking op zijn gezicht hebben gezien. 'Wat?'

Gray stond op. 'Activeer de Glocke,' zei hij terwijl hij naar het controlepaneel liep. 'Nu!'

Lisa kwam achter hem aan en zette de procedure in gang. 'Het duurt vier minuten, dan kan hij de palliatieve dosis stralen.' Nieuwsgierig keek ze naar Gray op. 'Wat zijn we eigenlijk aan het doen?'

Gray draaide zich om naar de Glocke. 'Hugo ging niet met lege handen naar de Glocke.'

'Maar Anna zei dat hij niets...'

'Nee,' viel hij haar in de rede. 'Hij had de davidster bij zich. Hij ging naar binnen met gebed en geloof. Maar vooral met zijn eigen kwantum-computer.'

'Hè?'

Snel vertelde Gray verder. Hij wist dat hij gelijk had. 'Al eeuwen is het bewustzijn voor geleerden een raadsel... Darwin zat er al mee. Wat ís bewustzijn? Is het alleen het brein? Is het ons zenuwstelsel? Wat is de grens tussen de hersenen en de geest? Tussen materie en geest? Tussen lichaam en ziel?'

Hij wees naar het symbool op de vloer.

'Volgens het laatste onderzoek is dát het. We zijn allebei. We zijn golf en deeltje, lichaam en ziel. Het leven zelf is een kwantumverschijnsel.'

'Zeg, je slaat nu wel erge wartaal uit, hoor,' zei Monk, die er samen met Fiona bij was komen staan.

Opgewonden haalde Gray diep adem. 'De moderne wetenschap wil niets van spiritualiteit weten. Die beschrijft de hersenen als een ingewikkeld computersysteem. Het bewustzijn is een nevenverschijnsel dat ontstaat door signalen die worden afgegeven door neuronen. Een soort computer in een netwerk van neuronen, die op kwantumniveau opereert.'

'Een kwantumcomputer,' reageerde Lisa. 'Zoiets heb je al gezegd. Maar wat bedoel je ermee?'

'Je hebt ook wel eens een computercode gezien. Bladzijden lang nullen en enen. Zo denkt de moderne computer. Aan of uit. Nul of een. De theoretische kwamtumcomputer – als die al zou kunnen worden gebouwd – biedt nog een derde keus: de oude nullen en enen, maar ook de nul én de een.'

Lisa fronste haar wenkbrauwen. 'Net als elektronen in de wereld van de kwantummechanica. Het kunnen golven of deeltjes zijn, maar ook allebei tegelijk.'

'Een derde keus,' bevestigde Gray. 'Dat klinkt niet als iets bijzonders, maar voeg deze mogelijkheid toe in het computerarsenaal, en je stelt het apparaat in staat om gelijktijdig ingewikkelde algoritmische taken te vervullen.'

'Lopen én kauwgum kauwen,' mompelde Monk.

'Taken waarover onze huidige computers jaren zouden doen, zouden in een fractie van een seconde kunnen worden voltooid.'

'En onze hersenen werken op die manier?' vroeg Lisa. 'Als kwantum-computers?'

'Daar gaat men tegenwoordig van uit. Onze hersenen brengen een meetbaar elektromagnetisch veld voort, gegenereerd door de complexe onderlinge verbindingen van neuronen. Er zijn wetenschappers die aannemen dat het bewustzijn in dit veld te vinden is, dat het de hersenmaterie met de wereld van de kwantummechanica verbindt.'

'En de Glocke is zeer gevoelig voor kwantumverschijnselen,' voegde Lisa eraan toe. 'Doordat Hugo samen met de baby in de Glocke stapte, beïnvloedde hij het resultaat.'

'Het geobserveerde wordt door het observeren beïnvloed. Maar ik denk dat er toch meer aan de hand was.' Gray knikte in de richting van de davidster. 'Waarom die ster? Waarom een symbool van gebed en geloof?'

Lisa schudde haar hoofd.

'Een gebed is concentratie van de geest, geconcentreerd bewustzijn... En als bewustzijn een kwantumverschijnsel is, is gebed ook een kwantumverschijnsel.'

Lisa begreep het. 'En een kwantumverschijnsel zal altijd meten, en het resultaat beïnvloeden.'

'Met andere woorden...' Gray wachtte af.

Lisa stond op. 'Bidden werkt echt.'

'Daar kwam Hugo ook achter. Dat was het geheim dat hij in zijn boeken verstopte. Iets angstaanjagend verontrustends, maar te mooi om te laten sterven.'

Monk leunde naast Lisa tegen het controlepaneel. 'Bedoel je daarmee dat hij de baby met wilskracht vervolmaakte?'

Gray knikte. 'Toen Hugo samen met de baby in de Glocke stapte, bad hij om volmaaktheid. Dat was een geconcentreerde gedachte, onzelfzuchtig en zuiver. Het menselijk bewustzijn werkt in de vorm van een gebed als een perfect kwantummetend apparaat. In de Glocke werd het pure kwantumpotentieel van het jongetje gemeten, en met behulp van Hugo's wilskracht vielen alle variabelen perfect op hun plaats.'

Lisa draaide zich om. 'Misschien kunnen wij iets dergelijks doen om de kwantumschade terug te draaien die Painter heeft opgelopen. Om hem te redden voordat het te laat is.'

Ineens klonk er een andere stem, die van Marcia die nog steeds met Painter op de grond zat. 'Jullie kunnen maar beter opschieten.'

15:32

In een lap zeildoek droegen Monk en Gray Painter naar de Glocke.

'Leg hem dicht bij de Glocke,' zei Lisa.

Terwijl ze dat deden, gaf ze de anderen nog meer instructies. De Glocke was al aan het draaien, de binnen- en buitenkant elk een andere kant op. Ze wist nog wat Gunther erover had gezegd: een enorme mixer. Dat was een goede beschrijving. Van de keramische buitenlaag kwam een zachte gloed.

Op haar knieën ging ze naast Painter zitten voor een laatste onderzoek. Hij was er erg slecht aan toe.

'Ik blijf wel bij je,' zei Gray naast haar.

'Nee. Ik denk dat meer dan één kwantumcomputer het resultaat zou kunnen beïnvloeden.'

'Te veel koks bederven de brij,' was Monk het met haar eens.

'Laat mij er dan bijblijven,' zei Gray.

Lisa schudde haar hoofd. 'We kunnen het maar één keer proberen. Als Painter door geconcentreerde wilskracht kan worden genezen, is het misschien het beste als de geest die zich concentreert medisch onderlegd is.'

Niet erg overtuigd slaakte Gray een diepe zucht.

'Jouw taak zit erop, Gray. Jij hebt het raadsel opgelost, jij hebt ons hoop gegeven.' Ze keek hem recht in de ogen. 'Laat mij nu doen wat ik moet doen.'

Hij knikte en stapte opzij.

Monk boog zich over haar heen. 'Pas maar goed op met wat je gaat wensen,' zei hij veelbetekenend. Hij was dus niet zo'n domkop als hij zich voordeed. Hij gaf haar een kusje op haar wang.

Gray en Monk liepen bij de Glocke weg.

Bij het controlepaneel riep Marcia: 'Nog één minuut!' Ze draaide zich om. 'Laat het schild omhoogkomen.'

Beneden zich voelde Lisa de motoren in actie komen. Painters huid zag blauwig, maar dat kon ook aan de gloed van de Glocke liggen. In elk geval was hij bijna dood. Zijn lippen waren droog, zijn ademhaling ging veel te oppervlakkig en zijn hartslag klonk meer als gefladder. Zijn haar was sneeuwwit geworden. Hij ging in exponentiële vaart achteruit.

Het schild kwam om hen heen omhoog en sloot hen af van de anderen. Hun stemmen klonken eerst gesmoord, en toen het schild in de gleuf schoof, hoorde Lisa hen helemaal niet meer.

Alleen en zonder dat iemand het kon zien boog ze zich over Painter heen. Ze legde haar voorhoofd tegen zijn borst. Ze hoefde niet te gaan mediteren. Er was een gezegde dat er in het heetst van de strijd geen atheïsten bestaan. Dat was hier zeker het geval. Maar ze wist niet wat ze God op dit moment moest vragen.

Ze dacht aan het gesprek dat ze met Anna had gehad, over evolutie en intelligent design. Anna had gezegd dat door het meten van de kwantumenergie het potentieel tot werkelijkheid werd. Aminozuren vormden de eerste proteïnen, omdat iets levends beter kwantum kon meten. En als je daarop voortborduurde, kreeg je het bewustzijn, dat beter kwantum kon meten dan alleen maar leven. Nog een schakel in de evolutie. Ze stelde zich de schakel voor: AMINOZUREN – EERSTE PROTEÏNE – EERSTE LEVEN – BEWUSTZIJN.

Maar wat kwam er daarna? Als het verleden door kwantummeting de toekomst voorspelde, wat wilde het bewustzijn dan vormen? Wat was er in de toekomst meer geschikt om kwantum te meten en het heden te bepalen? Hoe ver in de toekomst ging het? En waar eindigde het?

AMINOZUREN – EERSTE PROTEÏNE – EERSTE LEVEN – BEWUSTZIJN.

Lisa herinnerde zich nog een cryptische uitspraak van Anna, toen Lisa iets gevraagd had over de rol die God in dit alles speelde. De hand van God scheen in de kwantumevolutie niet voor plotselinge voordelige mutaties te zorgen. Anna had toen gezegd dat ze het van de verkeerde kant bekeek. Dat was zo vaag dat Lisa had gedacht dat Anna het gesprek uit vermoeidheid had afgekapt. Maar misschien had Anna over hetzelfde probleem nagedacht: waar ging de evolutie naartoe? Was het alleen maar een volmaakte en integere manier om kwantumeffecten te meten?

Was dat dan God?

Ze wist het niet, terwijl ze daar over Painter heen gebogen zat. Ze wist alleen dat ze dolgraag wilde dat hij in leven bleef. Voor de anderen kon ze haar gevoelens voor hem nog wel verbergen – misschien wel voor zichzelf ook – maar nu kon ze dat niet meer.

Ze opende haar hart in al zijn kwetsbaarheid.

Terwijl de Glocke zoemde en steeds meer licht uitstraalde, stelde ze zich open.

Misschien was dat wat er altijd in haar leven had ontbroken, waarom mannen zich altijd terugtrokken en zij zo vaak de benen nam. Niemand mocht weten hoe kwetsbaar ze was. Ze verborg dat onder een professioneel pantser en liet zich nooit echt kennen. Ze verborg wat er in haar hart leefde. Geen wonder dat ze alleen op een bergtop had gestaan toen Painter ineens in haar leven was verschenen.

Maar dat was nu afgelopen.

Ze hief haar hoofd, verschoof een beetje en drukte een kus op Painters lippen. Wat ze had geprobeerd te verbergen, bracht ze nu naar buiten.

Ze sloot haar ogen. Haar hart had ze geopend: ze wilde dat deze man nog een toekomst had, ze wilde dat hij gezond van lichaam en geest zou zijn. Maar vooral bad ze dat ze zelf meer tijd met hem zou hebben.

Was dat de geheimzinnige werking van de Glocke? Om een verbinding te maken met de geweldige kwantummeetapparatuur die aan het einde van de evolutie lag, om een persoonlijke verbinding te leggen met de uiteindelijke ontwerper van intelligent design?

Lisa wist wat haar te doen stond. Ze liet de wetenschapper in haar los, ze liet zichzelf los. Haar doel lag verder dan bewustzijn of gebed.

Het was eenvoudigweg geloof.

In de zuiverheid van dat moment gloeide de Glocke verblindend op en overspoelde hen beiden met een schitterende gloed waardoor werkelijkheid pure potentie werd.

15:36

Gray zette de schakelaar om, en het schild zakte. Allemaal hielden ze hun adem in. Wat zouden ze aantreffen? De motoren dreunden. Iedereen ging rondom het schild staan.

Monk keek Gray met een bezorgde blik aan.

Ineens klonk er een piepje. Het kwam van links.

Langzaam werd de Glocke zichtbaar, stil en donker. Toen zagen ze Lisa. Ze lag half over Painter heen, haar rug naar hen toe.

Niemand durfde iets te zeggen.

Langzaam draaide Lisa zich om en kwam overeind. De tranen biggelden over haar wangen. Ze trok Painter aan zijn arm overeind. Hij zag er nog niet veel beter uit en was nog steeds erg bleek en zwak. Maar hij kon zelf zijn hoofd opheffen, en toen zag hij Gray.

De blik in zijn ogen was scherp.

Gray voelde zich enorm opgelucht.

Toen klonk het piepje weer.

Painters ogen schoten naar links, en toen weer terug naar Gray. Vervolgens bewoog hij zijn lippen, maar er klonk geen geluid. Gray liep naar hem toe.

Painter keek hem met tot spleetjes geknepen ogen aan en probeerde het nog eens. Het eerste wat hij zei, was onverstaanbaar. Gray begon zich al zorgen te maken over Painters geestelijke vermogens.

'Bom...' bracht Painter hees uit.

Lisa had het ook gehoord. Ze keek in dezelfde richting als Painter, naar het lichaam van Baldric Waalenberg. Daarna duwde ze Painter naar Monk toe.

'Zorg jij voor hem.'

Toen liep ze naar het verwrongen lichaam. Zonder dat iemand het had gemerkt, was Baldric eindelijk gestorven. Niemand rouwde om hem.

Gray kwam bij haar staan.

Lisa knielde en rolde Baldrics mouw op. Er zat een enorm horloge om zijn pols. Ze draaide het om. Een wijzer zwiepte over de digitale cijfers.

'Dat hebben we eerder gezien,' zei Lisa. 'Een monitor die de hartslag in de gaten houdt, verbonden met een zendertje. Het aftellen is begonnen toen zijn hart ophield met kloppen.'

Lisa draaide Baldrics arm om, zodat Gray het kon zien.

02:01

Terwijl Gray keek, zwiepte de wijzer nog twee keer rond. Bij 02:00 klonk het piepje weer.

'We hebben twee minuten om hier weg te komen,' zei Lisa.

Gray geloofde haar op haar woord. 'Wegwezen! Monk, neem contact met Khamisi op. Zeg hem over de radio dat hij zijn mannen zo ver mogelijk van het huis vandaan brengt.'

Monk deed meteen wat hem werd gezegd.

'Op het dak staat een helikopter,' zei Lisa.

Ze zetten het allemaal op een lopen. Gray nam Painter van Monk over, Mosi hielp majoor Brooks, en Lisa, Fiona en Marcia renden achter hen aan.

'Waar is Gunther?' vroeg Fiona.

Brooks antwoordde: 'Hij is weggegaan met zijn zuster. Hij wilde niet dat er iemand met hem mee ging.'

Er was geen tijd om naar hem op zoek te gaan. Gray gebaarde naar de lift. Het groepje van Monk had de deuren opengehouden door er een stoel tussen te zetten, zodat niemand met de lift naar beneden kon komen. Met één hand rukte Mosi de stoel tussen de deuren uit en gooide hem de gang in.

Ze dromden de lift in.

Lisa drukte op het bovenste knopje. De zesde verdieping. Langzaam ging de lift naar boven.

'Ik heb ons mannetje boven al gewaarschuwd,' zei Monk. 'Hij weet niets over het besturen van helikopters, maar hij kan wel een sleuteltje in het contact omdraaien. Als we boven zijn, is de motor al warmgedraaid.'

'Die bom, hè?' zei Gray tegen Lisa. 'Wat kunnen we verwachten?'

'Als het er net zo eentje is als in de Himalaya, is het een grote. Met dat Xerum 525-spul hebben ze een soort kwantumbom ontwikkeld.'

Gray dacht aan de vaten op de onderste verdieping.

Shit...

De lift kwam langs de begane grond. Het was er griezelig stil. Hoger en hoger kwamen ze.

Painter kon zijn eigen gewicht nog steeds niet dragen. Hij keek Gray aan. 'De volgende keer...' fluisterde hij hees, 'ga je maar zelf naar Nepal.'

Gray glimlachte. Painter was hard op weg weer de oude te worden.

Maar hoe lang hadden ze nog? De lift had de zesde verdieping bereikt, en de deuren schoven open.

'Nog één minuut,' zei Marcia. Ze was zo slim geweest om de tijd bij te houden.

Ze stormden de trap naar het dak op, en zagen daar de helikopter wachten. De rotorbladen draaiden al. Elkaar ondersteunend renden ze ernaartoe. Eenmaal onder de rotorbladen gekomen, speelde Gray Painter door aan Monk.

'Zorg dat ze allemaal aan boord komen.'

Gray rende om de helikopter heen en nam plaats op de stoel van de piloot.

'Nog vijftien seconden!' riep Marcia.

Gray liet de motor harder draaien. De rotorbladen maakten een gierend geluid. Even later steeg de helikopter op. Gray was nog nooit zo blij geweest ergens weg te gaan. De helikopter kwam steeds hoger. Welke hoogte zouden ze moeten bereiken?

Hij liet de rotorbladen nog sneller draaien.

Terwijl ze omhoogkwamen, liet hij de helikopter zwenken. Hij speurde de grond af. Overal reden terreinwagens en motorfietsen in woeste vaart weg bij het huis.

Marcia telde af: 'Vijf, vier...'

Ze had de tijd niet helemaal correct bijgehouden.

Onder hen gloeide plotseling een verblindend licht op, alsof ze van de zon opstegen. Het was echter angstaanjagender dat er totaal geen geluid was te horen. Omdat Gray verblind was, kostte het hem moeite de helikopter in de lucht te houden. Het was alsof de lucht onder hen werd weggezogen. De helikopter begon te dalen.

En toen verdween het felle licht, het spoelde met een harde knal als water weg.

De rotorbladen vonden weer houvast, en de helikopter bleef op zijn plek hangen.

Gray liet de helikopter zwenken. Hij was doodsbang geworden. Hij keek naar de plek waar het huis had gestaan. Er lag nu een enorme krater met gladde wanden. De ontploffing was dwars door het steen van de bodem gegaan. Het leek wel alsof een machtige Titaan met een ijsschep het huis plus een gedeelte van de tuin had uitgegraven.

Er was niets meer. Geen puin. Alleen maar leegte.

Over de rand van de krater stroomde water van de beekjes en vijvers als watervallen in de diepte.

Verder van de rand vandaan zag Gray dat de terreinwagens en motorfietsen waren gestopt. Mensen stapten uit of af en liepen naar de krater toe. Khamisi's legertje was ongedeerd gebleven. De Zoeloes hadden het terrein terugveroverd dat ze lang geleden hadden moeten afstaan.

Gray vloog over hen heen en maakte vervolgens een rondje om de krater. Hij dacht aan het ontbrekende vat Xerum 525, het vat dat voor de Verenigde Staten was bestemd. Hij zette de radio aan en voerde een lange reeks beveiligingscodes in om Sigma te kunnen bereiken.

Het verraste hem dat Logan niet aan de lijn kwam, maar Sean McKnight, de vorige directeur van Sigma. Gray kreeg het ijskoud vanbinnen. Waarom was McKnight daar? Er moest iets aan de hand zijn... McKnight vertelde hem in korte bewoordingen wat er was gebeurd, en het laatste kwam als een schok.

Als verdoofd verbrak Gray uiteindelijk de verbinding.

Monk had zich naar hem toe gebogen, omdat hij had gemerkt dat Gray van streek was.

'Wat is er?' vroeg hij.

Gray draaide zich om. Hij wilde Monk aankijken terwijl hij hem op de hoogte bracht.

'Monk... Er is iets met Kat.'

17:47 EST
WASHINGTON, D.C.

Drie dagen waren voorbijgegaan. Drie lange, lange dagen waarin in Zuid-Afrika veel moest worden geregeld.

Eindelijk was hun vliegtuig geland op Dulles International, na een rechtstreekse vlucht vanuit Johannesburg. Monk had meteen afscheid van Gray en de anderen genomen en was er per taxi vandoor gegaan. Helaas kwam de taxi in een file terecht. Het had Monk moeite gekost het portier niet open te rukken en te voet verder te gaan, maar uiteindelijk loste de file op en reden ze verder.

Monk boog zich naar de chauffeur toe. 'Je krijgt vijftig dollar van me als je er binnen vijf minuten bent.'

De chauffeur gaf zo plotseling gas dat Monk tegen de rugleuning aan viel. Zo, dat was beter.

Binnen twee minuten zag hij al het samenraapsel van bruinige, bakstenen gebouwen. Ze flitsten langs een bord waarop stond: GEORGETOWN UNIVERSITY HOSPITAL. Met gierende banden stopten ze voor de hoofdingang, waarbij ze bijna tegen een ambulance knalden.

Monk gooide de chauffeur een stapeltje bankbiljetten toe en sprong uit de taxi.

Hij wrong zich door de deur, geërgerd dat die zo langzaam openschoof. Vervolgens stormde hij door de gang, om patiënten en ziekenhuispersoneel heen. Hij wist in welke kamer hij moest zijn.

In volle vaart rende hij langs de verpleegpost, zonder acht te slaan op het geroep dat hij zich eerst moest melden.

Vandaag niet, schat...

Monk vloog de hoek om en zag het bed. Hij rende ernaartoe, struikelde en gleed op zijn in een joggingbroek gestoken knieën verder. Met een knal kwam hij tegen de rand tot stilstand.

Met grote ogen keek Kat hem aan, haar lepeltje met knalgroene drilpudding bleef in de lucht hangen. 'Monk?'

'Ik ben gekomen zo gauw ik kon,' bracht hij hijgend uit.

'Maar ik heb je anderhalf uur geleden nog via je mobieltje met satellietverbinding gesproken!'

'Dat was alleen maar praten.'

Hij kwam overeind, boog zich over het bed heen en kuste haar stevig op haar mond. Om haar linkerschouder en bovenlichaam zat verband, verborgen onder het blauwe ziekenhuisjasje. Door de drie schotwonden had ze veel bloed verloren, en ze had een klaplong opgelopen, een gebroken sleutelbeen en een gescheurde milt.

Maar ze leefde nog.

Ze had verschrikkelijk geboft.

Over drie dagen zou Logan Gregory worden begraven.

Toch hadden ze samen Washington voor een terroristische aanval behoed. Ze hadden de handlanger van de Waalenbergs neergeschoten nog voordat het aanvalsplan in werking kon worden gesteld. De ceremoniële gouden Glocke lag diep onder de grond in de onderzoeksruimte van Sigma. Het vat Xerum 525 dat voor deze Glocke was bestemd, was aangetroffen op een overslagplaats in New Jersey. Tegen de tijd dat de geheime diensten het vat hadden opgespoord, gehinderd door de ondoorzichtige bedrijfsstructuur van de vele ondernemingen van de Waalenbergs, bleek de inhoud vergaan te zijn. Het vat had te lang in de zon gestaan en de inhoud was door de warmte inert geworden. Zonder brandstof zou geen van de Glockes die uit de andere ambassades waren gehaald ooit meer kunnen luiden.

Daar waren ze dus mooi van afgekomen.

Monk gaf de voorkeur aan evolutie op de oude, vertrouwde manier.

Hij liet zijn hand naar haar buik dwalen. Hij durfde er niet naar te vragen...

Dat hoefde hij dan ook niet. Kat bedekte zijn hand met de hare. 'Het gaat goed met de baby. De artsen zeggen dat ze geen complicaties verwachten.'

'Gelukkig.'

Kat streelde zijn wang.

Nog steeds op zijn knieën haalde Monk een zwart doosje uit zijn zak. Met gesloten ogen stak hij het haar toe, terwijl hij prevelde: 'Wil je met me trouwen?'

'Ja, hoor.'

Monk opende zijn ogen en keek in het gezicht van de vrouw van wie hij hield. 'Hè?'

'Ik zei: ja.'

Hij hief zijn hoofd op. 'Weet je dat wel zeker?'

'Probeer je me soms op andere gedachten te brengen?'

'Nou ja, je zit nog aan de medicijnen... Misschien kan ik je beter vragen...'

'Geef me die ring nou maar.' Ze pakte het doosje en deed het open. Zonder iets te zeggen bleef ze er een poosje in kijken. 'Er zit niets in.'

Monk nam het doosje van haar over en keek. De ring was verdwenen.

Hij schudde zijn hoofd.

'Hoe kan dat?' vroeg Kat.

Monk grauwde: 'Fiona.'

10:32

De volgende morgen lag Painter in een andere vleugel van Georgetown University Hospital. Langzaam kwam de ligplaat uit de donutvormige CT-scanner geschoven. De scan had meer dan een uur geduurd. Hij was bijna in slaap gevallen, want de afgelopen dagen was hij aan slapen nauwelijks toegekomen. In de nacht kwam alles op hem af.

Een verpleegster deed de deur open. Achter haar aan stapte Lisa naar binnen.

Painter ging zitten. Het was hier killetjes, maar hij had dan ook slechts een versleten ziekenhuisjasje aan. Hij had er graag toonbaarder uitgezien.

Lisa ging naast hem zitten. Ze knikte in de richting van de controlekamer. Een heleboel onderzoekers van Johns Hopkins en Sigma stonden met hun hoofden over het resultaat gebogen.

'Het ziet er goed uit,' zei Lisa. 'De verkalkingen worden teruggedraaid. Je bloedwaarden zijn bijna weer normaal. Misschien is er een beetje blijvende schade aan je aorta aangericht, maar dat hoeft niet eens zo te zijn. Je herstel gaat verrassend snel. Ik zou het haast wonderbaarlijk willen noemen.'

'Oké,' zei Painter. 'Maar dit dan?'

Hij streek met zijn handen door een witte lok vlak boven zijn oor.

Lisa streek er ook door. 'Ik vind het wel leuk staan. En je wordt helemaal beter.'

Hij geloofde haar. Voor de eerste keer geloofde hij echt dat hij zou herstellen. Opgelucht slaakte hij een zucht. Hij ging niet dood. Hij had nog een hele tijd te leven.

Hij pakte Lisa's hand, drukte er een kus op en liet hem zakken.

Blozend keek ze naar de ruit, maar ze trok haar hand niet weg toen ze een paar technische details met de verpleegster besprak.

Painter keek onderzoekend naar haar. Hij was naar Nepal gegaan om onderzoek te doen naar de ziekte waarover Ang Gelu hem had ingelicht. Het was persoonlijk geweest, een tijdje voor zichzelf, om tot inzicht te komen. Hij had wierook verwacht, en meditatie, gezang en gebeden, maar in plaats daarvan was het een afgrijselijke tocht geworden die de halve wereld had omspannen. Maar uiteindelijk was het resultaat misschien wel hetzelfde.

Hij klemde haar hand in de zijne. Hij had háár gevonden.

Hoewel ze de afgelopen dagen ontzettend veel hadden meegemaakt, kenden ze elkaar nauwelijks. Wie was ze eigenlijk? Wat at ze het liefst, wat maakte haar aan het lachen, hoe zou het zijn om met haar te dansen, wat zou ze in zijn oor fluisteren wanneer ze 's avonds afscheid namen?

Painter wist maar één ding zeker terwijl hij daar in dat belachelijke jasje zat, bijna naakt, en zijn DNA zowat helemaal uitgeplozen.

Hij wilde alles van haar weten.

14:22

Twee dagen later werden er op de nationale begraafplaats Arlington geweren in de lucht afgevuurd. Het was prachtig weer. Te mooi voor een begrafenis.

Gray stond een beetje apart. In de verte torende het graf van de Onbekende Soldaat boven de in het zwart geklede menigte rouwenden uit. Het bouwwerk, bestaande uit tachtig ton marmer uit Colorado, stelde een naamloos verlies voor, een leven dat voor het land was opgeofferd.

Logan Gregory hoorde daar nu ook bij. Een onbekende soldaat. Er waren maar weinig mensen op de hoogte van zijn heldendaad, het leven dat hij had gegeven om talloze andere levens te sparen.

Maar sommigen wisten dat wel.

Gray zag de vicepresident een opgevouwen vlag aan Logans moeder geven. Ze was geheel in het zwart gestoken en werd ondersteund door Logans vader. Logan was niet getrouwd geweest, hij had geen kinderen. Sigma was zijn leven geweest – en zijn dood.

Na de condoleancebetuigingen en het afscheid nemen, was de begrafenis afgelopen. Iedereen liep naar de stoet zwarte limousines en andere auto's.

Gray knikte Painter toe. Painter liep nog met een stok, maar hij ging dagelijks vooruit. Lisa Cummings liep gearmd met hem; niet om hem te ondersteunen, maar gewoon om dicht bij hem te zijn.

Monk liep achter hen aan naar de auto's toe.

Kat lag nog steeds in het ziekenhuis. De begrafenis zou voor haar toch te veel zijn geweest. Te veel in te korte tijd.

Eenmaal bij de auto's gekomen sprak Gray Painter aan. Er moest nog het een en ander worden afgehandeld.

Lisa drukte een kusje op Painters wang. 'Tot straks.' Samen met Monk liep ze weg. Ze zouden in een andere auto naar het huis van Logans ouders gaan.

Het had Gray verrast dat Logans ouders maar een paar straten van zijn eigen ouders vandaan woonden, ook in Takoma Park. Hij wist echt heel erg weinig van Logan.

Painter liep naar een Lincoln en deed het portier open. Ze stapten in en gingen op de achterbank zitten. De chauffeur liet het scherm tussen hem en de passagiers omhoogkomen, en de auto reed weg.

'Gray, ik heb je verslag doorgenomen,' zei Painter na een lange stilte. 'Interessant gezichtspunt. Ga zo door. Maar daarvoor moet je wel nog een keer naar Europa.'

'Ik heb daar toch nog een paar persoonlijke dingen te doen. Ik wilde je net vragen of ik er een beetje langer mocht blijven.'

Painter trok gespeeld vermoeid zijn wenkbrauwen op. 'Alweer vrije dagen? Is dat wel verstandig?'

Gray moest toegeven dat het de vorige keer niet echt van een leien dakje was gegaan.

Painter schoof onrustig heen en weer. Kennelijk had hij nog pijn. 'En dat verslag van Marcia Fairfield... Denk je echt dat het geslacht Waalenberg...' Hij schudde zijn hoofd.

Gray had het verslag ook gelezen. Hij wist nog dat hij met de Engelse vrouw diep onder de grond had rondgesnuffeld in de laboratoria. Marcia had gezegd dat de kostbaarste schat het diepst werd begraven. Dat gold ook voor geheimen, vooral geheimen van de Waalenbergs. Zoals hun experimenten met chimaera, het in de hersenen samenbrengen van menselijke en dierlijke cellen.

Maar dat was nog niet eens het ergste.

'We hebben de medische dossiers uit 1950 gelezen,' zei Gray. 'En er is bevestiging gekomen dat Baldric Waalenberg onvruchtbaar was.'

Painter schudde zijn hoofd. 'Geen wonder dat die kerel zo geobsedeerd was met fokken, kweken en genetica, dat hij voortdurend bezig was de natuur aan zijn wil te onderwerpen. Hij was de laatste Waalenberg... Maar zijn kinderen? Degenen die hij voor zijn experimenten gebruikte? Is het echt waar?'

Gray haalde zijn schouders op. 'Baldric was nauw betrokken bij het naziprogramma Lebensborn, waarbij ze zuivere ariërs wilden fokken. Er waren projecten op het gebied van eugenetica, vroege pogingen om eitjes en sperma duurzaam te bewaren. Na de oorlog was het programma met Xerum 525 niet het enige wat Baldric zomaar in de schoot viel. Hij wist zijn handen op nog iets te leggen: rietjes met ingevroren sperma. Baldric ontdooide ze en insemineerde zijn jonge echtgenote ermee.'

'Weet je dat heel zeker?'

Gray knikte. In het ondergrondse laboratorium had Marcia de ware stamboom gezien van de verbeterde familie Waalenberg. Ze had gezien welke naam er naast die van Baldrics vrouw had gestaan: Heinrich Himmler, het hoofd van de Zwarte Orde. Die rotzak van een nazi had na de oorlog dan wel zelfmoord gepleegd, maar hij had toch verder kunnen leven in het superieure Arische ras, het ras van nieuwe Duitse koningen, voortgekomen uit zijn eigen zaad.

'Nu de familie Waalenberg is uitgestorven, is dát monster ook eindelijk dood,' zei Gray.

'Laten we het hopen.'

Gray knikte. 'Ik sta nog steeds in contact met Khamisi. Hij houdt ons op de hoogte van wat er op het landgoed gebeurt. Een heel stel bewakers is gevangengenomen, maar hij is bang dat de dieren in het oerwoud zijn verdwenen. Waarschijnlijk zijn de meeste omgekomen bij de ontploffing, maar ze zoeken nog steeds naar exemplaren die het hebben overleefd.'

Khamisi was tot voorlopig hoofdjachtopziener van het Hluhluwe-Umfolozi wildpark benoemd. De Zuid-Afrikaanse regering had hem opsporingsbevoegdheid gegeven, en daarbij werd hij bijgestaan door Mosi D'Gana, het Zoeloestamhoofd. Paula Kane en Marcia Fairfield hielpen hem op technisch gebied, en zij namen de verdere afwikkeling binnen de geheime diensten voor hun rekening.

De twee vrouwen waren weer in hun huisje in het wildpark getrokken, blij dat ze allebei nog leefden. Fiona was bij hen komen wonen. Ze hadden Fiona ook al ingeschreven voor een voorbereidend programma voor de universiteit van Oxford.

Gray keek naar het voorbijschietende landschap. Hij hoopte dat ze in Oxford alles goed hadden vastgespijkerd. Het zou wel eens kunnen dat er daar een enorme toename van kleine criminaliteit ging komen.

Bij de gedachte aan Fiona herinnerde hij zich dat hij eens moest kijken hoe het met Ryan ging. Nu zijn vader dood was, had de jongen het huis te koop gezet. Hij wilde niet langer in de schaduw van de Wewelsburg leven.

Dat leek Gray ook het beste.

'Heb je het gehoord?' vroeg Painter. Ineens verdween de verdrietige uitdrukking op zijn gezicht, omdat hij even niet aan Logan hoefde te denken. 'Monk en Kat hebben zich gisteren verloofd.'

Voor de eerste keer die dag glimlachte Gray. 'Ja, dat heb ik gehoord.'

'Het is toch wat...'

In een prettiger humeur behandelden ze dit onderwerp. Het leven ging door. Ze bespraken nog een paar details, en uiteindelijk reden ze door de met bomen omzoomde straten van Takoma Park, waarna ze voor een negentiende-eeuws houten huis stopten.

Painter stapte uit.

Lisa was er al.

'Aan deze kant is nu alles geregeld?' vroeg Painter aan Gray.

'Ja.'

'Hou me op de hoogte van wat je in Europa te weten komt. En neem maar een paar dagen vrij.'

'Dank je.'

Painter gaf Lisa een arm, en samen liepen ze naar het huis.

Toen Gray was uitgestapt, kwam Monk naar hem toe. Hij knikte in de richting van Painter en Lisa. 'Wedje doen?'

Gray zag het paar de treden voor het huis op lopen. Sinds ze weg waren bij het landgoed van de Waalenbergs, waren ze bijna onafscheidelijk geworden. Anna was dood en Gunther was onvindbaar, en dus was Lisa de enige die informatie over de werking van de Glocke kon geven. Ze werd langdurig door Sigma ondervraagd. Maar Gray vermoedde dat die ondervragingen ook een excuus voor Painter en Lisa waren om bij elkaar te kunnen zijn.

De Glocke had meer gedaan dan Painter lichamelijk genezen.

Gray keek naar hun verstrengelde handen terwijl hij nadacht over wat Monk had gezegd, of hij er een weddenschap op durfde afsluiten. Misschien was het daarvoor nog te vroeg. Als het leven en het bewustzijn een kwantumverschijnsel waren, was de liefde dat misschien ook.

Liefhebben of niet liefhebben. De golf of het deeltje. Misschien was het voor Painter en Lisa nog steeds allebei, en moest de tijd nog uitmaken wat het zou worden.

'Ik weet het nog niet...' mompelde Gray bij wijze van antwoord op Monks vraag.

Hij liep naar het huis en dacht aan zijn eigen toekomst. Net als iedereen moest hij zijn eigen werkelijkheid meten.

EPILOOG

Hij was laat.

Gray liep over de groenmetalen brug over de Oder, de rivier die zich ook al groen uitstrekte en de ondergaande zon weerspiegelde.

Hij keek op zijn horloge. Rond deze tijd moest Rachels vliegtuig landen. Ze hadden afgesproken in een café aan de overkant van hun hotel in het historische centrum. Maar eerst had hij nog iets af te wikkelen, eerst moest hij nog iemand spreken.

Gray liep verder over het loopgedeelte van de brug. Onder hem zwommen een paar zwarte zwanen. Hoog in de lucht vlogen meeuwen die in het water werden weerspiegeld. Het rook er zilt, en ook naar de lelies die langs de oevers bloeiden. Deze tocht was begonnen bij een brug in Kopenhagen en eindigde bij deze andere brug.

Hij richtte zijn blik op de zwarte torenspitsen en met koper bedekte daken, de klokkentorens uit de renaissanceperiode. Wrocław had vroeger Breslau geheten, en was een vestingstad op de grens tussen Duitsland en Polen geweest. Grote delen waren tijdens de Tweede Wereldoorlog met de grond gelijkgemaakt, toen de Duitse Wehrmacht met het Russische Rode Leger slaags was geraakt.

Daarom was Gray hiernaartoe gekomen.

Voor hem uit rees het Domeiland op. De twee gotische torens van de dom van Johannes de Doper werden in een rossige gloed gezet. Maar

Gray ging niet naar de dom. Er waren op dit eiland talloze andere, kleinere kerken. Grays bestemming lag vlak bij de brug.

Hij stapte van de metalen brug af en liep verder over steen.

De kerk van de Heilige Petrus en Paulus was meer naar links. De kerk was gemakkelijk over het hoofd te zien, zo tegen de kade aan gebouwd. Gray zag een deurtje bij de stenige oever dat waarschijnlijk toegang gaf tot de refter.

Had hier ooit een kind gespeeld? Een bijzonder, volmaakt kind?

Gray wist uit de nog niet zo lang geleden toegankelijk geworden Russische dossiers dat er in het weeshuis van de Heilige Petrus en Paulus een moederloze jongen was opgevoed. Na de oorlog waren er veel van zulke kinderen geweest, maar Gray had de leeftijd geweten, het geslacht en de haarkleur.

Hij had gezocht naar een witblond jongetje.

Gray had ook in de dossiers gelezen dat het Rode Leger de stad grondig had doorzocht, ook de omringende bergen, waar ze ondergrondse nazilaboratoria hadden aangetroffen. Ze hadden ook een ontdekking in de Wenceslasmijn gedaan. Bijna hadden ze ss-Obergruppenführer Jakob Sporrenberg te pakken gekregen, de grootvader van Anna en Gunther, die er met de Glocke vandoor was gegaan. Lisa had van Anna gehoord dat Tola, Hugo's dochter, de baby in deze stad, in deze rivier, had verdronken.

Maar was dat wel zo?

Gray en een paar onderzoekers van Sigma hadden de oude dossiers goed uitgeplozen. En toen hadden ze iets gevonden: het dagboek van een priester die de leiding over het weeshuis had gehad. Hij had geschreven over een zuigeling die hier met zijn overleden moeder was aangetroffen, koud, nat en alleen. De moeder had een naamloos graf op een kerkhof in de buurt gekregen, maar naamloos was ze nu niet meer.

De jongen was hier opgegroeid. Hij was naar het seminarie gegaan en had de naam Piotr aangenomen.

Gray liep naar het deurtje. Hij had opgebeld om een gesprek met de nu eenenzestigjarige priester aan te vragen, onder het mom dat hij een boek over oorlogswezen aan het schrijven was. Gray pakte de ijzeren klopper en liet die op de verweerde deur neerkomen.

In de kerk hoorde hij zingen. Er was een dienst aan de gang.

Even later werd de deur geopend.

Gray wist meteen wie er voor hem stond. Van foto's herkende hij het gezicht zonder rimpels, het witte haar met de scheiding in het midden. Broeder Piotr droeg een spijkerbroek, een zwart overhemd met een priesterkraag, en een wollen vest.

Hij sprak Engels met een zwaar Pools accent. 'U bent zeker Nathan Sawyer?'

Dat was Gray niet, maar hij knikte toch bevestigend, hoewel hij het vervelend vond om tegen een priester te liegen. Maar dat was noodzakelijk, zowel voor de priester als voor hemzelf.

Hij schraapte zijn keel. 'Dank u wel dat u bereid bent me te woord te staan.'

'Dat spreekt vanzelf. Komt u toch binnen, alstublieft.'

Broeder Piotr ging Gray voor door een gang naar een kamertje met in de hoek een kolenkachel. Op de kachel stond een pot thee. Hij gebaarde dat Gray op een stoel moest plaatsnemen.

Zodra Gray was gaan zitten, haalde hij een vragenlijst tevoorschijn.

Piotr schonk thee voor hen in en nam plaats in een versleten fauteuil. Op een tafel naast de stoel lagen een bijbel en een paar detectiveromans, beschenen door een lamp met een glazen kap.

'U wilde een paar dingen over vader Varick weten,' zei Piotr met een vriendelijke lach. 'Een groot man.'

Gray knikte. 'Ik wilde u ook een paar vragen stellen over het leven in het weeshuis.'

Piotr nam een slokje thee en gebaarde dat Gray van start kon gaan.

De vragen waren niet erg belangrijk, ze vulden een paar lege plekken op. Gray wist het meeste al. Rachels oom Vigor, die aan het hoofd stond van de geheime dienst van Vaticaanstad, had Sigma een volledig bijgewerkt dossier over hem gegeven.

En in dat dossier werden ook medische zaken behandeld.

Broeder Piotr leidde een teruggetrokken leven binnen de Kerk. Er was niets bijzonders over hem te vertellen, behalve dat hij zijn kudde met trouwe toewijding leidde. Zijn gezondheid was buitengewoon goed. Er waren bijna geen medische gegevens. Als tiener had hij eens zijn been gebroken na een val. Verder blaakte hij van gezondheid. Hij was niet groot, zoals Gunther, en ook niet verrassend lenig, zoals de Waalenbergs. Hij genoot gewoon een goede gezondheid.

Tijdens het gesprek kwam er niets nieuws aan het licht.

Uiteindelijk sloeg Gray zijn opschrijfboekje dicht en bedankte de geestelijke voor de tijd die hij erin had willen steken. Voor de zekerheid zouden er nog bloed en een DNA-monster van vader Piotr worden afgenomen wanneer hij weer eens naar de dokter ging. Ook dat had Rachels oom geregeld. Maar Gray verwachtte geen bijzondere dingen.

Hugo's volmaakte kind bleek gewoon een aardige, bedachtzame man te zijn die een buitengewoon goede gezondheid genoot. Misschien was dat volmaaktheid.

Toen Gray wegging, zag hij een legpuzzel op een tafel in de hoek liggen. Hij gebaarde ernaar. 'Puzzelt u veel?'

Er verscheen een schuldbewuste en ontwapenende grijns op het gezicht van de geestelijke. 'Dat is een hobby van me. Daarmee houd je de geest scherp.'

Gray knikte en liep het kamertje uit. Hugo Hirszfeld had ook graag gepuzzeld. Was er in de Glocke iets van de Joodse wetenschapper overgegaan op het jongetje? Toen Gray de kerk uit liep en terug naar de rivier wandelde, dacht hij daarover na. Vaders en zoons. Was het pure genetica, of was er meer? Iets op kwantumniveau?

Dit was een heel nieuw gezichtspunt voor Gray. De verhouding tussen zijn vader en hem was nooit echt goed geweest; pas de laatste tijd ging het ietsje beter. En er waren ook andere dingen die hem zorgen baarden. Zoals die legpuzzels van Piotr... Wat had Gray van zijn vader geërfd? Hij kon niet ontkennen dat hij bang was ook Alzheimerpatiënt te worden, dat was genetisch heel goed mogelijk. Maar het ging veel dieper: wat voor vader zou hij zelf zijn?

Hoewel het al laat werd, bleef Gray zomaar op de brug staan.

Door die ene vraag werd alles ineens anders. Hij dacht aan het gesprek met Monk toen ze in het vliegtuig naar Duitsland zaten, over Rachel en Grays verhouding met haar. Monk had iets gezegd over de uitdrukking op Grays gezicht toen hij te horen kreeg dat Kat zwanger was van Monk. Hij had er geschrokken uitgezien. En het was niet eens zíjn kind...

Dat was de kern van zijn probleem: wat voor vader zou hij zelf zijn? Zou hij net zo zijn als zijn eigen vader?

Het antwoord kwam als vanzelf. Op de brug liep een meisje langs met een capuchon op. Meteen moest hij aan Fiona denken. Hij dacht aan die keer dat ze doodsbang was geweest en haar hand in de zijne had laten glijden. Ze had hem nodig gehad, ze had gewild dat hij het voor haar opnam. Hij wist nog heel goed hoe dat had gevoeld.

Hij omklemde de brugleuning.

Het was een heel prettig gevoel geweest. Een gevoel dat naar meer smaakte.

Hij lachte hardop. Hij hoefde helemaal niet zoals zijn vader te worden. De mogelijkheid bestond dat hij in zijn vaders voetsporen zou treden, maar hij beschikte ook over een vrije wil, een bewustzijn dat het aanwezige potentieel in beide richtingen kon buigen.

Hij voelde zich van een zware last bevrijd, en liep verder over de brug.

Deze werkelijkheid mocht botsen met andere mogelijkheden, die als dominostenen omvielen, de een na de ander, totdat ze bij de laatste mogelijkheid kwamen die nog wankel overeind stond: Rachel.

Hij had het einde van de brug bereikt en liep in de richting van het café waar ze elkaar zouden ontmoeten.

Toen hij daar aankwam, zat ze op het terras al op hem te wachten. Ze moest nog maar net zijn gearriveerd. Ze had hem nog niet gezien. Hij bleef staan, alweer onder de indruk omdat ze zo mooi was. Dat overkwam hem elke keer dat hij haar na een hele tijd weer zag. Ze was lang, met lange benen en een goed figuur. Ze keek op en zag hem daar staan. Er verscheen een lach op haar gezicht, en in haar ogen stond een warme blik. Haast verlegen haalde ze haar hand door haar donkerbruine haar.

Wie zou niet zijn hele verdere leven bij haar willen zijn?

Hij liep op haar toe en stak zijn hand naar haar uit.

Op dat moment moest hij weer denken aan dat gesprek met Monk. Over waar het met Gray en Rachel naartoe moest. Monk had drie vingers opgestoken: een echtgenote, een hypotheek, kinderen.

Met andere woorden: de werkelijkheid.

Een werkelijkheid die niet als zuiver potentieel in de lucht kon blijven hangen. Zowel liefhebben als niet liefhebben. Dat pikte de evolutie niet. De werkelijkheid moest ooit worden gemeten.

En dat gebeurde nu voor Gray. Een echtgenote, een hypotheek, kinderen...

Gray kende het antwoord. Hij was er klaar voor. En toen hij dat eenmaal besefte, viel het laatste dominosteentje om.

Liefhebben of niet liefhebben. De golf of het deeltje.

Gray nam Rachels hand in de zijne. Het was nu allemaal heel duidelijk, en toch kwam het resultaat als een verrassing. Hij nam plaats aan het tafeltje, waar al een bordje met cakejes op stond en twee dampende kopjes koffie.

Rachel had zoals gewoonlijk overal aan gedacht.

Hij keek diep in haar ogen. Toen hij sprak, klonk het verontschuldigend, maar ook vastberaden.

'Rachel, we moeten eens praten.'

Hij zag het ook in haar ogen. De werkelijkheid. Twee carrières, twee werelddelen, twee mensen die elk hun eigen pad moesten volgen.

Ze kneep in zijn hand. 'Ja.'

Broeder Piotr had de jonge man nagekeken terwijl die over de brug liep. Hij stond bij de open deur naar de wijnkelder. Hij wachtte totdat zijn bezoeker uit het oog was verdwenen, en slaakte toen een zucht.

Een aardige man, maar wel iemand met problemen. De arme jongen zou nog veel verdriet te verwerken krijgen. Maar zo gaat dat nu eenmaal in het leven.

Zijn aandacht werd getrokken door zacht gemiauw. Een mottige kat streek langs zijn benen, met haar staart in de lucht gestoken. Ze keek hem vol verwachting aan. Een van broeder Varicks zwerfkatten. Nu zorgde Piotr voor ze. Hij knielde en zette een schoteltje op een steen. De kat gaf hem nog een kopje en begon vervolgens gretig te eten.

Geknield keek broeder Piotr over de rivier uit, die door de zon in een vurige gloed werd gezet. Opeens viel zijn oog op een hoopje veren op de grond. Een musje met een gebroken nekje. Een van de gaven die de zwerfkatten voor hem voor de deur legden.

Hoofdschuddend pakte hij het slappe lichaampje op en hield het bij zijn mond. Hij blies tegen de veertjes, zodat ze weer overeind kwamen te staan. Vervolgens strekte hij een vleugel uit. De wind kreeg er vat op, en de vogel vloog op, steeds hoger de lucht in, en draaide toen een rondje.

Piotr keek het musje na en probeerde te ontcijferen wat het in de lucht schreef. Vervolgens veegde hij zijn handen af en kwam overeind.

Het leven was een wonderbaarlijk mysterie. Zelfs voor hem.

NAWOORD VAN
DE AUTEUR

Ik wil de lezer graag bedanken voor het me vergezellen op deze tocht. Zoals gewoonlijk wil ik deze laatste momenten gebruiken om de roman te ontleden, om duidelijk te maken waar onderzoek ophield en de verbeelding het overnam.

Eerst de minder belangrijke dingen.

DARPA heeft inderdaad protheses ontworpen die van revolutionaire technieken gebruikmaken (maar ik geloof niet dat er explosieven in de kunststof onderdelen worden verwerkt).

Net als bij de ukufa in dit boek zijn er op Stanford University daadwerkelijk muizen gekweekt met menselijke zenuwcellen in de hersenen. Wetenschappers overwegen nu muizen te kweken met hersenen die voor honderd procent uit menselijk weefsel bestaan.

In 2004 werd er in Duitsland een jongetje geboren met een genmutatie voor myostatine. De jongen beschikte over een dubbele spiermassa, en was dus bijzonder sterk. Was dit de eerste op natuurlijke wijze geboren Sonnenkönig?

In 1998 werd in het Himalayagebergte Shangri-La ontdekt, een verloren gewaande oase met stromend water en een weelderige plantengroei te midden van met eeuwige sneeuw bedekte bergtoppen. Wat zou er daar nog meer kunnen worden aangetroffen?

En dan nu het grote werk.

Zoals ik aan het begin van het boek al duidelijk maakte, heeft de Glocke werkelijk bestaan. Dat bewijst maar weer eens dat de werkelijkheid vaak vreemder is dan de verbeelding. De nazi's hadden een merkwaardig apparaat ontwikkeld dat werkte op een brandstof die Xerum 525 werd genoemd. Er is weinig over de werking van het apparaat bekend, alleen dat als het werd opgestart, de wetenschappers geveld werden door een vreemde ziekte, evenals de bewoners van de dorpen in de buurt. Na de oorlog was de Glocke verdwenen. De wetenschappers die erbij betrokken waren, waren geëxecuteerd, en tot op de dag van vandaag weet niemand wat er van het apparaat is geworden. Als u meer wilt weten over deze vreemde episode in de geschiedenis, over de wedloop tussen de geallieerden die allemaal de hand op de nazitechnologie probeerden te leggen, raad ik u het volgende boek aan: *The Hunt for Zero Point*, geschreven door Nick Cook. Het was mijn bijbel toen ik onderzoek voor dit boek verrichtte.

In dit boek heb ik ook verteld over Heinrich Himmlers fascinatie met runen, occulte zaken en zijn speurtocht naar de bakermat van het Arische ras in het Himalayagebergte. Dit is allemaal op feiten gebaseerd, evenals Himmlers Zwarte Camelot: de Wewelsburg. Voor meer informatie over deze onderwerpen raad ik de volgende boeken aan: *Himmler's Crusade* door Christopher Hale, en *Unholy Alliance* door Peter Levenda.

Er is nog een boek dat ten grondslag ligt aan deze roman: *Quantum Evolution* door Johnjoe McFadden. Dit boek is een fascinerende verhandeling over kwantummechanica en de mogelijke rol daarvan in de evolutie. Er wordt ook getipt aan de evolutie van het bewustzijn, zoals dat in mijn boek op het laatst ook voorkomt. Om deze onderwerpen beter te kunnen begrijpen, raad ik u echt aan *Quantum Evolution* te lezen.

En dan komen we bij de kern van het boek: intelligent design tegenover evolutie. Ik hoop dat dit boek evenveel vragen als antwoorden oproept. Zelf geloof ik dat het huidige debat erover niet ter zake is. De aandacht gaat vooral uit naar de vraag waar we vandaan komen, terwijl het beter zou zijn de volgende vraag te stellen: waar gaan we naartoe?

Om daar het antwoord op te vinden, is al mysterieus en avontuurlijk genoeg.

WOORD VAN DANK

Het schrijven van een roman is afgezien van de tijd die men voor een leeg scherm doorbrengt, toch een proces van samenwerken. Er zijn talloze mensen die hun stempel op dit boek hebben gedrukt. Om te beginnen wil ik graag Penny Hill bedanken voor de lange lunches en haar goed doordachte commentaar, maar vooral voor haar vriendschap. Datzelfde geldt voor Carolyn McCray, die me altijd weet te overtuigen er nog een schepje bovenop te doen. Ik wil ook graag de vrienden bedanken die ik elke week in Coco's Restaurant ontmoet: Steve en Judy Prey, Chris Crowe, Lee Garrett, Michael Gallowglas, Dave Murray, Dennis Grayson, Dave Meek, Jane O'Riva, Dan Needles, Zach Watkins en Caroline Williams. Zij zijn de stuwende kracht achter me. En nog een speciaal bedankje voor auteur Joe Konrath voor zijn energieke steun en de diepzinnige gesprekken over de onderwerpen die in dit boek aan de orde komen. En ook voor David Sylvian, die overal met een camera rondsjouwt, zelfs naar de hoogste toppen van de Sierra's. De inspiratie voor dit boek heb ik opgedaan uit de werken van Nick Cook en het intrigerende onderzoek van Johnjoe McFadden. En ten laatste wil ik de vier mensen bedanken die me in alle stadia van de wordingsgeschiedenis met raad en daad terzijde hebben gestaan: redacteur Lyssa Keusch, haar collega May Chen, en mijn literair agenten Russ Galen en Danny Baror. Zoals altijd wil ik er de nadruk op leggen dat alle eventuele vergissingen in dit boek volledig aan mij zijn toe te schrijven.